Essais

(1582)

Michel de Montaigne

Essais
(1582)

Texte présenté par Philippe Desan
Paris, Société des Textes Français Modernes, 2005

La Société des Textes Français Modernes, fondée en 1905, fête son centenaire. A cette occasion, en collaboration avec les *Montaigne Studies* (University of Chicago), elle édite cette reproduction en fac-similé des *Essais* de Montaigne (Bordeaux, 1582).

1004635870.

200 exemplaires hors commerce, numérotés I-XVI et 17-200, sont réservés aux membres du Conseil d'Administration et aux sociétaires.

ISSN 0768-0821
ISBN 2-86503-277-9

INTRODUCTION

Quand Montaigne publie ses premiers *Essais*[1] en 1580, il ne jouit pas encore de la notoriété qui fera bientôt de lui un des auteurs les plus importants de la Renaissance française. Le célèbre avis « Au lecteur », daté du 1er mars 1580, reflète cette ambiguïté vis-à-vis d'un lecteur plus qu'incertain. Au tout début de l'année 1580 Montaigne avait soumis à Simon Millanges un manuscrit singulier, hors des catégories éditoriales en vigueur à cette époque. Prenons donc Montaigne au sérieux quand il nous dit que son livre ne s'adresse qu'à peu de gens. Les *Essais* de 1580 et de 1582 n'ont en effet rien de comparable avec ce que deviendra le projet montaignien à partir des années 1585-1588. La critique a malheureusement toujours tendance à établir un amalgame entre les diverses éditions des *Essais* publiées du vivant de l'auteur. Comme si Montaigne avait conçu dès 1572 la fameuse méthode des « allongeails » qui fit sa fortune et contribua largement à sa renommée posthume. Nous aurions ainsi un enchaînement parfait entre les diverses « couches » des *Essais*, une continuité qui aboutirait inévitablement au célèbre Exemplaire de Bordeaux, seul texte capable de rendre compte de l'entreprise littéraire novatrice de Montaigne.

---

[1] Le nom *Essais* ne sera précédé d'un article défini (*Les Essais*) qu'après le décès de Montaigne. L'édition posthume des *Essais* établie par Marie de Gournay en 1595 comprendra pour la première fois cet article que l'on retrouve dans toutes les éditions du XVIIe siècle. Notons que l'édition publiée à Lyon par Gabriel La Grange en 1593 donne *Livre des Essais*. L'édition pirate publiée « De Lyon » (Genève) en 1595 par François Le Febvre introduit aussi un article défini (*Les Essais*).

La façon dont Montaigne accumule du texte entre 1572 et 1592 est pourtant motivée par des projets qui nous semblent différents dans le temps. Il est même probable que la pratique systématique des « allongeails » ne sera pleinement développée qu'après 1585, c'est-à-dire postérieurement à son séjour à la mairie de Bordeaux. Il paraît donc essentiel de différencier les raisons qui poussèrent Montaigne à publier ses *Essais* en 1580, 1582, 1588, et à préparer la nouvelle édition sur laquelle il travaillait au moment de son décès. Ces logiques de publication doivent être contextualisées car elle répondent à des ambitions de carrières différentes de la part de Montaigne[2].

Après la vente de sa charge de magistrat en juillet 1570, Montaigne se met à vivre noblement sur ses terres, un mode de vie en accord avec son nouveau rang de gentilhomme et ses titres récemment acquis : à la fois chevalier de l'ordre de Saint Michel et gentilhomme ordinaire de la Chambre du roi[3]. Puisqu'il a pris le parti de ne pas guerroyer, Montaigne tente sa chance comme homme de lettres. S'il échoue dans ses ambitions de carrière, il aura au moins laissé un livre qui le rappellera au souvenir de ses descendants et de ses proches. C'est du moins ce qu'il nous dit ! En ce sens l'échec n'est pas possible et l'avis au lecteur des *Essais* met subtilement en valeur ces deux publics pourtant bien différents : le lecteur générique interpellé dans le titre même de ce texte liminaire et la proche famille – comprenons aussi dans ce terme la *familia* princière

---

[2] Nous reprenons ici le terme de George Hoffmann (*Montaigne's Carrer*, Oxford, Clarendon Press, 1998) qu'il nous semble néanmoins essentiel de mettre au pluriel. En effet, alors qu'il se lance d'abord dans une carrière de magistrat, Montaigne affichera ensuite des prétentions de médiateur et d'acteur politique avant de devenir, finalement, auteur à part entière.

[3] Pour ce qui est de l'ordre de Saint Michel, Jean Balsamo remarque avec justesse que la lettre royale, datée du 18 octobre 1571, « donne peu de précisions sur les raisons de cette distinction exceptionnelle, jamais accordée à un parlementaire, ne mentionnant que 'les mérites et vertus' du récipiendaire, ainsi que le témoignage de la bienveillance du roi » (« Montaigne et ses patrons », in *Montaigne politique*, sous la direction de Philippe Desan, Paris, H. Champion, 2006).

et politique qui entoure Montaigne – qui est censée recevoir un portrait de papier consubstantiel à l'homme. Ce portrait met en avant les qualités critiques et analytiques de l'auteur ainsi que sa force de jugement, autant d'aptitudes propres à faire de Montaigne un agent idéal pour le pouvoir en place. Ainsi, en 1580, son livre pourra-t-il aussi lui servir de recommandation et faciliter son entrée à la cour. Rappelons que la nouveauté des *Essais* est précisément d'établir une homologie parfaite entre l'homme et l'œuvre : une comparaison que Montaigne ne manquera pas d'évoquer devant le roi.

C'est probablement en 1579 (le privilège est daté du 9 mai 1579) que Montaigne s'adressa à Millanges pour imprimer son ouvrage[4]. L'accord fut conclu. Comme c'était la règle dans ce milieu provincial, Montaigne devait contribuer aux frais d'impression (très certainement au moins pour le papier), mais le livre pourrait voir rapidement le jour. Montaigne ironisera plus tard sur le fait qu'il eut à participer aux frais de publication de la première édition des *Essais* : « En mon climat de Gascongne, on tient pour drolerie de me veoir imprimé [...]. J'achette les imprimeurs en Guiene, ailleurs ils m'achettent »[5]. Même s'il faut se méfier de cette déclaration et y voir la preuve d'une publication à compte partiel plutôt qu'à compte d'auteur, toujours est-il que la première édition des *Essais* fut imprimée à la hâte dans l'atelier de Millanges. Le résultat s'en ressent. Les deux volumes possèdent des polices de tailles différentes, les coquilles sont nombreuses, la pagination fautive, et la présentation générale inégale à cause d'un calibrage approximatif et modifié durant l'impression[6]. Bref, Montaigne – qui a

---

[4] Ancien régent du Collège de Guyenne, Simon Millanges signa le 4 février 1573 un contrat avec la ville de Bordeaux où il s'engageait, moyennant la fourniture d'un logement, à établir en cette ville une imprimerie. En 1576, des lettres patentes lui accordèrent le privilège d'imprimeur ordinaire du Roi.

[5] *Essais*, III, 2, 809. Nous donnons la pagination de l'édition Villey-Saulnier publiée par les Presses Universitaires de France.

[6] Sur la composition du texte de 1580, nous renvoyons à l'article de Jeanne Veyrin-Forrer, « La composition par forme et les *Essais* de 1580 », in *Editer les Essais de Montaigne*, sous la direction de Claude

toujours accordé une grande importance à l'objet-livre – ne pouvait guère être satisfait de l'aspect physique et matériel de son ouvrage.

Il avait également été forcé de modifier l'organisation du livre alors que celui-ci était déjà en cours d'impression. Rappelons à ce sujet l'affaire du *Discours de la servitude volontaire* que Montaigne voulait initialement publier dans ses *Essais*. En effet, par arrêt du Parlement de Bordeaux en date du 7 mai 1579, les *Mémoires de l'Estat de France*, dont le troisième volume contenait le *Discours*, furent brûlés solennellement sur la place de l'Ombrière à Bordeaux[7]. Montaigne se devait de supprimer ce discours de ses *Essais* :

> Parce que j'ay trouvé que cet ouvrage a esté mis en lumiere, et à mauvaise fin, par ceux qui cherchent à troubler et changer l'estat de nostre police, sans se soucier s'ils l'amenderont, qu'ils ont meslé à d'autres escris de leur farine, je me suis dédit de le loger icy. Et affin que la memoire de l'auteur n'en soit interessée en l'endroit de ceux qui n'ont peu connoistre de pres ses opinions et ses actions, je les advise que ce subject fut traicté par luy en son enfance, par maniere d'exercitation seulement, comme subjet vulgaire et tracassé en mille endroits des livres.[8]

Hommage et récupération d'une amitié qui ne fut peut-être pas si simple qu'on a bien voulu l'entendre[9]. Le *Discours* aurait pu contribuer au ton politique que Montaigne envisageait pour son livre, mais il était désormais nécessaire de le renier. Le remplacement à la dernière minute du *Discours de la servitude volontaire* par les vingt-neuf sonnets de La Boétie ajoute à l'aspect mal soigné et quelque peu brouillon du livre. Mais il fallait de

---

Blum et André Tournon, Paris, H. Champion, 1997, pp. 23-44.

[7] Voir Roger Trinquet, « Montaigne et la divulgation du *Contr'un* », *Revue d'Histoire Littéraire de la France*, vol. 64, n° 1, 1964, pp. 1-12.

[8] *Essais*, I, 28, 194.

[9] Voir à ce sujet notre chapitre, « 'Ahaner pour partir' ou les dernières paroles de La Boétie selon Montaigne », in *Montaigne dans tous ses états*, Fasano, Schena Editore, 2001, pp. 13-36. La « place » de La Boétie dans les *Essais* s'amenuisera au fur et à mesure des éditions et sera finalement reléguée à l'arrière-plan après 1588.

toute évidence faire vite[10]. Le livre sortira en avril ou mai 1580[11]. Une question se pose alors : pourquoi Montaigne précipita-t-il la fabrication de son livre ?

La réponse à cette question se trouve peut-être dans la chronologie offerte par le *Journal de voyage*. Le 22 juin[12] Montaigne quitta son château pour se rendre au siège de La Fère[13] en Picardie. Il passa d'abord par la capitale où nous savons qu'il remit un exemplaire de ses *Essais* à Henri III[14]. Ce rendez-vous était-il déjà convenu depuis quelque temps ? Montaigne aurait alors fait accélérer l'impression de son livre afin de se rendre à la cour avec quelques exemplaires fraîchement reliés. Il profita aussi de ce voyage pour rééditer sa traduction de la *Théologie naturelle*[15]. On peut en effet supposer

---

[10] George Hoffmann nous signale qu'en 1582 Montaigne corrige aussi quelques vers dans les sonnets de La Boétie qui composent le vingt-neuvième chapitre, ce qui démontre qu'il les lisait plus attentivement en 1582 que lorsqu'il les avait substitués au *Discours de la servitude volontaire* dans la première édition. Cette précipitation explique peut-être pourquoi Montaigne parle de son livre comme d'un « fagotage de tant de diverses pieces » (II, 37, 758).

[11] La même année, Simon Millanges publie onze ouvrages (contre neuf en 1579). Parmi les livres imprimés en 1580 par Millangs, citons les auteurs et titres suivants : Elie Vinet, *Eutropii Breviarium historia Romana...* ; Renoul, *La Mort aux vers ou traité nécessaire, utile, et salutaire au corps humain contre les vers* ; Virgile, *Georgicorum liber I* ; Arnaud de Pontac, *Constitutiones promulgatae a reverendissimo D. Arnaldo de Pontac* ; Andrea Palladio, *Liber de Architectura* ; Ausone, *Burdigalensis, viri consularis....* Notons aussi deux ouvrages de grammaire et alphabet grecs ainsi que deux livres d'ordonnances et de « remontrances » du roi Henri III.

[12] Cette date nous est donnée par Montaigne lui-même à la fin de son *Journal de voyage*.

[13] La Fère était alors une place forte que le maréchal de Matignon tentait de reprendre aux Protestants. Le siège commença le 7 juillet et s'acheva par un succès le 12 septembre.

[14] Cette entrevue eut certainement lieu à Saint-Maur où Henri III séjourna durant l'été 1580.

[15] Si l'impression de la *Théologie* de 1569 fut peut-être décidée par le père de Montaigne, l'édition de 1581 sera quant à elle celle du fils.

que, lors de son séjour à Paris, Montaigne déposa chez Gilles Gourbin (le libraire marchand qui obtint le privilège pour l'impression de l'édition de 1569 de la *Théologie naturelle*) une version corrigée et très légèrement révisée de sa traduction de Raymond Sebond. Son nom apparaîtra désormais sur la page de titre avec tous ses titres : « messire Michel, Seigneur de Montaigne, Chevalier de l'ordre du Roy, & Gentil-homme ordinaire de sa chambre ». On remarquera que l'ordre des titres est identique à celui de la page de titre de l'édition des *Essais* de 1580, ce qui nous permet de déduire que Gourbin copia le titre à partir d'un exemplaire des *Essais* de 1580 qui lui fut remis par l'auteur. Montaigne double donc la mise : ses titres sont désormais disséminés par deux ouvrages différents. Se mêler de théologie – surtout après les précautions prises dans « L'Apologie de Raymond Sebond » qui sert en quelque sorte d'introduction pour cet ouvrage – pourrait également servir ses ambitions politiques[16].

La nouvelle édition de la *Théologie naturelle* publiée en 1581 joue une fonction bien différente du simple exercice de traduction qu'elle avait en 1569. L'instigateur (Pierre Eyquem) du projet est décédé depuis longtemps et Montaigne réclame désormais la paternité de sa traduction qu'il considère comme l'autre pendant de sa compétence intellectuelle. Si la traduction de 1569 était passée presque inaperçue, Montaigne compte bien donner plus de visibilité à cette nouvelle impression parisienne. On a prétendu que Montaigne se livra à des corrections sur un exemplaire de 1569 qu'il aurait emporté avec lui lors de son voyage en Italie. Cette hypothèse est pourtant peu probable. La *Théologie naturelle* de 1581 comporte en effet un achevé d'imprimer daté du 22 septembre 1581. Si l'on compte au moins cinq mois pour la fabrication du livre, nous remontons au printemps 1581. On voit mal Montaigne envoyer d'Italie un exemplaire corrigé sans avoir auparavant convenu des détails de l'impression (dont la nouvelle page de titre) avec l'éditeur. Rappelons également qu'aucun exemplaire de la

---

[16] Voir notre article, « Les politiques éditoriales de Montaigne », in *Montaigne politique, op. cit.*

Théologie naturelle n'est mentionné parmi les livres saisis le 20 mars 1581 par la censure romaine. Un tel ouvrage aurait sans aucun doute attiré l'attention des autorités pontificales. Le piège pour la critique est encore une fois de considérer Montaigne comme cet avide correcteur – particulièrement lorsqu'il voyage ! Il existe certes un exemplaire annoté de la *Théologie* de 1569 mais ce livre n'est pas apparu depuis sa description sommaire par Alain Brieux en 1957[17]. Il subsiste en effet des doutes sur la paternité de ces corrections manuscrites. Seul un examen détaillé de cet exemplaire – aujourd'hui dans une collection privée – permettra de déterminer si ces corrections sont bien de la main de Montaigne. Connaissant les pratiques des protes et des compositeurs de l'époque, il est néanmoins peu probable que cet exemplaire ait pu servir à la composition de l'édition de 1581. Les manuscrits ou exemplaires de travail (*exemplars*) étaient généralement détruits car ils étaient le plus souvent maculés d'encre et surchargés de renvois divers notés dans les marges par les protes au moment de la fabrication d'un nouveau livre[18].

Mais revenons aux *Essais* de 1580. Quand Montaigne présente son livre au roi en juillet 1580, il entend bien que son geste ait des retombées politiques. On a ainsi justement parlé d'une offre de service de la part de Montaigne, une sorte

---

[17] Voir Alain Brieux, « Autres souvenirs de Michel de Montaigne », *Bibliothèque d'Humanisme et Renaissance*, vol. 20, 1958, pp. 370-376. Brieux reproduit trois pages de cet exemplaire et dénombre 229 mots ou groupes de lettres corrigés, en plus de nombreux signes typographiques. Ces 229 mots ajoutés ou modifiés sont pourtant loin de représenter un travail considérable. Ce sont des corrections de langue qui ne portent pas sur le fond de l'ouvrage – du moins d'après les exemples fournis par Brieux et notre propre comparaison textuelle effectuée sur une centaine de pages des deux éditions. Joseph Coppin confirme qu'un grand nombre de fautes d'impressions ont été corrigées mais « il ne semble pas y avoir de modifications dans le sens » (Joseph Coppin, *Montaigne traducteur de Raymond Sebon*, Lille, Imprimerie H. Morel, 1925, p. 46, note 2).

[18] Nous avons expliqué ailleurs cette pratique des imprimeurs de la Renaissance (*Montaigne dans tous ses états, op. cit.*, chapitre 4).

d'amitié bien particulière proche de la fonction de conseiller[19].
A en croire La Croix du Maine, le roi aurait complimenté
Montaigne sur son ouvrage. Ce dernier aurait alors répondu :
« Sire [...] il faut donc nécessairement que je plaise à votre
Majesté, puisque mon Livre lui est agréable, car il ne contient
autre chose qu'un discours de ma vie et de mes actions »[20]. On
comprend dès lors mieux cette stratégie littéraire qui vise à
établir une consubstantialité entre le livre et l'auteur. Si le livre
a séduit le roi, c'est que Montaigne plaît au roi. Nous avons
montré ailleurs que le livre représente l'objet grâce auquel
Montaigne peut s'adonner à l'échange, il devient souvent une
monnaie d'échange qui permet à l'auteur de réaliser ses dé-
sirs[21]. En 1580, le livre sert d'introduction pour une carrière
qui se situe non pas dans l'écriture mais bien dans le domaine
du politique. Nombre de chapitres des deux premiers livres des
Essais mettent pour cette raison l'accent sur l'orientation
politique et militaire de l'ouvrage[22]. L'édition de 1580 des
Essais sert en quelque sorte de *curriculum vitæ* et permet ainsi
à Montaigne de s'introduire et de se faire connaître auprès des
grands du royaume, mieux qu'il ne l'avait fait en 1571 avec
l'édition des œuvres de La Boétie[23].

---

[19] Voir Alain Legros, « Montaigne, son livre et son roi », *Studi Francesi*, vol. XLI, fasc. II, 1997, pp. 259-274.

[20] François de La Croix du Maine, *Bibliotheque françoise*, Paris, Abel L'Angelier, 1584, p. 328.

[21] Philippe Desan, *Les Commerces de Montaigne. Le discours économique des Essais*, Paris, A.-G. Nizet, 1991, pp. 60-74. Sur la symbolique du don du livre à la Renaissance, voir Natalie Zemon Davis, « Beyond the Market : Books as Gifts in Sixteenth-Century France », *Transactions of the Royal Historical Society*, 5e série, n° 33, 1983, pp. 69-88.

[22] Les premiers traducteurs de Montaigne ne s'y tromperont pas puisque, en 1590, Girolamo Naselli offre le titre suivant pour le livre de Montaigne : *Discorsi morali, politici e militari*. En 1603 John Florio choisit quant à lui *Essayes or Morall, Politike and Millitarie Discourses*. Notons que Florio entreprit sa traduction des *Essais* dès 1595.

[23] Montaigne avait utilisé cette même stratégie au moment de la publication des œuvres de La Boétie en 1571-1572. En effet, chaque

Les éditions de 1580 et 1582 des *Essais* répondent à des logiques différentes. La première (1580) possède un *public royal*, la seconde (1582) est de nature plus locale et touche un public bordelais ou du moins périgourdin. Les *Essais* de 1580 rendront possible l'obtention d'une charge politique importante (la mairie) alors que l'édition de 1582 aura un double but : d'abord une opération commerciale non négligeable pour Millanges, mais aussi et surtout la diffusion du nom de Montaigne pour une audience plus large. A ce sujet, on a soutenu que l'édition de 1580 n'avait nullement vocation de rester une « édition bordelaise », avançant que les livres imprimés par Millanges avaient souvent une distribution nationale, ou du moins parisienne[24]. On pourrait néanmoins s'étonner sur le choix de Millanges si Montaigne avait véritablement envisagé une diffusion nationale pour son livre. Rappelons que Montaigne avait fait appel à des imprimeurs parisiens pour sa traduction de la *Théologie naturelle* et les œuvres de La Boétie[25].

---

pièce – chaque « lopin » dirons-nous – de La Boétie avait été subtilement envoyée (avec lettre dédicatoire à l'appui) aux hommes influents de l'époque : Louis de Lansac, Henri de Mesmes, Michel de l'Hospital, François de Foix. Lansac et Mesmes appartenaient au Conseil privé du roi, L'Hospital était Chancelier. Les *Vers françois* publiés séparément sont quant à eux dédiés à François de Foix, également conseiller du roi et ambassadeur « pres la Seigneurie de Venise ». Toutes ces dédicaces sont choisies avec la plus grande attention et aspirent à positionner Montaigne au sein d'un réseau politique princier. A ce sujet, voir Alain Legros, « Montaigne politique malgré lui », in *Montaigne politique*, *op. cit.*

[24] Voir Michel Simonin, « Le Périgourdin au Palais : sur le voyage des *Essais* de Bordeaux à Paris », in *Le Parcours des Essais. Montaigne 1588-1988*, sous la direction de Marcel Tetel et Mallary Masters, Paris, Aux Amateurs de Livres, 1989, pp. 17-30.

[25] Il s'agit de Michel Sonnius, Gilles Gourbin et Guillaume Chaudière pour la *Théologie naturelle* et Fédéric Morel pour la *Mesnagerie de Xénophon* et les *Vers françois* de La Boétie. Il est certes possible que ce soit le père de Montaigne qui trouva ces imprimeurs pour la *Théologie naturelle*, mais Montaigne semble avoir suffisamment de contacts parisiens pour être capable en 1580 de se faire imprimer à Paris – surtout à compte d'auteur !

Michel Simonin a vu dans le choix de cet imprimeur « tout d'abord la détermination (l'obligation morale et politique) du futur maire de Bordeaux à publier chez l'éditeur municipal en titre cette œuvre personnelle à vocation domestique et privée »[26]. Ne mettons pourtant pas la charrue avant les bœufs car Montaigne est certainement loin de s'imaginer maire de Bordeaux en 1579. S'il choisit Millanges, c'est peut-être tout simplement pour aller plus vite en besogne. Comme le remarque justement Claude Blum, « la décision de Montaigne de publier à Bordeaux est délibérée et a dû être largement pesée »[27]. La proximité de l'imprimeur est indubitablement un avantage certain quand le temps presse. Il faut de plus s'interroger sur le but principal de l'impression de 1580 qui a peut-être moins à voir avec un véritable public – le genre ne s'y prête guère – qu'avec la présentation individualisée pour le roi et quelques princes et seigneurs triés sur le volet[28]. C'est

---

[26] Michel Simonin, « Des projets littéraires et de leurs réalisations éditoriales à la Renaissance », *Cahiers de l'Association internationale des études françaises*, n° 51, 199, p. 188.

[27] Claude Blum, « Dans l'atelier de Millanges. Les conditions de fabrication des éditions bordelaises des *Essais* (1580, 1582) », in *Editer les Essais de Montaigne, op. cit.*, p. 82. Claude Blum met en relation quatre « faits concomitants » : la première publication des *Essais* de 1580, le séjour de Montaigne à La Fère, la décision qu'aurait pris le roi de le « nommer » maire lors des entretiens du Fleix, et la seconde publication des *Essais* en 1582.

[28] Nous possédons deux exemples de ces présentations personnelles dans des reliures précieuses. Il s'agit de l'exemplaire De Thou et de celui de la reine Elizabeth d'Angleterre. La reliure de l'exemplaire de la reine Elizabeth comporte ses chiffres et emblèmes héraldiques (voir Geneviève Guilleminot-Chrétien, « Michel de Montaigne, *Essais* », in *Trésors de la Bibliothèque nationale de France*, vol 1, *Mémoires et merveilles VIIIe-XVIIIe siècle*, sous la direction de Marie-Hélène Tesnière, Paris, 1996, p. 151). Cette reliure fut sans doute exécutée en Angleterre mais est d'origine inconnue. G. Guilleminot propose, avec cependant de nombreuses réserves, que ce livre aurait pu être offert par le duc d'Anjou (frère du roi et héritier du trône de France), lequel était auprès de la reine d'Angleterre en 1581 et 1582. Ce livre figurait peut-être parmi les nombreux présents offerts à la reine à cette occasion. Cet

donc l'impression plutôt que la distribution de son livre qui
aurait conduit Montaigne à choisir Millanges. Il fallait fabriquer assez vite un livre répondant aux exigences matérielles et
graphiques imposées par l'auteur. La qualité de libraire également exercée par Millanges ne lui apparut peut-être
qu'accessoire et secondaire[29]. Selon ce principe de personnali-
sation, on comprend alors pourquoi un tel livre doit nécessairement comporter le nom de son auteur comme partie
intégrante du titre : *Essais de Messire Michel seigneur de
Montaigne*. Dans les éditions de 1580 et 1582 l'accent est mis
sur le mot « MESSIRE[30] », en lettres capitales de taille déme-

---

exemplaire passa d'abord dans la famille Dawnay de Downe et ensuite
chez le collectionneur M. Edwards. Il fut montré en 1814 à Van Praet,
conservateur des livres imprimés de la Bibliothèque Royale. Il fut
ensuite acquis en 1858 par le Dr Payen avant de passer dans le fonds
Payen de la BnF. Voir également Jean Marchand, « Le Montaigne de
la reine Elisabeth d'Angleterre », *Bulletin de la Société des Amis de
Montaigne*, 3e série, n° 22, 1962, pp. 23-27. Dans une reliure en vélin
doré et aux armes de son premier propriétaire, l'exemplaire De Thou
passa dans les bibliothèques Soubise, Didot, Nodier et Pichon, avant
d'intégrer la collection Dutuit au Petit Palais. Sur l'exemplaire De
Thou, voir Antoine Coron, « *Ut prosint aliis* : Jacques-Auguste de
Thou et sa bibliothèque », in *Histoire des bibliothèques françaises : les
bibliothèques sous l'Ancien Régime*, sous la direction de Claude Jolly,
Paris, Promodis, 1988, pp. 101-126 ; et Ingrid A. R. De Smet,
« Montaigne et Jacques-Auguste de Thou : une ancienne amitié mise à
jour », *Montaigne Studies*, vol. XIII, 2001, pp. 223-240.
   [29] Ne sous-estimons pas non plus le fait que Millanges s'était fait
une spécialité de publier des livres nouveaux et « à l'essai » (De Brach
et Du Bartas par exemple). Le privilège accordé pour les *Essais* de
1580 (et conservé pour l'édition de 1582) l'autorise par exemple à
imprimer « tous livres nouveaux ». Ce point essentiel a été magistra-
lement analysé par George Hoffmann (*Montaigne's Career, op. cit.*,
pp. 77-83) et Michel Simonin (« Poétiques des éditions 'à l'essai' au
XVIe siècle », in *Riflessioni teoriche e trattati di poetica tra Francia e
Italia nel Cinquecento*, sous la direction d'Elio Mosele, Fasano, Schena Editore, 1999, pp. 17-33).
   [30] Dans son *Dictionarie of the French and English Tongues* (1611),
Randle Cotgrave donne la définition suivante : « The title of a
Knight ».

surée par rapport au reste du titre. Montaigne est effectivement chevalier. Cette dénomination honorifique réservée aux grands seigneurs en dit long sur l'essentiel du projet littéraire dans ces deux premières éditions.

L'édition de 1580 aurait ainsi été conçue pour être offerte plutôt que vendue, du moins en ce qui concerne Montaigne[31]. Plusieurs signes vont dans le sens d'une telle interprétation. Ainsi, les deux états connus des pages de titre démontrent que Montaigne insista pour que ses qualités de « seigneur », « chevalier » et « gentil-homme », apparaissent en bonne place[32]. Une telle attention a pour but de produire un « effet de cour » auquel Henri III ne pouvait rester indifférent. Cette interprétation nous permet aussi de mieux comprendre la mise au point effectuée par Montaigne dans son avis « Au lecteur ». Ne pourrait-on pas en effet concevoir que cette courte préface fut rédigée au dernier moment afin d'exprimer les réserves de l'auteur face aux initiatives commerciales du libraire. Il est probable que Millanges se faisait une idée différente de la diffusion de l'ouvrage. Le malaise exprimé par Montaigne face à un lectorat hypothétique et inconnu serait alors le résultat d'une opération mercantile nouvellement envisagée par l'imprimeur-libraire.

Qu'attend Montaigne exactement de la présentation de son livre au roi ? On a avancé qu'il convoitait peut-être une ambassade. En effet, plusieurs chapitres touchent à des questions de

---

[31] Cela n'interdit nullement à Millanges de réaliser le plus de ventes possible si l'occasion se présente. Les risques sont d'ailleurs moindres pour l'éditeur car le volume est en partie publié à compte d'auteur. Millanges avait d'autre part un revenu assuré par ses publications pour les collèges et les autorités religieuses et politiques locales.

[32] A cause de la place prise par les différents titres de Montaigne, Millanges doit désormais enlever sa marque d'imprimeur (qui n'apparaît plus que sur la page de titre du second livre) et la remplacer par un fleuron à arabesques plus petit. On retrouve ce même fleuron dans plusieurs ouvrages publiés par Millanges dès 1573 (par exemple les *Epigrammata* (1573) de Martial Monier, et le *De rheumatismo* (1577) de Pierre Pichot). Ce fleuron sera également repris pour l'édition des *Essais* de 1582.

diplomatie[33]. Montaigne met fréquemment en avant ses qualités de négociateur. Son départ pour l'Allemagne et l'Italie pourrait même faire partie de cette stratégie qui viserait à obtenir une ambassade, de préférence en Italie. L'expérience livresque de Montaigne serait alors corroborée par une expérience sur le terrain. Un de ses amis, Paul de Foix, n'avait-il pas été lui-même ambassadeur à Venise de 1567 à 1570 ? Montaigne n'avait pas manqué de lui dédier les poèmes français de La Boétie dans une lettre où il rappelle son titre d'ambassadeur. Montaigne possède désormais assez de titres lui-même pour se considérer comme bien supérieur à un simple hobereau. On peut même avancer que cette présentation « courtoise » de son livre permit à l'auteur de s'insinuer dans le cercle royal et d'être élu maire de Bordeaux par la suite, car, en 1580, le livre des *Essais*, comme l'a si pertinemment souligné George Hoffmann, sert littéralement de *lettres de noblesse* à Montaigne[34].

L'élection de Montaigne à la mairie de Bordeaux en 1581 est la suite logique de cette stratégie politique élaborée par l'auteur des *Essais* et ceux qui facilitèrent son ascension rapide à la fois dans l'entourage de Henri III et dans celui du Béarnais. La carrière du père de Montaigne, adjoint au maire en 1536 et maire en 1554, permettait de plus de jouer sur la continuité politique. Il est toujours bon de jouir d'une visibilité liée au nom de famille quand on brigue des offices politiques. La décision de faire élire Montaigne à la mairie de Bordeaux, comme l'a avancé Donald Frame[35], fut probablement prise lors

---

[33] George Hoffmann va dans ce sens quand il remarque que les chapitres « Si le chef d'une place assiégée doit sortir pour parlementer », « L'heure des parlemens dangereuse », « Du parler prompt ou tardif » et « Un traict de quelques ambassadeurs » laissent transparaître l'intérêt de Montaigne pour la diplomatie (*Montaigne's Career, op. cit.*, p. 151). Ajoutons que ces chapitres sont parmi les premiers du livre I des *Essais*, ce qui démontrerait la fascination de Montaigne pour ce genre d'occupation lorsqu'il commence à rédiger son livre.

[34] *Ibid.*, p. 149.

[35] Donald Frame, « Du nouveau sur le voyage de Montaigne à Paris en 1588 », *Bulletin de la Société des Amis de Montaigne*, 3e série, n°

des entretiens du Fleix[36] en Périgord, et cela dès l'automne 1580. Il est probable que Montaigne dut son élection au marquis de Trans qui le patronna et le présenta à la cour. Rappelons que l'hôte du château de Fleix n'était autre que son éminent voisin, Germain-Gaston de Foix, celui même qui conféra à Montaigne le collier de l'ordre de Saint Michel presque dix ans plus tôt en 1571.

On sait que dans les années 1572-1576 Montaigne avait joué le rôle de médiateur entre Navarre et Guise[37]. Sa nomination comme gentilhomme ordinaire de la chambre du Béarnais en 1577 nous éclaire sur sa position privilégiée auprès de ce prince. Avant même la publication de ses premiers *Essais*, Montaigne est donc en passe de devenir un intermédiaire important dans les complexes négociations entre Henri III et Henri de Navarre. On peut comprendre qu'il se pique au jeu politique qu'on lui fait jouer à partir des années 1570. Montaigne avait d'ailleurs réussi à se forger une réputation de modéré loyal et était ainsi présenté comme le seul candidat acceptable pour la mairie de Bordeaux à la fois pour Henri III, Catherine de Médicis, Marguerite de Valois et Henri de Navarre. Le maire alors en poste, Biron, était devenu un personnage indésirable pour les forces politiques en présence. Il cumulait la mairie de Bordeaux avec sa lieutenance générale de la province. Dans un geste de conciliation envers son cousin, Henri III décida d'écarter Biron du pouvoir aussi bien à Bordeaux qu'en Guyenne. Il fallait trouver des hommes moins alignés sur l'autorité royale, du moins au niveau de la perception. On proposa Matignon pour la lieutenance du Gouvernement et Montaigne pour la mairie de Bordeaux[38]. Montaigne faisait

---

22, 1962, pp. 3-22.

[36] Rappelons qu'une paix favorable aux huguenots fut signée à Fleix le 25 novembre 1580.

[37] Voir David Maskell, « Montaigne médiateur entre Navarre et Guise », *Bibliothèque d'Humanisme et Renaissance*, vol. 41, n° 3, 1979, pp. 541-553.

[38] Sur les mairies de Biron et de Montaigne, voir Anne-Marie Cocula, *Montaigne, maire de Bordeaux*, Bordeaux, L'Horizon chimérique, 1992.

alors figure de maire idéal pour Henri de Navarre qui détestait Biron[39]. En juillet 1581 Biron intriguait encore pour se faire réélire – ou remplacer par son fils – à la mairie de Bordeaux. Alors qu'il est absent, Montaigne semble l'homme de la situation. Faute d'ambassade, son livre lui aura rapporté la mairie de Bordeaux !

On peut très bien imaginer que les représentants des princes se mirent d'accord sur le nom de Montaigne dès l'automne 1580 et que ce dernier ne manqua pas d'être informé à l'avance de cette possible solution[40]. Comme l'a suggéré Claude Blum[41], il est permis de se poser des questions sur l'étonnement de Montaigne lorsqu'il apprit son élection durant son séjour en Italie. S'il est vrai que Montaigne ne pouvait être certain du résultat des tractations politiques qui se déroulèrent au début de l'été 1581, il dut néanmoins aborder les différentes possibilités avec ses voisins et protecteurs les Foix-Candale avant son départ pour l'Italie[42]. Il y avait déjà un certain temps que Montaigne jouait le jeu des Foix-Candale et des Foix-Gurson. Jean Balsamo a récemment avancé qu'il est possible de voir en Montaigne le pion et l'agent d'une stratégie politique locale dont les véritables acteurs sont les personnages influents qui entourent Montaigne dans la région de Bordeaux, notamment la famille de Foix[43]. Montaigne affiche à plusieurs reprises sa dépendance vis-à-vis des Foix. Ainsi, au début du chapitre « De l'institution des enfans » dédié à Diane de Can-

---

[39] De façon peut-être révélatrice, notons que Biron ne cite jamais Montaigne dans sa correspondance politique.

[40] Nous renvoyons aux pages suggestives d'Alexandre Nicolaï sur ce sujet, *Les Belles amies de Montaigne*, Paris, Dumas, 1950, pp. 135-145.

[41] Claude Blum, « Dans l'atelier de Millanges. Les conditions de fabrication des éditions bordelaises des *Essais* (1580, 1582) », *op. cit.*, p. 83.

[42] Son hésitation à accepter ce poste dénote peut-être son désir de recevoir une ambassade plutôt que de tenir les rênes d'une ville au passé politique chargé. L'administration quotidienne de la cité ne sera d'ailleurs pas son fort.

[43] Jean Balsamo, « Montaigne et ses patrons », *op. cit.*

dale, l'épouse de Louis de Foix, l'auteur des *Essais* évoque
« l'ancienne possession que vous avez sur ma servitude,
m'oblige[a]nt assez à désirer honneur, bien et advantage »[44].
Le marquis de Trans fait figure de protecteur pour Montaigne.
On a voulu voir en Montaigne un fin diplomate, mais peut-être
n'aurait-il jamais été qu'un homme de paille. Ce n'est pas sans
ironie que Montaigne s'interrogera après 1588 sur sa vassalité
et sa dépendance envers ses protecteurs : « Comme les choses
sont, je vis plus qu'à demy de la faveur d'autruy, qui est une
rude obligation »[45]. On sait par exemple que son informateur
privilégié pour ses missives au maréchal de Matignon ne fut
autre que le marquis[46].

En tant que protégé de la famille de Foix, Montaigne aurait
alors lentement développé des aspirations politiques par le
biais de ses nouveaux patrons. Ancien ambassadeur en Angleterre, le marquis de Trans représenta la noblesse de Périgord
aux Etats de Blois en 1576. Il était donc bien placé pour faire la
carrière politique de ceux qui lui prêtaient allégeance. On a
présenté les comtes de Foix-Gurson comme des hommes de
l'ombre œuvrant indirectement pour l'unité française[47]. Les
Foix-Gurson avaient pourtant affiché une ferveur catholique
qui ne leur permettait plus de jouer directement un rôle

---

[44] *Essais*, I, 26, 148-149.

[45] *Essais*, III, 9, 966.

[46] Dans sa correspondance avec Matignon, Montaigne se réfère fréquemment à son passage au Fleix où a ses conversations avec les
Foix : « Monseigneur, je viens d'arriver du Fleix » (12.2.1585), « Vous
verrez les bruits qui courent en ces quartiers par ce que le marquis de
Trans m'écrit » (13.2.1585), etc.

[47] Voir Léonie Gardeau, « Les comtes de Foix-Gurson et la cause
royale au XVIe siècle », *Bulletin de la Société des Amis de Montaigne*,
4e série, n° 2, 1965, pp. 29-36 ; Alexandre Nicolaï, « Germain-Gaston
de Foix, marquis de Trans », *Bulletin de la Société des Amis de Montaigne*, 2e série, n° 19, 1956, pp. 7-26 ; et Jean-Marie Compain, « Les
relations de Montaigne avec son voisin et son protecteur le marquis de
Trans », in *Les Ecrivains et la politique dans le sud-ouest de la France
autour des années 1580*, sous la direction de Claude-Gilbert Dubois,
Talence, Presses Universitaires de Bordeaux, 1982, pp. 101-111.

d'intermédiaire avec le Béarnais. Mézeray présentera par exemple Germain-Gaston de Foix comme un des chefs de la Ligue en Guyenne. D'Aubigné parle quant à lui d'une « ligue faicte à Cadillac entre le comte de Candale, le marquis de Trans, Monluc, l'Evesque d'Ayre » et quelques autres gentils-hommes de la région[48]. En réponse à la nouvelle donne politique en Guyenne, le marquis de Trans mettra un frein à son activité de ligueur à partir de 1574[49]. C'est précisément à cette date que Montaigne sera propulsé dans le monde politique régional. La situation politique en Guyenne a en effet changé. Charles IX vient de mourir et Henri III imagine déjà son cousin Henri de Navarre lui succéder sur le trône de France. Comme l'écrit Léonie Gardeau, « Henri III utilisera l'entremise d'hommes clairvoyants, sagaces et dévoués. Le marquis de Trans est de ceux-là »[50]. Ce dernier est désormais perçu comme un médiateur entre Henri III et le Béarnais. Montaigne lui servira d'intermédiaire dans sa nouvelle politique de rapprochement avec Henri de Navarre.

Dans un jeu subtil de promotion nobiliaire, le marquis de Trans fera de Montaigne ce noble qu'il n'était pas en 1571[51]. Ne pourrait-on pas lui imputer l'abandon par Montaigne de sa

---

[48] Agrippa D'Aubigné, *Histoire universelle*, t. I, p. 204.

[49] Rappelons que dès mars 1563, Frédéric de Foix-Candale fonda une ligue qui avait pour but le service de Dieu et l'entière obéissance au roi.

[50] Léonie Gardeau, *op. cit.*, p. 32.

[51] Certes Montaigne n'avait pas besoin d'être anobli puisque son père était déjà noble (dès 1540), ce que confirme son appartenance à l'arrière-ban de la province. Avec Michel de Montaigne nous assistons pourtant au passage d'une simple noblesse (liée au genre de vie et à la possession d'un fief) à une noblesse que les historiens appellent « moyenne », celle qui joue un rôle politique et est reçue aux honneurs. Les contemporains de Montaigne ne s'étaient pas trompés sur ce sujet. Rappelons le jugement acerbe de Brantôme : « nous avons veu des conseillers sortir des courtz du parlement, quicter la robbe et le bonnet carré, et se mettre à traisner l'espée, et les charger de ce collier aussy tost, sans autre forme d'avoir faict guerre, comme fit le sieur de Montaigne » (*Œuvres*, 6, 100).

charge au parlement de Bordeaux et son orientation nouvelle de carrière ? En moins de huit années Montaigne aura acquis tous les titres nécessaires pour se faire accepter des deux cours. Cette carrière politique fulgurante témoigne du rôle qu'on lui fera jouer, mais ces responsabilités nouvelles ne pouvaient être tenues que par un personnage de haut rang. Montaigne est désormais confirmé dans son anoblissement. Ses *Essais* laisseront une trace bien visible de cet entérinement de ses titres. L'édition de 1582 sert d'affiche, surtout quand il s'agit d'élire un maire qui doit, de par les statuts de la ville de Bordeaux, appartenir à la noblesse.

Les *Essais* de 1582 étalent ouvertement les titres obtenus par Montaigne et le situent par la même occasion dans le milieu politique régional[52]. Le choix de Millanges est significatif : l'imprimeur donne au nouveau maire de Bordeaux une place importante dans le jeu politique local. A part ces considérations politiques, l'édition des *Essais* de 1582 possède également deux autres fonctions. D'abord la correction d'un texte passablement corrompu (c'est une nécessité pour Montaigne qui est bien conscient du travail bâclé de l'édition de 1580) et ensuite un investissement commercial pour Millanges qui a tout intérêt à s'associer au nouveau pouvoir politique de la ville dont il peut espérer recevoir des contrats d'impression avantageux[53].

---

[52] Sur les pages de titre des premières éditions, voir François Moureau, « Le sens du titre : Typographie et gravure dans les premières éditions des *Essais* », in *Le Parcours des Essais. Montaigne 1588-1988*, *op. cit.*, pp. 13-16.

[53] En plus des auteurs classiques à l'usage des professeurs et des élèves du Collège de Guyenne, Simon Millanges imprime aussi toutes sortes d'ordonnances, d'édits, d'arrêts, d'articles et autres documents officiels pour la ville de Bordeaux. Il est désormais l'éditeur du maire de la ville. En 1583 Millanges obtiendra aussi des privilèges de Grégoire XIII et du Roi pour l'impression des bréviaires, missels et livres de prières réformés par le Concile de Trente. Voir Dast Le Vacher de Boisville, « Simon Millanges, imprimeur à Bordeaux de 1572 à 1623 », *Bulletin historique et philologique du comité des travaux historiques et scientifiques*, 1896, pp. 788-812 ; et Louis Desgraves, *Bibliographie bordelaise : bibliographie des ouvrages imprimés à*

Il n'est pourtant pas certain que Montaigne ait envisagé de publier si rapidement une nouvelle édition de ses *Essais*. Qu'avait-il d'ailleurs à ajouter ? En fait assez peu. Mais son élection à la mairie de Bordeaux fait désormais de lui un homme politique qui se trouve soudainement projeté sur la scène sociale. L'éditeur comprend bien quel parti il peut tirer de cette nouvelle visibilité acquise par un de ses auteurs. De plus, Millanges ne semble pas être débordé de travail au début de l'année 1582, contrairement à la fin de l'année 1579 et au début de 1580[54]. Il faut donc retracer avec précision les différents événements qui permirent cette nouvelle édition en 1582.

Bordeaux au XVIe siècle et par Simon Millanges (1572-1623), Baden-Baden, Valentin Koerner, 1971 ; *Dictionnaire des imprimeurs, libraires et relieurs de Bordeaux et de la Gironde*, Baden-Baden, Valentin Koerner, 1995, pp. 202-223. Sur la politique éditoriale de Millanges, voir également George Hoffmann, « About being about the Renaissance : bestsellers and booksellers », *Journal of Medieval and Renaissance Studies*, vol. 22, n° 1, 1992, pp. 75-88.

[54] En 1582 Millanges n'imprime principalement que des plaquettes. A part les *Essais* de Montaigne, l'inventaire de ses publications pour cette année est le suivant : une nouvelle émission (avec page de titre modifiée) des *Poèmes* de Pierre de Brach ; le *Decreta Concilii provincialis Burdigalae* ; les *Edicts du Roy* (12 ff.) ; l'*Edict du Roy sur la reformation du calendrier ecclésiastique* (4 ff.) ; les *Lettres du Roy pour l'Establissement de la Cour de la Justice en ses pays et duché de Guyenne* (4 ff.), le *Pomponii Melae de situ orbis libri tres* (61pp et 13 ff.) ; et le *Hieracasophioy sive de verratione per accipitres libri duo* de Jacques-Auguste de Thou (publié anonymement) (moins de 60 ff.). Nous ne connaissons qu'un seul exemplaire (Harvard University) du livre de poésie de De Thou imprimé « à l'essai » chez Millanges. Dans une lettre datée du 1er mai 1583 et adressée à Pierre Pithou, De Thou indique que seuls quelques exemplaires furent imprimés puis envoyés à une poignée d'amis afin de recevoir leurs commentaires avant une publication plus officielle (voir Samuel Kinser, *The Works of Jacques-Auguste De Thou*, La Haye, Martinus Nijhoff, 1966, pp. 206-207). Quand on fait le compte des pages imprimées par Millanges en 1582 – exception faite des *Essais* de Montaigne – on arrive donc à un chiffre très bas. Suite à cette constatation, il est permis d'avancer que la publication des *Essais* de 1582 fut peut-être suggérée par Millanges lui-même.

Nous insistons cependant sur le fait que cette pratique de la réécriture à laquelle nous sommes habitués quand nous parlons de Montaigne débute de façon assez conjoncturelle et non préméditée. Mais ne nous y trompons pas, l'édition des *Essais* de 1582 nous paraît essentielle précisément parce qu'elle marque une étape importante – politique plus que textuelle – dans ce qui deviendra au fil des ans une véritable politique éditoriale des *Essais*.

* * *

Le 22 juin 1580 Montaigne quitte son château pour Paris. Il se rend ensuite au siège de La Fère vers la fin juillet avant d'entamer au tout début septembre un voyage vers l'Allemagne, la Suisse et l'Italie en compagnie de Bertrand de Mattecoulon, le benjamin de ses frères, de Charles d'Estissac, de Bertrand de Cazalis, seigneur du Frayche, de Du Hautoy, gentilhomme lorrain, d'un secrétaire et de plusieurs valets et domestiques[55]. Le 5 septembre il fait étape à Beaumont-sur-Oise. Il ne sera de retour dans son château que le 30 novembre de l'année suivante. Nous ne reviendrons pas sur les étapes ou les circonstances de ce périple européen. Il faut pourtant nous arrêter brièvement sur la signification de ce voyage dans la mesure où il eut une influence directe sur la seconde édition des *Essais*.

C'est durant son séjour en Italie – le 1er août 1581 – que Montaigne fut élu maire de Bordeaux. Il reçoit la nouvelle le 7 septembre alors qu'il est sur le chemin de Rome : « dans la même matinée [7 septembre], on m'apporta, par la voie de Rome, des lettres de M. de Tausin, écrites de Bordeaux le 2 Août, par lesquelles il m'apprenoit que, le jour précédent,

---

[55] Sur les circonstances qui permirent la réunion de cette troupe hétéroclite, voir Jean Balsamo, « Montaigne, Charles d'Estissac et le sieur du Hautoy », in *Sans autre guide. Mélanges de littérature française de la Renaissance offerts à Marcel Tetel*, sous la direction de P. Desan, L. Kritzman, R. La Charité et M. Simonin, Paris, Klincksieck, 1999, pp. 117-128.

j'avais été élu d'un consentement unanime Maire de Bordeaux, et il m'invitoit à accepter cet emploi pour l'amour de ma Patrie »[56]. Ce n'est que le 1er octobre, dès son arrivée à Rome, que Montaigne prit connaissance de la lettre des jurats de Bordeaux qui l'informait de son élection. Contrairement à ce que l'on a pu écrire, Montaigne ne saute pas pour autant à « cul de cheval » pour rentrer à Bordeaux[57].

Comme l'indique Montaigne dans ses *Ephémérides* de Beuther, ce n'est que trois mois plus tard qu'il arrive à son château : « J'arrivai en ma maison de retour de Rome » (30 novembre). Montaigne trouve après son retour une lettre comminatoire de Henri III datée du 25 novembre le pressant d'assumer sa charge municipale :

> Monsieur de Montaigne, pour ce que j'ai en estime grande votre fidélité et zélée dévotion à mon service, ce m'a été plaisir d'entendre que vous ayez été élu major de ma ville de Bordeaux, ayant eu très agréable et confirmé ladite élection et d'autant plus volontiers qu'elle a été faite sans brigue et en votre lointaine absence. A l'occasion de quoi mon intention est, et vous ordonne et enjoins bien expressément, que sans délai ni excuse reveniez au plutôt que la présente vous sera rendue faire le dû et service de la charge où vous avez été si légitimement appelé. Et vous ferez chose qui me sera très agréable, et le contraire me déplairait grandement.[58]

C'est donc avec quatre mois de retard que le maire élu prête serment en l'église Saint-André. Il jure sur les évangiles

---

[56] *Journal de voyage*, édition établie et annotée par François Rigolot, Paris, Presses Universitaires de France, 1992, pp. 275-276.

[57] Montaigne ne quitta les bains Della Villa que le 12 septembre et séjourna ensuite une semaine à Lucques. Il arriva à Rome le 1er octobre et y resta deux semaines. Il lui aura fallu beaucoup de temps pour rentrer chez lui. Faut-il voir dans ce lent retour vers Bordeaux le signe d'un manque d'enthousiasme pour sa nouvelle fonction ? Montaigne espérait-il autre chose ? Il est probable qu'il se voyait mieux comme ambassadeur plénipotentiaire ou intermédiaire politique.

[58] Voir Paul Bonnefon, *Montaigne et ses amis. La Boétie - Charron - Mlle de Gournay*, 2 vols., Paris, A. Colin, 1898, t. II, pp. 45-46.

et des reliques, en présence du peuple, « qu'il gardera à son pouvoir tous les droits de la ville et cité de Bordeaux »[59]. Montaigne ne semble pourtant guère pressé de se mettre au travail. La première lettre connue que nous avons de lui en qualité de maire est destinée à excuser une absence ! Cette missive, datée du 21 mai 1582, est adressée aux jurats de Bordeaux :

> je vous supplie excuser encore pour quelque temps mon absence que j'accourcirai sans doute autant que la presse de mes affaires le pourra permettre. J'espere que ce sera peu ; cependant vous me tiendrez, s'il vous plaît, en votre bonne grâce et me commanderez, si l'occasion se présente, de m'employer pour le service public.[60]

Le contenu de cette lettre est suffisamment explicite : il s'agit d'affaires privées, familiales, voire éditoriales. Montaigne prépare-t-il une nouvelle édition des *Essais* ? Certes, un séjour aussi long à l'étranger demandait certainement une attention spéciale à l'économie de sa maison (fermages, métayages, règlement d'arriérés, etc.), mais cette absence de six mois (de décembre 1581 à la fin mai 1582) correspond également à la date d'impression des *Essais* de 1582. On pourrait alors raisonnablement penser que Montaigne considérait comme essentielle la réédition de son livre avant d'entrer en poste à la mairie. Millanges aurait même pu le convaincre de cette nécessité. Quelles que soient les raisons de ce délai, toujours est-il que Montaigne entre en fonction assez tardivement, dix mois après son élection à la mairie – c'est-à-dire presque à la moitié de son premier mandat.

Surgit à ce point la question relative aux corrections effectuées sur l'édition de 1580. Montaigne corrigea-t-il un exemplaire de l'édition de 1580 en vue d'une nouvelle publication lors de son voyage en Italie ? Aussi séduisante que pratique, cette image d'un Montaigne qui corrige et ajoute à son texte au

---

[59] Alphonse Grün, *La Vie publique de Michel Montaigne*, Paris, Librairie d'Amyot, 1855, p. 221.

[60] Voir Paul Bonnefon, *Montaigne. L'homme et l'œuvre*, Bordeaux-Paris, G. Gounouilhou & J. Rouam, 1893, pp. 313-314.

quotidien n'est guère supportée par une évidence matérielle. Considérer le travail éditorial effectué sur l'édition de 1582 comme l'équivalent du travail de correction, d'ajout et de réécriture que l'on trouve pour l'édition de 1588 ou l'Exemplaire de Bordeaux nous semble en contradiction par rapport aux préoccupations de carrière qui font agir Montaigne entre 1578 et 1582.

L'apport textuel de l'édition de 1582 a déjà été analysé par la critique et nous ne reviendrons pas ici sur le détail de ces additions[61]. Contentons-nous de rappeler que les ajouts de 1582 comprennent huit citations italiennes, huit citations latines, une citation latine traduite en italien, et trente-quatre passages nouveaux d'au moins deux lignes. Il est impossible d'affirmer avec certitude que Montaigne effectua ces additions sur un exemplaire de 1580 qu'il avait emporté avec lui en Italie. Si c'était le cas on notera néanmoins que ces additions sont dans l'ensemble peu nombreuses pour un séjour qui représente plus de quinze mois. Au contraire, si le projet d'une édition corrigée des *Essais* est conçu *après* son retour à Montaigne, on est alors en mesure d'expliquer plusieurs particularités relatives à cette édition de 1582. Si Montaigne avait procédé à des corrections et des ajouts durant son voyage, nous aurions certainement plus de remarques relatives à ses expériences de l'autre côté des Alpes. Le *Journal de voyage* témoigne par exemple de la richesse des rencontres et des observations de Montaigne durant ses quinze mois d'absence. S'il a pris des notes, le temps lui manque pourtant pour ajouter ses souvenirs d'Italie dans l'édition de 1582. Comme l'a pertinemment remarqué Concetta Cavallini, il semble en effet que Montaigne n'ait pas

---

[61] L'inventaire des variantes entre les éditions de 1580 et 1582 a déjà été effectué par Reinhold Dezeimeris et H. Barckhausen dans leur édition critique des *Essais* de 1580, 1582 et 1587. Voir aussi les études de Marcel Françon et, plus récemment, les travaux de Concetta Cavallini. Signalons enfin l'introduction à la reproduction photographique donnée par Françon : *Essais. Reproduction photographique de la deuxième édition (Bordeaux, 1582)*, Cambridge, Harvard University, 1969.

eu le temps suffisant pour « transposer entièrement son expérience italienne dans l'édition de 1582 »[62]. Ainsi, contrairement à l'édition de 1582, l'édition de 1588 des *Essais* incorporera un nombre considérable de réflexions et d'ajouts touchant directement ou indirectement au séjour de Montaigne en Allemagne et en Italie[63].

Claude Blum a avancé que « le travail de préparation d'épreuves a été fait durant les dix-huit mois du voyage »[64]. Alain Legros va dans le même sens en appuyant son raisonnement sur un exemplaire de 1580 apparemment corrigé par une main du XVIe siècle qui n'est pourtant pas celle de Montaigne. Il favorise la piste du secrétaire et en déduit que ces corrections furent effectuées durant le voyage de Montaigne : « Quand a pu être effectué ce travail de correction ? Ce ne peut être que durant le voyage, car Montaigne, devenu 'Maire & Gouverneur de Bourdeaus' (sur page de titre de la nouvelle édition) avait sans doute, à son arrivée dans sa ville, d'autres tâches plus urgentes à assumer »[65]. Or, parmi les interventions sur cet exemplaire, on relève une correction manuscrite relative à la numérotation du chapitre vingt-neuf qui est défectueuse dans l'édition de 1580. On trouve souligné le mot fautif (« <u>HVITIESME</u> ») et son remplacement dans la marge par le bon quantième écrit en chiffres romains (« IXe »). Les chiffres des chapitres suivants sont également corrigés dans cet exemplaire aujourd'hui conservé à la bibliothèque municipale de la ville de Bordeaux. Ces corrections majeures qui touchent à la numérotation des chapitres ne se retrouvent pourtant pas dans l'édition de 1582 (ni dans l'édition de 1588 ou l'Exemplaire de

---

[62] Concetta Cavallini, *op. cit.*, p. 245.

[63] Voir notamment le livre de Imbrie Buffum, *L'Influence du voyage de Montaigne sur les Essais*, Princeton, Princeton University Press, 1946.

[64] Claude Blum, *op. cit.*, p. 96.

[65] Alain Legros, « Edition de 1582 », in *Dictionnaire de Michel de Montaigne*, sous la direction de Philippe Desan, Paris, H. Champion, 2004, p. 301 ; et surtout « Petit 'eB' deviendra grand…: Montaigne correcteur de l'exemplaire 'Lalanne' (Bordeaux, S. Millanges, 1580, premier état) », *Montaigne Studies*, vol. XIV, 2002, pp. 179-210.

Bordeaux)[66].

De plus, il n'est pas certain que Montaigne ait des tâches plus importantes que la préparation de l'édition des *Essais* de 1582 à cette époque. Son élection à la mairie le projette dans un monde politique où il doit soigner son image et confirmer sa noblesse. C'est notamment pour lui l'occasion d'atténuer certains passages qui pourraient bien lui attirer des ennuis. On a fréquemment écrit que Montaigne ne semble guère tenir compte de la censure et des reproches qui lui avaient été faits lors de son séjour à Rome. Il rend compte dans son *Journal* des conseils donnés par la censure pontificale :

> Ce jour au soir me furent randus mes *ESSAIS*, chastiés selon l'opinion des docteurs moines. Le *Maestro del sacro palazzo* n'en avoit peu juger que par le rapport d'aucun *Frater* François, n'entandant nullemant nostre langue ; et se contentoit tant des excuses que je faisois sur chaque article d'animadversion que luy avoit laissé ce François, qu'il remit à ma conscience de rhabiller ce que je verrois estre de mauvais goust. Je le suppliay, au rebours, qu'il suivist l'opinion de celuy qui l'avoit jugé, avouant en aucunes choses, comme d'avoir usé du mot de *Fortune*, d'avoir nommé des poëtes heretiques, d'avoir excusé Julian, et l'animadversion sur ce que celuy qui prioit devoit estre exempt de vicieuse inclination pour ce temps ; *item*, d'estimer cruauté ce qui est au delà de mort simple ; *item*, qu'il falloit nourrir un enfant à tout faire, et autres telles choses, que c'estoit mon opinion, et que c'estoient choses que j'avoy mises, n'estimant que ce fussent erreurs ; à d'autres niant que le correctur eust entendu ma conception. Ledict *Maestro*, qui est un habile homme, m'excusoit fort et me vouloit faire sentir qu'il n'estoit pas fort de l'advis de cette reformation, et pledoit fort ingénieusemant pour moy en ma presance contre un autre qui me combattoit, Italien aussi.[67]

Arrêtons-nous un instant sur ces remarques qu'on lui fit à Rome. Constatons d'abord que Montaigne ne supprime aucune

---

[66] Voir notre chapitre, « La place de La Boétie dans les *Essais* ou l'espace problématique du chapitre 29 », in *Montaigne dans tous ses états*, *op. cit.*, pp. 37-68.

[67] *Journal de voyage*, *op. cit.*, p. 119.

référence à la Fortune dans l'édition de 1582, bien que nous ayons la preuve qu'il relut attentivement les passages incriminés. Ainsi, à la fin du chapitre 4 (« Comme l'ame descharge ses passions sur des objects faux, quand les vrais luy defaillent »), il modifie « d'autant que l'impieté y est jointe, qui s'en adressent a Dieu mesmes a belles injures, ou la fortune, comme si elle avoit des oreilles sujectes a nostre batterie » (texte de 1580). La leçon de 1582 introduit « a » devant « la fortune », corrigeant ainsi ce qu'il perçoit comme une erreur de syntaxe sans pour autant supprimer la référence à la Fortune. Il en va de même à la fin du chapitre 13 : « et est bien plus aisé a croire que la fortune ait ja favorisé » (texte de 1580). Montaigne modifie ici le temps du verbe accompagnant le mot Fortune : « a croire que la fortune favorisa ». Ces exemples attestent une lecture attentive des passages qui invoquent la Fortune sans pour autant supprimer ces références. Montaigne ne pouvait pas ne pas se souvenir des reproches qui lui avaient été faits par la censure romaine à ce sujet. Il choisit de les ignorer. Prenons donc Montaigne à la lettre quand il se défend de suivre rarement les recommandations des autres : « Je fuis le commandement, l'obligation et la contrainte. Ce que je fais aysée-ment et naturellement, si je m'ordonne de le faire par une expresse et prescrite ordonnance, je ne le sçay plus faire »[68]. Ne faut-il pas voir ici un commentaire sur les recommanda-tions qui lui furent faites à Rome quant à la suppression des références à la Fortune dans son livre ?

Il ne faut pourtant pas tirer de conclusions hâtives. L'auteur des *Essais* ne s'éloigne pas de la religion catholique pour autant. Il dissocie simplement licence littéraire et foi reli-gieuse[69]. Dans bien d'autres passages Montaigne renforcera

---

[68] *Essais*, II, 17, 650.

[69] Cette double assertion a déjà été signalée par Marcel Françon pour qui l'édition de 1582 « témoigne, surtout, de l'influence du voyage de Montaigne in Italie et de son désir de se conformer aux préceptes de la religion catholique, tout en gardant une certaine liberté d'expression littéraire », *Pour une édition critique des Essais*, Cam-bridge, Massachusetts, Schoenhof's Foreign Books, 1965, p. 49.

cette distinction. Mais ces « non-corrections » signalent aussi le manque de temps dont dispose Montaigne pour entreprendre des remaniements textuels importants. L'exemple le plus flagrant de ces mises au point rapides étant à notre avis le début du chapitre « Des prières ». Par son titre même, ce chapitre pouvait attirer l'attention de ses contemporains, comme le montre les reproches et les suggestions faites par la censure romaine. Montaigne décide de prendre les devants en recadrant à moindres frais le contenu quelque peu controversé de ce chapitre.

Par son intervention sous forme de préambule, Montaigne atténue les passages qui pourraient passer pour philosophiques ou didactiques en accentuant le fait que ses idées sont toujours le produit de « fantasies » personnelles et irrésolues :

> Je propose icy des fantasies informes & irresolues, comme font ceux qui publient des questions doubteuses a debattre aus escoles, non pour establir la verite, mais pour la chercher: & les soubmetz au jugement de ceux, a qui il touche de regler non seulement mes actions & mes escris, mais encore mes pensées. Esgalement m'en sera acceptable & utile la condemnation, comme l'approbation. Et pourtant [pour cette raison] me remettant tousjours a l'authorité de leur censure, qui peut tout sur moy, je me mesle ainsi temerairement a toute sorte de propos, comme icy.[70]

Alain Legros a donné une analyse détaillée de ce passage en mettant l'accent sur ce qu'il considère comme un double mouvement recherché par Montaigne : une preuve de temporisation et de soumission qui autorise aussi une écriture « téméraire »[71]. Au risque de surinterpréter ce passage, on peut en effet y voir la trace d'une témérité aux yeux de la critique moderne. Il n'est pourtant pas si certain que cette témérité soit le résultat d'une intention recherchée par Montaigne. Par contre, le recadrage

---

[70] *Essais*, I, 56, 317-318. Nous suivons ici le texte établi par Alain Legros, *Montaigne. Essais, I, 56 'Des prières'. Edition annotée des sept premiers états du texte avec étude de genèse et commentaire*, Genève, Droz, 2003, p. 155.

[71] *Ibid.*, p. 61.

effectué dans ces quelques lignes ajoutées atténue considérablement le reste du chapitre. De par cette intervention, Montaigne vise principalement à réaffirmer l'instabilité de son jugement et surtout sa subordination politique et religieuse envers ceux qui « reglent » ses actions, ses écrits, et même ses pensées. Ce préambule nous éclaire aussi sur le travail de correction effectué par Montaigne. Plutôt que de revoir tout un chapitre pour l'atténuer, il décide de désamorcer le contenu du texte qui suit par ces quelques lignes qui servent désormais d'introduction. Dans ce paratexte Montaigne se démarque du débat qui fait rage à son époque. Ces « fantasies informes & irresolues » ne sont rien de plus. Montaigne s'assujettit à l'autorité de l'Eglise mais n'a pas le temps de modifier son texte dans le détail pour suivre les recommandations de la censure. Il rappelle à plusieurs reprises qu'il est un bon catholique et réaffirme ailleurs son appartenance « aux anciennes creances de nostre religion, au travers de tant de sectes et de divisions que nostre siecle a produittes »[72]. Comme le remarque Alain Legros, « les *Essais* de 1582 apparaissent [...] aussi, du moins en ces quelques passages amplifiés, plus catholiques que ceux de 1580 »[73].

Le contexte politique de la nomination de Montaigne à la mairie de Bordeaux demande aussi certainement une atténuation des passages scabreux qui pourraient attirer l'attention en cette époque de troubles religieux. Montaigne est désormais un homme public et ses *Essais* vont inévitablement acquérir une visibilité que l'auteur n'avait pas anticipée pour l'édition de 1580. C'est de cette façon qu'il faut lire le début « Des prières ». Montaigne n'est pas encore dans cette logique des « allongeails », il lui faut aller au plus pressé en vue d'une réédition de ses *Essais* dans les plus brefs délais. Tout laisse penser que le « recadrage catholique » du chapitre « Des prières » fut effectué de façon ponctuelle et rapide au moment de la préparation de l'édition de 1582 entre décembre 1581 et mars

---

[72] *Essais*, II, 12, 569.

[73] Alain Legros, « Edition de 1582 », in *Dictionnaire de Michel de Montaigne*, *op. cit.*, p. 303.

1582.

L'avantage d'une nouvelle édition de ses *Essais* est également d'annuler l'édition précédente puisque Montaigne conserve le même titre pour son ouvrage. C'est bien là le même livre amendé. Cet amendement possède une fonction politique considérable car Montaigne ne pourra désormais plus être attaqué sur le texte de 1580. Les mises au point rapides de l'édition de 1582 doivent donc forcément être interprétées comme le résultat de son élection à la mairie de Bordeaux. Pour cette raison, il semble logique de penser que les corrections effectuées en vue de l'édition de 1582 furent bel et bien entreprises après son retour et non pas durant son voyage. Certes Montaigne prend sans doute en compte quelques remarques qui lui ont été faites, cite les auteurs italiens de seconde main, et se rappelle divers événements ponctuels de son séjour en Italie[74]. Ces ajouts donnent une nouvelle saveur italienne à son livre sans pour autant représenter un travail de réécriture considérable. Il n'a en effet guère la place de se lancer dans de longs développements et il serait erroné de voir dans l'édition de 1582 autre chose que la correction d'une édition de 1580 défectueuse. Montaigne en profite aussi pour harmoniser l'orthographe de son livre et corrige par exemple systémati-

---

[74] Les citations de Dante sont par exemple tirées de *La Civil conversatione* de Guazzo et de l'*Ercolano* de Varchi. De même pour une des citations de Pétrarque et une traduction italienne de Properce qui semblent également provenir de Guazzo. Pour ce qui est des citations du Tasse, dont il ne parle pas dans son *Journal*, Montaigne a été marqué par sa rencontre du poète italien à Ferrare. Une addition de 1582 relate cette rencontre : « J'eus plus de despit encore que de compassion, de le voir à Ferrare en si piteux estat, survivant à soy-mesme, mesconnoissant et soy et ses ouvrages, lesquels, sans son sçeu, et toutefois à sa veuë, on a mis en lumiere incorrigez et informes ». Sur cette rencontre du Tasse, nous renvoyons à l'étude de Jean Balsamo, « Montaigne et le 'saut' du Tasse », *Rivista di Letterature moderne e comparate*, vol. 54, fasc. 4, 2001, pp. 389-407. Il en va de même pour les statues de Suétone observées à Rome et une anecdote relative au roi de France (roi de Pologne) relatée par Montaigne et selon laquelle le roi ne porte jamais de gants et ne se vêt pas différemment en hiver.

quement (à des endroits assez éloignés) « arondes » en
« arondeles ». Ce travail rapide de correction n'empêche pas
l'auteur de relire entièrement son texte pour y ajouter quelques
détails des pratiques italiennes. Ainsi, les Turcs ont pour habitude de s'entre-baiser en se saluant, et Montaigne d'ajouter
dans l'édition de 1582 : « comme font les Venitiens » (I, 49). Il
en va de même quand il commente les rigueurs avec lesquelles
le peuple est parfois tenu. Sur ce même sujet, il ajoute avoir
assisté à l'exécution par étranglement du célèbre voleur Catena
à Rome[75]. Mais ces « commentaires italiens » sont toujours très
brefs.

C'est donc bien en tant que document politique plutôt que
comme document littéraire qu'il convient de considérer la
seconde édition des *Essais* publiée en 1582. Remarquons
finalement qu'un événement important n'est pas relaté dans
cette seconde édition de 1582, à savoir l'obtention de la ci-
toyenneté romaine dont la bulle sera pourtant reproduite dans
l'édition des *Essais* en 1588. Cette absence remarquable dénote
à notre avis le manque de temps dont dispose Montaigne pour
produire une nouvelle édition avec des ajouts importants entre
son retour d'Italie et son entrée en fonction à la mairie de
Bordeaux.

Comme on le voit, rien ne permet d'affirmer que Montaigne corrigea les nombreuses erreurs présentes dans l'édition de
1580 durant son voyage en Italie. Cette pratique de l'« allongeail » si fortement associée à Montaigne représente un piège
pour la critique habituée à voir dans les *Essais* le résultat d'une
pratique constante d'écriture et de réécriture. Il est par contre
plus logique de penser que l'élection de Montaigne à la mairie
de Bordeaux aura donné des idées commerciales à Millanges.
C'est après son retour à Bordeaux que Montaigne se serait

---

[75] Comme l'observe Concetta Cavallini (*op. cit.*, p. 227), les anecdo-
tes nouvelles sur l'Italie dans l'édition des *Essais* de 1582 concernent
principalement l'histoire contemporaine. Les références à l'Italie sont
ainsi presque toujours tirées d'expériences personnelles et représentent
des souvenirs encore proches.

alors livré à des corrections et ajouts qui ne demandent pas un temps considérable. En effet, quoi qu'on en dise, ces corrections ne représentent pas un travail difficile et elles ont très bien pu être effectuées en moins de trois mois. Ces retouches permettent néanmoins à Millanges de spécifier que cette édition est « reveuë & augmentée », un bon procédé de libraire. Rappelons que Montaigne s'excuse à plusieurs reprises de ne pas être au travail à la mairie durant les premiers mois après son retour d'Italie. Les milliers de corrections recensées n'ont d'ailleurs rien de bien compliqué. Le plus souvent c'est affaire d'orthographe ou de ponctuation. De plus, ces corrections ne sont pas forcément toutes imputables à Montaigne mais peuvent tout aussi bien être le résultat du travail d'un correcteur dans l'atelier de Millanges. Il faut souligner que les corrections de 1582 sur l'édition de 1580 n'ont rien de comparable avec les interventions manuscrites de Montaigne sur l'Exemplaire de Bordeaux. Il est délicat de faire de Montaigne cet écrivain praticien des « allongeails » et corrections dans *toutes* les éditions des *Essais*, et il ne faudrait pas retrouver dans les premières éditions, de façon rétroactive et donc anachronique, le travail effectué bien plus tard – après 1588 – sur l'Exemplaire de Bordeaux.

Nous ne connaissons malheureusement rien des tirages pour les éditions de 1580 et 1582 des *Essais*[76]. Les catalogues

---

[76] Dans son recensement des livres en langue française répertoriés dans 220 inventaires après décès effectués dans des bibliothèques privées parisiennes du XVIe siècle, Alexander Schutz ne compte que six références aux *Essais* de Montaigne : Pierre Cabat, marchand libraire (1598) ; Claude Cousin (femme de Nicolas Millot, docteur régent de la faculté de médecine de Paris) (1597) ; Jean Labas, conseiller (1585) ; Pierre Le Sannoys, marchand libraire et relieur (1583) ; Pierre de Sayvre, magistrat (1589) ; Charlotte Teste (femme de J. Chevalier, procureur au Châtelet) (1586). Il est pourtant difficile de comparer cette liste avec d'autres auteurs de la Renaissance. On compte ainsi 13 occurrences pour les livres de Rabelais, 23 pour Ronsard et 10 pour Du Bellay. Notons enfin les 7 occurrences de la *Théologie naturelle*, sans référence au traducteur. Voir Alexander H. Schutz, *Vernacular Books in Parisian Private Libraries of the Six-*

anciens parlent à ce sujet peut-être mieux que les fonds des collections publiques[77] et nous autorisent à penser que le tirage de l'édition des *Essais* de 1582 fut supérieur au tirage de l'édition de 1580. Cette nouvelle édition d'un texte révisé marque l'intérêt pour Millanges autant que pour Montaigne d'une publication qui sera moins fautive et qui mettra en évidence les nouveaux titres de maire et de gouverneur de Bordeaux. Si Millanges n'avait peut-être vu qu'un intérêt modéré à publier les *Essais* de 1580, il se sent désormais beaucoup plus impliqué dans ce qui représente pour lui une opération commerciale accréditée par la situation publique de son auteur.

Si nous mettons l'accent sur le travail de réédition plutôt que sur une nouvelle édition à part entière, cela ne veut pas pour autant dire que nous considérions l'édition de 1582 comme dénuée d'intérêt. Bien au contraire ! Cet intérêt se situe dans le contexte politique et économique de l'édition plutôt que dans les ajouts du texte. L'acte de publication est en lui-même plus révélateur que les variantes par rapport à la première édition. En améliorant un texte fautif, Montaigne profite de l'occasion pour anticiper un certain nombre de problèmes potentiels d'ordre politique. Il prend aussi soin de donner à son ouvrage la forme qu'il aurait dû avoir en 1580 s'il n'avait pas été si pressé de le voir paraître. La pagination est désormais continue et le livre paraît en un seul volume au lieu de deux[78].

---

teenth Century According to the Notarial Inventories, Chapel Hill, The University of North Carolina Press, 1955.

[77] Richard Sayce et David Maskell (*A Descriptive Bibliography of Montaigne's Essais 1580-1700*, Londres, The Bibliographic Society, 1983) recensent 38 exemplaires dans des collections publiques pour l'édition de 1580 et seulement 23 pour l'édition de 1582. Ces chiffres ne reflètent pourtant pas forcément le tirage de ces éditions. En effet, depuis deux siècles, on voit circuler sur le marché (catalogues de livres anciens ou ventes publiques) un nombre plus important d'exemplaires de l'édition de 1582 que de celle de 1580.

[78] L'impression de l'édition de 1582 n'est cependant pas sans fautes. Signalons par exemple l'erreur dans le titre courant des pages 145 et 159 du livre I qui indiquent « Livre second » au lieu de « Livre premier ». Cette inversion a récemment été expliquée par une erreur

Finalement, si Montaigne ne change pas de titre, c'est certainement parce que cette seconde édition est très proche de la première. Il ne juge pas même nécessaire de modifier la date de l'avis au lecteur. En 1582 Montaigne ne considère pas son ouvrage comme suffisamment distinct de l'édition de 1580 pour lui donner un autre titre, même si le public (non plus le roi ou les princes du royaume) est désormais différent. Le nom de Montaigne est désormais connu à Bordeaux et dans la région. C'est après tout le maire qui se fait imprimer ! Mais l'auteur des *Essais* ne se considère pas encore écrivain à part entière. Garder le même titre pour son livre en 1582 ne fait pas encore partie d'une stratégie littéraire qui, selon nous, ne sera conçue qu'après 1585. Abel L'Angelier jouera un rôle considérable dans cette transformation de la *persona* de Montaigne en tant qu'auteur. En effet, en 1588 la logique de publication sera nécessairement différente et Montaigne choisira sciemment de conserver le même titre pour un ouvrage copieusement remanié et auquel s'ajoute désormais un troisième livre de treize chapitres relativement longs et plus de « six cens additions »[79]. Montaigne et Millanges auront alors établi – à partir de l'édition de 1582 – un précédent que l'auteur des *Essais* tournera à son avantage en changeant d'éditeur. L'Angelier impri-

---

d'imposition. La confusion des chiffres 1 et 7 associés à la page 765 (chapitre 36) du livre II fit qu'on imprima sur la même forme les pages 755, 756, 765 et 766 et les pages numérotées 145, 146, 159 et 160. On a récemment retrouvé cette feuille imprimée qui servit – parmi d'autres fragments de papier – à fabriquer la reliure cartonnée des plats pour l'*Antiquitatum romanarum libri XI* de Denys d'Halicarnasse publié par Eustache Vignon et Henri Estienne en 1588 (voir Bernard Delhaume, « Note sur quelques impressions bordelaises inconnues, provenant de l'atelier de Simon Millanges », *Revue Française d'Histoire du Livre*, vol. 62, n° 3, 1989, pp. 5-40). Cette erreur grossière fut corrigée en cours d'impression sans que les titres courants soient pour autant rectifiés sur les pages 145 et 159. Plusieurs feuillets ne comportent pas non plus de numéro de page et la numérotation du chapitre 29 reste fautive dans les *Essais* de 1582.

[79] Cette nouvelle politique éditoriale est analysée par George Hoffmann dans son étude sur « Le monopole Montaigne », in *Editer les Essais de Montaigne, op. cit.*, pp. 99-131.

mera un livre qui s'inscrit dans une logique d'écriture-réécriture et de publication tout autre. Le choix qui consiste à conserver le même titre en 1582 n'a donc rien de comparable avec la décision prise en 1588.

* * *

Ce n'est qu'au lendemain de la publication de l'édition des *Essais* de 1582 que Montaigne se met au courant des dossiers de la ville ; il est presque au milieu de son premier mandat puisque la charge n'est que pour deux années[80]. D'après ce que nous savons, de strictes instructions semblent lui avoir été données par Henri III et ses patrons. Montaigne se révèle être l'informateur de Matignon, ses « yeux » à Bordeaux. Ainsi, le 30 octobre 1582 il lui écrit qu'il n'est rien survenu « de nouveau ». Dans le climat politique de l'époque, il n'a pas la tâche facile. La jurade de la ville de Bordeaux est composée de six jurats (au lieu de douze avant 1550), dont trois sont renouvelables chaque année à l'instar des échevins de Paris. Après un mandat de deux ans un jurat doit attendre cinq ans avant de se représenter. Le corps électoral comprend également vingt-quatre prud'hommes recrutés en nombre égal parmi les gentilshommes, les marchands et la Magistrature. Le maire ne peut appartenir qu'à la noblesse d'épée. On comprend alors pourquoi il est important d'insister sur les titres nobiliaires de Montaigne. Le rôle du maire est de superviser la jurade et de servir d'arbitre en cas de conflit. Notons que Gabriel de Lurbe, auteur d'une *Chronique bordeloise*, parle de Montaigne en termes très élogieux et le décrit comme possédant une « singuliere érudition ». Il est clair que l'édition de 1582 permit à Montaigne de se forger l'image d'un homme érudit et au jugement solide. Sa lecture des Anciens et les nombreuses citations qui parsèment son livre lui confèrent ce respect intel-

---

[80] Notons que depuis 1550, par une ordonnance de Henri II, le maire n'est plus élu à vie mais pour une période de deux ans. De plus, depuis 1550 il n'y a plus d'adjoint au maire, ce qui accroît considérablement le pouvoir et la responsabilité du maire en place.

lectuel qu'il est bon d'avoir quand on dirige la mairie d'une ville comme Bordeaux. Quelle différence avec Biron qui, lui, avait une approche plus « soldatesque » et n'hésitait pas à tirer des coups de canon sur la ville quand un problème se présentait.

Plusieurs témoignages indiquent que l'auteur des *Essais* prit son rôle de maire au sérieux et fut apprécié par la majorité de la jurade durant son premier mandat. Avec les trois forces politiques représentées à la jurade, on imagine facilement les chassés-croisés entre la noblesse et les marchands. Les robins servent quant à eux souvent de troisième force ; ils louvoient entre la noblesse et les marchands et représentent en fait un groupe de pression décisif précisément parce qu'ils ne possèdent pas de position idéologique stable[81]. Il est important de rappeler que la fonction de maire ne rapporte aucune rémunération à l'époque de Montaigne. Depuis 1550 l'indemnité du maire est passée à l'entretien et au fonctionnement du Collège de Guyenne[82]. Alors que le maire était jadis élu à perpétuité et touchait un salaire annuel de 1383 livres et 15 sols, depuis 1550 il ne reçoit pour tout paiement que deux robes aux couleurs de la ville. La fonction de maire est donc gratuite, tout en honneur comme l'affirme Montaigne. La seule gloire qui accompagne cette charge est celle d'avoir servi la cité. Montaigne entend bien respecter cette pratique récente en accord avec ses propres vues sur les charges publiques. Les archives relatives à la jurade montrent en effet qu'il limita les dépenses de la ville au strict nécessaire pour les jurats.

C'est donc avec noblesse et sans s'exposer à aucune dérogeance que Montaigne accepte son élection à la mairie de Bordeaux en 1581. Dans son *Traité de la noblesse*, Laroque note que « la charge de maire de Bordeaux a toujours été si

---

[81] Du temps de la mairie de Montaigne (1581) les jurats sont Du Perrier, De Lurbe, Treilles, Cursol, Turnet et Fort. En 1583 nous retrouvons Cursol, Turnet et Fort, auxquels se joignent D'Alesme, Galopin et Reynier.

[82] *Inventaire sommaire des registres de la jurade 1520-1783*, Bordeaux, Archives Municipales de Bordeaux, 1909, t. III, p. 388.

considérable que les Bordelais, au lieu de chercher une origine noble dans la mairie, ont eu pour maires des nobles de haute qualité »[83]. Cette remarque est cependant loin de correspondre à la réalité puisque les récents maires de Bordeaux ont connu quelques problèmes au sujet de leur « noblesse ». Bien au courant de ces disputes, l'auteur des *Essais* n'avait nullement l'intention de se laisser entraîner dans ces procès de fausse noblesse. Il avait d'ailleurs tout intérêt à éviter la question. Pourtant, même s'il hésite, la lettre que lui adresse le roi ne lui permet plus de refuser cette charge publique. Montaigne hésite-t-il d'ailleurs vraiment ? Comme nous l'avons suggéré, la mairie ne fut peut-être pas la récompense qu'il espérait, mais c'était néanmoins un avancement politique. Une fois en place il jouera le rôle qu'on attendait de lui. Son élection lui donna une visibilité nouvelle sur le terrain qui allait de pair avec son rayonnement « de papier ».

Sa fonction publique, comme en témoignent les documents de l'époque, met clairement Montaigne du côté de la noblesse. En ce sens la noblesse de Montaigne reçoit une preuve de plus par le biais de son élection à la mairie de Bordeaux. L'édition des *Essais* de 1582 représente un autre témoignage de cette noblesse de robe et d'esprit. On pourrait même avancer que c'est précisément l'édition de 1582 qui certifie Montaigne dans son statut de noble – statut qui sera remis en question lors de sa réélection en 1583. L'édition de 1582 nous semble pour cette raison faire partie intégrante d'une stratégie de carrière politique nouvelle. Cette stratégie débuta en fait durant l'été 1580 quand Montaigne remit au roi un exemplaire de son livre. Encore imprécis en 1580, l'engagement politique et la démarche « carriériste » de Montaigne se confirment désormais.

La fin du premier mandat de Montaigne à la mairie de Bordeaux ne fut pas sans provoquer des remous. La bourgeoisie réclamait un droit de regard sur la trésorerie de la ville. Depuis 1550 « l'institution & deposition du Thresorier des deniers communs de ladite ville, appartient de tout temps aux

---

[83] Gilles André de Laroque, *Traité de la noblesse*, Paris, E. Michallet, 1678, chap. 39.

Maire & Jurats d'icelle »[84], mais les bourgeois et commerçants
cossus entendent bien avoir leur mot à dire, le moment venu,
pour gérer l'argent qu'ils ont déboursé sous forme de taxes
diverses à la ville. Ils se plaignent à plusieurs reprises de ce que
le maire défende les prérogatives de la noblesse et ne soit pas
assez à l'écoute de leurs revendications. Ils aimeraient en fait
voir l'administration de la cité de leur côté. Un arrêt du 7 mars
1583 réaffirme pourtant le privilège du maire en ce qui
concerne la trésorerie de la ville[85]. Montaigne n'entend pas
céder aux pressions de la bourgeoisie et, lors de cet incident,
son administration obtient du roi la confirmation par écrit de
l'autorité du maire en matière de finances.

De même, au début de l'année 1582, l'encombrement des
barques sur lesquelles sont entreposées des marchandises
diverses sur la Garonne est tel qu'il devient pratiquement
impossible d'y naviguer. Montaigne et ses jurats se voient
forcés de publier un arrêt, le 24 mars, afin d'interdire le maga-
sinage des marchandises sur les barques et navires[86]. Les marchands se sentent directement attaqués par une telle décision
municipale et laissent éclater leur mécontentement. Ils s'en
prennent comme d'habitude au maire, Montaigne, et lui font
bien comprendre qu'ils considèrent cet arrêt comme une en-
trave à la libre circulation des marchandises. Montaigne ne
tarde pas à s'aliéner la bourgeoisie locale. Mais il ne faut pas
non plus croire qu'il fait l'unanimité parmi la noblesse ou les
officiers des forces militaires de Guyenne.

A part son rôle de « rapporteur » auprès de Matignon, un
des aspects essentiels du mandat de Montaigne à la mairie de
Bordeaux fut de servir de médiateur entre la noblesse et la
classe marchande. Une responsabilité des plus délicates quand
l'on considère les différences d'intérêt qui séparent ces deux

---

[84] *Anciens et nouveaux statuts de la ville de Bourdeaus. Esquels sont
contenues les Ordonnances requises pour la police de ladicte ville, &
de tous les estats & maistrises d'icelle*, Bordeaux, Simon Millanges,
1612, p. 41.

[85] *Ibid.*, p. 105.

[86] *Ibid.*, p. 107.

classes. Le contrôle de la jurade permettait aux grands marchands – qui recevaient souvent l'appui des *robins* – de multiplier les lois et ordonnances en leur faveur. Montaigne, en qualité de maire et gouverneur de Bordeaux, se voyait fréquemment dans l'obligation d'entériner des décisions administratives qui allaient parfois à l'encontre des privilèges de la noblesse. La situation est telle en 1583 – lorsque son premier mandat arrive à expiration – que Montaigne s'est aliéné les gouverneurs des châteaux de Hâ et Trompette, porte-parole de la noblesse bordelaise.

On connaît à ce sujet la lutte politique entre la mairie de Bordeaux et les gouverneurs des châteaux de la ville. Jacques de Pérusse d'Escars, seigneur de Merville, grand sénéchal de Guyenne depuis 1566, visait lui aussi la mairie de Bordeaux ; on imagine son ressentiment quand, déjà en 1575, ce fut un homme de robe longue, le président Joseph Eymar, qui fut élu à la mairie. La *Chronique bourdeloise* nous apprend que cette « eslection fut par sa Majesté approuvée pour ceste fois sans tirer à conséquence, ceste charge estant reservée pour Gentilhomme faisans profession d'armes »[87]. Notons que des lettres d'anoblissement furent conférées à Eymar afin de pallier ce problème. La double mairie de Biron (1577-1581) ne fit que renforcer la colère de la noblesse. Bien que gentilhomme en titre, Montaigne est rapidement perçu comme un ennemi qui s'oppose aux intérêts des gouverneurs des châteaux de la ville, et, conséquemment, de la véritable noblesse dont les gouverneurs se veulent les hérauts. C'est dans cet état d'esprit que la noblesse se mobilisa pour faire casser l'élection de Montaigne lors de son second mandat.

Par son rôle d'arbitre et de conciliateur, Montaigne occupe une position assez délicate et ambiguë en 1583. Les ordonnances et décrets municipaux des deux dernières années donnent

---

[87] Gabriel de Lurbe et Jean Darnal, *Chronique bourdeloise composee cy devant en latin par Gabriel de Lurbe. Advocat en la Cour, Procureur & Syndic de la ville de Bourdeaus. Et par luy de nouveau augmentée & traduite en François... Depuis continuée et augmentée par Jean Darnal*, Bordeaux, Simon Millanges, 1619, f. 52v.

l'impression qu'il se trouve du côté des marchands. Les nobles font la cour aux robins afin de les attirer dans leur camp. Les robins se trouvent déchirés entre une classe dont ils sont pour la plupart issus (bourgeoisie) et une classe à laquelle ils aspirent (noblesse). Ils représentent une force considérable qui peut faire basculer une élection, cette position particulière des robins explique pourquoi le sénéchal de Merville et le capitaine Vaillac s'efforcent de gagner leurs votes pour déjouer la réélection de Montaigne à la mairie de Bordeaux[88]. Les documents nous montrent qu'ils furent en fait bien près de remporter cette bataille politique. On relève notamment une défection importante des Magistrats dans le clan de Merville, ceux-ci vont même jusqu'à faire campagne pour ce dernier en 1583. Bien malgré lui, et peut-être parce que les forces politiques en présence ont déjà décidé du camp dans lequel il se trouvera s'il veut être réélu, Montaigne embrasse à cette occasion la cause des marchands. Ne nous y trompons pas, Montaigne est également un animal politique qui doit tenir compte de la conjoncture politique. Les circonstances font qu'il est obligé de défendre la cause marchande s'il veut conserver son pouvoir et être réélu. Il choisit pour cela un camp qu'il rejette pourtant pour des raisons idéologiques. A la vue de cet incident entre Montaigne et la noblesse bordelaise, Trinquet remarque que, « aux yeux des bourgeois de Bordeaux, Montaigne, qui avait obtenu naguère à la Cour des lettres patentes confirmant le renouvellement des privilèges de la ville, apparaissait comme le plus ardent défenseur de ceux-ci »[89]. Une fois n'est pas coutume. Les exigences du pouvoir politique ne vont pas

---

[88] Voir Xavier Védère, « Deux ennemis de Montaigne, le sénéchal Merville et le capitaine Vaillac », *Revue historique de Bordeaux*, vol. 36, 1943, pp. 88-97; et Roger Trinquet, « La réélection de Montaigne à la mairie de Bordeaux en 1583 », *Bulletin de la Société des Amis de Montaigne*, 5ᵉ série, n° 10-11, 1974, pp. 17-35.

[89] *Mémoire présenté à Monsieur Matignon, par les Maires et Jurats de Bordeaux au sujet du droit qu'avait la ville de placer des sentinelles du côté des châteaux et fortifications*, BnF, collection Payen, n° 690, texte reproduit par Roger Trinquet, *ibid.*, pp. 30-31.

toujours de pair avec les affinités personnelles.

Cette brève description de la mairie de Montaigne nous a semblé nécessaire pour nous interroger sur la carrière politique de Montaigne. S'il avait abordé son mandat avec une franche conviction politique qui le plaçait résolument du côté de la noblesse à laquelle il aspirait, la réalité du pouvoir le conduisit rapidement à adopter une politique pragmatique en contradiction avec ses propres aspirations. C'est en cela que la carrière politique anticipée par Montaigne dès le début des années 1570 représente un échec. Que reste-t-il à Montaigne ? Ses *Essais* qui lui font entrevoir une fois de plus une nouvelle carrière : après 1585 Montaigne sera écrivain ! Le troisième livre des *Essais* sera conçu pour renforcer l'aspect personnel et singulier de son œuvre. La partie morale, politique et militaire occupera dorénavant l'arrière-plan.

Les différentes éditions des *Essais* correspondent à des étapes distinctes du parcours politique et de la carrière de Montaigne. Si l'édition de 1580 s'adresse à un public restreint et peut être considérée comme une *édition privée* afin de se faire connaître d'un petit cercle d'hommes influents (ce qui n'est pas très différent du modèle en vigueur au Moyen Age où seule compte la présentation personnalisée du livre au roi), l'édition de 1582 répond à une logique bien différente. Elle sert désormais autant Millanges que Montaigne et doit être comprise dans son rapport à l'arrivée de Montaigne à la mairie de Bordeaux. Son public certainement élargi n'en demeure pas moins local ou régional et l'impression a pour but d'établir le pouvoir politique de l'auteur tout en réaffirmant son appartenance à la noblesse. Ce n'est qu'après 1585 que sa carrière politique se verra passablement compromise, sans pour autant être totalement arrêtée. Ses déboires à la mairie de Bordeaux le conduiront à entrevoir une nouvelle orientation de son activité littéraire. Le troisième live des *Essais* nous offre plusieurs témoignages de cette désillusion envers les offices et les récompenses d'honneur. Montaigne révèle alors une attitude nouvelle pour les « devoirs d'honneur » et la « contrainte civile ». L'ajout du mot « recompense » dans l'Exemplaire de Bordeaux est sur ce point révélateur :

Or je tiens qu'il faut vivre par droict et par auctorité, non par [C] recompence ny par [B] grace. Combien de galans hommes ont mieux aimé perdre la vie que la devoir ! Je fuis à me submettre à toute sorte d'obligation, mais sur tout à celle qui m'attache par devoir d'honneur. Je ne trouve rien si cher que ce qui m'est donné et ce pourquoy ma volonté demeure hypothequée par tiltre de gratitude, et reçois plus volontiers les offices qui sont à vendre. Je croy bien : pour ceux-cy je ne donne que de l'argent ; pour les autres je me donne moy-mesme. Le neud qui me tient par la loy d'honnesteté me semble bien plus pressant et plus poisant que n'est celuy de la contrainte civile.[90]

Un « abîme politique » sépare donc les *Essais* de 1580-1582 et ceux de 1588. Entre-temps, la réception des *Essais* permit à Montaigne d'entrevoir la possibilité d'une véritable carrière en tant qu'auteur. Il passera alors de la dictée à l'écriture et n'aura désormais plus besoin de secrétaire[91]. C'est à partir de ce moment que débutera véritablement la mise en

---

[90] *Essais*, III, 9, 966.

[91] On peut en effet concevoir que Montaigne aurait dicté ses premiers *Essais* de 1580 à un secrétaire. C'est l'hypothèse émise – avec démonstration à l'appui – par Alain Legros et George Hoffmann. Voir Alain Legros, *Essais sur poutres. Peintures et inscriptions chez Montaigne*, Paris, Klincksieck, 2000, pp. 217-219, et « Petit 'eB' deviendra grand…: Montaigne correcteur de l'exemplaire 'Lalanne' (Bordeaux, S. Millanges, 1580, premier état) », *op. cit.* ; et George Hoffmann, *Montaigne's Career, op. cit.*, pp. 45-46. Montaigne abandonna cette pratique des « brouillars » précisément après 1588. A l'appui de cette hypothèse, citons ici le passage supprimé dans l'Exemplaire de Bordeaux où Montaigne rature ces lignes qui ne s'appliquent plus à sa façon de rédiger : « Or parce qu'elle me semble bien fort approchante de la nostre, j'ay voulu retirer ce passage de son autheur, ayant pris autresfois la peine de dire bien amplement, ce que je sçavois sur la comparaison de nos armes, aux armes Romaines : mais ce lopin de mes brouillars m'ayant esté desrobé avec plusieurs autres, par un homme qui me servoit, je ne le priveray point du profit, qu'il en espere faire: aussi me seroit-il bien malaisé de remascher deux fois une mesme viande » (f. 168r°). Cette anecdote relative à la dictée n'a désormais plus sa place dans les *Essais* après 1588.

scène d'un Montaigne *auteur au quotidien*, praticien et théoricien de l'« allongeail ». L'édition de 1588 est une étape importante vers la construction de cette image à laquelle nous sommes aujourd'hui habitués. Les péripéties parisiennes lors des Barricades et l'embastillement de Montaigne en 1588 mettront fin à toute prétention politique de Montaigne. La page de titre de l'édition des *Essais* de 1588 ne mentionne plus les titres nobiliaires de l'auteur (Messire, chevalier, gentilhomme). Ce sont désormais les *Essais de Michel, seigneur de Montaigne*. Le mythe du seigneur retiré sur ses terres et dans sa tour peut alors débuter. L'Exemplaire de Bordeaux marquera bien une dernière étape vers cette *pratique des marges* qui définit aujourd'hui Montaigne. Mais il serait faux de chercher dans les éditions de 1580 et de 1582 les origines éditoriales d'une tendance qui ne s'affirmera véritablement qu'à partir des années 1585-1588. Voilà pourquoi les *Essais* de 1582 forment bien un texte à part qui doit être compris dans le contexte des événements politiques auxquels participe Montaigne dès son retour d'Italie et tout juste avant ses difficiles mandats à la mairie de Bordeaux.

BIBLIOGRAPHIE

Balsamo, Jean. « Montaigne, Charles d'Estissac et le sieur du Hautoy », in *Sans autre guide. Mélanges de littérature française de la Renaissance offerts à Marcel Tetel*, sous la direction de P. Desan, L. Kritzman, R. La Charité et M. Simonin, Paris, Klincksieck, 1999, pp. 117-128.

———. « Montaigne et le 'saut' du Tasse », *Rivista di Letteratura Moderne e Comparate*, vol. 54, fasc. 4, 2001, pp. 389-407.

———. « Montaigne et ses patrons », in *Montaigne politique*, sous la direction de Philippe Desan, Paris, H. Champion, 2006.

Blum, Claude. « Dans l'atelier de Millanges. Les conditions de fabrication des éditions bordelaises des *Essais* (1580, 1582) », in *Editer les Essais de Montaigne*, sous la direction de Claude Blum et André Tournon, Paris, H. Champion, 1997, pp. 79-97.

Boisville, Dast Le Vacher de. « Simon Millanges, imprimeur à Bordeaux de 1572 à 1623 », *Bulletin historique et philologique du comité des travaux historiques et scientifiques*, 1896, pp. 788-812.

Bonnefon, Paul. *Montaigne. L'homme et l'œuvre*, Bordeaux-Paris, G. Gounouilhou & J. Rouam, 1893.

———. *Montaigne et ses amis. La Boétie - Charron - Mlle de Gournay*, 2 vols., Paris, A. Colin, 1898.

Brieux, Alain. « Autres souvenirs de Michel de Montaigne », *Bibliothèque d'Humanisme et Renaissance*, vol. 20, 1958, pp. 370-376.

Buffum, Imbrie. *L'Influence du Voyage sur les 'Essais' de Montaigne*, Princeton, Princeton University Press, 1946.

Cavallini, Concetta. *L'Italianisme de Michel de Montaigne*, Paris-Fasano, Schena Editore, 2003.

Cocula, Anne-Marie. *Montaigne, maire de Bordeaux*, Bordeaux, L'Horizon chimérique, 1992.

Compain, J.-M. « Les relations de Montaigne avec son voisin et son protecteur le marquis de Trans », in *Les Ecrivains et la politique dans le sud-ouest de la France autour des années 1580*, sous la direction de Claude-Gilbert Dubois, Talence, Presses Universitaires de Bordeaux, 1982, pp. 101-111.

Coppin, Joseph. *Montaigne traducteur de Raymond Sebon*, Lille, Imprimerie H. Morel, 1925.

Coron, Antoine. « *Ut prosint aliis* : Jacques-Auguste de Thou et sa bibliothèque », in *Histoire des bibliothèques françaises : les bibliothèques sous l'Ancien Régime*, sous la direction de Claude Jolly, Paris, Promodis, 1988, pp. 101-126.

Davis, Natalie Zemon. « Beyond the Market : Books as Gifts in Sixteenth-Century France », *Transactions of the Royal Historical Society*, 5ᵉ série, n° 33, 1983, pp. 69-88.

Delhaume, Bernard. « Note sur quelques impressions bordelaises inconnues, provenant de l'atelier de Simon Millanges », *Revue Française d'Histoire du Livre*, vol. 62, n° 3, 1989, pp. 5-40.

Desan, Philippe. *Les Commerces de Montaigne. Le discours économique des Essais*, Paris, A.-G. Nizet, 1992.

——. *Montaigne dans tous ses états*, Fasano, Schena Editore, 2001.

——. *Reproduction en quadrichromie de l'Exemplaire de Bordeaux des Essais de Montaigne*, Fasano-Chicago, Schena Editore, *Montaigne Studies*, 2002.

——. « Les politiques éditoriales de Montaigne », in *Montaigne politique*, sous la direction de Philippe Desan, Paris, H. Champion, 2006.

Desgraves, Louis. *Bibliographie bordelaise : bibliographie des ouvrages imprimés à Bordeaux au XVIᵉ siècle et par Simon Millanges (1572-1623)*, Baden-Baden, Valentin Koerner, 1971.

——. *Dictionnaire des imprimeurs, libraires et relieurs de Bordeaux et de la Gironde*, Baden-Baden, Valentin Koerner, 1995.

De Smet, Ingrid A. R. « Montaigne et Jacques-Auguste de Thou : une ancienne amitié mise à jour », *Montaigne Studies*, vol. XIII, 2001, pp. 223-240.

Dezeimeris, R. et Barckhausen, H. *Essais de Michel de Mon-*

taigne. Texte original de 1580 avec les variantes des éditions de 1582 et 1587, 2 vols., Paris et Bordeaux, Feret et Fils, 1870.

Frame, Donald, « Du nouveau sur le voyage de Montaigne à Paris en 1588 », *Bulletin de la Société des Amis de Montaigne*, 3ᵉ série, n° 22, 1962, pp. 3-22.

Françon, Marcel. *Pour une édition critique des Essais*, Cambridge, Massachusetts, Schoenhof's Foreign Books, 1965.

———. « Notes sur l'édition de 1582 », *Bulletin de la Société des Amis de Montaigne*, 4ᵉ série, n° 7, 1966, pp. 82-83.

———. « L'édition des *Essais* de 1582 », *Bulletin de la Société des Amis de Montaigne*, 4ᵉ série, n° 14, 1968, pp. 3-32.

———. *Essais. Reproduction photographique de la deuxième édition (Bordeaux, 1582)*, Cambridge, Harvard University, 1969.

Gardeau, Léonie. « Les comtes de Foix-Gurson et la cause royale au XVIᵉ siècle », *Bulletin de la Société des Amis de Montaigne*, 4ᵉ série, n° 2, 1965, pp. 29-36.

Grün, Alphonse. *La Vie publique de Michel de Montaigne*, Paris, Librairie d'Amyot, 1855.

Guilleminot-Chrétien, Geneviève. « Michel de Montaigne, *Essais* », in *Trésors de la Bibliothèque nationale de France*, vol. I, *Mémoires et merveilles VIIIᵉ-XVIIIᵉ siècle*, sous la direction de Marie-Hélène Tesnière, Paris, 1996, p. 151.

Hoffmann, George. « About being about the Renaissance : bestsellers and booksellers », *Journal of Medieval and Renaissance Studies*, vol. 22, n° 1, 1992, pp. 75-88.

———. « Le monopole Montaigne », in *Editer les Essais de Montaigne*, sous la direction de Claude Blum et André Tournon, Paris, H. Champion, 1997, pp. 99-131.

———. *Montaigne's Career*, Oxford, Clarendon Press, 1998.

Inventaire sommaire des registres de la jurade 1520-1783, Bordeaux, Archives Municipales de Bordeaux, 1909.

Kinser, Samuel. *The Works of Jacques-Auguste De Thou*, La Haye, Martinus Nijhoff, 1966.

Laroque, Gilles André de. *Traité de la noblesse*, Paris, E. Michallet, 1678.

Legros, Alain. « Montaigne, son livre et son roi », *Studi Fran-*

cesi, vol. 41, fasc. II, 1997, pp. 259-274.

———. *Essais sur poutres. Peintures et inscriptions chez Montaigne*, Paris, Klincksieck, 2000.

———. « Petit 'eB' deviendra grand… : Montaigne correcteur de l'exemplaire 'Lalanne' (Bordeaux, S. Millanges, 1580, premier état », *Montaigne Studies*, vol. XIV, 2002, pp. 179-210.

———. *Montaigne. Essais, I, 56 'Des prières'. Edition annotée des sept premiers états du texte avec étude de genèse et commentaire*, Genève, Droz, 2003.

———. « Edition de 1582 », in *Dictionnaire de Michel de Montaigne*, sous la direction de Philippe Desan, Paris, H. Champion, 2004, pp. 300-302.

———. « Montaigne politique malgré lui », in *Montaigne politique*, sous la direction de Philippe Desan, Paris, H. Champion, 2006.

Lurbe, Gabriel de et Darnal, Jean, *Chronique bourdeloise composee cy devant en latin par Gabriel de Lurbe. Advocat en la Cour, Procureur & Syndic de la ville de Bourdeaus. Et par luy de nouveau augmentée & traduite en François… Depuis continuée et augmentée par Jean Darnal*, Bordeaux, Simon Millanges, 1619.

Marchand, Jean. « Le Montaigne de la reine Elisabeth d'Angleterre », *Bulletin de la Société des Amis de Montaigne*, 3ᵉ série, n° 22, 1962, pp. 23-27.

Maskell, David. « Montaigne médiateur entre Navarre et Guise », *Bibliothèque d'Humanisme et Renaissance*, vol. 41, n° 3, 1979, pp. 541-553.

Mémoire présenté à Monsieur Matignon, par les Maires et Jurats de Bordeaux au sujet du droit qu'avait la ville de placer des sentinelles du côté des châteaux et fortifications, Bibliothèque nationale, collection Payen, n° 690.

Moureau, François. « Le sens du titre : typographie et gravure dans les premières éditions des 'Essais' », in *Le Parcours des Essais de Montaigne (1588-1988)*, sous la direction de Marcel Tetel et Mallary Masters, Paris, Aux Amateurs de Livres, 1989, pp. 13-14.

Nicolaï, Alexandre. *Les Belles amies de Montaigne*, Paris,

Dumas, 1950.

———. « Germain-Gaston de Foix, marquis de Trans », *Bulletin de la Société des Amis de Montaigne*, 2ᵉ série, n° 19, 1956, pp. 7-26.

Salles, Auguste. « L'édition de 1582 », *Bulletin de la Société des Amis de Montaigne*, 2ᵉ série, n° 4, 1938, pp. 27-28.

Sayce, Richard, et Maskell, David. *A Descriptive Bibliography of Montaigne's Essays (1580-1700)*, Londres, The Bibliographical Society, 1983.

Schutz, Alexander H. *Vernacular Books in Parisian Private Libraries of the Sixteenth Century According to the Notarial Inventories*, Chapel Hill, The University of North Carolina Press, 1955.

Simonin, Michel. « Le Périgourdin au Palais : sur le voyage des *Essais* de Bordeaux à Paris », in *Le Parcours des Essais. Montaigne 1588-1598*, sous la direction de Marcel Tetel et G. Mallary Masters, Paris, Aux Amateurs de Livres, 1989, pp. 17-30.

———. « Des projets littéraires et de leurs réalisations éditoriales à la Renaissance », *Cahiers de l'Association internationale des études françaises*, n° 51, 1999, p. 183-203.

———. « Poétiques des éditions 'à l'essai' au XVIᵉ siècle », in *Riflessioni teoriche e trattati di poetica tra Francia e Italia nel Cinquecento*, sous la direction d'Elio Mosele, Fasano, Schena Editore, 1999, pp. 17-33.

Trinquet, Roger. « Montaigne et la divulgation du *Contr'un* », *Revue d'Histoire Littéraire de la France*, vol. 64, n° 1, 1964, pp. 1-12.

———. « La réélection de Montaigne à la mairie de Bordeaux en 1583 », *Bulletin de la Société des Amis de Montaigne*, 5ᵉ série, n° 10-11, 1974, pp. 17-46.

Védère, Xavier. « Deux ennemis de Montaigne, le sénéchal Merville et le capitaine Vaillac », *Revue historique de Bordeaux*, vol. 36, 1943, pp. 88-97.

Veyrin-Forrer, Jeanne. « La composition par forme et les *Essais* de 1580 », in *Editer les Essais de Montaigne*, sous la direction de Claude Blum et André Tournon, Paris, H. Champion, 1997, pp. 23-44.

Avertissement

L'exemplaire de l'édition de 1582 ici reproduit en fac-similé provient d'une collection privée. Nous avons converti les clichés électroniques en fichiers JPEG. La reliure déforme quelquefois les mots en début ou fin de ligne et nous avons souvent dû accentuer les contrastes afin de rendre le texte plus lisible. Contrairement à la reproduction donnée par Marcel Françon en 1969, nous avons décidé de ne pas corriger la pagination fautive sur certains feuillets afin de préserver l'intégrité du texte d'origine.

ESSAIS

DE MESSIRE

MICHEL, SEIGNEVR

DE MONTAIGNE,

CHEVALIER DE L'ORDRE

du Roy, & Gentil-homme ordinaire de ſa Chambre,
Maire & Gouuerneur
de Bourdeaus.

*

EDITION SECONDE,

reueuë et augmentée.

A BOVRDEAVS.

Par S. Millanges Imprimeur ordinaire du Roy.

M. D. LXXXII.

Auec Priuilege du Roy.

Au Lecteur.

C'EST icy vn liure de bonne foy, lecteur. Il
t'auertit des l'êtrée que ie ne m'y suis proposé
nulle fin que domestique & priuée: ie n'y ay eu nulle consideratiõ de ton seruice, ny de ma gloire: mes
forces ne sont pas capables d'vn tel dessein. Ie l'ay
voué a la commodité particuliere de mes parès &
amis: a ce que m'ayant perdu (ce qu'ils ont a faire
bien tost) ils y puissent retrouuer aucuns traitz de
mes conditions & humeurs, & que par ce moyen
ils nourrissent plus entiere & plus visue la cõnoiss-
sãce qu'ils ont eu de moy. Si c'eust esté pour rechercher la faueur du monde: ie me fusse paré de beautés empruntées, ou me fusse tendu & bandé en ma
meilleure demarche. Ie veus qu'on m'y voye en ma
façon simple, naturelle & ordinaire, sans estude
& artifice: car c'est moy que ie peins. Mes defauts
s'y liront au vif, mes imperfections & ma forme
naifue, autãt que la reuerẽce publique me l'a permis. Que si i'eusse esté parmy ces natiõs qu'on dict
viure encore sous la douce liberté des premieres
lois de nature, ie t'asseure que ie m'y fusse tres-volontiers peint tout entier, & tout nud. Ainsi, lecteur, ie suis moy-mesmes la matiere de mon liure:
ce n'est pas raison que tu employes ton loisir en vn
subiect si friuole & si vain. A Dieu donq, de Mõ-
taigne ce premier de Mars. 1580.

LES CHAPITRES DV

PREMIER LIVRE.

* 3

LES CHAPITRES DV
LIVRE SECOND.

Fin de la Table.

Fautes en L'impression.

FIN

ESSAIS DE
MICHEL DE MONTAIGNE.

Liure Premier.

Par diuers moyens on arriue a pareille fin. Chap. I.

A plus commune façon d'amoillir les cœurs de ceux qu'ó a offenſez, lors qu'ayant la vengeáce en main, ils nous tiennent a leur mercy, c'eſt de les émouuoir a commiſeratió & a pitié: toutes-fois la brauerie, la conſtance, & la reſolution, moyens tous contraires ont quelque fois ſerui a ce meſme effet. Edouart Prince de Gales, celuy qui regenta ſi long tếps noſtre Guienne, perſonnage, duquel les conditiõs & la fortune ont beaucoup de notables parties de grandeur, ayant eſté bien fort offencé par les Limoſins, & prenant leur ville par ſorce, ne peut eſtre arreſté par les cris du peuple

A

& des femmes & enfans abandonnez a la boucherie, luy criâts mercy & se iettâts a ses pieds,
iusques a ce que passant tousiours outre dans la
ville , il aperceut trois gentils-hommes François, qui d'vne hardiesse incroyable soutenoiẽt
seuls l'effort de son armée victorieuse. La consideratiõ & le respect d'vne si notable vertu re-
boucha premierement la pointe de sa cholere,
& commença par ces trois a faire misericorde
a tous les autres habitans de la ville . Scander-
bech, Prince de l'Epire suiuant vn soldat des
siens pour le tuer, & ce soldat ayant essayé par
toute espece d'humilité & de supplication de
l'apaiser, se resolut a toute extremité de l'atan-
dre l'espée au poing : ceste sienne resolution
arresta sus bout la furie de son maistre , qui
pour luy auoir veu prãdre vn si honorable parti le receut en grace . Cet exemple pourra
souffrir autre interpretation de ceux, qui n'auront leu la monstrueuse force & vaillance de
ce Prince la . L'Empereur Conrad troisiesme
ayât assiegé Guelphe Duc de Bauieres, ne voulut condescendre a nulles plus douces conditions , quelques viles & lasches satisfactions
qu'on luy offrit , que de permettre seulement
aus gentils-femmes, qui estoient assiegées auec
le Duc, de sortir leur hôneur sauue a pied, auec
ce qu'elles pourroiẽt emporter sur elles. Elles
d'vn cœur magnanime s'auiserent de charger
sur leurs espaules leurs maris, leurs enfans & le
                                    Duc

Duc mefme. l'Empereur print fi grand plaifir
a voir la gentileſſe de leur courage, qu'il en
pleura d'aiſe, & amortit toute ceſte aigreur
d'inimitié mortelle & capitale, qu'il auoit portée contre ce Duc. Et des lors en auant le trai-
ta humainement luy & les fiens. Or ces exemples me femblent plus a propos, d'autant
qu'on voit ces ames aſſaillies & eſſayiées par
ces deux moyens, en fouſtenir l'vn fans s'eſbranler & flechir fous l'autre. Il fe peut dire
que de fe laiſſer aller a la compaſſion & a la pitié c'eſt l'effect de la facilité, debonaireté, &
moleſſe (d'ou il aduient que les natures plus
foibles, comme celle des femmes, des enfans
& du vulguaire y font plus fubiettes) mais a-
yant eu a defdeing les larmes & les pleurs, de
fe rendre a la fcule reuerence & refpect de la
faincte image de la vertu, que c'eſt l'effect d'v-
n'ame forte & imployable, ayant en affection
& en honneur vne vertu viue, maſle, & obſti-
née. Toutesfois es ames moins genereuſes
l'eſtonnement & l'admiration peuuent faire naiſtre vn pareil effect : teſmoin le peuple
Thebein, lequel ayant mis en iuſtice d'accufation capitale fes capitaines, pour auoir continué leur charge outre le temps, qui leur auoit
eſté prefcript & preordonné, abſolut a toutes
peines Pelopidas, qui plioit fous le faix de telles obiections & n'employoit a fe garentir que
requeſtes & fupplications. Et au contraire

Epaminondas , qui vint a raconter magnifiq-
nement les choses par luy faites , & a les reprocher au peuple d'vne façon fiere & asseurée , il n'eust pas le cœur de prendre seulement les balotes en main : & se despartit l'assemblée louant grandement la hautesse du cou
rage de ce personnage. Certes c'est vn subiect
merueilleusemêt vain, diuers, & ondoyant que
l'homme. Il est malaisé d'y fonder & establir
nul iugement constant & vniforme. Voyla Pô-
peius qui perdonna a toute la ville des Mamer
tins , contre laquelle il estoit fort animé, en cô
sideration de la vertu & magnanimité du citoyen Zenon, qui se chargeoit seul de la faute pu
blique , & ne requeroit autre grace que d'en
porter seul la peine. Et l'hoste de Sylla ayant
vsé en la ville de Peruse de semblable vertu n'y
gaigna rien, ni pour soy ni pour autruy.

Chap.   II.

De la tristesse.

LE Conte dit que Psammenitus Roy d'Egypte ayant esté deffait & pris par Cambises
Roy de Perse, voyant passer deuant luy sa fille
prisonniere habillée en seruante, qu'on enuo-
yoit puiser de l'eau, tous ses amis pleurans &
lamentans autour de luy, se tint coy sans mot
dire, les yeux fichez en terre: & voyant encore
                                          tantost

tatoſt qu'on menoit ſon fils a la mort,ſe maintint en ceſte meſme contenance : mais qu'ayāt
aperceu vn de ſes domeſtiques conduit entre
les captifs il ſe mit a battre ſa teſte & mener
vn deuil extreme . Cecy ſe pourroit apparier
a ce qu'on vid dernieremēt d'vn Prince des no-
tres, qui ayant ouy a Trante , ou il eſtoit, nouuelles de la mort de ſon frere aiſné,mais vn fre
re en qui conſiſtoit l'appuy & l'hôneur de toute ſa maiſon , & bien toſt apres d'vn puiſné , ſa
ſeconde eſperance, & ayant ſouſtenu ces deux
charges d'vne conſtance exemplaire , comme
quelques iours apres vn de ſes gens vint a mou
rir,il ſe laiſſa emporter a ce dernier accidant,&
quittant ſa reſolution s'abandonna au deuil &
aux regrets, en maniere qu'aucuns en prindrēt
argument , quil n'auoit eſté touché au vif que
de ceſte derniere ſecouſſe . Mais a la verité ce
fut, qu'eſtant d'ailleurs plein & comble de tri-
ſteſſe,la moindre ſurcharge briſa les barrieres
de la patience . Il s'en pourroit (di ie) autant
iuger de noſtre hiſtoire,n'eſtoit qu'elle adiouſ-
te, que Cambiſes s'enquerant a Pſammenitus,
pourquoy ne s'eſtant eſmeu au malheur de ſon
fils & de ſa fille il portoit ſi impatiemment celuy d'vn de ſes amis , c'eſt, reſpondit il, que ce
ſeul dernier deſplaiſir ſe peut ſignifier par larmes, les deux premiers ſurpaſſans de bien loin
tout moyen de ſe peuuoir exprimer. A l'auenture reuiendroit a ce propos l'inuention de cet

ancien peintre, lequel ayant a representer au sa
crifice de Iphigenia le deuil des assistans selon
les degrez de l'interest que chacun apportoit
a la mort de ceste belle fille innocente, ayant
espuisé les derniers efforts de son art, quand se
vint au pere de la fille, il le peignit le visage
couuert, cóme si nulle contenance ne pouuoit
representer ce degré de deuil. Voyla pourquoy les Poëtes feignent ceste miserable mere Niobé ayant perdu premierement sept fis
& puis de suite autant de filles, surchargée de
pertes auoir esté en fin transmuée en rochier,

diriguisse malis,

pour exprimer ceste morne, muete & sourde
stupidité, qui nous transit, lors que les accidens
nous accablent surpassans nostre portee. De
vray l'effort d'vn desplaisir, pour estre extreme, doit estonner toute l'ame, & luy empescher la liberté de ses actions, comme il nous
aduient à la chaude alarme d'vne bien mauuaise nouuelle, de nous sentir saisis, transis, & com
me perclus de tous mouuemens, de façon que
l'ame se relaschât apres aux larmés & aux plain
tes, semble se desprédre, se desmeler & se mettre plus au large, & a son aise.

Che puo dir, com' egli arde é in picciol fuoco,
disent les amoureus, qui veulent representer
vne passion insupportable. Ce qu' exprime
naisuement le diuin poeme.

misero

misero quod omnes
Eripit sensus mihi. Nam simul te
Lesbia aspexi, nihil est super mi
   Quod loquar amens.
Lingua sed torpet, tenuis sub artus
Flamma dimanat, sonitu suopte
Tinniunt aures, gemina teguntur
   Lumina nocte.

Et de la se peut engendrer par fois la deffaillance fortuite, qui surprêt les amoureus si hors de saison, & ceste glace qui les saisit par la force d'vn ardeur extreme. Toutes passions qui se laissent gouster & digerer, ne sont que mediocres, *Curæ leues loquuntur, ingentes stupent.* Outre la femme Romaine, qui mourut surprinse d'aise de voir son fils reuenu de la route de Cannes, Sophocles & Denis le Tyran, qui trespasserent d'aise, & Talua qui mourut en Corsegue lisant les nouuelles des honneurs que le Senat de Rome luy auoit decernés, nous tenons en nostre siecle que Pape Leon dixiesme ayant esté aduerti de la prinse de Milan, qu'il auoit extremement souhaitée, entra en tel excez de ioye, que la fieure l'en print & en mourut. Et pour vn plusnotable tesmoignage de l'imbecilité naturelle, il a esté remarqué par les anciens, que Diodorus le dialecticien mourut sur le cháp espris d'vne extreme passió de honte, pour en son escole & en public ne se pouuoir desueloper d'vn argumét qu'on luy auoit taict.

       A 4

Chap. III.
Nos affections s'emportent au de la de nous.

BErtrand du Glesquin mourut au siege du chasteau de Rancon pres du Puy en Auuergne. Les assiegés s'estant rendus apres, furent obligez de porter les clefs de la place sur le corps du trespassé. Berthelemi d'Aluiane, general de l'armée des Venitiens, estant mort au seruice de leurs guerres en la Bresse, & son corps ayant a estre raporté a Venise par le Veronois, terre ennemie, la pluspart de ceux de l'armée estoient d'aduis qu'on demandat saufcõduit pour le passage, a ceux de Verone: mais Theodore Triuolce y contredit:& choisit plutost de le passer par viue force au hazard du combat, n'estant conuenable, disoit il, que celuy, qui en sa vie n'auoit iamais eu peur de ses ennemis, estant mort fit demonstration de les craindre. Ces traits se pourroient trouuer estranges,s'il n'estoit receu de tout temps, non seulement d'estendre le soing que nous auons de nous au de la ceste vie, mais encore de croire que bien souuent les faueurs celestes nous accompaignent au tombeau, & continuent a nos reliques. De quoy il y a tant d'exemples anciens, laissant a part les nostres, qu'il n'est besoing que i'en fournisse. Edouard premier Roy d'Angleterre : ayant essayé aux longues
guerres

guerres d'entre luy & Robert Roy d'Escosse,
combien la presence donnoit d'aduantage a ses
affaires, rapportant tousiours la victoire de ce
qu'il entreprenoit en personne, mourant obli-
gea son fils par solennel serment a ce qu'estant
trespassé, il fit bouillir son corps pour desprâdre
sa chair d'auec les os, laquelle il fit enterrer, &
quant aux os qu'il les reseruast pour les porter
auec luy & en son armée, toutes les fois qu'il
luy aduiendroit d'auoir guerre contre les Es-
cossois, comme si la destinée auoit fatalement
attaché la victoire a ses mêbres. Les premiers
ne reseruent au tombeau, que la reputation acquise par leurs actions passées : mais cetuy cy y
veut encore trainer la puissance d'agir. Le fait
du Capitaine Bayard est de meilleure composition, lequel se sentant blessé a mort d'vne harquebusade dans le corps, conseillé de se retirer
de la meslée respondit qu'il ne commence-
roit point sur sa fin a tourner le dos a l'ennemy:
& ayant combatu autant qu'il eut de force se
sentant defaillir & eschaper du cheual, commanda a son maistre d'hostel de le coucher au
pied d'vn arbre : mais que ce fut en façon qu'il
mourut le visage tourné vers l'ennemy, comme
il fit. Il me faut adiouster cest autre exemple
aussi remarquable pour ceste consideration,
que nul des precedens. L'empereur Maximilian bisaycul du Roy Philippes, qui est a present, estoit prince garny de tout plein de gran-
des

des qualitez , & entre autres d'vne beauté de
corps singuliere. Mais parmy ces humeurs, il a-
uoit ceste cy bien contraire a celle des princes,
qui pour despecher les plus importants affaires font leur throsne de leur chaire percee.
C'est qu'il n'eust iamais valet de chambre , si
priué, a qui il permit de le voir en sa garderobe.
Il se desroboit & cachoit pour tumber de l'eau,
aussi religieux qu'vne fille a ne descouurir ny a
medecin ny a qui que ce fut les parties qu'on a
accoustumé de tenir cachées: & iusques a telle
superstition, qu'il ordonna par parolles expresses de son testament, qu'on luy attachat des calessons , quand il seroit mort. Il deuoit adiouster par codicille, que celuy qui les luy monte-
roit eut les yeux bandez.

CHAP. IIII.

Comme l'ame descharge ses passions sur des obietz
faux, quand les vrais luy defaillent.

VN gentil-homme des nostres merueilleusement subiect a la goutte , estant
pressé par les medecins de laisser du tout l'vsage des viandes salées , auoit accoustumé de respondre fort plaisamment , que sur les effors &
tourmens du mal, il vouloit auoir a qui s'en
prendre, & que s'escriant & maudissant tantost
le ceruelat, tantost la langue de beuf & le iambon

bon, il s'en fentoit d'autant allegé. Mais en bon
efciant comme le bras eftant hauffé pour frapper, il nous deult, fi le coup ne rencôtre, & qu'il
aille au vent : auffi que pour rendre vne veüe
plaifante il ne faut pas qu'elle foit perdue &
efcartée dans le vague de l'air, ains qu'elle aye
bute pour la fouftenir a raifonnable diftance.
De mefme il femble que l'ame esbranlée &
efmeüe fe perde en foy mefme, fi on ne luy dône prinfe: & faut toufiours luy fournir d'obiect
ou elle s'abutte & agiffe. Plutarque dit a propos de ceux, qui s'affectionnent aux guenons
& petis chiens, que la partie amoureufe, qui eft
en nous, a faute de prife legitime, pluftoft que
de demeurer en vain, s'en forge ainfi vne faulce & friuole. Et nous voyons que l'ame en fes
paffions fe pipe pluftoft elle mefme, fe dreffant
vn faux fubiect & fantaftique, voire contre fa
propre creance, que de n'agir contre quelque
chofe.   Quelles caufes n'inuentons nous des
malheurs, qui nous aduiénent ? a quoy ne nous
prenôs nous a tort ou droit, pour auoir ou nous
efcrimer ? Ce ne font pas ces treffes blondes,
que tu defchires, ny la blancheur de cefte poitrine, que defpite tu bas fi cruellement, qui ont
perdu d'vn mal'heureux plomb ce frere bien
aymé: prens t'en ailleurs. Qui n'a veu macher
& engloutir les cartes, fe gorger d'vne bale de
dets pour auoir ou fe venger de la perte de fon
argent? Xerxes foita la mer & efcriuit vn cartel
de deffi

de défi au mont Athos : & Cyrus amuſa toute
vne armée pluſieurs iours a ſe venger de la riuiere de Gyndus, pour la peur qu'il auoit eu en
la paſſant : & Caligula ruina vne tresbelle maiſon, pour le plaiſir que ſa mere y auoit receu.
Auguſtus Ceſar ayant eſté battu de la tempe-
ſte ſur mer ſe print a deſſier le dieu Neptunus,
& en la pompe des ieux Circenſes fit oſter ſon
image du reng, ou elle eſtoit parmy les autres
dieux, pour ſe venger de luy. En quoy il eſt encore moins excuſable que les precedens , &
moins qu'il ne fut depuis , lors qu'ayant perdu
vne bataille ſous Quintilius Varus en Allemaigne, il alloit de colere & de deſeſpoir choquât
ſa teſte contre la muraille , en s'eſcriant, Varus
rens moy mes ſoldats : car ceux la ſurpaſſent
toute follie, dautant que l'impieté y eſt ioincte,
qui s'en adreſſent a Dieu meſmes a belles iniures, ou a la fortune , comme ſi elle auoit des o-
reilles ſubiectes a noſtre batterie. Or, comme
dit ceſt ancien poëte ches Plutarque ,
Point ne ſe faut courroucer aux affaires.
Il ne leur chaut de toutes nos colleres.

CHAP. V.

Si le chef d'vne place aſſiegée dois ſortir pour parlementer.

L Vcius Marcius legat des Romains en la
guerre contre Perſeus Roy de Macedoine
vou-

voulant gaigner le temps, qu'il luy falloit encore a mettre en point son armée, sema des entre-
gets d'accord, desquels le Roy endormi accor-
da tresue pour quelques iours, fournissant par
ce moyen son ennemy d'oportunité & loisir
pour s'armer: d'ou le Roy encourut sa derniere
ruine. Si est-ce, que le Senat Romain, a qui le
seul aduantage de la vertu sembloit moyen
iuste pour acquerir la victoire, trouua ceste
praticque laide & des-honneste, n'ayant encores ouy sonner a ses oreilles ceste belle sentence,

dolus an virtus quis in hoste requirat?

Quand a nous moings superstitieux, qui tenons
celuy auoir l'honneur de la guerre, qui en a le
profit, & qui apres Lysander, disons que ou la
peau du lyon ne peut suffire, qu'il y faut coudre
vn lopin de celle du renard, les plus ordinaires
occasions de surprinse se tirent de ceste praticque: & n'est heure, disons nous, ou vn chef doiue auoir plus l'œil au guet, que celle des parlemens & traités d'accord. Et pour ceste cause
c'est vne reigle en la bouche de tous les hommes de guerre de nostre temps, qu'il ne faut
iamais que le gouuerneur en vne place assiegée
sorte luy mesmes pour parlementer. Du temps
de nos peres cela fut reproché aux seigneurs de
Montmord & de l'Assigni deffandans Mouson
contre le Conte de Nansaut. Mais aussi à ce côte celuy la seroit excusable, qui sortiroit en telle

le façon, que la furté & l'aduantaige demeuraſt
de ſon coſté, comme fit en la ville de Regge, le
Conte Guy de Rangon (s'il en faut croire Mô-
ſieur du Bellay, car Guichardin dit que ce fut
luy meſmes) lors que le ſeigneur de l'Eſcut s'en
approcha, pour parlementer : car il abandonna
de ſi peu ſon fort, que vn trouble s'eſtant eſmeu pandant ce parlement, non ſeulement
Monſieur de l'Eſcut & ſa trouppe, qui eſtoit
approchée auec luy ſe trouua la plus foible,
de façon que Alexandre Triuulce y fut tué,
mais luy meſmes fuſt contrainct, pour le plus
ſeur, de ſuiure le Conte, & ſe ietter ſur ſa ioy
a l'abri des coups, dans la ville : Si eſt ce que encores en y a il, qui ſe ſont tresbien trouuez de
ſortir ſur la parolle de l'aſſaillant : teſmoing
Henry de Vaux, Cheualier Champenois, lequel
eſtant aſſiegé dans le chaſteau de Commercy
par les Anglois, & Barthelemy de Bonnes, qui
cômandoit au ſiege ayant par dehors faict ſap-
per la plus part du chaſteau, ſi qu'il ne reſtoit
que le feu pour acabler les aſſiegez ſous les ruines, ſomma ledict Henry de ſortir a parlementer pour ſon profict, comme il fit luy quatrieſme, & ſon cuidante ruyne luy ayant eſté mon-
ſtrée a l'œil il s'en ſentit ſingulierement obligé a l'ennemy, a la diſcretion duquel apres
qu'il ſe fut rendu & ſa trouppe, le feu eſtât mis
a la mine les eſtanſons de bois venant a faillir
le chaſteau fut emporté de fons en comble.

CHAP.

CHAP. VI.

L'heure des parlemens dangereuse.

TOutes-fois ie vis dernierement en mon
voisinage de Mussidan, que ceux, qui en
furent délogés a force par nostre armée, & autres de leur part cryoient comme de trahison,
de ce que pandant les entremites d'accord, &
le parlement se continuant encores, on les a-
uoit surpris & mis en pieces, chose, qui eust heu
a l'auanture apparance en vn autre siecle, mais,
comme ie viens de dire, nos façons sont entierement esloignées de ces reigles. Et ne se doit
attandre fiance des vns aux autres, que le dernier seau d'obligation n'y soit passé: encore y a
il lors assés affaire. Cleomenes disoit, que quelque mal qu'on peut faire aux ennemis en guerre, cela estoit par dessus la iustice, & non sub-
iecta icelle, tant enuers les dieux, que enuers
les hommes, & ayant faict treue auec les Ar-
giens, pour sept iours, la troisiesme nuit apres
il les alla charger tous endormis & les défict,
alleguant qu'en sa treue il n'auoit pas esté
parlé des nuits: mais les dieux vengerent cette
perfide subtilité. Monsieur d'Aubigny assie-
geant Cappoüe, & apres y auoir faict vne
furieuse baterie, le seigneur Fabrice Colon-
ne, Capitaine de la Ville ayant commancé a
parle-

a parlementer de deſſus vn baſtion, & ſes gens
faiſant plus molle garde, les noſtres s'en amparerent & mirent tout en pieces. Et de plus
freſche memoire a Yuoi le ſeigneur Iullian
Rommero ayant fait ce pas de clerc de ſortir
pour parlementer auec monſieur le Conestable, trouua au retour ſa place ſaiſie. Mais afin
que nous ne nous en aillions pas ſans reuanche
le Marquis de Peſquaire aſſiegeant Genes, ou
le duc Octauian Fregoſe commandoit ſoubs
noſtre protection, & l'accord entre eux ayant
eſté pouſté ſi auant, qu'on le tenoit pour fait,
ſur le point de la concluſió, les Eſpaignols s'eſtant coullés dedans, en vſarent comme en vne
victoire planiere : & depuis en Ligny en Barrois, ou le Conte de Brienne commandoit,
l'Empereur l'ayant aſſiegé en perſonne, & Bertheuille lieutenant dudict Conte eſtant ſorty
pour parlementer, pandant le parlement la vil-
le ſe trouua ſaiſie.

Fu il vincer ſempremai laudabil coſa.
Vincaſo o per fortuna o per ingegno,
diſent ils: Mais le philoſophe Chriſippus n'euſt
pas eſté de c'eſt aduis: car il diſoit que ceux, qui
courent a lenuy, doiuent bien employer toutes
leurs forces a la viſteſſe, mais il ne leur eſt
pourtant aucunemét loiſible de mettre la main
ſur leur aduerſaire pour l'arreſter, ny de luy tédre la iambe, pour le faire cheoir.

CHAP.

CHAP. VII.

Que l'intention iuge nos actions.

LA mort, dict on, nous aquitte de toutes nos
obligations, i'en sçay qui l'ont prins en di-
uerse façon. Henry septiesme Roy d'Angleterre fist composition auec don Philippe fils de
l'Empereur Maximilian, ou pour le confron-
ter plus honnorablement, pere de l'Empereur
Charles cinquiesme, que ledict Philippe luy
remettoit entre ses mains le Duc de Suffolc de
la Rose blanche, son ennemy, lequel s'en estoit
enfuy & retiré au pais bas, moyennant qu'il
promettoit de n'atemter rien sur la vie dudict
Duc: toutes-fois venant a mourir il commanda
par son testament expressement a son fils de le
faire mourir soudain apres qu'il seroit dece-
dé. Dernieremēt en ceste tragedie, que le Duc
d'Albe nous fit voir a Bruxelles es Contes de
Horne & d'Aiguemond, ausquels il fit trancher
la teste, il y eust tout plein de choses remarquables, & entre autres, que ledit Conte d'Aiguemond, soubs la foy & asseurance duquel le
Conte d'Horne s'estoit venu rendre au Duc
d'Albe, requit auec grande instance, qu'on le
fit mourir le premier : affin que sa mort le gua-
rantit de l'obligation, qu'il auoit audict Conte
d'Horne. Il semble que la mort n'ait point

B

descharge le premier de sa foy donnée, & que
le second en estoit quite, mesmes sans mourir.
Nous ne pouuôs estre tenus au dela de nos forces & de nos moyens. A ceste cause,par ce que
les effaictz & executions ne sont aucunement
en nostre puissance , & qu'il n'y a rien en bon
essiant en nostre puissance, que la volonté : en
celle la se fondent par necessité , & s'establissent toutes les reigles du deuoir de l'homme.
Par ainsi le Conte d'Aiguemond tenant son a-
me & volonté endebtée a sa promesse,bien que
la puissance de l'effectuer ne fut pas en ses
mains,estoit sans doubte absous de sô deuoir,
quand il eust suruescu le Conte d'Horne. Mais
le Roy d'Angleterre saillant a sa parolle par
son intention ne se peut excuser pour auoir retardé iusques apres sa mort l'execution de sa
desloyauté , non plus que le masson de Hero-
dote , lequel ayant loyallement conserué durant sa vie le secret des tresors du Roy d'E-
gypte son maistre,mourant les descouurit a ses
enfans.

CHAP. VIII.

De l'oisiueté.

Comme nous voyons des terres oysiues , si
elles sont grasses & fertilles , que elles ne
cessent de foisonner en cent mille sortes d'herbes

bes sauuaiges & inutiles , & que pour les tenir
en office il les faut asubiectir & employer a cer
taines semences pour nostre seruice. Et comme nous voyons que les femmes produisent
bien toutes seules des amas & pieces de chair
informes, mais que pour faire vne generation
bonne & naturelle, il les faut enbesoigner d'v-
ne autre semance : ainsin est il des esprits si on
ne les occupe a certain subiet , qui les bride &
contraigne, ils se iettent desreiglez par cy par
la dans le vague champ des immaginations : &
n'est folie ny réuerie, qu'ils ne produisent en
ceste agitation,

Velut ægri somnia vana
Finguntur species.

L'ame qui n'a point de but estably elle se perd.
Car comme on dict, c'est n'estre en nul lieu,
que d'estre par tout. Dernierement que ie me
retiray chez moy, deliberé autant que ie pourroy de ne me mesler d'autre chose , que de
passer en repos & a part ce peu qui me reste
de vie , il me sembloit ne pouuoir faire plus
grande faueur a mon esprit , que de le laisser
en pleine oysiueté, s'entretenir soy mesmes &
s'arrester & rasseoir en soy. Ce que i'esperois
qu'il peut meshuy faire plus aisément deuenu
auec le temps plus poisant & plus meur, mais ie
trouue comme

variam semper dant otia mentem,

que au rebours faisât le cheual eschapé il se dô-

ne sçent fois plus d'affaire a soy mesmes, qu'il
n'en prent pour autruy, & m'enfante tant de
chimeres & monstres fantasques les vns sur les
autres, sans ordre, & sans propos, que pour en
contempler a mon aise l'ineptie & l'estrageté
i'ay commancé de les mettre en rolle, esperant
auec le temps luy en faire honte a luy mesmes.

CHAP.   IX.

Des menteurs.

IL n'est homme a qui il siese si mal de se mesler de parler de la memoire qu'a moy. Car ie
n'en reconnoy quasi nulle trasie chez moy : &
ne pense qu'il y en aye au monde vne si monstrueuse en defaillance. I'ay toutes mes autres
parties viles & communes : mais en ceste la ie
pense estre singulier & tres-rare , & digne de
gaigner par la nom & reputation. I'en pourrois
faire des contes merueilleux, mais pour ceste
heure il vaut mieux suiure mon theme. Ce n'est
pas sans raison qu'ö dit, que qui ne se sent point
asfez ferme de memoire , ne se doit pas mesler
d'estre menteur. Ie sçay biē que les Grammairiens font difference entre dire mensonge &
mentir : & disent que dire mensonge c'est dire chose faulce, mais qu'on a pris pour vraye,
& que la definition du mot de mentir en Latin,
d'ou nostre François est party , porte autant
                                            com-

comme aller contre sa conscience, & que par
consequent cela ne touche que ceux qui disent
contre ce qu'ils sçauent, desquels ie parle. Or
ceux cy, ou ils inuentent marc & tout, ou ils déguisent & alterent vn sons veritable. Lors qu'ils
déguisent & changent, a les remettre souuent
en ce mesme conte, il est malaisé qu'ils ne se
desferrent : par ce que la chose, comme elle est,
s'estant logée la premiere dans la memoire, &
s'y estant empreinte par la voie de la connoissance, & de la science, il est malaisé qu'elle ne
se represente a l'imagination délogeant la fauceté, qui n'y peut auoir le pied si ferme, ny si
rassis : & que les circonstances du premier a-
prentissage se coulant a tous les coups dans l'e-
sprit, ne facent perdre le souuenir des pieces
raportées faulses ou abastardies. En ce qu'ils
inuentent tout a fait, d'autant qu'il n'y a nulle
impression contraire, qui choque leur faucté,
ils semblent auoir d'autant moins a craindre de
se mesconter. Toutesfois encore cecy, par ce
que c'est vn corps vain & sans prise, il eschape
volontiers a la memoire, si elle n'est bien asseurée. Le Roy François premier, se vantoit d'a-
uoir mis au rouet par ce moyen Francisque Ta-
uerna, Ambassadeur de François Sforce Duc
de Milan, homme tresfameux en science de
parlerie. C'estuy-cy auoit esté depesché pour
excuser son maistre enuers sa majesté, d'vn fait
de grande consequance, qui estoit tel. Le Roy

B 3

pour maintenir tousiours quelques intelligences en Italie, d'ou il auoit esté dernierement
chassé, mesme au Duché de Milan, auoit auisé
d'y tenir pres du Duc vn gentil'homme de sa
part, Ambassadeur, par effect, mais par apparence homme priué, qui fit la mine d'y estre
pour ses affaires particulieres : d'autant que le
Duc, qui dépendoit beaucoup plus de l'Empereur, lors principalement qu'il estoit en traicté
de mariage auec sa niepce, fille du Roy de Dā-
nemarc, qui est a present douairiere de Lorraine, ne pouuoit descouurir auoir aucune praticque & conference auecques nous, sans son grād
interest. A ceste commission se trouua propre
vn gentil'homme Milanois, escuier d'escurie
chez le Roy nommé Merueilles. Cetuy-cy des-
peché auecques lettres secretes de creance, &
instructions d'Ambassadeur, & auecques d'autres lettres de recommandation enuers le Duc,
en faueur de ses affaires particuliers, pour le
masque & la monstre, fut si long temps aupres
du Duc, qu'il en vint quelque resentiment a
l'Empereur, qui donna cause a ce, qui s'ensuiuit
apres, comme nous pensons : qui fut, que sous
couleur de quelque meurtre, voila le Duc qui
luy fait trancher la teste de belle nuict, & son
procez faict en deux iours. Messire Francisque
estant venu prest d'vne longue deduction contrefaicte de ceste histoire, car le Roy s'ē estoit
adressé, pour demander raison a tous les princes

ces de Chreſtienté & au Duc meſmes, fut ouy
aux affaires du matin, & ayant eſtably pour le
fondemét de ſa cauſe, & dreſſé a ceſte fin pluſieurs belles apparences du faict, que ſon maiſ-
ſtre n'auoit iamais pris noſtre hôme, que pour
gentil-homme priué & ſien ſuiect, qui eſtoit
venu faire ſes affaires a Milan, & qui n'auoit iamais veſcu la ſoubs autre viſage, deſaduouant
meſme auoir ſceu qu'il fut en eſtat de la maiſ-
ſon du Roy, ny connu de luy, tant s'en faut qu'il
le prit pour ambaſſadeur. Le Roy a ſon tour le
preſſant de diuerſes obiections & demandes, &
le chargeant de toutes pars, l'accula en fin ſur
le point de l'execution faite de nuict, & comme a la deſrobée. A quoy le pauure homme
ambaraſſé reſpondit, pour faire l'hôneſte, que
pour le reſpect de ſa majeſté le Duc euſt eſté
bien marry que telle execution ſe fut faicte de
iour. Chacun peut penſer, comme il fut releu-
ué, s'eſtant ſi lourdement couppé & a l'endroit
d'vn tel nez, que celuy du Roy François. Le Pape Iule ſecond ayant enuoyé vn Ambaſſadeur
vers le Roy d'Angleterre pour l'animer contre
le Roy François, l'Ambaſſadeur ayant eſté ouy
ſur ſa charge, & le Roy d'Angleterre s'eſtant
arreſté en ſa reſponce aus difficultés qu'il trouuoit, a dreſſer les preparatifs, qu'il faudroit
pour combatre vn roy ſi puiſſant: & en alleguát
quelques raiſons, l'Ambaſſadeur repliqua mal a
propos qu'il les auoit auſſi conſiderées de ſa

B 4

part, & les auoit bien dites au Pape. De ceste
parolle si elongnée de sa proposition, qui estoit
de le pousser incontinent a la guerre, le Roy
d'Angleterre print le premier argument de ce
qu'il trouua depuis par effect, que cest Ambassadeur de son intention particuliere pendoit du
costé de France, & en ayant aduerty son maistre, ses biens furent confisquez, & ne tint a
guiere qu'il n'en perdit la vie.

CHAP. X.

Du parler prompt ou tardif.

ON ques ne furent a tous toutes graces données.
Aussi voyons nous qu'au don d'eloquence, les
vns ont la facilité & la promptitude, & ce
qu'on dict, le boute-hors si aisé, qu'a chaque
bout de champ ils sont prests : les autres plus
tardifz ne parlent iamais rien qu'élabouré &
premedité. Comme on donne des regles aux
dames de prendre les ieux & les exercices du
corps, selon l'aduantage de ce, qu'elles ont le
plus beau : si i'auois a conseiller de mesmes
en ces deux diuers aduantages de l'eloquence, de laquelle il semble en nostre siecle, que
es Prescheurs & les Aduocatz facent principale

cipale profeſſion, le tardif ſeroit mieus preſcheur, ce me ſemble, & l'autre mieus aduocat. Par ce que la charge de celuyla luy
donne autant qu'il luy plait de loiſir pour ſe
preparer : & puis ſa carriere ſe paſſe d'vn fil
& d'vne ſuite ſans interruption : la ou les commoditez de l'aduocat le preſſent a toute heurte
de ſe mettre en lice. Et puis les reſponces im-
prouueues de ſa partie aduerſe le reiettẽt hors
de ſon branle, ou il luy faut ſur le champ prendre nouueau parti. Si eſt-ce qu'a l'entreueuë
du Pape Clement & du Roy François a Marſeille, il aduint tout au rebours, que monſieur
Poyet, homme toute ſa vie nourry au barreau
en grande reputation, ayant charge de faire la
harangue au Pape, & l'ayant de longue main
pourpenſée, voire, a ce qu'on dit, apportée de
Paris toute preſte, le iour meſme qu'elle deuoit eſtre pronõcée, le Pape ſe craignant qu'on
luy teint propos, qui peut offencer les Ambaſſadeurs d'autres Princes, qui eſtoient autour
de luy, manda au Roy l'argument qui luy ſembloit eſtre le plus propre au temps & au lieu,
mais de fortune tout autre que celuy, ſur lequel
monſieur Poyet s'eſtoit trauaillé : de façon que
ſa harangue demeuroit inutile, & luy en falloit
promptement refaire vn'autre. Mais s'en ſentant incapable, il fallut que monſieur le Cardinal du Bellay en print la charge. Il ſemble que
ce ſoit plus le rolle de l'eſprit d'auoir ſon ope-

ration prompte & foudaine, & plus celuy du iu
gement, de l'auoir lente & pofée. Mais qui
demeure du tout muet, s'il n'a loifir de fe preparer, & celuy auffi a qui le loifir ne donne nul
aduātage de mieus dire, ils font en pareil degré
d'eftrāgeté. On recite de Seuerus Caffius, qu'il
difoit mieus fans y auoir pēfé, qu'il deuoit plus
a la fortune qu'a fa diligence, qu'il luy venoit a
profit d'eftre troublé en parlant, & que fes ad-
uerfaires craignoient de le piquer, de peur que
la colere ne luy fit redoubler fon eloquēce. Ie
cognois bien priuement & par ordinaire experience, cefte condition de nature, qui ne peut
fouftenir vne vehemente premeditation, tant
pour defaut de la memoire & difficulté du
chois des chofes & de leur difpofitió, que pour
le trouble qu'vne attention vehemente luy a-
porte d'ailleurs. Nous difons d'aucuns ouurages qu'ilz puent a l'huyle & a la lampe, pour cer
taine afpreté & rudeffe, que le trauail imprime
es ouurages, ou il a grande part. Mais outre cela la folicitude de bien faire, & cefte côtention
de l'ame trop bandée & trop tendue a fon entreprife la rompt, & la trouble. En cefte condition de nature, de quoy ie parle, il y a quant
& quant auffi cela, qu'elle demande a eftre nó
pas esbranlée & piquée par fes paffions fortes
comme la colere de Caffius (car ce mouuemē
feroit trop afpre) elle veut eftre nó pas fecouée,
mais folicitée : elle veut eftre echaufée & reueillée

ueillée par les occasions estrangeres presentes
& fortuites. Si elle va toute seule, elle ne fait
que trayner & languir l'agitation, c'est la vie
& la grace de son langage: ses escrits le mon-
strêt au pris de ses paroles: au moins s'il y peut
auoir du chois, ou il n'y a point de valeur.

CHAP. XI.

Des Prognostications.

QVand aux oracles, il est certain, q̃ bõne pie
ce auãt la venue de Iesus Christ, ils auoiẽt
commence a perdre leur credit: car nous voyõs
que Cicero se met en peine de trouuer la cause de leur defaillãce: mais quant aux autres pro-
gnosticques, qui se tiroyent de l'anathomie des
bestes aux sacrifices, du trepignement des pou-
lets, du vol des oyseaux & autres, sur lesquels
l'ancieneté appuioit la plus part des entreprinses, tant publiques que priuees: nostre religion
les a abolies. Et encores qu'il reste entre nous,
quelques moyens de diuination es astres, es e-
sprits, es figures du corps, es songes, & ailleurs,
notable exemple de la forcenée curiosité de
nostre nature s'amusant a preoccuper les choses futures, comme si elle n'auoit pas assez affaire a digerer les presentes : si est-ce qu'elle est de beaucoup moindre auctorité. Voyla pourquoy l'exemple de François Marquis
de Sal-

de Sallufie m'a femblé remarcable : car Lieutenant du Roy François en fen armée de la
les monts , infiniement fauorifé de noftre
court, & obligé au Roy du Marquifat mefmes,
qui auoit efté côfifqué de fon frere, au refte ne
fe prefentant occafion de le faire, fon affection
mefmes y contredifant , fe laiffa fi fort efpou-
uanter(comme il a efté adueré) aux belles pro-
gnofticatiôs qu'on faifoit lors courir de tous
coftez a l'aduâtage de l'Empereur Charles cinquiefme & a noftre def-aduantage, mefmes en
l'Italie, ou ces folles propheties auoient trouué tant de place, qu'a Rome fut baillé grandes
fommes d'argent au change,pour cefte opiniô
de noftre ruine, que apres s'eftre foulant con-
dolu a fes priuez, des maux qu'il voioit ineui-
tablement preparez a la couronne de Francé,
& aux amis qu'il y auoit, fe reuolta, & changea
de parti a fon grand dommage pourtant,quel-
que conftellation qu'il y eut. Mais il s'y condui-
fit en homme combatu de diuerfes paffions.
Car ayant & villes & forces enfa main, l'armée
ennemye foubz Antoine de Leue a trois pas
de luy , & nous fans foubfon de fon faict, il e-
ftoit en luy de faire pis qu'il ne fift . Car pour
fa trahifon nous ne perdifmes ny homme , ny
ville queFoffan:encore apres l'auoir lôg temps
conteftée.
Prudens futuri temporis exitum
Caliginofa notte premit Deus,

Ridet

Ridétque, si mortalis vltra
Fas trepidat.

      Ille potens sui
Latusque deget, cui licet in diem
Dixisse, vixi, cras vel atra
Nube polum pater occupato
Vel sole puro.
Latus in presens animus, quod vltra est,
Oderit curare.

CHAP. XII.

De la constance.

LA Loy de la resolution & de la constance
ne porte pas que nous ne nous deuiõs courir autant qu'il est en nostre puissance, des
maux & inconueniens, qui nous menassent, ny
par consequant d'auoir peur qu'ils nous surprei
gnent. Au rebours tous moyens honnestes de
se garentir des maux, sont non seulement permis, mais louables. Et le ieu de la constance se
iouë principalement a porter patiemment &
de pié ferme les inconueniens, ou il n'y a point
de remede. De maniere qu'il n'y a soupplesse
de corps ni mouuement aux armes de main, que
nous trouuions mauuais, s'il sert a nous garantir du coup qu'on nous rue. Toutes-fois aux ca-
nonades, despuis qu'on leur est planté en bute,
comme les occasions de la guerre portent souu-
uant,

uant, il eſt meſſeant de s'esbranler pour la menaſſe du coup : d'autant que pour ſa violance &
viteſſe nous le tenós ineuitable. & en y a meint
vn, qui pour auoir ou hauſſé la main, ou baiſſé
la teſte, en a pour le moins appreſté a rire a ſes
cõpaignons. Si eſt-ce que au voyage que l'Empereur Charles cinquieſme fit contre nous en
Prouence, le Marquis de Guaſt eſtant allé recognoiſtre la ville d'Arle, & s'eſtant ietté hors
du couuert d'vn molin a vent, a la faueur duquel
il s'eſtoit approché , fut apperceu par les Seigneurs de Bonneual & Seneſchal d'Agenois,
qui ſe promenoient ſus le theatre des arenes.
Leſquels l'ayant mõſtre au Seigneur de Villier
Commiſſaire de l'artillerie, il braqua ſi a propos vne colluurine, que ſans ce que ledict Marquis voyant mettre le feu ſe lanſa a quartier, il
fut tenu qu'il en auoit dans le corps. Et de meſmes quelques années au parauant , Laurens de
Medicis Duc d'Vrbin, pere de la Royne, mere
du Roy aſſiegeant Mondolphe , place d'Italie
aux terres , qu'on nomme du Vicariat, voyant
mettre le feu a vne piece, qui le regardoit, bien
luy ſeruit de faire la cane, car autremẽt le coup,
qui ne luy raſa que le deſſus de la teſte, luy donnoit ſans doute dans l'eſtomac. Pour en dire le
vray, ie ne croy pas que ces mouuemẽs ſe fiſſent
auecques diſcours. Car quel iugement pouués
vous faire de la mire haute ou baſſe en choſe ſi
ſoudaine : & eſt bien plus aiſé a croire, que la
fortu-

fortune brisa leur fraieur , & que ce seroit
moyé vn'autre fois aussi bien pour se ietter dãs
le coup, que pour l'esuiter.

CHAP. XIII.

Cerimonie de lantreueüe des Roys.

IL n'est subiect si vain, qui ne merite vn rang
en ceste rapsodie. A nos reigles communes
ce seroit vne notable discourtoisie & a l'endroit d'vn pareil & plus a l'endroict d'vn grãd,
de faillir a vous trouuer ches vous , quand il
vous auroit aduerty d'y deuoir venir: voire adioustoit la Royne de Nauarre, Marguerite, a
ce propos, que c'estoit inciuilité a vn gentil-
homme de partir de sa maison, comme il se
faict le plus souuant, pour aller au deuant de celuy qui le vient trouuer, pour grand qu'il soit:
& qu'il est plus respectueux & ciuil de l'attandre pour le receuoir, ne fust que de peur de faillir sa route : & qu'il suffit de l'accompagner a
son partement. C'est aussi vne reigle commune en toutes assemblées, qu'il touche aux moin
dres de se trouuer les premiers a l'assignation,
d'autant qu'il est mieux deu aux plus apparans
de se faire attandre. Toutes-fois a l'entreueüe
qui se dressa du Pape Clement , & du Roy
François a Marseille , le Roy y ayant ordonné
les apprets necessaires, s'esloigna de la ville
& donna

& donna loiſir au Pape de deux ou trois iours
pour ſon entrée & refreſchiſſement, auant qu'il
le vint trouuer. Et de meſmes a l'entrée auſſi
du Pape & de l'Empereur a Bouloigne, l'Empereur donna moyen au Pape d'y eſtre le premier, & y ſuruint apres luy. C'eſt, diſent ils, vne
cerimonie ordinaire aux abouchemens de tels
Princes, que le plus grand ſoit auant les autres
au ieu aſſigné, voyre auant celuy, ches qui ſe
faict l'aſſemblée: & le prenent de ce biais, que
c'eſt, affin que ceſte apparence reſmoigne, que
c'eſt le plus grand que les moindres vont trouuer, & le recherchent, non pas luy eux.

CHAP. XIIII.

Que le goûſt des biens & des maux depēd en bon-
ne partie de l'opinion, que nous
en auons.

LEs hommes (dit vne ſentence grecque ancienne) ſont tourmentez par les opinions,
qu'ilz ont des choſes, non par les choſes meſmes. Il y auroit vn grand point gaigné pour le
ſoulagement de noſtre miſerable conditiō humaine, qui pourroit eſtablir ceſte propoſition
vraye tout par tout. Car ſi les maux n'ōt entrée
en nous, q̄ par noſtre iugement, il ſemble qu'il
ſoit en noſtre pouuoir de les meſpriſer ou contourner a bien. Si les choſes ſe rendent a noſtre
mercy

mercy & deuotion, pourquoy n'en cheuirons
nous, ou ne les accommoderons nous a noſtre
aduantage? Si ce que nous appellons mal &
tourment, n'eſt ny mal ny tourment de ſoy, ains
ſeulement que noſtre fantaſie luy donne ceſte
qualité: il eſt en nous de la changer, & en ayant
le chois, ſi nul ne nous force, nous ſommes e-
ſtrangement fous de nous bander pour le party, qui nous eſt le plus ennuyeux, & de donner
aux maladies, a l'indigence & au meſpris vn aigre & mauuais gouſt, ſi nous le leur pouuons
donner bon, & ſi, la fortune fourniſſant ſimplement de matiere, c'eſt a nous de luy donner la
forme. Or que ce que nous appellons mal
ne le ſoit pas de ſoy, ou au moins tel qu'il ſoit,
qu'il deſpende de nous de luy donner autre faueur, & autre viſage, car tout reuiét a vn, voyós
s'il ſe peut maintenir. Si l'eſtre originel de ces
choſes, que nous craignons, auoit credit de ſe
loger en nous de ſon authorité, il logeroit pareil & ſemblable en tous. Car les hommes ſont
tous d'vne façon, & ſauf le plus & le moins, ſe
trouuét garnis de pareils outils & inſtrumens
pour conceuoir & iuger: mais la diuerſité des
opinions, que nous auons de ces choſes là, móſtre clerement qu'elles n'entrent en nous que
par compoſition. tel, a l'aduenture, les loge
ches ſoy, en leur vray eſtre, mais mille autres
leur donnent vn eſtre nouueau & cótraire ches
eux. Nous tenons la mort, la pauureté & la dou-

C

leur pour nos principales parties. Or céte mort
que les vns appellent des choses horribles la
plus horrible, qui ne ſçait que d'autres la nomment l'vnique port des tourmens de ceſte vie?
le ſouuerain bien de nature? ſeul appuy de noſtre liberté? & commune & prompte recepte
a tous maus? Et comme les vns l'attendent
tramblans & effraïez, dautres ne la reçoiuent
ils pas de tout autre viſage? Combien voit on
de perſonnes populaires & communes, conduictes a la mort, & non a vne mort ſimple,
mais meſlée de honte & quelque fois de griefs
tourmens, y apporter vne telle aſſeurance, qui
par opiniatreté, qui par ſimpleſſe naturelle,
qu'on n'y aperçoit rien de changé de leur eſtat
ordinaire : eſtabliſſans leurs affaires domeſtiques, ſe recommandans a leurs amis, chan-
tans, preſchans & entretenans le peuple: voire
y meſlans quelque-fois des mots pour rire, &
beuuans a leurs cognoiſſans auſſi bien que Socrates. Vn qu'on menoit au gibet, diſoit que
ce ne ſut pas par telle rue, car il y auoit danger qu'vn marchant luy fiſt mettre la main ſur
le collet, a cauſe d'vn vieux debte. Vn autre
diſoit au bourreau qu'il ne le touchat pas a la
gorge, de peur de le faire treſſaillir de rire,
tant il eſtoit chatouilleux : lautre reſpondit a
ſon confeſſeur, qui luy promettoit qu'il ſoup-
peroit ce iour la auec noſtre Seigneur, allez
vous y en vous, car de ma part ie ieuſne. Vn
                                        autre

autre ayant demandé a boire , & le bourreau
ayant beu le premier, dict ne vouloir boire a-
pres luy , de peur de prendre la verolle. Chacun a ouy faire le conte du Picard, auquel e-
stant a l'eschelle on presenta vne garse, & que
(comme nostre iustice permet quelque fois)
s'il la vouloit espouser on luy sauueroit la vie,
luy l'ayant vn peu contemplée & aperceu que
elle boitoit, Attache, Attache, dit il, elle clo-
che. Et on côte de mesmes qu'en Dannemarc
vn homme condamné a auoir la teste tranchée, estant sur l'eschafaut, cómme on luy pre
senta vne pareille condition, la refusa , par ce
que la fille, qu'on luy offrit, auoit les ioues a-
uaillées, & le nez trop pointu. Vn valet a Thoulouse accuséd'heresie, pour toute raison de
sa creance se rapportoit a celle de son maistre,
ieune escolier prisonnier auec luy , & ayma
mieux mourir que se départir de ses opinions
quelles qu'elles fussent. Nous lisons de ceux
dela ville d'Arras, lors que la Roy Loys vnzies-
me la print , qu'il s'en trouua bon nombre par
mi le peuple qui se laissarent pendre plustost
que de dire viue le Roy. Et de ces viles ames
de bouffons il s'en est trouué qui n'ont voulu
abandonner leur mestier a la mort mesme, tesmoing celuy qui comme le bourreau luy donnoit le branle, sécria Vogue la gallée, qui e-
stoit son refrain ordinaire. Et celuy qu'ó auoit
couché sur le point de rendre sa vie le long du

foier fur vne paillaffe, a qui le medecin deman-
dant ou le mal le tenoit , entre le banc & le feu
refpondit-il. Et le preftre, pour luy donner l'ex
treme onction, cherchant fes pieds qu'il auoit
referrez & contrains par la maladie, vous les
trouuerez dit-il, au bout de mes iambes. A celuy qui l'exhortoit de fe recommander a Dieu,
Qui y va? demanda il : & l'autre refpondant, ce
fera tantoft vous mefmes , s'il luy plait, y fuffe-
ie bien demain au foir, replica il : recommandés
vous feulement a luy, fuiuit l'autre, vous y ferés
bien toft , il vaut donc mieux, adioufta il, que
ie luy porte mes recommandations moy mefmes. Pendant nos dernieres guerres de Milan
& tant de prifes & refcouffes , le peuple impa-
tient de fi diuers changemens de fortune, print
telle refolution a la mort , que i'ay ouy dire a
mon pere qu'il y veift tenir conte de bienvingt
& cinq maiftres de maifon , qui s'eftoient def-
faits eux mefmes en vne fepmaine : accident a-
prochât a celuy de la ville des Xantiès, lefquelz
affiegés par Brutus fe precipiterent pefle, mefle,
hommes, femmes, & enfans a vn fi furieux appetit de mourir , qu'on ne fait rien pour fuir la
mort, que ceux-cy ne fiffent pour fuir la vie,
en maniere qu'a peine peut Brutus en fauuer
vn bien petit nombre . Nous auons plufieurs
exemples en noftre temps de ceux, iufques
aux enfans , qui de crainte de quelque legiere incommodité, fe font donnez la mort . Et

a cc

a ce propos , que ne fuyrons nous,dict vn ancien , si nous fuyons ce que la couardise mesme a choisi pour sa retraite? D'enfiler icy vn
grand 'rolle de ceux de tous sexes & conditions & de toutes sectes es siecles plus heureux, qui ont ou attendu la mort constamment, ou recherchée volontairement , & recherchée non seulement pour finir les maus
de ceste vie , mais aucuns pour fuir simplement la satieté de viure , & d'autres pour l'esperance d'vne meilleure condition ailleurs,
ie n'aurois iamais faict. Et en est le nombre
si infini, qu'a la verité i'auroy meilleur marché de mettre en compte ceux qui l'ont crainte. cecy seulement. Pyrrho le Philosophe se
trouuant vn iour de grande tourmente dans
vn batteau , monstroit a ceux, qu'il voyoit les
plus effraiez autour de luy,& les encourageoit
par l'exemple d'vn pourceau, qui y estoit nullement effraié ny soucieux de cest orage. Ose-
rons nous donq dire que cet auantage de la
raison, de quoy nous faisons tant de feste, &
pour le respect duquel nous nous tenons maistres & empereurs du reste des creatures , ait
esté mis en nous , pour nostre tourment? A
quoy faire la cognoissance des choses si nous
en perdons le repos & la tranquillité, ou nous
serions sans cela , & si elle nous rend de pire
condition que le pourceau de Pyrrho?L'intelli
gence qui nous a esté donnée pour nostre plus

C 3

grand bien , l'employerons nous a noſtre ruyne combatans le deſſein de nature, & l'vniuerſel ordre des choſes, qui porte que chacun vſe
de ſes vtils & moyens pour ſa commodité &
aduantage ? Bien me dira lon, voſtre regle ſerue a la mort, mais que dires vous de l'indigence ? que dires vous encor de la douleur , que la
pluſpart des ſages ont eſtimé le ſouuerain mal,
& ceux qui le nioient de parolle , le confeſ-
ſoient par effect ? Poſſidonius eſtant extremement tourmenté d'vne maladie aigue & dou-
loureuſe, Pompeius le fut veoir, & s'excuſa d'a-
uoir prins heure ſi importune pour l'ouyr de-
uiſer de la Philoſophie. Ia a Dieu ne plaiſe,
luy dit Poſſidonius, que la douleur gaigne tant
ſur moy , qu'elle m'empéche d'en diſcourir &
d'en parler: & ſe ietta ſur ce meſme propos du
meſpris de la douleur , mais cependant elle
iouoit ſon rolle & le preſſoit inceſſammēt. A
quoy il s'eſcrioit, tu as beau faire douleur, ſi ne
diray-ie pas, que tu ſois mal. Ce conte qu'ils
font tant valoir, que porte il pour le meſpris
de la douleur ? il ne debat que du mot, & cepen
dant ſi ces pointures ne l'eſmeuuent, pourquoy
en rompt il ſon propos ? pourquoy penſe il faire beaucoup de ne l'appeller pas mal ? Icy
tout ne conſiſte pas en l'imagination. Nous o-
pinons du reſte, c'eſt icy la certaine ſcience,
qui iouë ſon rolle, nos ſens meſmes en ſont iuges.

Q iij

Qui niſi ſunt veri , ratio quoque falſa ſit
omnis.

Ferons nous a croire a noſtre peau , que les
coups d'eſtriuiere la chatouillent? & a noſtre
gouſt que de l'aloé ſoit du vin de Graues? Le
pourceau de Pyrrho eſt icy de noſtr'eſcot, il eſt
bien ſans effroy a la mort, mais ſi on le bat, il
crie & ſe tourmente: fourcerons nous la generale habitude de nature, qui ſe voit en tout ce
qui eſt viuant ſous le ciel, de trambler ſous la
douleur? Les arbres meſmes ſemblent gemir
aux offences, qu'on leur faict. La mort ne ſe
ſent que par le diſcours, d'autant que c'eſt le
mouuement d'vn inſtant.

Aut fuit, aut veniet, nihil eſt praeſentis in illa,
Morsque minus poena, quam mora
mortis habet.

Mille beſtes, mille hômes ſont plutoſt mors,
que menaſſés. Et a la verité ce que les ſages craignent principalement en la mort, c'eſt la douleur ſon auant-coureuſe couſtumiere . Comme auſſi la pauureté n'a rien a craindre que cela qu'elle nous iette entre les bras de la douleur
par la ſoif, la faim, le froid, le chaud, les veilles, qu'elle nous fait ſouffrir. Ainſi n'ayons affaire qu'a la douleur. Ie leur dône que ce ſoit le
pire accident de noſtre eſtre, & volontiers. Car
ie ſuis l'homme du monde qui luy veux autant

de mal, & qui la craints autant, pour iusques
a present n'auoir pas eu, Dieu mercy, grand
commerce auec elle, mais qu'il ne soit pourtant en nous, si non de l'aneantir, au moins
de l'amoindrir par la patience, qu'il ne soit en
nous, quand bien le corps s'en emouuroit, de
maintenir ce neantmoins l'ame & la raison en
bonne trampe, ie ne le croy pas : & s'il ne l'e-
stoit, qui auroit mis en credit parmi nous, la
vertu, la vaillance, la force, la magnanimité &
& la resolution? Ou ioueroient elles leur rolle,
s'il n'y a plus de douleur a deffier?

Auida est periculi virtus.

S'il ne faut coucher sur la dure, soustenir armé
de toutes pieces la chaleur du midy, se paistre
d'vn cheual, & d'vn asne, se voir detailler en
pieces, & arracher vne balle d'entre les os, se
souffrir recoudre, cauterizer & sonder, par ou
s'acquerra l'aduantage, que nous voulons auoir
sur le vulgaire? C'est bien loing de fuir le
mal & la douleur, ce que disent les sages, que
des actions égallement bonnes celle la est
plus souhaitable a faire, ou il y a plus de peine. Et a ceste cause il a esté impossible de persuader a nos peres, que les conquestes faites
par viue force, au hazard de la guerre, ne fussent plus aduantageuses que celles qu'on faict
en toute seurté par pratiques & menées.

Latius est, quoties magno sibi constat honestum.

D'auantage cela nous doit consoler que natu-
turelle-

turelement, si la douleur est violente, elle est
courte, si elle est longue, elle est legiere. Tu ne
la sentiras guiere long temps, si tu la sens trop,
elle mettra fin a soy, ou a toy: l'vn & l'autre reuient a vn. Ce qui nous fait souffrir auec tant
d'impatience la douleur, c'est de n'estre pas accoustumez de prendre nostre contentement en
l'ame, c'est d'auoir eu trop de commerce auec
le corps. Tout ainsi que l'ennemy se rend plus
aspre a nostre fuite, aussi s'en orgueillit la douleur a nous voir trambler soubs elle. Elle se
rendra de bien meilleure composition, a qui
luy fera teste: il se faut opposer & bander contre. En nous acculant & tirant arriere nous appellons a nous & attirons la ruine, qui nous menasse. Mais venons aux exemples, qui sont proprement du gibier des gens foibles des reins,
comme moy, ou nous trouuerons qu'il va de la
douleur, comme des pierres qui prennent couleur, ou plus haute, ou plus morne, selon la
feuille ou l'on les couche, & qu'elle ne préoque
autât de place en nous, que nous luy en faisons.
Tantum doluerunt, dict sainct Augustin, *quan-*
tum doloribus se inseruerunt. Nous sentons plus
vn coup de rasoir du chirurgien, que dix coups
d'espée en la chaleur du combat. Les douleurs
de l'enfantemét par les Medecins, & par Dieu
mesme estimées grandes, & que nous passons
auec tant de ceremonies, il y a des nations entieres, qui n'en font nul conte. Ie laisse a part

les femmes Lacedemonienes : mais aux Souif-
ses parmy nos gens de pied, quel changement
y trouuez vous ? sinon que trottant apres leurs
maris vous leur voyez auiourd'huy porter au
col l'enfant qu'elles auoiēt hier au vētre,& ces
Egyptiennes contrefaictes ramassées d'entre
nous vont elles mesmes lauer leurs enfans, qui
viennent de naistre : & prenent leur being en
la plus prochaine riuiere. Vn simple garçonnet
de Lacedemone ayant desrobé vn renard (car le
larrecin y estoit action de vertu, mais par tel si
qu'il estoit plus vilain qu'entre nous d'y estre
surpris) & l'ayant mis sous sa cape, endura plustost qu'il luy eut rongé le ventre que de se découurir. Et vn autre donnant de l'encens a vn
sacrifice, le charbon luy estant tombé dans la
manche, se laissa brusler iusques a l'os pour ne
troubler le mystere. Et s'en est veu vn grand
nombre pour le seul essay de vertu suiuant leur
institution, qui ont souffert en l'aage de sept
ans d'estre foetes iusques a la mort sans alterer
leur visage. Chacun sçait l'histoire de Sceuola
qui s'estant coulé dans le camp ennemy, pour
en tuer le chef, & ayant failly d'atteinte pour
reprendre son essai d'vne plus estrange inuention,& descharger sa patrie, confessa a Porsena,
qui estoit le Roy qu'il vouloit tuer, non seulement son dessein, mais adiousta qu'il y auoit
en son camp vn grand nombre de Romains cō-
plices de son entreprise tels que luy. Et pour
monstrer

monſtrer quel il eſtoit, s'eſtant faict apporter
vn braſier veit & ſouffrit griller & roſtir ſon
bras iuſques a ce que l'ennemy meſme en ayant
horreur luy oſta le braſier. Quoy celuy qui ne
daigna interrompre la lecture de ſon liure pēdant qu'on l'inciſoit? Et celuy, qui s'obſtina a ſe
mocquer & a rire a l'enuy des maux, qu'ō luy fai
ſoit, de façon que la cruauté irritée des bourreaux, qui le tenoient en main, & toutes les inuentions des tourmens redoublez lesvns ſur les
autres luy donnarent gaigné. Mais c'eſtoit vn
philoſophe. Quoy? vn gladiateur de Ceſar endura touſiours riant qu'on luy ſondat & detail-
lat ſes playes. Meſlons y les femmes. Qui n'a
ouy parler a Paris de celle, qui ſe fit eſcorcher
pour ſeulement en acquerir le teint plus frais
d'vne nouuelle peau? & l'en ſurnommoit on
Madame l'eſcorchée. Il y en a qui ſe ſont faict
arracher des dents viues & ſaines, pour en acquerir la voix plus molle, & plus graſſe, ou pour
les ranger en meilleur ordre. Combien d'e-
xemples du meſpris de la douleur auons nous
en ce genre? Que ne peuuent elles? Que craignent elles? pour peu qu'il y ait d'agencement
a eſperer en leur beauté. I'en ay veu engloutir
du ſable, de la cendre, & ſe trauailler a point
nōmé de ruiner leur eſtomac, pour acquerir les
paſles couleurs. Pour faire vn corps bien eſpai-
gnolé qu'elle geine ne ſouffrent elles guindées
& ſāglées a tout de groſſes coches ſur les coſtez
iuſques

iufques a la chair viue? ouy quelquesfois a en
mourir. Ie fuis bien ayfe que les tefmoins nous
font plus a main, ou nous en auons plus affaire.
Car la Chreftienté nous en fournit plus qu'a
fuffifance. Et apres l'exemple de noftre fainct
guide, il y en a eu force, qui par deuotion ont
voulu porter la croix. Nous aprenons par tefmoing tref-digne de foy, que le Roy fainct
Loys porta la here iufques a ce, que fur fa vieilleffe, fon confeffeur l'en difpenfa, & que tous
les vendredis, il fe faifoit battre les efpaules
par fon preftre a tout cinq chainettes de fer,
que pour ceft effect il portoit toufiours dans
vne boite. Guillaume noftre dernier Duc de
Guienne pere de cefte Alienor, qui tranfmit
ce Duché aux maifons de France & d'Angleterre, porta les dix ou douze derniers ans de fa
vie continuelement vn corps de cuiraffe, foubs
vn habit de religieux par penitence. Foulques
Conte d'Anjou alla iufques en Ierufalem pour
la fe faire foiter a deux de fes valets, la corde au
col, deuant le fepulchre de noftre Seigneur.
Mais ne voit on encore tous les iours le Ven-
dredy fainct en diuers lieux vn grand nombre
d'hômes & femmes fe battre iufques a fe déchi-
rer la chair & perfer iufques aux os? Cela ay-ie
veu fouuant & fans enchantement. & difoit-on
(car ils vont mafquez) qu'il y en auoit, qui pour
de l'argent entreprenoient en cela de garantir
la religion d'autruy, par vn mefpris de la douleur,

leur, d'autant plus grand que plus peuuent les
eguillons de la deuotion, que de l'auarice. Certes tout ainſi qu'a vn faineant l'eſtude ſert de
tourment, a vn yurogne l'abſtinénce du vin, la
frugalité eſt ſupplice aux luxurieux, & l'exerci-
cice geine a vn homme delicat & oiſif: ainſi eſt
il du reſte. Les choſes ne ſont ny douloreuſes, ny
difficiles d'elles meſmes: mais noſtre foibleſſe
& lacheté les faict telles. Pour iuger des choſes
grandes & haultes, il faut vn' ame de meſme,
autrement nous leur attribuons le vice, qui eſt
le noſtre. Vn auiron droit ſemble toutes-fois
courbe dans l'eau. Il n'importune pas ſeulemét
qu'on voye la choſe, mais comment on la voye.
Or ſus, pourquoy de tant de diſcours, qui nous
perſuadent de meſpriſer la mort, & de ne nous
tourmenter point de la douleur, n'en empoin-
gnons nous quelcun pour nous ? Et de tant d'eſpeces d'imaginations, qui l'ont perſuadé a autruy, que chacun n'en prend il celle qui eſt le
plus ſelon ſon humeur ? ſi ce n'eſt vne drogue
forte & abſterſiue pour deſraciner le mal, au
moins qu'il la preigne lenitiue pour le ſoulager. Au demeurant on n'eſchape pas a la philoſophie, pour faire valoir outre meſure l'aſpreté
des douleurs. Car on la contraint de nous donner en payement cecy. S'il eſt mauuais de viure en neceſſité, au moins de viure en neceſſité
il n'eſt nulle neceſſité.

CHAP.

CHAP. XV.

*On est puny pour s'opiniaſtrer a vne place
ſans raiſon.*

LA vaillance a ſes limites, comme les autres
vertus, leſquels franchis & outrepaſſez, on
ſe trouue dans le train du vice : en maniere que
par chez elle on ſe peut rendre a la temerité,
obſtination & folie, qui n'en ſçait bien les
bornes, malaiſez a la verité a choiſir en lẽdroit
de leurs confins. De ceſte conſideration eſt
née la couſtume, que nous auons aux guerres, de
punir, voire de mort ceux, qui s'opiniaſtrent a
defendre vne place, qui par les regles militaires ne peut eſtre ſouſtenue. Autremẽt ſoubs
l'eſperance de l'impunité il n'y auroit poullailler, qui n'arreſtat vn'armée. Monſieur le
Conneſtable de Monmorency au ſiege de Pa-
uie aiant eſté commis pour paſſer le Teſin & ſe
loger aux fauxbour s ſainct Antoine, eſtant
empeſché d'vne tour au bout du pont, qui s'o-
piniaſtra iuſques a ſe faire battre, feiſt pendre
tout ce qui eſtoit dedans: & encore depuis ac-
compaignant Monſieur le Daulphin au voia-
ge de la les monts, ayant pris par force le chaſteau de Villane, & tout ce qui eſtoit dedans
aiant eſté mis en pieces par la furie des ſoldats,
hormis le Capitaine & l'enſeigne, il les fit pẽ-
dre

dre & eſtrangler, pour ceſte meſme raiſon: cõme fit auſſi le Capitaine Martin du Bellay lors
gouuerneur de Turin en ceſte meſme contrée,
le Capitaine de S. Bony , le reſte de ſes gens
aiant eſté maſſacré a la prinſe de la place. Mais
d'autant que le iugement de la valeur & foibleſſe du lieu ſe prend par l'eſtimation & con-
trepois des forces qui l'aſſaillent, car tel s'opi-
niatreroit iuſtement contre deux couleuurines,
qui feroit l'enragé d'attendre trente canons:
ou ſe met encore en conte la grandeur du prince conquerant, ſa reputation, le reſpect qu'on
luy doit , il y a danger qu'on preſſe vn peu la
balance de ce coſté la. Et en aduient par ces
meſmes termes, que tels ont ſi grande opinion
d'eux & de leurs moiens , que ne leur ſemblant
point raiſonnable qu'il y ait rien digne de leur
faire teſte paſſent le couſteau partout , ou ils
trouuent reſiſtance, autant que fortune leur dure : comm'il ſe voit par les formes de ſom-
mation & deffi, que les princes d'Orient, les Tã-
burlans , Mahumets, & leurs ſucceſſeurs, qui
ſont encores, ont en vſage , fiere , hautaine &
pleine d'vn commandement barbareſque.

CHAP. XVI.

De la punition de la coüardiſe.

I'Ouy autrefois tenir a vn prince & treſ-
grand Capitaine, que pour lâcheté de cœur

vn soldat ne pouuoit estre condamné a mort,
luy estant a table fait recit du proces du Seigneur de Veruins, qui fut condāné a mort pour
auoir rendu Boulogne. A la verité c'est raison
qu'on face grande difference entre les fautes
qui viennent de nostre foiblesse, & celles qui
viennent de nostre malice. Car en celles icy
nous nous sommes bandez a nostre escient cōtre les regles de la raisō, que nature a empreintes en nous: & en celles là, il semble que nous
puissions appeller a garant ceste mesme nature, pour nous auoir laissé en telle imperfection
& deffaillance : de maniere que prou de gens
ont pensé qu'on ne se pouuoit prendre a nous,
que de ce que nous faisons contre nostre conscience : & sur ceste regle est en partie fondée
l'opinion de ceux qui condamnent les puni-
tions capitales aux heretiques & mescreans: &
celle qui establit qu'vn aduocat & vn iuge ne
puissent estre tenus de ce que par ignorance,
ils ont failly en leur charge. Mais quant a la
coüardise il est certain, que la plus commune
façon est de la chastier par honte & ignominie. Et tient on que ceste regle a esté premierement mise en vsage par le legislateur Cha-
rondas: & qu'auant luy les loix de Grece punis-
soient de mort ceux qui s'en estoient fuis d'vne
bataille, la ou il ordonna seulement qu'ils fussent par trois iours assis emmy la place publique vetus de robe de femme, esperant encores
en pou-

s'en poumoir feruir , leur ayant fait reuenir le
courage par cefte honte.Il femble auffi que les
loix Romaines condamnoient anciennement a
mort ceux , qui auoient fuy. Car Ammianus
Marcellinus raconte , que l'Empereur Iulien
condamna dix de fes foldats,qui auoient tourné
le dos a vne charge contre les Parthes, a eftre
dégradés, & apres a fouffrir mort, fuiuât, dict
il,les loix anciennes.Toutes-fois ailleurs pour
vne pareille faute il en condemne d'autres feulement a fe tenir parmy les prifonniers foubs
l'enfeigne du bagage. Du temps de nos peres
le feigneur de Pranget iadis Lieutenant de la
compagnie de Monfieur le Marefchal de Cha-
fiillon , ayant efté mis par Monfieur le Marefchal de Chabanes, Gouuerneur de Fontar-
rabie au lieu de Monfieur de Lude , & l'ayant
rendue aux Efpaignols fut condamné a eftre
degradé de nobleffe & tant luy que fa pofterité
declaré roiturier, taillable, & incapable de
porter armes : & fut cefte rude fentence execu-
tée a Lyon. Dépuis fouffrirent pareille punitió
tous les gentilshommes qui fe trouuerent dans
Guyfe,lors que le Conte de Nantau y entra, &
autres encore depuis. Toutes-fois quand il y
auroit vne fi groffiere & apparente,ou ignorance ou coüardife , qu'elle furpaffat toutes les ordinaires,ce feroit raifon de la prêdre pour fuffifante preuue de mefchanceté & de malice,& de
la chaftier pour telle.

D

CHAP. XVII.

Vn trait de quelques Ambaßadeurs.

I'Obserue en mes voyages ceste practique,
pour apprendre tousiours quelque chose, par
la communication d'autruy (qui est vne des plus
belles escoles qui puisse estre) de ramener tousiours ceux, auec qui ie confere, aux propos des
choses, qu'ils sçauent le mieux.

Basti al nocchiero ragionar de'venti,
Al bisolco dei tori, & le sue piaghe
Conti'l guerrier, conti'l pastor gli armenti.

Car il aduient le plus souuent au rebours, que
chacun choisit plustost a discourir du mestier
d'autruy que du sien, estimant que c'est autant
de nouuelle reputation acquise: tesmoing le reproche qu' Archidamus feit a Periander, qu'il
quitoit la gloire de bon medecin pour acquerir celle de mauuais poëte, & par ce train vous
ne faictes iamais rien qui vaille.

Optat ephippia bos piger, optat arare caballus.

Par ainsi il faut trauailler de reietter tousiours
l'architecte, le peintre, le cordonnier, & ainsi du
reste, chacun a son gibier. Et a ce propos a la
lecture des histoires, qui est le subiet de toutes
gens, i'ay accoustumé de considerer, qui en sont
les escriuains. Si ce sont personnes, qui ne facent autre profession que de lettres, i'en apren
princi-

principalement le stile & le langage. Si ce sont
medecins , ie les croy plus volontiers en ce
qu'ils nous disent de la temperature de l'air, de
la santé & complexió des princes, des blessures
& maladies : si iurisconsultes il en faut prendre
les controuerses des droicts, les loix, l'establissement des polices & choses pareilles:si Theo-
logiens les affaires de l'Eglise , censures eccle-
siasticques, dispenses & mariages:si courtisans,
les meurs & les cerimonies : si gens de guerre,
ce qui est de leur charge , & principalement
les deductions des exploits, ou ils se sont trouuez en personne:si Ambassadeurs , les menées,
intelligences , & practiques,& maniere de les
conduire. A ceste cause ce que i'eusse passé a
vn autre , sans m'y arrester , ie l'ay poisé & remarqué en l'histoire du Seigneur de Langey
tres-entendu en telles choses, C'est qu'apres a-
uoir conté ces belles remonstrances de l'Empereur Charles cinquiesme faictes au consi-
stoire a Rome,present l'Euesque de Macon &
le Seigneur du Velly nos Ambassadeurs , ou il
auoit meslé plusieurs parolles outrageuses contre nous , & entre autres que si ses Capitaines,
soldats , & subiects n'estoient d'autre fidelité
& suffisance en l'art militaire , que ceux du
Roy , tout sur l'heure il s'attacheroit la corde au col,pour luy aller demander misericorde. Et de cecy il semble qu'il en creut quelque chose,car deux ou trois fois en sa vie dépuis

il luy aduint de redire ces mesmes mots : aussi
qu'il défia le Roy de le combatre en chemise
auec l'espée & le poignard dans vn bateau.
Ledict seigneur de Langey suiuant son histoire
adiouste que lesdicts Ambassadeurs faisant vne
despeche au Roy de ces choses luy en dissimu-
larent la plus grande partie, mesmes luy cela-
rent les deux articles precedens. Or i'ay trouué
bien estrange, qu'il fut en la puissance d'vn Ambassadeur de dispenser sur les aduertissemens,
qu'il doit faire a son maistre, mesme de telle
consequence, venant de telle personne, & dires
en si grand'assemblée. Et m'eut semblé l'office du seruiteur estre de fidelement representer les choses en leur entier, comme elles sont
aduenues : affin que la liberté d'ordonner, iuger
& choisir demeurast au maistre. Car de luy alterer ou cacher la verité, de peur qu'il ne la
preigne autrement qu'il ne doit, & que cela ne
le pousse a quelque mauuais party, & ce pendant le laisser ignorant de ses affaires, cela
m'eut semblé apartenir à celuy, qui donne la
loy, non a celuy qui la reçoit, au curateur &
maistre d'escolle, non a celuy qui se doit penser
inferieur, non en authorité seulement, mais
aussi en prudence & bon conseil. Quoy qu'il
en soit, ie ne voudrois pas estre seruy de cette
façon en mon petit faict.

CHAP.

CHAP. XVIII.

De la peur.

Obstupui, steteruntque comæ, & vox fauci-
bus hæsit.

Ie ne suis pas bon naturaliste (qu'ils disent) &
ne sçay guiere par quels resors la peur agit en
nous, mais tant y a que c'est vne estrange passion: & disent les medecins qu'il n'en est nulle,
qui emporte plustost nostre iugement hors de
sa deüe assiete. De vray i'ay veu beaucoup de
gens deuenus insensez de peur, & au plus rassis
il est certain pendant que son acces dure qu'elle engendre de terribles ébloysseemens. Ie laisse a part le vulgaire, a qui elle represente tantost les bisayeulx sortis du tombeau enuelopés
en leur suere, tantost des Loups-garous, des Lu-
tins, & des chimeres. Mais parmy les guerriers
mesme, ou elle deuroit trouuer moins de place,
combien de fois a elle changé vn troupeau de
brebis en esquadron de corseletz? des roseaus
& des cannes en gend'armes & lanciers? nos a-
mis en nos ennemis? & la croix blanche a la
rouge? Lors que Monsieur de Bourbon print
Rome, vn port'enseigne, qui estoit a la garde
du bourg sainct Pierre print tel effroy a la premiere à l'arme, que par le trou d'vne ruine il se
ietta, l'enseigne au poing, hors la ville droit aux

D 3

ennemis, penſant tirer vers le dedans de la ville , & a peine en fin voyant la troupe de Monſieur de Bourbon ſe renger pour le ſoutenir,
eſtimant que ce fut vne ſortie, que ceux de la
ville fiſſent, il ſe recogneuſt , & tournant teſte
rentra par ce meſme trou , par lequel il eſtoit
ſorty , plus de trois cens pas auant en la cam-
paigne. Il n'en aduint pas du tout ſi heureuſe-
ment a l'enſeigne du Capitaine Iuille, lors que
ſainct Pol fut pris ſur nous par le Conte de Bu-
res & Monſieur du Reu. Car eſtant ſi fort eſ-
perdu de la fraieur , que de ſe ietter a tout ſon
enſeigne hors de la Ville par vne canonnie-
re , il fut mis en pieces, par les aſſaillans. & au
meſme ſiege fut memorable la peur, qui ſerra,
ſaiſit & glaça ſi fort le cœur d'vn gentil'homme , qu'il en tomba roide mort par terre a la
breſche ſans aucune bleſſure. Tantoſt elle nous
donne des aiſles aux talons , comme aux deux
premiers. Tantoſt elle nous cloüe les pieds &
les entraue, côme on lit de l'Empereur Theo-
phile, lequel en vne bataille, qu'il perdit contre
les Agarenes, deuint ſi eſtonné & ſi tranſi, qu'il
ne pouuoit prendre party de s'enfuyr: iuſques a
ce que Manuel l'vn des principaux chefs de ſon
armée l'ayât tiraſſé & ſecoué, comme pour l'eſueiller d'vn profond ſomne, luy dit, ſi vous ne
me ſuiuez ie vous tueray. Car il vaut mieux
que vous perdez la vie , que ſi eſtant priſonnier
vous veniez a ruiner l'Empire.

CHAP.

CHAP. XIX.

*Qu'il ne faut iuger de nostre heur, qu'apres
la mort.*

S*Cilicet vltima semper
Expectanda dies homini est, dicique beatus
Ante obitum nemo supremáque funera debet.*
Les enfans sçauent le conte du Roy Crœsus a
ce propos : lequel ayant esté pris par Cyrus , &
condamné a la mort, sur le point de l'execution
il s'escria O Solon, Solon : cela raporté a Cyrus,& s'estant enquis que c'estoit a dire , il luy
fist entendre , qu'il verifioit lors a ses despens
l'aduertissement qu'autrefois luy auoit donné
Solon, que les hommes, quelque beau visage
que fortune leur face , quelques richesses,
Royautez & Empires qu'ils se voyent entre
mains, ne se peuuent appeller heureux, iusques
a ce qu'on leur aye veu passer le dernier iour
de leur vie : pour l'incertitude & varieté des
choses humaines, qui d'vn bien legier mouuement se changent d'vn estat en autre tout diuers. Et pourtant Agesilaus, a quelcun qui disoit heureux le Roy de Perse , de ce qu'il estoit
venu fort ieune a vn si puissant estat, voire mais,
dit-il, Priam en tel aage ne fut pas malheureux.
Tantost des Roys de Macedoine, successeurs

D 4

de ce grand Alexandre, il s'en faict des menu-
siers & greffiers a Rome : des tirens de Cicile,
des pedantes a Corinthe : d'vn conquerant de la
moitié du monde & Empereur de tant d'armées il s'en faict vn miserable suppliant des
belitres officiers d'vn Roy d'Egypte, tant cou-
sta a ce grand Pompeius l'alongement de cinq
ou six mois de vie. Et du temps de nos peres
ce Ludouic Sforce dixiesme Duc de Milan,
soubs qui auoit si long temps branslé toute l'I-
talie, on l'a veu mourir prisonnier a Loches,
mais apres y auoir vescu dix ans, qui est le pis
de son marché. Et mille tels exemples. Car il
semble que comme les oraiges & tempestes se
piquent contre l'orgueil & hautaineté de nos
bastimens, il y ait aussi la haut des espritz enuieux des grandeurs de ça bas.

V sque adeo res humanas vis abdita quædam
Obterit, & pulchros fasces sauasque secures
Proculcare ac ludibrio sibi habere videtur.

Et semble que la fortune quelquefois guette a
point nómé le dernier iour de nostre vie, pour
monstrer sa puissance de renuerser en vn moment ce, qu'elle auoit basty en longues années,
& nous fait crier apres Laberius, *Nimirum hac*
die vna plus vixi, mihi quam viuendum fuit. Ainsi se peut prendre auec raison, ce bon aduis de
Solon : mais d'autant que c'est vn philosophe, a
l'endroit desquels les faueurs & disgraces de
la fortune ne tiennent rang, ny d'heur ny
de

de mal'heur: & font les grandeurs, richeffes &
puiffances accidens de qualité a peu pres indif-
ferente, ie trouue vray, femblable, qu'il aye regardé plus auant, & voulu dire que ce mefme
bon-heur de noftre vie, qui dépend de la tranquillité & contentement d'vn efprit bien né &
de la refolution & affeurance d'vn ame reglée
& bien affenée , ne fe doiue iamais attribuer a
l'homme, qu'on ne luy aye veu iouër le dernier
acte de fa comedie, & fans doute le plus diffici
le. En tout le refte il y peut auoir du mafque,
ou ces beaux difcours de la philofophie ne font
en nous que par contenance, ou les accidens ne
nous effayant pas iufques au vif, nous donnent
loyfir de maintenir toufiours noftre vifage raffis. Mais a ce dernier rolle de la mort & de nous
il n'y a plus que faindre, il faut parler bô François , il faut monftrer ce qu'il y a de bon & de
net dans le fond du pot.

Nam vera voces tum demum pectore ab imo
Eijciuntur, & eripitur perfona, manet res.

Voila pourquoy fe doiuent a ce dernier traiĉt
toucher & efprouuer toutes les autres aĉtions
de noftre vie. C'eft le maiftre iour, c'eft le iour
iuge de tous les autres : c'eft le iour, diĉt vn ancien , qui doit iuger de toutes mes années paf-
fées . Ie remets a la mort l'effay du fruiĉt de
mes eftudes. Nous verrons la fi mes difcours.
me partent de la bouche, ou du cœur.

D 5

CHAP. XX.

Que philosopher, c'est apprendre a mourir.

Cicero dit que philosopher ce n'est autre
chose que s'aprester a la mort. C'est d'autant que l'estude & la contemplation retirent
aucunement nostre ame hors de nous, & l'em-
besongnent a part du corps, qui est quelque a-
prentissage & ressemblance de la mort: ou bié
c'est que toute la sagesse & discours du monde
se resoult en fin a ce point, de nous apprendre
a ne craindre a mourir. De vray ou la raison se
mocque, ou elle ne doit viser qu'a nostre contentement, & tout son trauail tendre en somme
a nous faire bien viure, & a nostre aise, comme
dict la saincte parolle. Toutes les opinions du
monde en sont la, quoy qu'elles en prennent di
uers moyens, autrement on les chasseroit d'arri
uée. Car qui escouteroit celuy, qui pour sa fin
establiroit nostre tourment? Or il est hors de
moyé d'arriuer a ce point, de nous former vn so
lide contétement, qui ne fraichira la crainte de
la mort. Voila pourquoy toutes les sectes des
philosophes se rencôtrent & conuiennét a c'est
article de nous instruire a la mespriser. Et bien
qu'elles nous conduisent aussi toutes d'vn commun accord a mespriser la douleur, la pauureté, &

té, & autres accidens, a quoy la vie humaine
est subiecte, ce n'est pas d'vn pareil soing:tant
par ce que ces accidens ne sont pas de telle necessité,la pluspart des hommes passant leur vie
sans gouster de la pauureté , & tels encore
sans sentiment de douleur & de maladie,com-
me Xenophilus le musicien, qui vescut cent &
six ans d'vne entiere santé : qu'aussi d'autant
qu'au pis aller, la mort peut mettre fin, quand
il nous plaira , & coupper broche a tous autres
inconueniens. Mais quant a la mort, elle est
ineuitable,& par consequent, si elle nous faict
peur,c'est vn subiect continuel de tourment, &
qui ne se peut aucunement soulager. Nos parlemens renuoient souuent executer les criminels au lieu ou le crime est commis . Durant
le chemin, promenez les par toutes les belles
maisons de France : faictes leur tant de bonne
chere, qu'il vous plaira: pensez vous qu'il s'en
puissent resiouir, & que la finale intention de
leur voyage leur estant ordinairement deuant
les yeux, ne leur ait alteré & affadi le goust a
toutes ces commodites? Le but de nostre carriere c'est la mort , c'est l'obiect necessaire de
nostre visée. Si elle nous effraye , comme est
il possible d'aller vn pas auant sans fiebure ? Le
remede du vulgaire c'est de n'y penser pas.Mais
de quelle brutale stupidité luy peut venir vn si
grossier aueuglement ? Il luy faut faire brider
l'asne par la queuë,

Qui

Qui capite ipse suo instituit vestigia retro.

Ce n'est pas de merueille s'il est si souuēt pris
au piege. On faict peur a nos gens seulement
de nommer la mort, & la pluspar s'en seignent,
comme du nom du diable. Et par-ce qu'il s'en
faict mention aux testamens, ne vous attendez
pas qu'ils y mettent la main, que le medecin ne
leur ait donné l'extreme sentēce. Et Dieu sçait
lors entre la douleur & la frayeur de quel bon
iugement ilz vous le pâtissent . A l'aduenture
est-ce que, comme on dict, le terme vaut l'argēt. Ie nasquis le dernier iour de Feurier. 1532.
Il n'y a iustement que quinze iours que ɩ'ay frā
chi. 39. ans, il m'en faut pour le moins encore
autant. Cependant s'empescher du pensement
de chose si esloignée, ce seroit folie. Mais quoy
les ieunes & les vieux y pensent aussi peu les
vns que les autres. Et n'est homme si décrepite
tant qu'il voit Mathusalem deuant, qui ne pense auoir encore vn an dans le corps . Dauantage, pauure fol que tu es, qui t'a establi les termes de ta vie ? Tu te fondes sur les contes des
Medecins . Regarde plutost l'effect & l'experience . Par le commun train des choses, tu vis
desia pieça par faueur extraordinaire. Tu as pas
sé les termes accoustumés de viure:& qu'il soit
ainsi, côte de tes cognoissans, combien il en est
mort auāt tô aage, plus qu'il n'en y a qui l'ayēt
atteint:& de ceux mesme qui ont annobli leur
vie par renommée fais en regiftre, & i'ētreray
en

en gageure d'en trouuer plus , qui font mors,
auant, qu'apres trente cinq ans . Il eſt plein de
raiſon, & de pieté, de prendre exemple de l'humanité meſme de Ieſus Chriſt , or il finit ſa vie
a trente & trois ans. Le plus grand hôme, ſimplement homme, Alexandre mourut auſſi a ce
terme, & ce fameux Mahumet auſſi. Combien
a la mort de façons de ſurpriſe?

Quid quiſque vitet, nunquam homini ſatis
Cautum eſt in horas.

Ie laiſſe a part les fiebures & les pleureſis. Qui
eut iamais penſé qu'vn Duc de Bretaigne deut
eſtre eſtouffé de la preſſe, comme fut celuy la a
l'entrée du Pape Clement mon voiſin, a Lyon?
N'as tu pas veu tuer vn de nos roys en ſe iouât,
Et vn de ſes anceſtres mourut il pas choqué par
vn pourceau . A Eſchilus manaſſé de la cheute
d'vne maiſon a beau ſe tenir a l'airte , le voila
aſſommé d'vn toiét de tortue, qui eſchappa des
pates d'vn'Aigle en l'air . L'autre mourut d'vn
grein de raiſin:vn Empereur de l'eſgrafigneure
d'vn peigne en ſe teſtonnant : A Emilius Lepidus pour auoir hurté du pied contre le ſeuil de
ſon huis : & Auſidius pour auoir choqué en en-
trant contre la porte de la chambre du conſeil.
Et entre les cuiſſes des femmes Cornelius Gal
lus preteur, Tigillinus capitaine du guet a Rome, Ludouic fils de Guy de Gonſague, Marquis
de Mantoüe. Et d'vn encore pire exéple Speuſippus philoſophe Platonicien, & l'vn de nos
Papes:

Papes:le pauure Bebius,Iuge, cependant qu'il
donne delay de huictaine a vne partie, le voyla saisi , le sien de viure estant expiré.Et Caius
Iulius medecin gressant les yeux d'vn patient,
voila la mort qui clost les siens. Et s'il m'y faut
mesler vn mien frere, aagé de vint & trois ans,
qui auoit desia faict assez bonne preuue de sa
valeur,iouãt a la paume, receut vn coup d'esteuf
qui l'assena vn peu au dessus de l'oreille droite,
sans aucune apparéce de cõtusion, ni de blessure,& qui l'estõna si peu,qu'il ne s'en assit,ny re-
posa, iusqu'a ce que le voyla perdu cinq ou six
heures apres d'vne Apoplexie . Ces exemples
si frequens & si ordinaires nous passant deuant
les yeux , comme est il possible qu'on se puisse
deffaire du pensement de la mort, & qu'a chaque instant il ne nous semble qu'elle nous tiẽt
au collet ? Qu'import'il , me direz vous, comme que ce soit , pourueu qu'on ne s'en donne
point de peine? Ie suis de cest aduis, & en quelque maniere qu'on se puisse mettre a l'abri des
coups, fut ce soubz la peau d'vn veau, ie ne suis
pas homme qui y reculasse : car il me suffit de
passer a mon aise. & le meilleur ieu que ie me
puisse donner ie le prens, si peu glorieus au reste & exemplaire que vous voudrez .

Pratulerim delirus inérsque videri,
Dum mea delectent mala me , vel denique
  fallant,
 Quam sapere & ringi.

          Mais

Mais c'est vne folie d'y penser arriuer par la.
Ils vont, ils viennent, ils trottent, ils danſent,
de mort nulles nouuelles. Tout cela eſt beau:
mais auſſi quand elle arriue, ou à eux meſmes,
ou a leurs femmes,enfans & amis,les ſurprenât
a l'improueu & au découuert, quels tourmens?
quels cris? quelle rage? & quel deſeſpoir les
acable? Vites vous iamais rien ſi rabaiſſé, ſi
châgé, ſi confus?Il y faut prouuoir de meilleur
heure : & ceſte nonchalance beſtiale, quand
elle pourroit loger en la teſte d'vn hôme d'entendement, ce que ie trouue entierement impoſſible, nous vend trop cher ſes denrées:ſi c'e
ſtoit ennemi qui ſe peut euiter, ie conſeilleroiſ
d'éprunter les armes de la coüardiſe:mais puiſ
qu'il ne ſe peut,

Nempe & fugacem perſequitur virum,
Nec parcit imbellis iuuentæ
Poplitibus, timidóque tergo,

aprenons a le ſoutenir de pied ferme,& a le cõ
battre:& pour commencer a luy oſter ſon plus
grand aduantage contre nous, prenons voye
toute contraire a la commune. Oſtons luy l'e-
ſtrangeté, pratiquons le, accouſtumons le,n'a-
yons riē ſi ſouuēt en la teſte que la mort:a tous
inſtans repreſentons la a noſtre imaginatiõ &
en tous viſages, au broncher d'vn cheual, a la
cheute d'vne tuille,a la moindre piqueure d'eſ-
pleingue remachons ſoudain,& bien quand ce
ſeroit la mort meſme? & la deſſus roidiſſons
nous,

nous, & efforçons nous. Parmi les festes & la
ioye: ayons tousiours ce refrein de la souuenance de nostre condition, & ne nous laissons pas
si fort emporter au plaisir, que par fois il ne
nous repasse en la memoire en combien de sortes ceste nostre allegresse est en bute a la mort,
& de combien de prinses elle la menasse. Ainsi
faisoint les Egyptiens, qui au millieu de leurs
festins & parmi leur meilleure chere faisoient
aporter l'Anatomie seche d'vn corps d'homme
mort, pour seruir d'aduertissement aux conuiés.

Omnem crede diem tibi diluxisse supremum.
Grata superueniet, quæ non sperabitur hora.

Il est incertain ou la mort nous attende, atten-
dons la par tout. La premeditation de la mort
est premeditation de la liberté. Qui a apris a
mourir, il a desapris a seruir. Le sçauoir mourir
nous afranchit de toute subiection & contrainte. Paulus A Emilius respondit a celuy, que ce
miserable Roy de Macedoine son prisonnier
luy enuoioit, pour le prier de ne le mener pas
en son triomphe, qu'il en face la requeste a soy
mesme. A la verité en toutes choses si nature
ne preste vn peu, il est malaisé que l'art & l'in-
dustre aillent guiere auant. Ie suis de moy-mesme nõ melancholique, mais songecreus: il n'est
rien de quoy ie me soye des tousiours plus entretenu que des imaginations de la mort, voire
en la saison la plus liceteuse de mon aage, parmi

mi les dames & les ieus:tel me penſoit empeſché a digerer a par moy quelque iallouſie, ou
l'incertitude de quelque eſperance, cependant
que ie m'entretenois de ie ne ſçay qui ſurpris
les iours precedens d'vne fieure chaude & de
la mort, au partir d'vne feſte pareille, & la teſte pleine d'oiſiueté, d'amour & de bon téps,
comme moy, & qu'autant m'en pendoit a l'o-
reille. Ie ne ridois non plus le front de ce penſement la, que d'vn autre. Il eſt impoſſible que
d'arriuée nous ne ſentiós des piqueures de telles imaginations. Mais en les maniant & prati-
quant au long aller on les apriuoiſe ſans doubte, autrement de ma part ie fuſſe en continuelle
frayeur & freneſie . Car iamais homme ne ſe
défia tát de ſa vie, iamais homme ne feit moins
d'eſtat de ſa durée. Ny la ſanté, que i'ay ioüy
iuſques a preſent heureuſe, ne m'en alonge l'eſperance , ni les maladies ne me l'acourciſſent.
A chaque minute il me ſenible que ie m'eſchape. De vray les hazards & dangiers nous apro-
chent peu ou rien de noſtre fin. Et ſi nous penſons cóbien il reſte, ſans c'eſt accident, qui ſemble nous menaſſer le plus, de millions d'autres
ſur nos teſtes , nous trouuerons que gaillars &
fieureus, en la mer & en nos maiſons, en la bataille & en repos elle nous eſt égaleme nt pres.
Ce que i'ay affaire auant mourir, pour l'acheuer, tout loiſir me ſemble court, fut ce d'vn'
heure. Quelcun feuilletant l'autre iour mes ta-

blettes trouua vn memoire de quelque chofe,
que ie vouloy eftre faite apres ma mort, ie luy
di , comme il eftoit vray, que n'eftant qu'a vne
lieué de ma maifó & fain & gaillard ie m'eftoy
hafté de l'efcrire la , pour ne m'affeurer point
d'arriuer iufques chez moy . Il faut eftre tousiours boté & preft a partir en tát qu'en nous eft,
& fur tout fe garder qu'ó n'aye lors affaire qu'a
foy. Car nous y aurós affez de befongne, fans au
tre furcrois. L'vn fe pleint plus que de la mort,
dequoy elle luy rompt le train d'vne belle victoire, l'autre qu'il luy faut defloger auant qu'a
uoir marié fa fille , ou contrerollé l'inftitution
de fes enfans: l'vn pleint la compagnie de fa
femme , l'autre de fon fils, comme commoditez principales de fon eftre. & le baftifleur,
Manent (dict il) *opera interrupta, minęque*
Murorum ingentes.
Il ne faut rien defleigner de fi longue haleine,
ou aumoins auec telle intention de fe paffion-
ner pour en voir la fin. Nous fommes nés pour
agir. Et ie fuis d'aduis que non feulemét vn Em
pereur, comme difoit Vefpafien, mais que tout
gallant homme doit mourir debout.
Cum moriar, medium foluar & inter opus.
Ie veux qu'on agifle fans cefle, que la mort me
treuue plantant mes chous , mais nonchalant
d'elle, & encore plus de mon iardin imparfait.
I'en vis mourir vn, qui eftant a l'extremité fe
pleignoit inceflamment, de quoy fa deftinée
cou-

coupoit le fil de l'hiſtoire, qu'il auoit en main
ſur le quinzieſme ou 16. de nos roys . Il faut
ſe deſcharger de ces humeurs vulgaires & nui-
ſibles. Tout ainſi qu'on a planté nos cimetieres
ioignant les Egliſes & aux lieus les plus frequẽ
tez de la ville, pour accouſtumer, diſoit Lycurgus, le bas populaire, les femmes & les enfans
a ne s'effaroucher point de voir vn hõme mort:
& affin que ce continuel ſpectacle d'oſſemẽs, de
tombeaus & de conuois nous aduertiſſe de no
ſtre condition. Auſſi ay-ie pris en couſtume
d'auoir non ſeulement en l'imagination, mais
continuellement la mort en la bouche. Et n'eſt
rien de quoy ie m'informe ſi volontiers, que de
la mort des hommes, quelle parolle, quel viſage, quelle contenance ilz y ont eu: ni endroit
des hiſtoires, que ie remarque ſi attantifuemẽt.
On me dira que l'effect ſurmonte de ſi loing
l'imagination, qu'il n'y a ſi belle eſcrime, qui
ne s'y perde, quand on en vient la: laiſſés les dire, le premediter donne ſans doubte grãd auantage: & puis n'eſt ce rien d'aller au moins iuſques la ſans alteration & ſans fieure. Il y a plus.
Ie reconnoy par experience que nature meſme
nous preſte la main & nous donne courage. Si
c'eſt vne mort courte & violente, nous n'a-
uons pas loiſir de la craindre . Si elle eſt autre ie m'aperçois qu'a meſure que ie m'enga-
ge dans ſes auenues, & dans la maladie, i'entre naturellement & de moymeſme en quel-

que desdein de la vie. Ie trouue que i'ay bien
plus affaire a digerer ceste resolution de mourir, quand ie suis en vigueur & en pleine santé, que ie n'ay, quand ie suis malade: d'autant
que ie ne tiens plus si fort aux cōmoditez de la
vie : a raison que ie commance a en perdre l'v-
sage & le plaisir. I'en voy la mort, d'vne veüe
beaucoup moins effrayée. Cela me fait esperer
que plus ie m'eslongneray de celle la, & apro-
cheray de ceste cy, plus aisement i'entreray en
composition de leur eschange. Tout ainsi que
i'ay essayé en plusieurs autres occurréces, ce que
dit Cesar, que les choses nous paroissent souuét
plus grandes de loing que de pres, i'ay trouué
que sain i'auois eu les maladies beaucoup plus
en horreur, que lors que ie les ay senties. L'a-
legresse ou ie suis, le plaisir & la force me font
paroistre l'autre estat si disproportioné a celuy
la, que par imagination ie grossis ces incōmo-
ditez de la moitie, & les conçoy plus pesantes,
que ie ne les trouue, quád ie les ay sur les espau
les. i'espere qu'il m'é aduiédra ainsi de la mort.
Le corps courbé, & plié a moins de force a sou
stenir vn fais, aussi a nostre ame. Il la faut dresser & esleuer contre l'effort de c'est aduersaire.
Car cóme il est impossible, qu'elle se mette en
repos & a son aise pendant qu'elle craint: si elle
s'en asseure aussi, elle se peut venter, qui est cho
se comme surpassant l'humaine cóndition, qu'il
est impossible que l'inquietude, le tourmét, &
la peur

la peur, nõ le moindre desplaisir loge chez elle.
Elle est rendue maistresse de ses passions & cõ-
cupiscences, maistresse de l'indigence, de la
honte, de la pauureté,& de toutes autres iniures
de fortune. Gaignons cest aduãtage qui pourra, c'est icy la vraye & souueraine liberté,qui
nous donne de quoy faire la figue a la force,
& a l'iniustice,& nous mocquer des prisons &
des fers.   In manicis,&

Compedibus, sauo te sub custode tenebo.
Ipse Deus simul atque volam, me soluet:opinor,
Hoc sentit, moriar. Mors vltima linea rerũ est.
Nostre religiõ n'a point eu de plus asseuré fondemẽt humain, que le mespris de la vie. Nõ seulement le discours de la raison nous y appelle,
car pourquoy craindrions nous de perdre vne
chose,laquelle perdue ne peut estre regrettée,
& puis que nous sommes menasses de tant de
façons de mort,ne voyõs nous pas qu'il y a plus
de mal a les craindre toutes, qu'a en soustenir
vne? mais nature nous y force. Sortez, dit elle,
de ce monde,cõme vous y estes entrez. Le mesme passage que vous fites de la mort a la vie,
sans passion & sans frayeur, refaites le de la vie
a la mort. Vostre mort est vne des pieces de
l'ordre de l'vniuers,c'est vne piece de la vie du
monde. Changeray-ie pas par vous ceste belle
cõtexture des choses,c'est la cõdition de vostre
creation , c'est vne partie de vous que la mort:
vous vous fuyez vous mesmes. C'estuy vostre

E 3

estre, que vous iouissez, est également parti a
la mort & a la vie. Le premier iour de vostre
naissāce vous achemine a mourir cōme a viure.
Prima, quæ vitam dedit, hora, carpsit.
N ascentes morimur, finisque ab origine pendet.
Et ne mourez iamais trop tost . Si vous auez
vescu vn iour ; vous auez tout veu : vn iour
est égal a tous iours . Il n'y a point d'autre lumiere, ni d'autre nuict. Ce soleil, ceste lune, ces
estoiles, ceste dispositiō, c'est celle mesme, que
vos ayeuls ont iouie , & qui entretiendra vos
arriere-nepueux, & au pis aller la distribution
& varieté de tous les actes de ma comedie, se
parfournit en vn an. Si vous auez pris garde au
beau brāle de mes quatre saisons, elles embrassent l'enfance, l'adolescēce, la virilité, & la viellesse du monde . Il a ioué son rolle. Il n'y sçait
autre finesse que de recommencer, ce sera tousiours cela mesme . Ie ne suis pas deliberée de
vous forger autres nouueaus passetemps.
N am tibi præterea quod machiner, inueniámque
Quod placeat, nihil est, eadem sunt omnia semper.
faites place aux autres, cōme d'autres vous l'ōt
faite . Aussi auez vous beau viure, vous n'en re-
battrez rien du tēps que vous auez a estre mort.
C'est pour neant , aussi long temps serez vous
en c'est estat la , que vous creignez , comme si
vous estiez mort en nourrisse.
Licet, quod vis, viuendo vincere secla,
M ors æterna tamen, nihilominus illa manebit.

                                            Dauan-

Dauantage nul ne meurt auât son heure,ce que
vous laissez de temps, n'estoit non plus vostre,
que celuy qui s'est passé auant vostre naissance.
Ou que vostre vie finisse,elle y est toute. Pen-
siez vous iamais n'arriuer la,ou vous alliez sans
cesse. Et si la compagnie vous peut soulager:le
monde ne va il pas mesme train que vous allez?
Tout ne branle il pas vostre branle? y a il rien
qui ne viellisse quât & vous?mille hômes, mille animaus & mille autres creatures meurêt en
ceste mesme heure,que vous mourez.Voila les
bons aduertissemens de nostre mere nature.Or
i'ay pensé souuent d'ou venoit cela, qu'aux guer
res le visage de la mort,soit que nous la voyons
en nous ou en autruy,nous semble sans comparaison moins effroyable qu'ê nos maisons:autre
ment ce seroit vn'armée de medecins& de pleu-
rars: & elle estant tousiours vne,qu'il y ait toutes-fois beaucoup plus d'asseurâce parmi lesgês
de village &de basse côditiô qu'es autres.Iecroi
a la verité q ce sôt ces mines & apareils effraya
bles,dequoy nous l'étournôs, qui nous font pl°
de peur qu'elle:vne toute nouuelle forme de vi
ure:les cris des meres, des femmes, & des enfâs
la visitatiô de personnes estônées,& trâsies:l'assistance d'vn nôbre de valets pasles & éplorés:
vne châbre sâs iour:des cierges alumez: nostre
cheuet assiegé de medecins & de prescheurs:
somme tout horreur & tout effroy au tour de
no°.Nous voyla des-ia enseuelis &enterrez.Les

E 4

enfans ont peur de leurs amis mesmes , quand
ils les voyent masquez, aussi auons nous. Il faut
oster le masque aussi biē des choses, que des per
sonnes . Osté qu'il sera, nous ne trouuerons au
dessoubs, que ceste mesme mort, qu'vn valet ou
simple chambriere passarēt dernierement sans
peur. Heureuse la mort & heureuse trois fois,
qui oste le loisir aux apprets de tel equipage.

CHAP. XXI.

De la force de l'imagination.

Fortis imaginatio generat casum,
disent les clercs. Ie suis de ceux, qui sentēt
tres-grand effort de l'aprehention, chacū en est
feru, mais aucuns en sont transformez. Gallus
Vibius bāda si bien son ame, & la tendit a com
prendre & imaginer l'essence & les mouuemēs
de la folie, qu'il emporta son iugement mesme
hors de son siege, si qu'ōques puis il ne l'y peut
remettre : & se pouuoit vanter d'estre deuenu
fol par discours. Il y en a, qui de frayeur antici-
pent la main du bourreau, & celuy qu'on debā-
doit pour luy lire sa grace, se trouua roide mort
sur l'eschasaut du seul coup de son imaginatiō.
Nous tressuons, nous trēblons, nous pallissons,
& rougissons aux secousses de nos imaginatiōs,
& renuersés dans la plume nous sentons nostre
corps agité a leur brāsle, quelque fois iusques a
la mort.

la mort. Et la ieuneſſe bouillante s'eſchauffe ſi auãt en ſon harnois tout'endormie, qu'elle aſſouuit en ſonge ſes amoureux deſirs.

Vt quaſi trãſaitis ſæpe omnibus rebus profundãt
Fluminis ingentes fluitus, veſtémque cruentent.

Et encore qu'il ne ſoit pas nouueau de voir croiſtre la nuict des cornes a tel, qui ne les auoit pas en ſe couchant : toutesfois l'euenement de Cyppus Roy d'Italie eſt memorable, lequel pour auoir aſſiſté le iour auec grande affection au combat des taureaux, & auoir eu en ſonge toute la nuict des cornes en la teſte, les produiſit en ſon front par la force de l'imagination. La paſſion donna au filz de Crœſus la voix, que nature luy auoit refuſée. Et Antigonus print la fieure de la beauté de Stratonicé trop viuement empreinte en ſon ame. Pline dict auoir veu Lucius Coſſitius de femme changé en homme le iour de ſes nopces. Pontanus & d'autres racontẽt pareilles metamorphoſes aduenues en Italie ces ſiecles paſſez : & par vehement deſir de luy & de ſa mere,

Vota puer ſoluit, quæ fæmina vouerat Iphis.

Les vns attribuent a la force de l'imagination les cicatrices du Roy Dagobert & de ſainct François. On dict que les corps s'en enleuent telle fois de leur place. Et Celſus recite d'vn preſtre, qui rauiſſoit ſon ame en telle extaſe, que le corps en demeuroit longue eſpace ſans reſpiration & ſans ſentiment. Il eſt vray ſem-

blable, que le principal credit des miracles, des
visions, des enchantemens, & de tels effects extraordinaires vienne de la puissance de l'imagination, agissant principalement contre les
ames du vulgaire, ou il y a moins de resistance.
On leur a si fort saisi la creance, qu'ils pensent
voir ce qu'ils ne voient pas. Ie suis encore de
ceste opinion, que ces plaisantes liaisons des
mariages, dequoy le mode se voit si plein, qu'il
ne se parle d'autre chose, ce sont des impressions de l'aprehention & de la crainte. Car ie
sçay par experience, que tel, en qui il ne pouuoit eschoir nul soupçon de foiblesse, & aussi
peu d'enchantement ayant ouy faire vn conte a
vn sien compagnon d'vne defaillance extraordinaire, en quoy il estoit tobé sur le point, qu'il
en auoit le moins de besoin, se trouuant en pareille occasion, l'horreur de ce conte luy vint si
rudemēt frapper l'imaginatiō, qu'il en encourut vne fortune pareille. Cela n'est a craindre
qu'aux entreprinses, ou nostre ame se treuue outre mesure tandue de desir & de respect, & notamment ou les commoditez se rencontrent
improueues & pressantes. A qui a assez de loisir
pour se rauoir & remettre de ce trouble, mon
coseil est qu'il diuertisse ailleurs son pensemēt,
s'il peut, car il est difficile, qu'il se desrobe de
ceste ardeur & cōtention de sō imaginatiō. I'en
sçay, a qui il a seruy, a y aporter le corps mesme
amolli & affoibli d'ailleurs. Et a celuy qui sera
en

en alarme, des liaiſos, qu'ó luy perſuade hors de
la, qu'ó luy fournira des côtrenchantemēs d'vn
effect merueilleux & certain. Mais il faut auſſi
que celles, a qui legitimement on le peut demander, oſtent ces façons cerimonieuſes & af-
fectées de rigueur & de refus, & qu'elles ſe cô-
treignent vn peu, pour s'accommodeı a la neceſſité de ce ſiecle malheureux. Car l'ame
troublée de pluſieurs diuerſes al'armes elle ſe
perd aiſement : & ce n'eſt pas tout, car celuy a
qui l'imagination a faict vne fois ſouffrir ceſte
honte (& elle ne les faict guiere ſouffrir qu'aux
premieres acointances, d'autant qu'elles ſont
plus ardantes & aſpres, & auſſi qu'en ceſte premiere connoiſſance qu'ó dône de ſoy, on craint
beaucoup plus de faillir) ayant mal commancé
il entre en ſi grande fieure & deſpit de ceſt ac-
cıdent, que ceſte frayeur s'en augmente & re-
double a toutes les occaſions ſuinantes: & ſans
quelque contremine on n'en vient pas aiſément
a bout. Tel a l'aduenture par ceſt effect de l'i-
magination laiſſe icy les eſcruelles, que ſon côpaignon raporte en Eſpaigne. Voila pourquoy
en telles choſes l'on a accouſtumé de demander
vne ame preparée. Pourquoy praticquent les
medecins auant main la creance de leur patient
auec tât de faulces promeſſes de ſa gueriſõ: ſi ce
n'eſt affin que l'effect de l'imaginatiõ ſuppliſſe
l'impoſture de leur apoſime ? Ils ſçauent qu'vn
des maiſtres de ce meſtier leur a laiſſé par eſcrit
qu'ıl

qu'il s'est trouué des hômes a qui la seule veüe
de la Medecine faisoit l'operatiõ, & tout ce caprice m'est tombé presentement en main sur le
côte que me faisoit vn apotiquaire de feu mon
pere, hôme simple & Souysse, natiõ peu vaine &
mésongiere, d'auoir cogneu long téps vn mar-
châd a Toulouse maladif & subiect a la pierre,
qui auoit souuent besoing de clisteres & se les
faisoit diuersement ordonner aux medecins,
selon l'occurrence de son mal : apportez qu'ilz
estoient, il n'y auoit rien obmis des formes accoustumées, souuent il tastoit s'ils estoient trop
chauds, le voila couché , renuersé & toutes les
approches faictes, sauf qu'il ne s'y faisoit nulle
iniection. L'apotiquaire retiré apres ceste ceremonie, le patient accommodé, comme s'il a-
uoit veritablement pris le clystere, il en sentoit
pareil effect a ceux qui les prennent. Et si le
medecin n'en trouuoit l'operation suffisante, il
luy en redonnoit deux ou trois autres de mesme forme. Mon tesmoin iure, que pour espargner la despence (car il les payoit comme s'il
les eut receus) la femme de ce malade ayant
quelquefois essayé d'y faire seulement mettre
de l'eau tiede , l'effect en descouurit la fourbe,
& pour auoir trouué ceux la inutiles , qu'il fau-
sit reuenir a la premiere façon. Ces iours passez vne fame pensant auoir aualé vn'esplingue
auec son pain, crioit & se tourmentoit comme
ayant vne douleur insuportable au gosier , ou

                                    elle

elle penſoit la ſentir arreſtée. Mais par ce qu'il
n'y auoit ny enfleure ny alteration par le dehors, vn habil'homme ayant iugé que ce n'e-
ſtoit que fantaſie & opinion priſe de quelque
morceau de pain, qui l'auoit piquée en paſſant,
la fit vomir & ietta a la deſrobée dans ce qu'elle rendit vne eſplingue tortue. Ceſte femme
cuidant l'auoir rendue ſe ſentit ſoudain deſchar-
gée de ſa douleur. Ie ſçay qu'vn gentil'homme
ayant traicté chez luy vne bonne compagnie
ſe vanta trois ou quatre iours apres par maniere de ieu (car il n'en eſtoit rien) de leur auoir
faict menger vn chat en paſte : dequoy vne da-
moiſelle de la troupe print telle horreur, qu'en
eſtant tombée en vn grand déuoiement d'eſtomac & fieure il fut impoſſible de la ſauuer.
Les beſtes meſmes ſevoyent, comme nous, ſubiectes a la force de l'imagination, teſmoing les
chiens, qui ſe laiſſent mourir de dueil de la perte de leurs maiſtres, nous les voyons auſſi iapper & tremouſſer en ſonge, hannir les cheuaux
& ſe debatre: mais tout cecy ſe peut raporter a
l'eſtroite couſture de l'eſprit & du corps ſ'en-
tre-communiquants leurs fortunes. Mais c'eſt
bien autre choſe que l'imagination agiſſe quelque fois non contre ſon corps ſeulement, mais
contre **le corps d'autruy** : & tout ainſi qu'vn
corps reiette ſon mal a ſon voiſin, comme il ſe
voit en la peſte, en la verolle, & au mal des yeux
qui ſe chargent de l'vn a l'autre:

Dum

Dum spectant oculi læsos, læduntur & ipsi:
   Multáque corporibus transitione nocent.

Pareillement l'imagination esbranlée auecques vehemence, eslance des traitz, qui puissent offencer l'obiect estrangier. Lancieneté a tenu de certaines femmes en Scythie, que animées & courrouslées contre quelqu'vn elles le tuoient du seul regard. Les tortues, & les autruches couuët leurs œufs de la seule veuë, c'est signe qu'ils y ont quelque vertu ejaculatrice. Et quant aux sourciers on les dit auoir des yeux offansifs & nuisans.

Nescio quis teneros oculus mihi fascinat agnos.

Mais ce sont pour moy mauuais respondans que magiciens. Tant y a que nous voions par experience les femes enuoyer aux corps des enfans, qu'elles portët au ventre, des marques de leurs fantasies, tesmoing celle qui engendra le more. Et il fut presenté a Charles Roy de Boheme & Empereur vne fille d'auprés de Pise toute velue & herissée, que sa mere disoit auoir esté ainsi conceuë, a cause d'vn'image de sainct Iean Baptiste pendue en son lit. Des animaux il en est de mesmes, tesmoing les brebis de Iacob, & les perdris & les lieures, que la neige blanchit aux montaignes. On vit dernierement chez moy vn chat guestant vn oyseau au haut d'vn arbre, & s'estans fichez la veuë ferme l'vn contre l'autre quelque espace de tëps, l'oyseau s'estre laissé choir comme mort entre les pates
                                                          du

du chat, ou ennuyé par sa propre imagination,
ou attiré par quelque force atractiue du chat.
Ceux qui ayment la volerie ont ouy faire le côte du fauconnier, qui arrestant obstinément sa
veüe contre vn milan, qui estoit amont, gageoit
de la seule force de sa veüe de le ramener contre bas:& le faisoit, a ce qu'on dit. Car les histoires que ie recite, ie les renuoie sur la conscience de ceux, de qui ie les tiens.

CHAP. XXII.

Le profit de l'vn est dommage de l'autre.

Demades Athenien condamna vn homme
de sa ville, qui faisoit mestier de vendre
les choses necessaires aux enterremens, soubz
tiltre de ce qu'il en demandoit trop de profit,
& que ce profit ne luy pouuoit venir sans la
mort de beaucoup de gens. Ce iugement semble estre mal pris, d'autant qu'il ne se fait nul
profit qu'au dommage d'autruy, & qu'a ce côte
il faudroit condamner toute sorte de guein. Le
marchand ne fait bien ses affaires, qu'a la débauche de la ieunesse: le laboureur à la cherté
des bleds:l'architecte a la ruine des maisons:les
officiers de la iustice aux proces & querelles des
hommes : l'honneur mesmes & pratique des
ministres de la religion se tire de nostre mort
& de nos vices. Nul medecin ne prent plaisir a
la santé de ses amis mesmes, dit l'antien Comique

que Grec, ny soldat a la paix de sa ville: ainsi du
reste. Et qui pis est, que chacun se sonde au dedãs, il trouuera que nos souhaits interieurs pour
la plus part naissent & se nourissent aux despés
d'autruy. Ce que considerant, il m'est venu en
fantasie, comme nature ne se dément point en
cela de sa generale police. Car les Physiciens
tiennent, que la naissance, nourrissement, &
augmentation de chaque chose est l'alteration
& corruption d'vn'autre.

Nam quodcunque suis mutatum finibus exit,
Continuo hoc mors est illius, quod fuit ante.

CHAP. XXIII.

De la coustume & de ne changer aisément
vne loy receüe.

Celuy me semble auoir tres-bien conceu la
force de la coustume, qui premier forgea
ce conte, qu'vne femme de village ayant apris
de caresser & porter entre ses bras vn veau dès
l'heure de sa naissance, & continuant tousiours
a ce faire, gaigna cela par l'accoustumance que
tout grand beuf qu'il estoit, elle le portoit eu-
core. Car c'est a la verité vne violente & trai-
stresse maistresse d'escole, que sa coustume. Elle establit en nous peu a peu a la desrobée le
pied de son authorité: mais par ce doux & hūble

ble commencement, l'ayant raffis & planté auec
l'ayde du temps, elle nous découure tantost vn
furieux & tirannique visage, contre lequel nous
n'auons plus la liberté de hausser seulement les
yeux. Nous luy voyons forcer tous les coups les
reigles de nature : i'en croy les medecins, qui
quitent si souuent a son authorité les raisons
de leur art : & ce Roy qui par son moyen rengea son estomac a se nourrir de poison : & la
ville qu'Albert recite s'estre accoustumée a viure d'araignes. Ie viés de voir chez moy vn petit homme natif de Nantes, né sans bras, qui a si
bien façonné ses pieds au seruice, que luy de-
uoiër les mains, qu'ils en ont a la verité a demy
oublié leur office naturel. Au demourant il les
nomme ses mains, il trenche, il charge vn pisto-
let & le lâche, il enfille son eguille, il coud, il
escrit, il tire le bonnet, il se peigne, il iouë aux
cartes, & aux dez, & les remue auec autant de
dexterité que sçauroit faire quelqu'autre. L'argent que ie luy ay donné (car il gaigne sa vie a
se faire voir) il l'a emporté en son pied, comme
nous faisons en nostre main. I'en vy vn autre e-
stant enfant, qui manioit vn'espée a deux mains
& vn'hallebarde du pli du col a faute de mains,
les iettoit en l'air & les reprenoit, lançoit vne
dague & faisoit craqueter vn foët aussi bien que
charretier de France. Mais on decouure bien
mieux ses effets aux estrãges impressiõs, qu'elle fait en nos ames, ou elle ne trouue pas tãt de

F

resistance. Que ne peut elle en nos iugemens &
en nos creãces?y a il nulle opiniõ si fantasque
(ie laisse a part la grossiere imposture des religions , dequoy tant de grandes nations & tant
de suffisans personnages se sont veus enyures:
car ceste partie estant hors de nos raisons humaines,il est plus excusable de s'y perdre,a qui
n'y est extraordinairement esclairé par vne faueur diuine)mais d'autres opiniõs y en a il de si
estrãges,qu'elle n'aye planté & establi par loix
es regions que bon luy a semblé : icy on vit de
chair humaine:la c'est office de pieté de tuer sõ
pere en certainaage:ailleurs les peres ordõnent
des enfãs encore au vẽtre des meres,ceux qu'ils
veulent estre nourris & cõseruez, & ceux qu'ils
veulent estre abandonnés & tués:ailleurs les
vieux maris prestent leurs femmes a la ieunesse
pour s'en seruir : & ailleurs elles sont cõmunes
sans peché: voire en tel païs portent pour merque d'honneur autãt de belles houpes frangées
au bord de leurs robes,qu'elles ont acointé de
masles. N'a elle pas faict encore vne chose publique de femmes a part? leur a elle pas mis les
armes a la main ? faict dresser des armées,& li-
urer des batailles?Et ce que la raison & toute la
philosophie ne peut planter en la teste des plus
sages,ne l'apprẽd elle pas de sa seule ordõnance
au plus grõssier vulgaire? Car nous sçauons des
natiõs entieres,ou non seulemẽt l'horreur de la
mort estoit mesprisée,mais l'heure de sa venue
                                    a l'en-

a l'endroit des plus cheres perſonnes, qu'on eut
teſtoiée auec grāde alegreſſe. Et quāt a la douleur, nous en ſçauons d'autres ou les enfans de
ſept ans ſouffroient pour l'eſſay de leur conſtā-
ce a eſtre foitez iuſques a la mort ſās chāger de
démarche ny de viſage : & ou la richeſſe eſtoit
en tel meſpris , que le plus chetif citoyen de la
ville n'euſt daigné baiſſer le bras pour releuer
vne bource d'eſcus. Et ſçauōs des regions tres-
fertiles en toutes façons de viures, ou toute fois
les plus ordinaires méz & les plus ſauoureux c'e
ſtoiēt du pain du naſitort & de l'eau. Et ſomme
a ma fantaſie il n'eſt riē qu'elle ne face, ou qu'elle ne puiſſe : & auec raiſon l'appelle Pindarus, a
ce qu'ō m'a dict, la Royne & Emperiere du mōde. Mais le principal effect de ſa puiſſance c'eſt
de nous ſaiſir & empieter de telle ſorte qu'a pei
ne ſoit il en nous de nous r'auoir de ſa priſe, &
de rétrer en nous, pour diſcourir & raiſonner de
ſes ordōnances. De vray, par ce que nous les humons auec le laict de noſtre naiſſance, & que le
viſage du monde ſe preſente en ceſt eſtat a noſtre premiere veuë , il ſemble que nous ſoions
nais a la condition de ſuiure ce train. Et les cō-
munes imaginations, que nous trouuons en credit autour de nous, & infuſes en noſtre ame par
la ſemence de nos peres, il ſemble que ce ſoiēt
les generalles & naturelles. Darius demandoit
a quelques Grecs, pour combien ils voudroiēt
prendre la couſtume des Indes de manger

F 2

leurs peres trespassez (car c'estoit leur forme,
estimans ne leur pouuoir donner plus fauorable sepulture, que dans eux mesmes) ils luy respondirent que pour chose du monde ils ne le
feroient : mais s'estant aussi essayé de persuader
aux Indiens de laisser leur façon & prēdre celle de Grece, qui estoit de brusler les corps de
leurs peres, il leur fit encore plus d'horreur.
Chacun en fait ainsi, d'autant que l'vsage nous
dérobe le vray visage des choses.

Nil adeo magnum, nec tam mirabile quicquam
Principio, quod non minuant mirarier omnes
Paulatim.

Autrefois ayāt afaire valoir quelqu'vne de nos
obseruations, & receuë auec resolue authorité
bien loing autour de nous, & ne voulant point,
cōme il se faict, l'establir seulement par la force des loix & des exemples, mais questant tousiours iusques a son origine, i'y trouuay le fondement si chetif & si foible, qu'a peine que ie
ne m'en dégoutasse moy, qui auois a la confirmer en autruy. Et qui se voudra essayer de mesme, & se desfaire de ce violent preiudice de la
coustume, il trouuera plusieurs choses receuës
d'vne resolution indubitable, qui n'ont appuy
qu'en la barbe chenue & rides de l'vsage, qui
les accompaigne : mais ce masque arraché rap-
portāt les choses a la verité & a la raison, il sen-
tira son iugement, comme tout bouleuersé, &
remis pourtant en bien plus seur estat. Pour e-
                                        exemple

xemple, ie luy demanderay lors, qu'il peut eſtre
de plus eſtrange, que de voir vn peuple obligé a
ſuiure des loix, qu'il n'entendit onques, attaché
en tous ſes affaires domeſtiques, mariages, donations, teſtamens, ventes, & achapts a des regles, qu'il ne peut ſçauoir, n'eſtāt eſcrites ny publiées en ſa langue , & deſquelles par neceſſité
il luy faille acheter l'interpretatiō & l'vſage. Ie
ſçay bon gré a la fortune, dequoy, cōme diſent
nos hiſtoriens, ce fut vn Gentil'homme Gaſcō
& de mō païs, qui le premier s'oppoſa a Charlemaigne nous voulant donner les loix Latines
& Imperiales. Qu'eſt-il de plus farouche, que
de voir vne nation, ou par legitime couſtume la
charge de iuger ſe vende, & les iugemens ſoiēt
payez a purs deniers contans, & ou legitimement la iuſtice ſoit refuſée a qui n'a dequoy la
paier, & aye ceſte marchandiſe ſi grand credit,
qu'il ſe face en vne police vn quatrieſme eſtat
des gēs maniāts les proces, pour le ioindre aux
trois antiēs de l'Egliſe, de la Nobleſſe & du Peuple, lequel eſtat ayant la charge des loix & ſou-
ueraine authorité des biens & des vies face vn
corps a part de celuy de la nobleſſe, d'ou il auiē-
ne qu'il y ait doubles loix, celles de l'hōneur, &
celles de la iuſtice, en pluſieurs choſes fort contraires? Auſſi rigoreuſement condamnēt celles
la vn démanti ſouffert, comme celles icy vn démanti reuāché: par le deuoir des armes celuy la
ſoit degradé d'honneur & de nobleſſe qui ſouf-

F 3

fre vn'iniure, & par le deuoir ciuil celuy qui s'ē
vēge il encoure vne peine capitale? Qui s'adreffe aux loix pour auoir raifon d'vne offence faite
a fon honneur, il fe defhonnore : & qui ne s'y a-
dreffe il en eft puny & chaftié par les loix? Et de
ces deux pieces fi diuerfes fe raportât toutefois
a vn feul chef, ceux la ayent la paix, ceux cy la
guerre en charge : ceux la ayent le gaing, ceux
cy l'honneur: ceux la le fçauoir: ceux cy la vertu:
ceux la la paroile, ceux cy l'action: ceux la la iuftice, ceux cy la vaillance: ceux la la raifon, ceux
cy la force : ceux la la robbe longue, ceux cy la
courte en partaige? Quāt aux chofes indifferē-
tes, comme veftemens, qui les voudra ramener
a leur vraye fin, qui eft le feruice & commodité
du corps, d'ou depend leur grace & bien feance
originelle, pour les plus monftrueux a mon gré
qui fe puiffent imaginer, ie luy dōray entre autres nos bonnets carrez, cefte longue queüe de
veloux pliffé, qui pend aux teftes de nos fames,
auec fon attirail bigarré, & ce vain modelle &
inutile d'vn mēbre, que nous ne pouuons feulement honneftement nōmer, duquel toutesfois
nous faifons monftre & parade en public. Ces
confiderations ne deftournent pourtant pas vn
hōme d'entendemēt de fuiure le ftille commū,
ains au rebours il me femble, que toutes façons
éfcartées & particulieres partēt pluftoft de folie ou d'affection ambitieufe, que de vraye raifon: & que le fage doit au dedās retirer fon ame
de la preffe, & la tenir en liberté & puiffance de

iuger libremét des choses: mais quát au dehors
qu'il doit suiure entierement les façons & formes receües. La societé publique n'a que faire
de nos pensées: mais le demeurant, comme nos
actiós, nostre trauail, nos fortunes & nostré vie
propre, il la faut préter & abádóner a son seruice & aux opiniós cómunes. Cóme ce bó & grád
Socrates refusa de sauuer sa vie par la desobeissance du magistrat voire tres-iniuste & tres-inique. Car c'est la regle des regles & generale loy
des loix, q̃ chacũ obserue celles du lieu ou il est.

νόμοις ἕπεσθαι ʃοῖσιν εγχώροις κάλον.

En voicy d'vn'autre ciuée. Il y a grand doute,
s'il se peut trouuer si euident profit au changement d'vne loy receüe telle qu'elle soit, qu'il y
a de mal a la remuer: d'autát qu'vne police bié
instituée c'est comme vn bastiment de diuerses
pieces iointes ensemble d'vne telle liaisó, qu'il
est impossible d'en esbranler la moindre, que
tout le corps ne s'é sente. Le legislateur des Thu
riés ordonna, que quicóque voudroit ou abolir
vne des vieilles loix, ou en establir vne nouuelle, se presenteroit au peuple la corde au col: afin
que si la nouuelleté n'estoit aprouuée d'vn cha-
cũil fut incótinét estráglé. Et celuy de Lacedemone employa sa vie pour tirer de ses citoyens
vne promesse asseurée de n'enfraindre aucune
de ses ordonnáces. L'ephore qui coupa si rudement les deux cordes que Phrinys auoit adiousté a la musique, ne s'esmaie pas, si elle en vaut

F 4

mieux, ou si les accords en sont mieux remplis:
il luy suffit pour les condamner, que ce soit vne
alteration de la vieille façon: c'est ce que signi-
fioit ceste vieille espée rouillée de la iustice de
Marseille. Si est-ce que la fortune reseruât tousiours son authorité au dessus de nos discours,
nous presente aucunefois la necessité si vrgente,
qu'il est besoing que les loix luy facent place.
On sçait qu'il est encore reproché a ces deux
grãdz personnages Octauius & Catõ aux guerres ciuiles l'vn de Sylla, l'autre de Cesar d'auoir
plustost laissé encourir toutes extremitez a leur
patrie, que de la secourir aux despés de ses loix,
& que de rien remuer. Car a la verité en ces
dernieres necessitez, ou il n'y a plus que tenir, il
seroit a l'auanture plus sagemét fait de baisser la
teste & prester vn peu au coup, que s'a hurtant
outre la possibilité a ne rié relascher, dõner occasion a la violance de fouler tout aux piedz: &
vaudroit mieux faire vouloir aux loix ce qu'elles
peuuent, puis qu'elles ne peuuét ce qu'elles veulent. Ainsi feit celuy qui ordonna qu'elles dor-
missent pour vint & quatre heures : & celuy qui
remua pour ceste fois vn iour du calédrier. Les
Lacedemoniés mesmes tant religieux obserua-
teurs des ordónáces de leurs pais, estás pressiez
de leur loy, qui defendoit d'eslire par deux fois
Admiral vn mesme persónage, & de l'autre part
leurs affaires requerás de toute necessité, q Lysander print de rechef ceste charge, il firét bié
                                              vn

vn Aracus admiral, mais Lyſander ſur intendant
de la marine. Et de meſme ſubtilité vn de leurs
ambaſſadeurs eſtant enuoyé vers les Atheniés,
pour obtenir le changemēt de quelqu'ordónā-
ce, & Pericles luy allegāt qu'il eſtoit defédu d'o
ſter le tableau, ou vne loy eſtoit vne fois poſée,
luy conſeilla de le tourner ſeulement, d'autar r
que cela n'eſtoit pas defendu. C'eſt ce dequoy
Plutarque loüe Flaminius qu'eſtant né pour cō
mander, il ſçauoit non ſeulement commander
ſelon les loix, mais aus loix meſme, quād la neceſſité publique le requeroit.

C H A P. XXIIII.

Diuers euenemens de meſme conſeil.

IAques Amiot grand aumoſnier de Frāce me
recita vn iour ceſte hiſtoire a l'honneur d'vn
Prince des noſtres (& noſtre eſtoit-il a tres-
bonnes enſeignes encore que ſon origine fut
eſtrangere) que durant nos premiers troubles
au ſiege de Roüan, ce Prince ayant eſtē aduerti
par la Royne mere du Roy d'vne entrepriſe,
qu'on faiſoit ſur ſa vie, & inſtruit particulierement par ſes lettres de celuy, qui la deuoit conduire a chef, qui eſtoit vn gentil'homme An-
geuin ou Mauceau : frequentant lors ordinairement , pour ceſt effect la maiſon de ce
Prince, il ne communiqua a perſonne c'eſt aduertiſſe ment : mais ſe promenant l'endemain

au mont sainĉte Chaterine, d'ou se faisoit nostre baterie a Roüan (car c'estoit au téps que
nous la tenions assiegée) ayant a ses costez ledict seigneur grãd Aumosnier & vn autre Euesque, il aperceut ce gentil'homme, qui luy auoit
esté remarqué, & le fit appeller. Comme il fut
en sa presence, il luy dict ainsi, le voyant desia
pallir & fremir des alarmes de sa conscience,
Mõsieur de tel lieu, vous vous doutez biẽ de ce
que ie vous veus, & vostre visage le mõstre, vous
n'auez rien a me cacher, car ie suis instruict de
vostre affaire si auant que vous ne feriez qu'empirer vostre marché d'essayer a le couurir. Vous
sçauez bien telle chose & telle (qui estoiẽt les
tenans & aboutissans des plus secretes picces
de ceste menée) ne saillez sur vostre vie a me
confesser la verité de tout ce dessein. Quand ce
pauure homme se trouua pris & conueincu (car
le tout auoit esté descouuert a la Royne par l'vn
des complisses) il n'eust qu'a ioindre les mains
& requerir la grace & misericorde de ce Prince, aux piedz duquel il se voulut ietter, mais il
l'en garda, suiuant ainsi son propos: venez ça,
vous ay ie autres-fois faict desplaisir? ay ie offencé quelqu'vn des vostres par haine particuliere? Il n'y a pas trois semaines que ie vous cõ-
gnois, qu'elle raison vous a peu mouuoir a entreprendre ma mort. Le gentil'homme respon
dit a cela d'vne vois tremblante, que ce n'estoit
nulle occasion particuliere qu'il en eust, mais
                              l'inte-

l'interest de la cause generale de son party : &
qu'aucũs luy auoient persuadé que ce seroit vne
executiõ pleine de pieté d'extirper en quelque
maniere que ce fut vn si puissât ennemy de leur
religion. Or suyuit ce Prince, ie vous veux mõ-
strer, combien la religion que ie tiens est plus
douce, que celle dequoy vous faictes professiõ.
La vostre vous a cõseillé de me tuer sans m'ouir,
n'ayât receu de moy aucune offence, & la miẽ-
ne me commande, que ie vous pardonne tout
conueincu que vous estes. de m'auoir voulu ho-
micider sans raison, allez vous en, retirez vous,
que ie ne vous voye plus icy, & si vous estes sage prenez doresnauant en voz entreprinses des
conseillers plus gẽs de bien que ceus la. l'Empereur Auguste estant en la Gaule receut certain aduertissement d'vne coniuration que luy
brassoit Lucius Cinna , il delibera de s'en venger, & manda pour c'est effect a lendemain le
conseil de ses amis: mais la nuict d'entredeux il
la passa auec grande inquietude , considerant
qu'il auoit a faire mourir vn ieune homme de
bonne maison, & nepueu du grand Pompeius:
& produisoit en se pleignant plusieurs diuers
discours. Quoy dõq, faisoit il, sera il dict que ie
demeureray en crainte & en alarme, & que ie
lairray mõ meurtier se promener cepẽdât a son
ayse? S'ẽ ira il quitte ayât assailly ma teste, que
i'ay sauuée de tât de guerres ciuiles? de tât de ba
tailles par mer & par terre? & apres auoir estab-

bly

bly la pais vniuerselle du monde, sera il absouz
ayãt deliberé nõ de me meurtrir seulemẽt, mais
de me sacrifier? Car la coniuration estoit faicte
de le tuer, cõme il feroit ãlque sacrifice. Apres
cela s'estãt tenu coy quelque espace de temps,
il recommençoit d'vne vois plus forte, & s'en
prenoit a soy mesme. Pourquoy vis tu, s'il importe a tant de gens que tu meures? n'y aura-il
nulle fin a tes vengeances & a tes cruautez? Ta
vie vaut elle que tant de dommage se face pour
la conseruer? Liuia sa femme le sentant en ces
angoisses: & les conseils des femmes y seront
ils receus, luy fit elle? fais ce que font les medecins, quãd les receptes accoustumées ne peuuent seruir, ils en essayent de contraires. Par se-
uerité tu n'as iusques a ceste heure rien profi-
té: Lepidus a suiui Saluidienus, Murena Lepidus, Cæpio Murena, Egnatius Cæpio. Commẽ
ce a experimenter comment te succederont la
douceur & la clemence. Cinna est conueincu,
pardonne le. de te nuire mes-huy il ne pourra,
& profitera a ta gloire. Auguste fut bien ayse
d'auoir trouué vn aduocat de son humeur, & a-
yant remercié sa femme & contremandé ses a-
mis, qu'il auoit assignez au conseil, commenda
qu'on fit venir a luy Cinna tout seul: & ayant
fait sortir tout le monde de sa chambre & fait
donner vn siege a Cinna, il luy parla en ceste
maniere. En premier lieu ie te demande Cinna paisible audience. N'interrons pas mõ parler,

ler, ie te donray temps & loifir d'y refpondre.
Tu fçais Cinna que t'ayât pris au camp de mes
ennemis, non feulement t'eftant faict mon ennemy, mais eftant né tel, ie te fauuay, ie te mis
entre les mains tous tes biens,& t'ay en fin ré-
du fi accommodé & fi ayfé que les victorieus
font enuieus de la condition du vaincu. L'office
du facerdoce ĝ tu me demandas ie te l'ottroiay
l'ayant refufé a d'autres, defquels les peres auoient toufiours combatu auec-moy . T'ayant fi
fort obligé tu as entrepris de me tuer. A quoy
Cinna s'eftant efcrié qu'il eftoit bien efloigné
d'vne fi mefchante penfée. Tu ne me tiens pas
Cinna ce que tu m'auois promis, fuyuit Augufte. Tu m'auois affeuré que ie ne ferois pas in-
terrompu . Ouy tu as entrepris de me tuer, en
tel lieu,tel iour, en telle compagnie,& de telle
façon.& le voyant tranfi de ces nouuelles & en
filence,nõ plus pour tenir le marché de fe taire,mais de la preffe de fa confcience, Pourquoy
adiouta il, le fais tu? Eft-ce pour eftre Empereur? Vrayemét il va bien mal a la chofe publique,s'il n'y a que moy,qui t'empefche d'arriuer
a l'Empire. Tu ne peus pas feulemét deffendre
ta maifon, & perdis dernieremét vn proces en
la faueur d'vn fimple libertin. Quoy n'as tu
moyen ni pouuoir en autre chofe que a entreprendre Cæfar? Ie le quitte, s'il n'y a que moy
qui empefche tes efperáces.Penfes tu,que Paulus,que Fabius Maximus,que les Coffes,& Ser-
uiliens

uiliens te souffrent?& vne si grande trouppe de
nobles, non seulemēt nobles de nom, mais qui
par leur vertu honorent leur noblesse ? Apres
plusieurs autres propos (car il parla a luy plus
de deux heures entieres) or va, luy dit-il, ie te
dōne, Cinna, la vie a traistre & a parricide, que
ie te donnay autres-fois a ennemy. Que l'amitié commēce des ce iourd'huy entre nous. Essa-
yōs qui de noꝰ deus de meilleure foy, moy t'aie
donné ta vie, ou tu l'ayes receuë . Et se despartit d'auec luy en ceste maniere. Quelque temps
apres il luy donna le consulat, se pleignant dequoy il ne le luy auoit osé demāder. Il l'eut despuis pour fort ami, & fut seul faict par luy he-
ritier de ses biens. Or despuis cest accidāt, qui
aduint a Auguste au quarantiesme an de son aage, il n'y eut iamais de coniuration ny d'entreprinse contre luy, & receut vne iuste recōpen-
se de ceste sienne clemēce. Mais il n'en aduint
pas de mesmes au nostre: car sa douceur ne le
sceut garentir, qu'il ne cheut despuis aus lacs de
pareille trahison. Tant c'est chose vaine & friuole que l'humaine prudence : & au trauers de
tous nos proiects, de nos conseils & precautiōs
la fortune maintient tousiours la possession des
euenemens. Nous appellons les medecins heureux, quād ils arriuent a quelque bonne fin: cōme s'il n'y auoit q̃ leur art, qui ne se peut maintenir d'elle mesine , & qui eust les fondemens
trop frailes pour s'appuyer de sa propre force,
                                        & comme

& comme s'il n'y auoit qu'elle, qui aye befoin
que le hazart & la fortune preſte la main a ſes
operatiõs. Ie croy d'elle tout le pis ou le mieus
qu'on voudra. Car nous n'auons, Dieu merci,
nul cõmerce enſemble. Ie ſuis au rebours des au
tres, car ie la meſpriſe biẽ touſiours, mais quãd
ie ſuis malade au lieu d'entrer en cõpoſitiõ ie
cõmence encore a la haïr & a la craindre, & re-
ſpons a ceux, qui me preſſent de prendre medecine, qu'ils attendent au moins que ie ſois rẽdu
a mes forces & a ma ſanté, pour auoir plus de
moyen de ſouſtenir l'effort & le hazart de leur
breuuage. Ie laiſſe faire nature, & preſupoſe que
elle ſe ſoit garnie de dentz & de griffes pour
ſe deffendre des aſſaux qui luy viennẽt, & pour
maintenir ceſte cõtexture, de quoy elle fuit la
diſſolution. Ie crain au lieu de l'aller ſecourir
ainſi cõme elle eſt aus priſes bien eſtroites &
biẽ iointes auec la maladie, qu'on ſecoure ſon
aduerſaire au lieu d'elle: & qu'õ la recharge de
nouueaux affaires. Or ie dy que non en la mede
cine, ſeulement, mais en pluſieurs arts plus certaines la fortune y a bõne part. Les ſaillies poë-
tiques, qui emportẽt leur autheur meſme & le
rauiſſent hors de ſoy, pourquoy ne les attribue
rõs nous a ſon bon heur? puis qu'il confeſſe luy
meſmes qlles ſurpaſsẽt ſa ſuffiſáce & ſes forces,
& les recõnoit venir d'alleurs q̃ de ſoy, & ne les
auoir nullemẽt en ſa puiſſáce: nõ plus q̃ les orateurs ne diſent auoir en la leur ces mouuemẽs &
agi-

agitations extraordinaires, qui les pouſſent au dela de leur deſſein. Il en eſt de meſmes en la peinture, qu'il eſchappe par fois des traits de la main du peintre ſurpaſſans ſa conception & ſa ſcience, qui le tirent luy meſmes en admiratiõ, & qui l'eſtonnẽt. Mais la fortune monſtre bien encores plus euidemment la part, qu'elle a en tous ces ouurages par les graces & beautez qui s'y treuuent, non ſeulement ſans l'inuention, mais ſans la cognoiſſance meſme de l'ouurier. Vn ſuffiſant lecteur deſcouure ſouuant es eſcrits d'autruy des perfections autres, que celles que l'autheur y a miſes & aperceües, & y preſte des ſens & des viſages plus riches. Quãt aux entre-priſes militaires, chacun void comment la for tune y a bõne part. En nos conſeils meſmes & en nos deliberations, il faut certes qu'il y ait du ſort & du bõheur meſle par mi : car tout ce que noſtre ſageſſe peut, ce n'eſt pas grãd choſe : plus elle eſt aigue & viue, plus elle trouue en ſoy de foibleſſe : & ſe deffie d'autãt plus d'elle meſme. Ie ſuis de l'aduis de Sylla : & quãd ie me prens garde de prez aus plus glorieus exploicts de la guerre, ie voy, ce me ſemble, que ceux qui les cõ duiſent n'y emploiẽt la deliberatiõ & le cõſeil, que par acquit, & que la pluſpart de l'entrepriñ ſe ils l'abandonnent a la fortune, & ſur la fian-ce qu'ils ont a ſon ſecours, paſſẽt tous les coups au dela des bornes de tout diſcours de raiſon. Il ſuruiẽt des alegreſſes fortuites & des fureurs

eſtran-

estrangeres par mi leurs deliberations, qui les
pouſſent le plus ſouuent a prendre le parti le
moins fondé en diſcours & apparence , & qui
groſſiſſent leur courage au deſſus de la raiſon.
D'ou il eſt aduenu a pluſieurs grands capitaines
anciens, pour dōner credit a ces conſeils temeraires, d'aleguer a leurs gens qu'ils y eſtoient
conuiés par quelque inſpiration, par quelque ſigne & prognoſtique. Voila pourquoy en ceſte
incertitude & perplexité que nous aporte l'impuiſſance de voir & choiſir ce qui eſt le plus cōmode , pour les difficultez que les diuers accidēs & circōſtances de chaque choſe tirent quāt
& elle, le plus ſeur, quand autre conſideratiō ne
nous y conuieroit, eſt a mon aduis de ſe reietter
au parti, ou il y a plus d'honneſteté & de iuſtice,& puis qu'ō eſt en doubte du plus court chemin, tenir touſiours le droit. Cōme en ces deux
exemples, que ie vien de propoſer, il n'y a point
de doubte, qu'il ne fut plus beau & plⁱ genereus
a celuy qui auoit receu l'offence de la pardōner
que s'il euſt fait autremēt. S'il en eſt mes-adue-
nu au premier, il ne s'en faut pas prēdre a ce ſiē
bon deſſein, & ne ſçait on, quand il euſt pris le
parti cōtraire, s'il euſt eſchapé la fin, a laquelle ſon deſtein l'appeloit, & ſi euſt perdu la gloi
re d'vne ſi notable bonté. Il ſe voit dans les hiſtoires force gens en ceſte crainte, d'ou la plus
part ont ſuyui le chemin de courir au deuant
des coniurations, qu'on faiſoit contre eux , par

G

vengeance & par supplices : mais i'en voy fort
peu aufquels ce remede ait ferui, tefmoing tant
d'Empereurs Romains. Celuy, qui fe trouue en
ce dangier, il ne doibt pas beaucoup efperer
ni de fa force, ni de fa vigilance. Car combien
eft il mal aifé de fe garétir d'vn ennemy, qui eft
couuert du vifage du plus officieux amy que
nous ayons?& de cónoiftre les volontez & pé-
femens interieurs de ceux, qui nous affiftent? Il
a beau employer des natiós eftrágieres pour fa
garde, & eftre toufiours ceint d'vne haye d'hômes armez. Quicóque aura fa vie a mefpris fe
rendra toufiours maiftre de celle d'autruy. Et
puis ce continuel foupçon, cefte deffiance, qui
met le Prince en doute de tout le monde, luy
doit feruir d'vn merueilleus tourment. La voye
qu'y tint Iulius Cefar, ie trouue que c'eft la plus
belle, qu'on y puiffe prendre. Premierement il
affaya par clemence & douceur a fe faire aymer de fes ennemis mefmes, fe contentant aus
coniurations, qui luy eftoient defcouuertes, de
declarer fimplement qu'il en eftoit aduerty.
Cela fait, il print vne tref-noble refolution d'at
tendre fans effroy & fans folicitude ce qui luy
en pourroit aduenir, s'abandonnât & fe remettant a la garde des dieux & de la fortune. Car
certainement c'eft l'eftat, ou il eftoit, quand il
fut tué. Il me fouuient d'auoir leu autresfois
cefte hiftoire de quelque Romain, perfonnage
de dignité, lequel fuyant la tyrannie du Trium-
uirat

uirat de Rome , auoit eschappé mille fois les
mains de ceux,qui le poursuiuoient, par la subtilité de ses inuctions. Il aduint vn iour qu'vne
troupe de gēs de cheual , qui auoit charge de le
prendre,passa tout ioignant vn halier,ou il s'e-
stoit tapy, & faillit de le descouurir : mais luy
sur ce point la considerant la peine & les difficultez, ausquelles il auoit des-ia si long temps
duré, pour se sauuer des continuelles & curieu
ses recherches, qu'on faisoit de luy par tout le
monde , le peu de plaisir qu'il pouuoit esperer
d'vne telle vie, & combien il luy valoit mieux
de passer vne fois le pas , que de demeurer
tousiours en ceste trampe , luy mesme les ra-
pella & leur trahit sa cachete,s'abandonnât volontairement a leur cruauté, pour oster eux &
luy d'vne plus lōgue peine.D'appeler les mains
ennemies,c'est vn cōseil vn peu gaillart & har-
di.Si croy ie qu'encore vaudroit il mieus le prē
dre, q̄ de demeurer en la sicure cōtinuelle d'vn
accidāt,qui n'a point de remede:& puisque les
prouisiōs qu'ō y peut aporter sont pleines d'inquietude, de tourment & d'incertitude, il vaut
mieux d'vne belle asseurāce se preparer a tout ce
qui en pourra aduenir, & tirer quelque cōsola-
tion de ce qu'on n'est pas asseuré qu'il auiêne.

CHAP. XXV. Du pedantisme.

IE me suis souuent despité en mon enfance
de voir es comedies Italienes tousiours vn pe

dāte pour badin, & le surnom de mon magistèr n'auoit guiere plus honorable signification parmi nous. Car leur estant donné en gouuernement & en garde, que pouuois ie moins faire que d'estre ialous de leur reputation? Ie cherchois bien de les excuser par la disconuenance naturelle qu'il y a entre le vulgaire & les personnes rares & excellentes en iugement & en sçauoir: d'autant qu'ils vont vn train entieremēt côtraire lesvns des autres. Mais en cecy perdois ie mon Latin, que les plus galans hommes c'estoient ceux qui les auoient le plus a mespris, tesmoing nostre bon du Bellay.

Mais ie hay par sur tout vn sçauoir pedantesque. Despuis auec l'eage i'ay trouué qu'ō auoit vne grandissime raison, & que *magis magnos clericos non sunt magis magnos sapientes*. Mais d'ou il puisse aduenir qu'vne ame garnie de la connoissance de tant de choses n'en deuiene pas plus viue & plus esueillée, & qu'vn esprit grossier & vulgaire puisse loger en soy, sans s'amender, les discours & les iugemens des plus excellens esprits, que le monde ait porté, i'en suis encore en doute. Ie dirois volontiers que comme les plātes s'estouffent de trop d'humeur, aussi l'action de l'esprit par trop d'estude, & que l'ame saisie & embarrassée de tāt de diuersité de choses perde le moyen de se desmeller, & que ceste grande charge la tienne comme courbe & croupie. Mais il en va autremēt, car nostre ame s'eslargit

s'eſlargit d'autât plus qu'elle ſe remplit,& aux
exemples des vieux temps il ſe voit tout au rebours que les plus ſuffiſans hômes au maniemẽç
des choſes publiques,les plus grâds capitaines,
& les meilleurs conſeillers aux affaires d'eſtat
ont eſté enſemble les plus ſçauans. Et quât aux
philoſophes retirez de toute occupation publi
que , ils ont eſté auſſi quelque fois a la verité
meſpriſés par la liberté Comique de leurtẽps:
mais au rebours des noſtres . Car on enuioit
ceux la,comme eſtans au deſſus de la commune
ne façon,comme meſpriſans les actions publiques,côme ayans dreſſé vne vie particuliere &
inimitable, reglée a certains diſcours hautains
& hors d'vſage:ceux cy on les deſdeigne côme
eſtans au deſſoubs de la cômune façon , côme
incapablesdes charges publiques,côme trainâs
vne vie & des meurs baſſes & viles apres le vul-
gaire.Quant a ces philoſophes,diſ-ie,côme ils
eſtoient grâds en ſciẽce,ils eſtoiẽt encore plus
grands en tout'autre perfection & excellance.
Et tout ainſi qu'on dict de ce Geometriẽ de Si-
racuſe,lequel ayant eſté deſtourné de ſa contẽ-
platiõ pour en mettre quelque choſe en practique,a la deffence de ſa patrie,qu'il mit ſoudain
en train des engins eſpouuãtables,& des effets
ſurpaſſants toute creance humaine,deſdaignant
toutefois luy meſme toute ceſte ſiene manufa-
cture,& penſant en cela auoir corrõpu & gaſté
la dignité de ſon art , de laquelle ſes ouurages

n'estoient que l'aprentissage & le iouet. Aussi
eux, si quelque fois on les a mis a la preuue de
l'action, on les a veu voler d'vn aisle si haute,
qu'il paroissoit bien leur cœur & leur ame s'e-
stre merueilleusement grossie & enrichie par
l'intelligence des choses. Mais leurs imaginations logées au dessus de la fortune & du mõde
leur faisoit trouuer les sieges de la iustice & les
thrones mesmes des roys, bas & viles. Vn d'entr'eux Thales accusant quelque fois le soing du
mesnage & de s'enrichir, on luy reprocha que
c'estoit a la mode du renard, pour n'y pouuoir
aduenir. Il luy print enuie par passetemps d'en
monstrer l'experiéce, & ayant pour ce coup ra-
ualé son sçauoir au seruice du proffit & du gain,
dressa vne trafique, qui dans vn an raporta telles richesses, qu'a peine en toute leurvie les plus
experimentes de ce mestier la en pouuoiët faire de pareilles. Par ainsi ie quitte ceste raison,
& croy qu'il vaut mieux dire que cela vienne a
nos maistres d'escole de leur mauuaise façon
de se prendre aux sciences:& qu'a la mode dequoy nous sommes instruictz, il n'est pas merueille si ni les escoliers ni les maistres n'en de-
uienent pas plus habiles, quoy qu'ils s'y facent
plus sçauans. De vray le soing & la despence de
nos peres ne vise qu'a nous garnir la teste de
science:du iugement & de la vertu nulles nouuelles. Nous nous enquerons volontiers, sçait il
du Grec ou du Latin? escrit il en vers ou en pro-
se? mais

se?mais s'il est deuenu meilleur ou plus aduisé,
c'estoit le principal, & c'est ce qui demeure
derriere. Il falloit s'équerir qui est mieux sçauant, nõ qui est plus sçauant. Nous ne trauaillõs
qu'a rẽplir la memoire, & laissons l'entendemẽt
vuide. Tout ainsi q̃ les oyseaus võt quelquefois
a la queste du grein, & le portent au bec sans le
taster, pour en faire bechée a leur petitz: ainsi
nos pedãtes vont pillotãt la sciẽce dãs les liures
& ne la logent qu'au bout de leurs leures, pour
la dégorger seulement, & mettre au vent. Mais
qui pis est leurs escoliers & leurs petits ne s'en
nourrissẽt & alimentẽt non plus, ains elle passe
de main en main, pour ceste seule fin d'en faire
parade, d'en entretenir autruy, & d'en faire des
contes, côme vne vaine mõnoie inutile a tout
autre vsage & emploite, qu'a conter & ietter.
Nous sçauõs dire, Cicero dit ainsi, voila l'opinĩõ de Platõ, ce sont les mots mesmes d'Aristo
te: mais nous q̃ disons nous nous mesmes? qu'opinons nous? que iugeons nous? Autãten feroit
biẽ vn perroquet: ceste façon me fait iustemẽt
souuenir de ce riche Romain, qui auoit esté soigneux a fort grande despence de recouurer des
hommes suffisans en tout genre de sciences,
qu'il tenoit continuellemẽt autour de luy, affin
que quãd il escheroit entre ses amis quelque oc
casion de parler d'vne chose ou d'autre, ils supplissent sa place, & fussent tous prets a luy fournir, qui d'vn discours, qui d'vn vers d'Homere,

G 4

chacun selon son gibier : & pensoit ce sçauoir
estre sien, par ce qu'il estoit en la teste de ses
gês:& comme font aussi ceux , desquels la suffisace loge en leurs somptueuses librairies. Nous
de mesmes, nous prenons en garde les opiniôs
& le sçauoir d'autruy , & puis c'est tout : il les
faut faire nostres. Nous semblons proprement
celuy, qui ayant besoing de feu en iroit querir
chez son voisin,& y en ayant trouué vn beau &
grand s'arresteroit la a se chauffer sans plus se
souuenir d'en raporter chez soy. Que nous sert
il d'auoir la panse pleine de viande, si elle ne se
digere, si elle ne se trans-forme en nous? si elle
ne nous augmête & fortifie? Pensons nous que
Lucullus , que les lettres rendirent & formarêt
si grâd capitaine & si aduisé , sans l'essay & sans
l'experiéce,les eut prisez a nostre mode? Quâd
bien nous pourrions estre sçauans du sçauoir
d'autruy,au moins sages ne pouuons nous estre
que de nostre propre sagesse.

μισῶ σοφιςὴν,ὅςις ἐχ ἀυῖᾳ σόφος
Ie haï,dict-il,le sage qui n'est pas sage pour soy
mesmes. Si nôstre ame n'en va vn meilleur brâ-
sle , si nous n'en auons le iugement plus sain,
i'aymeroy aussi cher que mon escolier eut passé le têps a ioüer a la paume,au moins le corps
en seroit plus allegre. Voyez le reuenir de la
apres quinze ou seze ans employez , il n'est
rien si mal propre a mettre en besongne . tout
ce que vous y recognoissez d'auantage , c'est
                                    que

que son Latin & son Grec l'ont rendu plus fier
& plus outrecuidé , qu'il n'estoit party de la
maison. Mon vulgaire Perigordin les appelle
fort plaisamment *Lettreferits*, comme si vous
disiez lettre-ferus, ausquels les lettres ont donné vn coup de marteau, comme on dict. De vray
le plus souuent ils semblent estre reualez mesmes du sens commun. Car le paisant & le cordonnier vous leur voyez aller simplement &
naifuement leur train parlants de ce qu'ilz sçau-
uent: ceux cy pour se vouloir esleuer & iandar-
mer de ce sçauoir, qui nage en la superficie de
leur ceruelle, vont s'ambarrassant , & enpétrât
sans cesse. Il leur eschappe de belles parolles,
mais qu'vn autre les accommode : ilz cognois-
sent bien Galien, mais nullement le malade: ilz
vous ont des-ia rempli la teste de loix, & si n'ót
encore conceu le neud de la cause: ilz sçauent la
theorique de toutes choses , cherchez qui la
mette en practique. I'ay veu chez moy vn mien
amy par maniere de passetemps ayant affaire a
vn de ceux cy, contrefaire vn iargon de propos
sans suite, & tissu de toutes pieces rapportées,
sauf qu'il estoit souuét entrelardé de mots propres a leur dispute, amuser ainsi tout vn iour ce
sot a debatre, pensant tousiours respondre aux
obiections, qu'on luy faisoit, & si estoit homme
de lettres & de reputation. Qui regardera de
bien pres a ce genre de gens, qui s'estand bien
loing, il trouuera comme moy, que le plus sou-

G 5

uent ils ne s'entendent, ny autruy, & qu'ils ont
la fouuenance affez pleine, mais le iugement
entierement creux: finon que leur nature d'elle
mefme le leur ait autrement façonné. Comme
i'ay veu Adrianus Turnebus, qui n'ayant faict
autre profeffion que des lettres, en laquelle c'e-
ftoit a mon opinion le plus grand homme, qui
fut il y a mil' ans, n'auoir toutesfois rien de pe-
dantefque que le port de fa robe, & quelque façon externe, qui pouuoit n'eftre pas ciuilifée a
la courtifane, qui font chofes de neant. Car au
dedans c'eftoit l'ame la plus polie du monde.
Ie l'ay fouuent a mon efciant ietté en propos
ellongnez de fon gibier & de fon vfage, il y
voioit fi cler, d'vne apprehenfion fi prompte,
d'vn iugement fi fain, qu'il fembloit, qu'il n'eut
iamais faict autre meftier que la guerre & affaires d'eftat. Ce font natures belles & fortes,
qui fe maintiennent au trauers d'vne mauuaife
inftitution. Or ce n'eft pas affez que noftre inftitution ne nous gafte pas, il faut qu'elle nous
change en mieux, & qu'elle nous amende, ou
elle eft vaine & inutile. Il y a aucuns de nos
Parlemés, quäd ils ont a reccuoir des officiers,
qui les examinent feulement fur la fcience: les
autres y adioutent encores l'effay du fens, en
leur prefentant le iugement de quelque caufe.
Ceux cy me femblent auoir vn beaucoup meilleur ftile, & encore que ces deux pieces foient
neceffaires, & qu'il faille qu'elles s'y trouuent
toutes

toutes deux:fi eft ce qu'a la verité celle du fçauoir eft moins prifable,que celle du iugement.
cefte icy fe peut paffer de l'autre, & non l'autre
de cefte icy. Car comme dict ce vers Grec,

ὡς οὐδ᾽ἐν ἡ μάθησις ἥν μὴ νᾶς παρῇ.

A quoy faire la fcience,fi l'entendemēt n'y eft?
Pleut a Dieu que pour le bien de noftre iuftice
ces compagnies la fe trouuaffent auffi biē four-
nies d'entendement & de confcience , comme
elles font encore de fcience. Or il ne faut pas
attacher le fçauoir a l'ame , il l'y faut incorporer,il ne l'en faut pas arroufer, il l'en faut teindre, & s'il ne la change & amende fon premier
eftat imparfaict, certainemēt il vaut beaucoup
mieux le laiffer la.c'est vn dangereux glaiue,&
qui empefche & offence fon maiftre mefme,
s'il eft en main foible , & qui n'en fçache l'vfage. A l'aduenture eft cela caufe que & nous &
la Theologie ne requerons pas beaucoup de
fciēce aux fames,& que Frāçois Duc de Bretaigne filz de Iean cinquiefme , cōme on luy parla
de fon mariage auec Ifabeau fille d'Efcoffe , &
qu'ō luy adioufta qu'elle auoit efté nourrie fimplement & fans aucune inftructiō de lettres,re-
fpōdit qu'il l'en aymoit mieux, & qu'vne fame
eftoit affez fçauante,quand elle fçauoit mettre
difference entre la chemife & le pourpoint de
fon mary.Auffi ce n'eft pas fi grande merueille,
cōme on crie,que nos anceftres n'ayēt pas faict
grand

grãd eſtat des lettres, & qu'encore auiourd'huy
elles ne ſe trouuent que par rencontre aux principaux conſeils de nos Roys : & ſi ceſte fin de
s'en enrichir, qui ſeule nous eſt auiourd'huy en
bute, par le moiẽ de la Iuriſprudẽce, de la Medecine, du pedantiſme, & de la Theologie encore, ne les tenoit en credit, vous les verriez
ſans doubte auſſi marmiteuſes qu'elles furent
onques. Quel dõmage, puis qu'elles ne nous a-
prenent ny a bien pẽſer, ny a bien faire ? En ceſte belle inſtitution que Xenophon preſte aux
Perſes, nous trouuons qu'ilz aprenoient la vertu a leurs enfans, comme les autres nations font
les lettres. Et m'a ſemblé choſe digne de tres-
grande conſideration, que en ceſte excellente
police de Licurgus & a la verité monſtrueuſe
par ſa perfection, ſi ſougneuſe pourtant de la
nourriture des enfans, comme de ſa principale
charge, & au gitte meſmes des Muſes, il s'y face
ſi peu de mẽtion de l'apprentiſſage des lettres,
comme ſi ceſte genereuſe ieuneſſe deſdaignant
tout autre ioug que de la vertu meſmes, on luy
aye deu fournir, au lieu de nos maiſtres de ſciẽce, ſeulement des maiſtres de vaillance, prudẽ-
ce, & iuſtice. La façõ de leur diſcipline c'eſtoit
leur faire des queſtions ſur le iugement des hõmes, & de leurs actions : & s'ils condemnoient
& loüoient ou ce perſonnage, ou ce faict, il failloit raiſonner leur dire, & par ce moyen ils ai-
guiſoient enſemble leur entendement, & appre-
noient

noient la iuftice. Aftiages en Xenophon demande a Cyrus conte de fa derniere leçõ, c'eſt
dict-il, qu'en noſtre eſcole vn grand garſon
ayant vn petit ſaye le donna a vn de ſes compaignons de plus petite taille,& luy oſta ſon ſaye,
qui eſtoit plus grãd. Noſtre precepteur m'ayãt
faict iuge de ce different, ie iugeay qu'il falloit
laiſſer les choſes en ceſt eſtat,& que l'vn & l'autre ſembloit eſtre mieux accommodé en ce
point. Sur quoy il me remonſtra que i'auois
mal fait. Car ie m'eſtois arreſté a conſiderer la
bien ſeance, & il falloit premierement auoir
proueu a la iuſtice, qui vouloit que nul ne fuſt
forcé en ce qui luy apartenoit. Et dict qu'il en
fut foité tout ainſi que nous ſommes en nos vilages pour auoir oublié le premier Aoriſte de
τύπτω. Mon regent me feroit vne belle harã-
gue *in genere demonſtratiuo*, auant qu'il me per-
ſuadaſt que ſon eſcole vaut ceſte la. Ils ont voulu
couper chemin : & puis qu'il eſt ainſi que les
ſciences, lors meſmes qu'on les prent de droit
fil, ne peuuent que nous apprendre la prudence, la prud'hommie & la reſolution, ils ont voulu d'arriuée mettre leurs enfans au propre des
effectz:& les inſtruire non par ouïr dire, mais
par l'eſſay meſmes de l'action : en les formant
& moulant viſuement non ſeulement de preceptes & parolles, mais principalement d'exemples & d'œuures:affin que ce ne fut pas vne ſciẽce en leur ame, mais ſa complexion & habitude:

de : que ce ne fut pas vn acqueſt, mais vne naturelle poſſeſſion. A ce propos on demandoit a
Ageſilaus ce qu'il ſeroit d'aduis, que les enfans
aprinſent: Ce qu'ils doiuent faire encore eſtâts
hommes, reſpondit il. Ce n'eſt pas merueille, ſi
vne telle inſtitution a produit des effects ſi admirables. On aloit, dict on, aux autres villes de
Grece chercher des Rhetoriciens , des pein-
tres, & des muſiciens: mais en Lacedemone des
legiſlateurs, des magiſtrats, & empereurs d'armée. A Athenes on aprenoit a bien dire, & icy
a bien faire: la a ſe deſmeler d'vn argument ſo-
phiſtique , & a rabattre l'impoſture des motz
capticuſement entrelaſſez , icy a ſe deſmeler
des appats de la volupté , & a rabatre d'vn courage inuincible les menaſſes de la fortune & de
la mort : ceux la s'embeſongnoient apres les
parolles, ceux cy apres les choſes : la c'eſtoit
vne continuelle exercitation de la langue , icy
vne continuelle exercitation de l'ame. Parquoy
il n'eſt pas eſtrâge, ſi Antipater leur demâdant
cinquante enfans pour oſtages, ils reſpondirêt
tout au rebours de ce que nous ferions, qu'ilz
aymeroient mieux donner deux fois autant
d'hommes faicts, tant ils eſtimoient la perte de
l'education de leur païs. Quand Ageſilaus conuie Xenophon d'enuoier nourrir ſes enfans a
Sparte , ce n'eſt pas pour y apprendre la Rhetorique , ou Dialectique, mais pour apprendre (ce dict-il) la plus belle ſcience qui
ſoit,

ſoit , aſçauoir la ſcience d'obeïr & de commander.

CHAP. XXVI.

De l'inſtitution des enfans, a madame Diane de
Foix Conteſſe de Gurſon.

IE ne vis iamais pere, pour boſſé ou boiteux
que fut ſon fils, qui laiſſaſt de l'auoüer , non
pourtant s'il n'eſt du tout enyuré de cet'affectiõ
qu'il ne s'aperçoiue de ſa defaillance , mais tãt
ya qu'il eſt ſien. Auſſi moy, ie voy mieux que
tout autre, que ce ne ſont icy que reſueries d'hõme qui n'a gouſté des ſciences que la crouſte
premiere en ſon enfance, & n'en a retenu qu'vn
general & informe viſage , vn peu de chaſque
choſe & rien du tout a la Frãçoiſe. Car en ſomme ie ſçay qu'il y a vne Medecine, vne Iuriſpru-
dence, quatre parties en la Mathematicque , &
en gros ce a quoy elles viſent: mais de y enfoncer plus auant, de m'eſtre rõgé les ongles a l'e-
ſtude de Platon, ou d'Ariſtote, ou opiniatré a-
pres quelque ſcience ſolide , ie ne l'ay iamais
faict : ce n'eſt pas mon occupation. L'hiſtoire c'eſt mon gibier en matiere de liures,
ou la poëſie, que i'ayme d'vne particuliere inclination. Car , comme diſoit Cleantes, tout
ainſi que la voix contrainte dans l'étroit ca-
nal d'vne trompette ſort plus aigue & plus
forte: ainſi me ſemble il que la ſentence preſſée
aux

aux pieds nombreus de la poësie s'eslance bien
plus brusquement, & me fiert d'vne plus viue secousse. Quant aux facultez naturelles qui
sont en moy, dequoy c'est icy l'essay, ie les sens
flechir sous la charge:mes conceptions & mon
iugement ne marche qu'a tatons, chancelant,
bronchant & chopant : & quand ie suis allé le
plus auant que ie puis, si ne me suis ie aucunement satisfaict. Ie voy encore du païs au dela:
mais d'vne veuë trouble, & en nuage, que ie ne
puis desmeler,& puis me meslant de parler in-
differemment de tout ce qui se presente a ma
fantasie, & n'y emploiant que mes propres &
naturelz moiens,s'il m'aduiét,comme il faict a
tous coups, de rencontrer de fortune dans les
bons autheurs ces mesmes lieux,que i'ay entrepris de traiter,comme ie vié de faire chez Plutarque tout presentemét son discours de la force de l'imagination. A me recoignoistre au prix
de ces gens la si foible & si chetif, si poisant &
si endormy,ie me fay pitié ou desdain a moy
mesmes. Si me gratifie-ie de cecy,que mes opinions ont cest honneur de rencontrer aux leurs,
& dequoy aussi i'ay au moins cela,qu'vn chacun
n'a pas,de connoistre l'extreme difference d'ê-
tre eux & moy: & laisse ce neantmoins courir
mes inuentions ainsi foibles & basses comme
ie les ay produites,sans en replastrer & reçou-
dre les defaus que ceste cóparaison m'y a des-
couuers. **Car** autrement i'engendrerois des
                                        mon-

ſtres, comme ſont les eſcriuains indiſcretz de
noſtre ſiecle, qui parmy leurs ouurages de neát
vont ſemant des lieux entiers des antiens autheurs, pour ſe faire honneur de ce larrecin. Et
c'eſt au contraire, car ceſt'infinie diſſemblance
de luſtres rẽd vn viſage ſi paſle, ſi terni, & ſi laid
à ce qui eſt du leur, qu'ils y perdent beaucoup
plus qu'ilz n'y gaignẽt. Il m'aduint l'autre iour
de tomber ſur vn tel paſſage: i'auois trainé languiſſant apres des parolles Françoiſes, ſi exan-
gues, ſi deſcharnées, & ſi vuides de matiere &
de ſens, que ce n'eſtoient voircment que pa-
rollles Françoiſes. Au bout d'vn long & en-
nuieux chemin ie vins a rencontrer vne piece
haute, riche & eſleuée iuſques aux nũes: ſi i'euſſe trouué la pente douce & la montée vn peu
alongée, cela euſt eſté excuſable: c'eſtoit vn
precipice ſi droit & ſi coupé que des ſix premieres parolles ie conneus que ie m'enuolois
en l'autre môde. De la ie deſcouuris la fôdrie-
re d'ou ie venois, ſi baſſe & ſi profonde, que ie
n'eus onques plus le cœur de m'y raualer. Si ie
fardois l'vn de mes diſcours de ces riches peintures, il eſclaireroit par trop la beſtiſe des autres. Quoy qu'il en ſoit, veux-ie dire, & quelles
que ſoient ces inepties, ie n'ay pas deliberé de
les cacher, non plus qu'vn miẽ pourtraiɔt chau-
ue & griſonnant, ou le peintre auroit mis non
vn viſage parfaict, mais le miẽ. Car auſſi ce ſont
icy mes humeurs & opinions: ie les dône, pour

H

ce qui eſt en ma creance , non pour ce qui eſt a
croire:ie viſe icy qu'a décovurir moy meſmes,qui ſeray par aduenture autre demain , ſi
nouueau aprentiſſage me change. Ie n'ay point
l'authorité d'eſtre creu,ny ne le deſire, me ſentant trop mal inſtruit pour inſtruire autruy.
Quelcun donq'ayant veu l'article precedant me
diſoit ches moy l'autre iour , que ie me deuoy
eſtre vn peu eſtendu ſur le diſcours de l'inſtitution des enfans. Or Madame,ſi i'auoy quelque
ſuffiſance en ce ſubiect, ie ne pourroy la mieux
employer que d'é faire vn preſent a ce petit hôme qui vous menaſſe de faire tantoſt vne belle
ſortie de chez vous (vous eſtes trop genereuſe
Madame pour cômencer autrement que par vi
maſle) Car ayant eu tant de part a la côduite de
voſtre mariage, i'ay quelque droit & intereſt a
la grandeur & proſperité de tout ce qui en viё-
dra:outre ce que l'ancienne poſſeſſion que vous
auez de tout temps ſur ma ſeruitude, m'obligёt
aſſez a deſirer hôneur,bien & aduantage a tout
ce qui vous touche : mais a la verité ie n'y entés
ſinon cela,que la plus grâde difficulté & importante de l'humaine ſcience ſemble eſtre en ceſt
endroit,ou il ſe traite de la nourriture & inſtitution des enfans. La môtre de leurs inclinatiôs
eſt ſi tendre en ce bas aage & ſi obſcure , & les
promeſſes ſi incertaines & fauces,qu'il eſt mal-
aiſé d'y eſtablir nul ſolide iugemёt. Si eſt il dif
ficile de forcer les propenſions naturelles : d'ou
                                                    il

il aduient que par faute d'auoir bien choisi leur
route, pour neant se trauaille on souuēt & employe l'ō beaucoup d'aage a dresser des enfans
aux choses, ausquelles ils ne peuuent prēdre nul
goust. Toutesfois en cette difficulté, mon opinion est de les acheminer tousiours aux meilleures choses & plus profitables , & qu'on ne
doit s'appliquer aucunement a ces legieres di-
uinations & prognostiques, que nous prenons
des mouuemens de leur enfance. Madame c'est
vn grand ornement que la science, & vn vtil de
merueilleux seruice, & notamment aux personnes eleuées en tel degré de fortune cōme vous
estes. A la verité elle n'a point son vray vsage en
mains viles & basses. Elle est bien plus fiere de
prester ses moyens a conduire vne guerre, a cō-
māder vn peuple, a pratiquer l'amitié d'vn prince, ou d'vne nation estrangiere, qu'a dresser vn
argument dialectique, ou a plaider vn appel, ou
ordonner vne masse de pillules. Ainsi Madame,
par ce que ie croy que vous n'oblierez pas ceste
partie en l'institution des votres, vous qui en a-
uez bien auant sauouré la douceur, & qui estes
d'vne race lettrée : car nous auons encore en
main les escrits de ces antiens Contes de Foix,
d'ou monsieur le Conte vostre mary & vous e-
stiez descendus: & François mōsieur de Candale
vostre oncle en faict naitre tous les iours d'autres , qui estendront la connoissance de ceste
qualité de vostre famille a plusieurs siecles : ie

H 2

vous veux dire la deſſus vne ſeule fantaſie, que
i'ay contraire au commun vſage. C'eſt tout ce
que ie puis conferer a voſtre ſeruice en cela.
La charge du gouuerneur, que vous luy donrez,
du chois duquel dépend tout l'effect de ſon inſti-
titution, ell' a pluſieurs autres grandes parties,
mais ie n'y touche point, pour n'y ſçauoir rien
apporter qui vaille. Et de ceſt article, ſur lequel
ie me meſle de luy donner aduis, il m'en croira
autant qu'il y verra d'apparence. A vn enfant de
maiſon qui recherche les lettres & la diſcipline, nõ pour le gaing (car vne ſi vile fin & ſi abiecte eſt indigne de la grace & faueur des Muſes, & puis elle regarde & depend d'autruy) ny
tant pour les commoditez externes, que pour
les ſienes propres, & pour s'en enrichir & parer au dedans, ayant pluſtoſt enuie d'en tirer vn
habil'homme, qu'vn homme ſçauant, ie voudrois auſſi qu'on fut ſoigneux de luy choiſir vn
conducteur, qui euſt pluſtoſt la teſte biẽ faicte,
que bien pleine, & qu'on y requit tous les deux,
mais plus les meurs & l'entendement que la
ſcience. Et qu'il ſe conduiſit en ſa charge d'vne
nouuelle maniere. On ne ceſſe de criailler a
nos oreilles, comme qui verſeroit dans vn en-
tonnoir, & noſtre charge ce n'eſt que de redire
ce qu'õ nous a dict. Ie voudrois qu'il corrigeaſt
vn peu ceſte partie, & que de belle arriuée, ſelon la portée de l'ame, qu'il a en main, il com-
mençaſt a la mettre ſur le trottoër, luy faiſant
gouſter

gouster les choses, les choisir, & discerner d'elle mesme. Quelquefois luy monstrant chemin,
quelquefois luy laissant prédre le deuant. Ie ne
veux pas qu'il inuête, & parle seul, ie veux qu'il
escoute son disciple parler a son tour, qu'il ne
luy demande pas seulement compte des mots
de sa leçon, mais du sens & de la substance , &
qu'il iuge du profit qu'il aura fait , non par le
teimoignage de sa memoire, mais de son iugement. Que ce qu'il viendra d'apprendre il le
luy face mettre en cent visages , & accommoder a autant de diuers subietz, pour voir s'il l'a
encore bien pris & biē faict sien. C'est tesmoignage de crudité & d'indigestion que de regor-
ger la viande comme on l'a aualée. L'estomac
n'a pas faict son operation, s'il n'a faict chāger
la façon & la forme a ce qu'on luy auoit donné
a cuire. Qu'il luy face tout passer par l'estamine
& ne loge rien en sa teste par authorité & a credit. Les principes d'Aristote ne luy soiēt principes non plus que ceux des Stoiciens ou Epicuriens : qu'on luy propose ceste diuersité de iugemens, il choisira, s'il peut : sinon il en demeu-
rera en doubte.

Che non men che saper dubbiar m'aggrada.

Car s'il embrasse les opinions de Xenophon &
de Platon par son propre discours, ce ne seront
plus les leurs, ce seront les siennes. Il faut qu'il
emboiue leurs humeurs, nō qu'il apprēne leurs
preceptes : & qu'il oblie hardimēt s'il veut d'ou

H 3

il les tient, mais qu'il se les sçache approprier.
La verité & la raison sont cõmunes a vn chacũ:
& ne sont nõ plus a qui les a dites premieremẽt
qu'a qui les dict apres. Les abeilles pillotẽt deça de la les fleurs , mais elles en font apres le
miel, qui est tout leur: ce n'est plus thin, ny mar-
iolaine: ainsi les pieces empruntées d'autruy il
les transformera & confondra, pour en faire vn
ouvrage tout sien, asçauoir son iugement. Sõ in-
stitutiõ, son trauail & estude ne vise qu'a le former. C'est disoit Epicharmus l'entendement
qui voit & qui oyt: c'est l'entendement qui ap-
profite tout, qui dispose tout, qui agit , qui do-
mine & qui regne : toutes autres choses sont a-
ueugles, sourdes & sans ame. Certes nous le rẽ-
dons seruile & coüard, pour ne luy laisser sa liberté de riẽ faire de soy. Qui demãda iamais a
son disciple ce qu'il luy semble de telle ou telle
sentẽce de Cicerõ? On nous les placque en la memoire toutes empennées, cõme des oracles, ou
les lettres & les syllabes sont de la substance de
la chose. Ie voudrois que ie Paluël ou Põpée ces
beaux danseurs apprinsent des caprioles a les
voir seulement faire , sans nous bouger de nos
places, cõme ceux cy veulẽt instruire nostre entendement, sans l'esbranler & mettre en besongne. Or a cest apprentissage tout ce qui se presente a nos yeux sert de liure suffisant. La malice d'vn page, la sottise d'vn valet, vn propos de
table ce sont autãt de nouuelles matieres. A ceste

ste cause le commerce des hommes y est merueilleusement propre, & la visite des païs estrá-
ges, non pour en raporter seulement a la mode
de nostre noblesse Françoise, combien de pas a
Santa rotonda, ou la richesse des calessons de la
Signora Liuia, ou comme d'autres, combien le
visage de Neron de quelque vieille ruine de
la, est plus long ou plus large, que celuy de
quelque pareille medaille. Mais pour en raporter principalement les humeurs de ces nations & leurs façons, & pour frotter & limer
nostre ceruelle contre celle d'autruy, ie voudrois qu'on commençast a le promener des sa
tédre enfance: & premierement pour faire d'v-
ne pierre deux coups, par les nations voisines
qui ont le lāgage plus esloigné du nostre, & auquel si vous ne la formez de bon'heure la langue ne se peut façonner. Aussi bien est ce vne
opinion receuë d'vn chacū, que ce n'est pas raison de nourrir vn enfant au gyron de ses parés.
Cest'amour naturelle les attédrist trop, & relasche, voire les plus sages. Ils ne sont capables ny
de chatier ses fautes, ny de le voir norri gros-
sierement cōm'il faut, & sans delicatesse. Ils ne
le sçauroient souffrir reuenir suāt & pouldreux
de son exercice, ny le voir hazarder tantost sur
vn cheual farouche, tantost vn floret au poing,
tantost vn'harquebouse : car il n'y a remede.
Qui en veut faire vn homme de bié, sans doubte il le faut hazarder vn peu en ceste ieunesse, &

H_4

ſouuent choquer les regles de la medecine. Et
puis l'authorité du gouuerneur, qui doit eſtre
ſouueraine ſur luy, s'interrompt & s'empeſche
par la preſence des parens. Ioint que ce reſpect
que la famille luy porte, la connoiſſance des
moyens & grandeurs de ſa maiſon, ce ne ſont a
mon opinion pas legieres incõmoditez en ceſt
aage. En ceſte eſcole du commerce des hõmes
i'ay ſouuent remarqué ce vice, qu'au lieu de
prendre connoiſſance d'autruy nous ne trauail-
lons qu'a la donner de nous: & ſommes plus en
peine d'emploiter noſtre marchandiſe, que d'en
acquerir de nouuelle. Le ſilence & la modeſtie
ſont qualitez tres-commodes a la conuerſation
des hommes. On dreſſera ceſt enfant a eſtre eſ-
pargnant & meſnagier de ſa ſuffiſance, quand il
l'ara acquiſe: a ne ſe formalizer point des ſotti-
ſes & fables qui ſe dirõt en ſa preſence, car c'eſt
vne inciuile importunité de choquer tout ce qui
n'eſt pas de noſtre gouſt. On luy apprẽdra a n'ẽ
trer en diſcours & conteſtatiõ, que ou ilverra vn
châpion digne de ſa luite: & la meſmes à n'emploier pas tous les tours qui luy peuuent ſeruir,
mais ceux la ſeulement qui luy peuuent le plus
ſeruir. Quõ le rẽde delicat au chois & triage de
ſes raiſons, & aymant la pertinẽce & par cõſe-
quẽt la briefueté. Qu'on l'inſtruiſe ſur tout a ſe
rẽdre, & a quitter les armes a la verité, tout auſſi
toſt qu'il l'aperceura, ſoit qu'elle naiſſe es mains
de ſon aduerſaire, ſoit qu'elle naiſſe en luy meſmes

mefmes par quelque rauifement. Car il ne fera
pas mis en chaife pour dire vn rolle prefcript, il
n'eſt engagé a nulle caufe, que par ce qu'il l'ap-
preuue, ny ne fera du meſtier, où fe vent a purs
deniers contans la liberté de fe pouuoir rauifer
& recōnoiftre. Que fa confcience & fa vertu re-
luifent iufques a fon parler. Qu'on luy face entendre que de confeffer la faute qu'il defcou-
urira en fon propre difcours, encore qu'elle ne
foit aperceuë que par luy, c'eſt vn effect de iugement & de fincerité, qui font les principales
qualitez qu'il cherche. On l'aduifera eftant en
compagnie d'auoir les yeux par tout. Car ie
trouue que les premiers fieges font cōmunemēt
faifis par les hōmes moins capables, & que les
grandeurs de fortune ne fe trouuent guieres
meflées a la fuffifance. I'ay veu cependant qu'ō
s'ētretenoit au haut bout d'vne table de la beau
té d'vne tapifferie, ou du gouft de la maluoifié,
fe perdre beaucoup de beaus traitz a l'autre
bout. Il fondera la portée d'vn chacun, vn bou-
uier, vn maffon, vn paffant, il faut tout mettre
en befongne, & emprunter chacun felon fa
marchandife. Car tout fert a mefnage, la fottife
mefmes, & foibleffe d'autruy luy fera inftruction. A controiller les graces & façons d'vn
chacun, il s'engēdrera enuie des bōnes, & mefpris des mauuaifes. Qu'on luy mette en fantafie vne honefte curiofité de s'enquerir de toutes chofes. Tout ce qu'il y aura de fingulier autour

tour de luy, il le verra, vn bastimēt, vne fontaine, vn homme, le lieu d'vne bataille ancienne,
le passage de Cæsar ou de Charlemagne . Il
s'enquerra des meurs, des moyens & des allian
ces de ce Prince, & de celuy la. Ce sont choses
tres-plaisantes a apprendre & tres-vtiles a sçauoir. En ceste practique des hommes i'entens
y comprendre & principalement ceux qui ne
viuēt qu'en la memoire des liures. Il practique-
ra par le moyen des histoires ces grandes ames
des meilleurs siecles, c'est vn vain estude qui
veut, & qui ne se propose autre fin, que le plaisir : miais qui veut aussi c'est vn estude de fruit
inestimable. Quel profit ne fera il en ceste part
la a la lecture des vies de nostre Plutarque ?
Mais que mō guide se souuiene ou vise sa charge, & qu'il n'imprime pas tant a son disciple,
ou mourut Marcellus, que pourquoy il fut indigne de son deuoir, qu'il mourut la. Qu'il ne
luy apprēne pas tant les histoires qu'a en iuger.
Il y a dans cest autheur beaucoup de discours
estandus tres-dignes d'estre sceuz, car a mon
gré c'est le maistre ouurier de telle besongne.
Mais il y en a mille & mille qu'il n'a que touché simplement : il guigne seulement au doigt
par ou nous irons, s'il nous plait : & se contēte
quelquefois de ne donner qu'vne attainte dans
le plus vif d'vn propos. Il les faut arracher de
la, & mettre en place marchande. Cela mesme
de voir Plutarque trier vne legiere action en la
vie

vie d'un hôme, ou vn mot, qui semble ne porter
pas, cela c'est vn discours. C'est dommage que
les gẽs d'entendement aymẽt tant la briefueté.
sans doute leur reputation en vaut mieux, mais
nous en valons moins. Plutarque aime mieux
que nous le vantons de son iugemẽt que de son
sçauoir, il ayme mieux nous laisser desir de soy
que sacieté. Il sçauoit qu'es choses bonnes mesmes on peut trop dire, & que Alexandridas reprocha iustement a celuy qui tenoit aux Ephores de bons propos, mais trop longs, O estrangier, tu dis ce qu'il faut autrement qu'il ne faut.
Il se tire vne merueilleuse clarté pour le iugemẽt humain de ce cõmerce des hommes. Nous
sommes tous cõtraints & amoncellez en nous
mesmes, & auõs la veüe racourcie a la lõgueur
de nostre néz. On demãdoit a Socrates d'ou il
estoit, il ne respõdit pas d'Athenes, mais du mõde. Luy qui auoit son imaginatiõ plus plaine &
plus estãdue, embrassoit l'vniuers, cõme sa ville
iettoit ses connoissances, sa societé & ses affectiõs a tout le gẽre humain: non pas cõme nos,
qui ne regardons qu'a nos piedz. Quand les vi-
gnes gelent en son vilage mõ prestre en argu-
mẽte l'ire de Dieu sur la race humaine, & iuge
que la pepie en tienne des-ia les Cannibales. A
voir nos guerres ciuiles, qui ne crie q̃ ceste machine se bouleuerse, & que le iour du iugement
nous tiẽt au colet, sans s'auiser q̃ plusieurs pires
choses se sont veuës, & q̃ les dix mille parts du
monde

monde ne laissent pas de galler le bon temps
cependant. A qui il gresle sur la teste, tout l'he-
misphere semble estre en tempeste & orage:
& disoit le Sauoïart que si ce sot de Roy de Frãce eut sceu bien conduire sa fortune, il estoit
homme pour deuenir maistre d'hostel de son
Duc. Son imagination ne conceuoit nulle plus
esleuée grãdeur, que celle de son maistre. Mais
qui se presente comme dans vn tableau ceste
grand'image de nostre mere nature en son entiere magesté: qui lit en son visage vne si generale & constante varieté, qui se remarque la dedans, & non soy, mais tout vn royaume, comme
vn traict d'vne pointe tresdelicate, celuy la seul
estime les choses selon leur iuste grandeur. Ce
grand monde que les vns multiplient encore
comme especes soubs vn gẽre, c'est le mirouër,
ou il nous faut regarder pour nous connoistre
de bon biaiz. Somme ie veux que ce soit le liure
de mon escolier. Tant d'humeurs, de sectes, de
iugemens, d'opinions, de loix & de coustumes
nous apprennent a iuger sainemẽt des nostres,
& apprenent nostre iugement a reconnoistre
son imperfection & sa naturelle foiblesse : qui
n'est pas vn legier apprentissage . Tant de re-
muements d'estat & changements de fortune,
nous instruisent a ne faire pas grande recepte
de la nostre. Tant de noms, tant de victoires &
conquestes enseuelies soubz l'obliance, rendẽt
ridicule l'esperãce d'eterniser nostre nom par
la pri-

la prise de dix Argoletz, & d'vn poullailler, qui
n'est conneu que de sa cheute. L'orgueil & la
fiereté de tant de pompes estrágieres, la magesté si enflée de tant de cours & de grandeurs
nous sermit & assuré la veüe a soustenir l'esclat
des nostres sans siller les yeux. Tant de millias-
ses d'hommes enterrez auant nous, nous en-
coragent a ne craindre d'aller trouuer si bonne
compagnie en l'autre monde: ainsi du reste.
Aux exemples se pourront proprement assortir tous les plus profitables discours de la philosophie, a laquelle se doiuent toucher les a-
ctions humaines, comme a leur reigle. On luy
dira, que c'est que sçauoir & ignorer, qui doit
estre le but de l'estude, que c'est que vaillance,
temperance, & iustice : ce qu'il y a dire entre
l'ambition & l'auarice, la seruitude & la subiection, la licence & la liberté:a quelles marques
on connoit le vray & solide contentemēt: iusques ou il faut craindre la mort, la douleur &
la honte: quels ressors nous meuuent,& le moyen de tant de diuers branles en nous:car il me
semble que les premiers discours, dequoy on
luy doit abreuuer l'entendement, ce doiuent
estre ceux,qui reglent ses meurs & son sens,qui
luy apprendrōt a se connoistre,& a sçauoir biē
mourir & bien viure.

> *sapere aude,*
> *Incipe, Viuendi qui recte prorogat horam,*
> *Rusticus expectat dum defluat amnis, at ille*
>   *Labi-*

Labitur, & labetur in omne volubilis auum:

C'eſt vne grande ſimpleſſe d'apprendre a nos
enfans le mouuement de la huitieſme ſphere,
auant que les leurs propres.

Τι πλειάδεσσι κᾀμοί
Τι δ' ἀςράσι βοώτεω.

Apres qu'on luy aura apris ce qui ſert a le faire
plus ſage & meilleur, on l'entretiẽdra que c'eſt
que Logique, Muſique, Geometrie, Rhetorique:& la ſcience qu'il choiſira ayãt deſ-ia gouſt
& iugement formé, il en viendra bien toſt a
bout. Sa leçon ſe fera tantoſt par deuis, tantoſt
par liure : tantoſt ſon gouuerneur luy fournira
de l'autheur meſme propre a ceſte ſin de ſon in
ſtitution : tantoſt il luy en donnera la moëlle,
& la ſubſtance toute maſchée. Et ſi de ſoy meſme il n'eſt aſſez familier des liures, pour y trou
uer tant de beaus diſcours qui y ſont, pour l'effect de ſon deſſein, on luy pourra ioindre quelque hõme de lettres,de qui a chaſque beſoing il
retire les munitions qu'il luy faudra,pour apres
a ſa mode les diſtribuer & diſpẽſer a ſon nourriſ
ſon. Et que ceſte leçon qui eſt la philoſophie,
ne ſoit plus aiſée, & naturelle que celle de Gaza,qui y peut faire doute?Ce ſont la preceptes
eſpineux & mal plaiſans, & des motz vains &
deſcharnés, ou il n'y a nulle priſe,rien qui vous
eſueille l'eſprit,rien qui vous chatouille. En ceſte cy l'ame trouue ou mordre, ou ſe paiſtre, &
ou ſe

ou se gendarmer. Ce fruict est plus grand sans
côparaison, & si sera plutost meury. C'est grâd
cas que les choses en soient la en nostre siecle,
que la philosophie ce soit iusques aux gés d'entendement vn nom vain & fantastique, de nul
visage, & de nul pris. Ie croy que ces ergotismes
en sont cause, qui ont saisi toutes ses auenues.
On a grand tort de la peindre inaccessible aux
enfans, & d'vn visage refroigné, sourcilleux &
horrible : qui me l'a masquée de ce faux visage
passe & hideux. Il n'est rien plus gay, plus
gaillard, plus enioué, & a peu que ie ne die folla
stre. Elle ne presche que feste & bon têps. Vne
mine triste & transie monstre, que ce n'est pas
la son giste. Demetrius le Grâmairien rencontrant dâs le temple de Delphes vne troupe de
philosophes assis ensemble, il leur dit, Ou ie me
trompe, ou a vous voir la côtenance si paisible
& si gaye vous n'estes pas en grand discours entre vous. A quoy l'vn d'eux Heracleon le Mega-
rien respondit : c'est a faire a ceux qui cherchét
si le futur du verbe βάλλω a double λ : ou qui
cherchent la deriuation des côparatifs χεῖρον
& βέλτιον, & des superlatifs χεῖριϛον & βέλτι-
ϛον, qu'il faut rider le front s'entretenant de
leur science : mais quant aux discours de la philosophie ils ont accoustumé d'esgayer & resiouir ceux qui les traictent, non les refroigner
& contrister. L'ame qui loge la philosophie,
doit par sa santé rendre sain encores le corps.

Elle

Elle doit faire luyre iusques au dehors son contentement, son repos, & son aise: doit former a
son mole le port exterieur, & le garnir par có-
sequent d'vne gratieuse fierté, d'vn maintien a-
ctif, & allegre, & d'vne contenance rassise &
debônaire. C'est Baroco & Baralipton, qui ré-
dét leurs suppostz ainsi marmiteux & enfumés.
Ce n'est pas elle, ils ne la conuoissent que par
ouïr dire? Comment? elle saict estat de serai-
ner les tépestes de la fortune, & d'aprendre la
faim & les fiebures a rire, & non par quelques
Epicycles imaginaires, mais par raisons grosse
res, maniables & palpables. Puis que c'est elle
qui nous instruict a viure, & que l'enfance y a
sa leçon, côme les autres eages, pourquoy ne la
luy communique l'on? On nous aprent a viure,
quand la vie est passée. Cent escoliers ont pris
la verolle auant que d'estre arriués a leur leçon
d'Aristote de la temperáce. Ce sont abus, ostez
toutes ces subtilitez espineuses de la Dialectique, dequoy nostre vie ne se peut amender,
prenes les simples discours de la philosophie,
sçaches les choisir & traitter a point, ils sont
plus aisez a conceuoir qu'vn conte de Boccace.
Vn enfant en est capable au partir de la nourris-
risse beaucoup mieusque d'aprendre a lire ou
escrire. La philosophie a des discours pour la
naissance des hômes, côme pour la decrepitude. Ie suis de l'aduis de Plutarque, qu'Aristote
n'amusa pas tant son grand disciple a l'artifice
de com-

de compofer fyllogifmes, ou aux Principes ae
Geometrie, comme a l'inftruire des bons preceptes touchât la vaillance, prouëffe, la magnanimité & temperance, & l'affeurance de ne riē
craindre:& auec cefte munitiō, il l'enuoya encores enfant fubiuguer l'Empire du mōde auec
feulement 30000. hommes de pied, 4000. cheuaux, & quarante deux mille efcuz . Les autres
arts & fciences, dict il, Alexandre les honoroit
bien, & loüoit leur excellence & gētileffe, mais
pour plaifir qu'il y prit il n'eftoit pas facile a fe
laiffer furprendre a l'affection de les vouloir
exercer. Pour tout cecy ie ne veux pas qu'ō em-
prifonne cest enfant dās vn colliege, ie ne veux
pas qu'on l'abandōne a la colere & humeur melancholique d'vn furieux maiftre d'efcole: ie ne
veux pas corrōpre fon efprit a le tenir ala gehe-
ne & au trauail, a la mode des autres, quatorze
ou quinze heures par iour, cōme vn portefaiz,
ni ne veux gafter fes meurs genereufes par l'inciuilité & barbarie d'autruy. La fageffe Fran-
çoife a efté anciennemēt en prouerbe pour vne
fageffe qui prenoit de bon'heure & n'auoit guie
res de tenue . A la verité nous voyons encores
qu'il n'eft rien fi gētil que les petitz enfans en
France, mais ordinairement ils trōpent l'efperance qu'on en a conceüe, & hommes faicts on
n'y voit nulle excellence. I'ay ouy tenir a gens
d'entendement que ces colleges, ou on les enuoye, dequoy ils ont foifon, les abrutiffēt ainfi.

I

Au noſtre, vn cabinet, vn iardrin, la table, & le
lit, la ſolitude, la côpagnie, le matin & le veſ-
pre, toutes heures luy ſeront vnes: toutes places
luy ſeront eſtude: car la philoſophie, qui, côme
formatrice des iugemens & des meurs, ſera ſa
principale leçon, a ce priuilege de ſe meſler
par tout. Iſocrates l'orateur eſtant prié en vn
feſtin de parler de ſon art, chacun trouue qu'il
eut raiſon de reſpondre: Il n'eſt pas maintenât
têps de ce que ie ſçay faire, & ce dequoy il eſt
maintenant temps, ie ne le ſçay pas faire. Car
de preſenter des harangues ou des diſputes de
Rhetorique a vne compaignie aſſemblée pour
rire & faire bonne chere, ce ſeroit vn meſlange de trop mauuais accord: & autant en pourroit on quaſi dire de toutes les autres ſciences:
mais quant a la philoſophie, en la partie, ou elle
traicte de l'homme & de ſes deuoirs & offices,
ça eſté le iugement commû de tous les ſages,
que pour la douceur de ſa conuerſation, elle ne
deuoit eſtre refuſée ni aux feſtins ni aux ieux: &
Platon l'ayant conuiée a ſon conuiue, nous voyons comme elle entretient l'aſſiſtence d'vne
façon molle & accommodée au temps & au
lieu, quoy que ce ſoit de ſes plus hauts diſcours
& plus ſalutaires.

Aeque pauperibus prodeſt, locupletibus eque.
Et neglecta aequè pueris ſenibúſque nocebit,

Ainſi ſãs doubte il chomera moins, que les autres. Mais comme les pas que nous employons
a nous

a nous promener dans vne galerie, quoy qu'il y
en ait trois fois autant, ne nous laſſent pas com
me ceux que nous mettons a quelque chemin
deſſeigné: auſſi noſtre leçon ſe paſſant comme
par rencontre, ſans obligation de temps & de
lieu, & ſe meſlant a toutes nos actions ſe coule-
ra ſans ſe faire ſentir. Les ieuz meſmes & les
exercices ſerôt vne partie de l'eſtude, la courſe,
la luite, la danſe, la chaſſe, le maniemét des cheuaux & des armes. Ie veux que la bié-ſeance exterieure, & l'entre-gens ſe façonnent quant &
quant l'ame. Ce n'eſt pas vne ame, ce n'eſt pas
vn corps qu'on dreſſe, c'eſt vn homme, il n'en
faut pas faire a deux. Et côme dict Platon, il ne
faut pas les excercer l'vn ſans l'autre, mais les
conduire égalemét, comme vne couple de cheuaux attelez a meſme timon. Au demeurant
toute ceſte inſtitution ſe doit conduire par vne
ſeuere douceur, non comme aux colleges, ou
au lieu de conuier les enfans aux lettres & leur
en donner gouſt, on ne leur preſente a la verité
qu'horreur & cruauté. Oſtés moy la violence
& la force, il n'eſt rien a mon aduis qui abaſtar-
diſſe & eſtourdiſſe ſi fort vne nature bien née.
Si vous auez enuie qu'il craigne la honte & le
chaſtiment ne l'y endurciſſez pas. Endurciſſés
le a la ſueur & au froid, au vét & au ſoleil & aux
hazards qu'il luy faut meſpriſer. Oſtez luy toute molleſſe & delicateſſe au veſtir & coucher,
au manger & au boire. Accouſtumés le a tout.

I 2

Que ce ne soit pas vn beau garson & dameret,
mais vn garson vert & vigoureux. Toute estrã-
geté & particularité en nos meurs & conditiõs
est euitable, comme ennemie de communication & de societé. I'en ay veu fuir la senteur des
pômes plus que les harquebusades, d'autres s'effrayer pour vne souris, d'autres rendre la gorge a voir de la creme. Il y peut auoir a l'aduẽture a cela quelque proprieté occulte : mais on
l'esteindroit a mon aduis, qui s'y prendroit de
bon'heure. L'institution a gaigne cela sur moy,
il est vray q̃ ce n'a point esté sans quelque soing
que sauf la biere mon goust est accommodable
a toutes choses, de quoy on se paist. Le corps
encore souple on le doit a ceste cause plier a
toutes façons & coustumes. Et pourueu qu'on
puisse tenir l'appetit & la volonté soubz bou-
cle, qu'on rende hardiment vn icune homme
commode a toutes nations & compagnies, voire au desreglement & aux exces, si besoing est.
Qu'il puisse faire toutes choses & n'ayme a faire que les bonnes. Les philosophes mesmes ne
trouuent pas louable en Calisthenes d'auoir
perdu la bonne grace du grand Alexandre son
maistre, pour n'auoir voulu boire d'autãt a luy.
Il rira, il follastrera, il se desbauchera auec son
Prince. Ie veux qu'en la desbauche mesme il
surpasse en vigueur & en fermeté ses compaignons, & qu'il ne laisse a faire le mal, ny a faute
de force ni de science, mais a faute de volonté.

                                        Ie pen-

Ie penſois faire hôneur a vn ſeigneur auſſi eſlon-
gné de ces débordemẽs , qu'il en ſoit en Frãce,
de m'enquerir a luy en bonne compagnie cõ-
bien de fois en ſa vie il s'eſtoit enyuré pour la
neceſſité des affaires du Roy en Allemaigne:il
le print de ceſte meſme façon, & me reſpondit
que c'eſtoit trois fois,leſquelles il recita . I'en
ſçay qui a faute de ceſte faculté ſe ſont mis en
grand peine ayantz a practiquer ceſte nation.
I'ay ſouuent remarqué auec grand admiration
ceſte merueilleuſe nature d'Alcibiades, de ſe
transformer ſi ayſémẽt a façons ſi diuerſes,ſans
intereſt de ſa ſanté , ſurpaſſant tantoſt la ſom-
ptuoſité & pompe Perſienne, tantoſt l'auſteri-
té & frugalité Lacedemoniene , autant refor-
mé en Sparte, comme voluptueux en Ionië.
Omnis Ariſtippum decuit color,& ſtatus,& res.
Tel voudroiſ-ie former mon diſciple,
Quem duplici panno patientia velat
Mirabor,vitę via ſi conuerſa decebit,
Perſonámque feret non inconcinnus vtramque.
Voicy mes leçons, ou le faire va auec le dire.
Car a quoy ſert il qu'õ preſche l'eſprit,ſi les effectz ne vont quant & quant?On verra a ſes entrepriſes, s'il y a de la prudẽce:s'il y a de la bõ
té en ſes actions, de l'indifference en ſon gouſt,
ſoit chair,poiſſon,vin,ou eau.Il ne faut pas ſeulement qu'il die ſa leçõ,mais qu'il la face. Zeu-
xidamus reſpondit a vn,qui luy demanda pourquoy lés Lacedemoniens ne redigoyent par eſ-

crit les ordonnãces dela prouëffe, & ne les dõ-
noient a lire a leurs ieunes gés, que c'eftoit par
ce qu'ils les vouloient accouftumer aus faiȼts,
nõ pas aux efcriptures. Cõparés au bout de 15.
ou 16, ans, a ceftuy cy vn de ces Latineurs de
college, qui aura mis autant de temps a n'aprê-
prendre fimplement qu'a parler. Le mõde n'eft
que babil, & ne vis iamais hõme, qui ne die plus
toft plus que moins qu'il ne doit. Toutesfois la
moitié de noftre aage s'en va la. On nous tiẽt
quatre ou cinq ans a entẽdre les mots & les coudre en claufes, encores autant a en proportiõ-
ner vn grand corps eftãdu en quatre ou cinq par
ties, & autres cinq pour le moins a les fçauoir
briefuement mefler & entrelaffer de quelque
fubtile façon. Laiffons cela a ceux, qui en font
profeffion expreffe. Allant vn iour a Orleãs ie
trouuay dans céte plaine au deça de Clery deux
regens qui venoient à Bourdeaux, enuirõ a cinquante pas l'vn de l'autre : plus loing derriere
eux, ie defcouuris vne trouppe & vn maiftre en
refte, qui eftoit feu monfieur le Conte dela Ro-
chefoucaut. Vn de mes gés s'enquit au premier
de ces regens, qui eftoit ce gentil'homme qui
venoit apres luy: luy qui n'auoit pas veu ce trein,
qui le fuiuoit, & qui penfoit qu'on luy parlaft
de fon cõpagnon, refpõdit plaifamment, il n'eft
pas gentil'homme, c'eft vn grammairien, & ie
fuis logicien. Or nous qui cherchons icy au rebours de former non vn grammairien ou logicien,

cié, mais vn gentil'hôme, laiſſons les abuſer de
leur loiſir. Nous auôs affaire ailleurs. Mais que
noſtre diſciple ſoit bié garny de choſes, les parolles ne ſuiurôt que trop. Il les trainera, ſi elles
ne veulent ſuiure . I'en oy qui s'excuſent de ne
ſe pouuoir exprimer, & font côtenance d'auoir
la teſte pleine de pluſieurs belles choſes, mais
a faute d'eloquence ne les pouuoir mettre en
euidence: c'eſt vne baye. Sçauez vous a mô aduis que c'eſt que cela ? Ce ſont des ombrages
qui leur vienent de quelques côceptions informes, qu'ils ne peuuent deſmeler & eſclarcir au
dedans, ni par conſequant produire au dehors.
Il ne s'entendent pas encores eux meſmes : &
voyez les vn peu begayer ſur le point de l'enfan-
fanter, vous iuges que leur trauail n'eſt nullement a l'acouchement, mais qu'ilz ne font que
lecher encores ceſte matiere imparfaicte . De
ma part ie tiens que qui a en l'eſprit vne viue i-
magination & claire, il la produira, ſoit enBer-
gamaſque, ſoit par mines, s'il eſt muet.
Verbaque prœuiſam rem non inuita ſequentur.
Et côme diſoit ceſt autre auſſi poëtiquemét en
ſa proſe, *Cum res animum occupauere, verba am-*
biunt. Il ne ſçait pas ablatif, coniunctif, ſubſtan-
tif, ni la grammaire: ne faict pas ſon laquais, ou
vne harangiere du petit pont, & ſi vous entre-
tiédront tout voſtre ſoul, ſi vous en auez enuie,
& ſe deſferreront auſſi peu a l'aduenture aux
regles de leur langage, que le meilleur maiſtre

I 4

es arts de France. Il ne ſçait pas la Rhetorique,
ni pour auant-ieu capter la beniuoláce du cádi-
deleĉteur, ni ne luy chaut de le ſçauoir. De vray
toute ceſte belle peinĉture s'efface aiſément
par le luſtre d'vne verité ſimple & naïfue . Ces
gentileſſes ne ſeruent que pour amuſer le vulgaire incapable de gouſter la viáde plus maſſiue & plus ferme , comme Aſer monſtre bier
clairement ches Tacitus. Les ambaſſadeurs de
Samos eſtoiĉt venus a Cleomenes Roy de Spar
te preparez d'vne belle & lcngue oraiſon, pour
l'eſmouuoir a la guerre contre le tyran Poly-
crates. Apres qu'il les euſt bien laiſſés dire, il
leur reſpondit. Quant a voſtre commencemĉt,
& exorde il ne m'en ſouuient plus, ni par conſequent du milieu: & quant a voſtre concluſion
ie n'en veux rien faire. Voila vne belle reſpôce,
ce me ſemble, & des harangueurs bien camus.
Au fort de l'eloquence de Cicero pluſieurs en
eſtoient tirés en admiration , mais Caton n'en
faiſant que rire, Nous auõs, diſoit il, vn plaiſant
conſul. A ille deuant ou apres vn vif arguement,
vn beau traiĉt eſt touſiours de ſaiſon. Ie ne ſuis
pas de ceux qui penſent la bonne rithme faire le bô poeïme: laiſſez luy allonger vne courte ſyllabe s'il veut, peur cela non force . ſi les
inuentions y riĉt, ſi l'eſprit & le iugemĉt y ont
bien ioué leur rolle, voila vn bô poëte, diray ie,
mais vn mauuais verſificateur, qu'on face diĉt
Horace perdre a ſon ouurage toutes ces cou-
ſtures

stures & mesures, il ne se démétira point pour
cela:les pieces mesmes en seront belles. C'est
ce que respondit Menander, comme on le ten-
sat approchant le iour, auquel il auoit promis
vne comedie,dequoy il n'y auoit encore mis la
main:elle est cõposée & preste,il ne reste qu'a
y adiouster les vers. Ayant les choses & la matiere en l'ame disposée & rangée,il mettoit en
peu de compte les mots, les pieds, & les ce su-
res,qui sont a la verité de fort peu au pris du re-
ste.Et qu'il soit ainsi,despuis que Ronsard& du
Bellay ont mis en honneur nostre poësie Françoise, ie ne vois si petit apprentis, qui n'enfle
des motz,qui ne renge les cadences a plus pres
comme eux mesmes.Pour le vulgaire il ne fut
iamais tant de poëtes:mais comme il leur a esté
biẽ aisé de representer leurs rithmes,ils demeurent bien aussi court a imiter les riches descri-
ptions de l'vn , & les delicates inuentions de
l'autre. Voire mais que fera il si on le presse de
la subtilité sophistique de quelque syllogisme?
Le iambon fait boire , le boire desaltere , parquoy le iambon desaltere. Si ces sottes finisses
luy doiuent persuader vne mensonge, cela est
dangereux:mais si elles demeurent sans effect,
& ne l'esmeuuent qu'a rire, ie ne voy pas pourquoy il s'en doiue donner garde. Il en est de si
sots,qui se destournent de leur voie vn quart de
lieuë, pour courir apres vn beau mot. Au rebours c'est aus parolles a seruir & a suiure , &

I 5

que le Gascon y arriue , si le François n'y peut
aller. Ie veux que les choses surmontent , &
qu'elles remplissent de façon l'imagination de
celuy qui escoute , qu'il n'aie nulle souuenance des mots. Le parler que i'aime c'est vn parler simple & naif,tel sur le papier q'vn a la bouche. Vn parler succulent & neruieux, court &
serré,plustost difficile que enuieux , esloingné
d'affectation & d'artifice,desreglé, descousu &
hardy : chaque lopin y face son corps:non pe-
dantésque , non fratresque , non pleideresque,
maisplustost soldatesque,cône Suetone appelle celuy de Iulius Cæsar. Qu'on luy reproche
hardiment ce qu'on reprochoit a Senecque,Que
son lâgage estoit de chaux viue,mais que le sable en estoit a dire. Ie n'ayme point de tissure,
ou les liaisons & les coutures paroissent : tout
ainsi qu'en vn corps il ne faut qu'on y puisse côter les os & les veines.Les Atheniens(dict Platon)ont pour leur part le soing de l'abôdâce &
elegance du parler , les Lacedemoniens de la
brieueté, & ceux de Crete de la fecundité des
conceptions,plus que du langage.Ceux cy sont
les miens.Zenô disoit qu'il auoit deux sortes de
disciples: les vns qu'il nômoit φιλολόγƴς,cu-
rieux d'apprendre les choses, qui estoiêt ses mi-
gnôs:les autres λογοφίλƴς qui n'auoient soing
que du lâgage.Ce n'est pas a dire que ce ne soit
vne belle & bonne chose que le bien dire:mais
non pas si bône qu'on la faict, & suis despit de
quoy

quoy noſtre vie s'embeſongne tout'a cela. Ie
voudrois premierement bien ſçauoir ma lãgue,
& celle de mes voiſins , ou i'ay plus ordinaire
commerce : c'eſt vn bel & grand agencement
ſans doubte, que le Grec & Latin, mais on l'a-
chepte trop cher. Ie diray icy vne façon d'en a-
uoir meilleur marché que de couſtume , qui a
eſté eſſayée en moy meſmes: s'ẽ ſeruira qui voudra. Feu mon pere ayant faiĉt toutes les recherches, qu'hõme peut faire parmy les gens ſçauãs
& d'entendement d'vne forme d'inſtitutiõ ex-
quiſe, fut aduiſé de ceſt inconuénient, qui eſtoit
en vſage: & luy diſoit on que ceſte longueur que
nous mettions a apprendre les langues eſtoit la
ſeule cauſe, pourquoy nous ne pouuions arriuer
a la perfection de ſcience des anciens Grecs &
Romains , d'autant que le langage ne leur con-
toit rien. Ie ne les en croy pas , que ce en ſoit
la ſeule cauſe. Tant y a que l'expedient que mõ
pere y trouua, ce fut que iuſtement au partir de
la nourrice il me donna en charge a vn Alle-
man, qui depuis eſt mort fameux medecin en
Frãce, du tout ignorant de noſtre lãgue & tres-
bien verſé en la Latine. Cetuy-cy, qu'il auoit
faiĉt venir expres, & qui eſtoit bien cherement
gagé, m'auoit continuellement entre les bras.
Il en euſt auſſi auec luy deux autres moindres
en ſçauoir pour m'accompagner & ſeruir , &
ſoulager le premier : ceux cy ne m'entrete-
noient d'autre langue que Latine. Quant au
reſte

reſte de ſa maiſon, c'eſtoit vne reigle inuiolable que ny luy meſme, ny ma mere, ny valet, ny
chambriere ne parloient en ma compaignie,
qu'autant de mots de Latin, que chacun auoit
apris pour iargonner auec moy. C'eſt merueille du fruict que chacun y fit : mon pere & ma
mere y apprindrent aſſez de Latin pour l'entendre, & en acquirent à ſuffiſance pour s'en
ſeruir a la neceſſité, comme firent auſſi les autres domeſtiques, qui eſtoient plus attachés a
mon ſeruice. Somme nous nous Latinizames
tant, qu'il en regorgea iuſques a nos villages
tout autour, ou il y a encores, & ont pris pied
par l'vſage, pluſieurs appellations latines d'ar-
tiſans & d'vtils. Quant a moy i'auois plus de ſix
ans auant que i'entendiſſe non plus de François
ou de Perigordin, que d'Arabeſque: & ſans art,
ſans liure, ſans grammaire ou precepte, ſans
fouet, & ſans contrainte, i'auois appris du Latin tout auſſi pur que mon maiſtre d'eſcole le
ſçauoit. Car ie ne le pouuois auoir meſlé ny alteré. Si par eſſay on me vouloit donner vn theme, a la mode des colleges, on le donne aux autres en François, mais a moy il me le falloit
dôner en mauuais Latin, pour le tourner en bô.
Et Nicolas Grouchi qui a eſcrit *de comitiis Ro-*
manorum, Guillaume Guerente; qui a commé-
té Ariſtote, George Bucanan, ce grand poëte
Eſcoſſois, Marc Antoine Muret, qui m'ont
eſté precepteurs, m'ôt dict ſouuent deſpuis, que
                                              i'auois

i'auois ce langage en mon enfance si prest & si
a main qu'ils craignoient eux mesmes a m'a-
cointer. Bucanan que ie vis dépuis a la suite de
feu monsieur le Mareschal de Brissac, me dict,
qu'il estoit apres a escrire de l'institution des
enfans, & qu'il prenoit le patron de la mienne.
Car il auoit lors en charge ce Conte de Brissac,
que nous auons veu depuis si valeureux & si braue. Quant au Grec, duquel ie n'ay quasi du tout
point d'intelligence, mon pere desseignoit me
le faire apprendre par art, mais d'vne voie nouuelle, par forme d'ebat & d'exercice. Nous pe-
lotions nos declinaisons a la maniere de ceux,
qui par certains ieux de tablier apprennent l'A-
ritmetique & la Geometrie. Car entre autres
choses il auoit esté conseillé sur tout de me faire gouster la science & le deuoir par vne volonté non forcée & de mõ propre desir, & d'esleuer mon ame en toute douceur & liberté, sans
rigueur & contrainte, ie dis iusques a telle superstition, que par ce que aucuns tiennent que
cela trouble la ceruele tandre dés enfans, de les
esueiller le matin en effroy & en sursaut, de les
arracher du sommeil (auquel ils sont plongez
beaucoup plus que nous ne sommes) tout a
coup & par violence, il me faisoit esueiller par
le son de quelque instrument. Cest exemple
suffira pour en iuger le reste, & pour recommander aussi & le iugement & l'affection d'vn
si bon pere: auquel il ne se faut nullemēt prendre,

dre, s'il n'a recueilli nuls fruitz respondās a vne
si exquise culture. Deux choses en furent cause,
le champ sterile & incommode : car quoy que
i'eusse la santé ferme & entiere, & quāt & quāt
vn naturel doux & traitable, i'estois parmy cela
si poisant, mol & endormi, qu'ō ne me pouuoit
arracher de l'oisiueté, non pas mesme pour me
mener iouer. Ce que ie voiois, ie le voiois d'vn
iugement bien seur & ouuert, & sous cette complexion endormie nourrissois des imaginatiōs
bien hardies, & des opinions esleuées au dessus
de mon aage. L'esprit ie l'auois moussé, & qui
n'aloit qu'autant qu'on le guidoit : l'apprehension tardiue: l'inuention stupide, & apres tout
vn incroiable defaut de memoire. De tout cela
il n'est pas merueille, s'il ne sceut rien tirer qui
vaille. Secondemēt, comme ceux que presse vn
furieux desir de guerison, se laissent aller a toute sorte de conseil, le bon homme ayant extre
me peur de faillir en chose, qu'il auoit tant à
cœur, le laissa en fin emporter a l'opinion commune, qui suit tousiours ceux, qui vont deuant,
comme les gruës, & se rengea a l'vsage & a la
coustume, n'ayant plus autour de luy ceux, qui
luy auoient donné ces premieres institutions,
qu'il auoit aportées d'Italie:& m'enuoia enuirō
mes six ans au college de Guienne tres-floris-
sant pour lors, & le meilleur de France. Et la il
n'est possible de rien adiouster au soing qu'il
eut & a me choisir des precepteurs tres-suffisās,
                                & a

& a toutes les autres circonstances de ma nourriture, en laquelle il reserua plusieurs façõs particulieres, contre l'vsage des colleges: mais tant
y a que c'estoit tousiours college. Mon Latin
s'abastardit incontinẽt, duquel dépuis par des-
acoustumance i'ay perdu tout l'vsage, & ne me
seruit ceste mienne nouuelle institution, que de
me faire eniãber d'arriuée aux premieres classes: car a treize ans, que ie sortis du college, i'a-
uoy acheué mõ cours (qu'ils appellẽt) & a la verité sans nul fruict, que ie peusse a present mettre en conte. Le premier goust que i'eux aux liures, il me vint du plaisir des fables de la Meta-
morphose d'Ouide. Car enuiron l'aage de sept
ou huict ans ie me desrobois de tout autre plaisir pour les lire: d'autant que ceste langue estoit
la miéne maternelle, & que c'estoit le plus aisé
liure, que ie cogneusse, & le plus accommodé a
la foiblesse de mon aage, a cause de la matiere:
car des Lancelotz du Lac, des Huons de Bourdeaus & tels fatras de liures, a quoy la ieunesse
s'amuse, ie n'en connoissois pas seulemẽt le nõ,
ny ne fais encore le corps, tant exacte estoit le
soing qu'õ auoit a mon institution. Ie m'en ré-
dois plus lâche a l'estude de mes autres leçons
contraintes. La il me vint singulieremẽt a propos d'auoir affaire a vn hõme d'entendemẽt de
prece pteur, qui sçeut dextremẽtcõniuer a ceste
miéne desbauche, & autres pareilles. Car par
lai'ẽfilay tout d'vn train Vergile en l'AEneide
& puis

& puis Terence , & puis Plaute , & des comedies Italienes, Iurré tousiours par la douceur du subiect. S'il eut esté si fol de me rõpre ce train, i'estime que ie n'eusse raporté du college que la haine des liures, comme fait quasi toute nostre noblesse. Il s'y porta bien dextrement, car faisant semblant de n'en voir rien, il aiguisoit ma faim, ne me laissant que a la desrobée gourmãder ces liures, & me tenant doucement en office pour les autres estudes plus necessaires. Car les principales parties que mon pere cherchoit a ceux a qui il donnoit charge de moy, c'estoit la douceur & facilité des meurs : aussi n'auoint les miennes autre vice que la pesanteur & mollesse. Le dangier n'estoit pas que ie fisse mal, mais que ie ne fisse rien. Nul ne prognostiquoit que ie deusse deuenir mauuais, mais inutile. On y preuoyoit de la stupidité, non pas de la malice. Mon ame ne laissoit pourtant en mesme temps d'auoir a part soy des remuemens fermes, qu'elle digeroit seule & sans aucune cõmunication. Et entre autres ie croy a la verité qu'elle eust esté du tout incapable de se rendre a la force & a la violence. Il n'y a tel que d'allecher l'appetit & l'affection, autrement on ne faict que des asnes chargez de liures : on leur donne a coups de fouët en garde leur pochette pleine de science , laquelle pour bien faire, il ne faut pas seulement loger chez soy, il la faut espouser.

CHAP.

CHAP. XXVII.

C'est folie de rapporter le vray & le faux a nostre suffisance.

CE n'est pas a l'aduenture sans raison, que
nous attribuons a simplesse & a ignorance la facilité de croire & de se laisser persuader.
Car il me semble auoir apris autrefois, que la
creance c'estoit comm'vn'impressió qui se faisoit en nostre ame : & a mesure qu'elle se trouuoit plus molle & de moindre resistáce, il estoit
plus aysé a y empreindre quelque chose. Voyla
pourquoy les enfans, le vulgaire, les femmes &
les malades estoiét plus subiectz a estre menez
par les oreilles : mais aussi de l'autre part, c'est
vne sotte presumption d'aller desdeignant &
condamnant pour faux, ce qui ne nous semble
pas vray-semblable, qui est vn vice ordinaire de
ceux, qui pensent auoir quelque suffisance outre
la commune. I'en faisoy ainsi autre-fois : & si
i'oyois parler ou des espritz qui reuiennent, ou
du prognostique des choses futures, des enchâte-
mens, des sorceleries, ou faire quelque autre
compte, ou ie ne peusse pas mordre,

Somnia, terrores magicos, miracula, sagas,
Nocturnos lemures, portentáque Thessala,

il me venoit compassion du pauure peuple abu-
sé de ces folies. Et a present ie treuue que i'e-

K

ſtoy pour le moins autant a plaindre moy meſ
me, non que l'experiēce m'aye deſpuis riē fait
voir au deſſus de mes premieres creances, & ſi
n'a pas tenu a ma curioſité. Mais la raiſon m'a
inſtruit, que de condamner ainſi reſolucment vne
choſe pour fauce, & impoſſible, c'eſt ſe don
ner l'aduantage d'auoir dans la teſte les bornes
& limites de la volonté de Dieu & de la puiſ
ſance de noſtre mere nature, & qu'il n'y a point
de plus notable follie au monde, que de les ra
mener a la meſure de noſtre capacité & ſuffi
ſance. Si nous appellons monſtres ou miracles
ce, ou noſtre raiſon ne peut aller, combien s'en
preſente il continuellement a noſtre veuë?
Conſiderons au trauers de combien de nuages
& commant a taſtons on nous meine a la con
noiſſance de la pluſpart des choſes qui nous
ſont entre mains, certes nous trouuerons que
c'eſt plutoſt accouſtumance que la ſcience, qui
nous en oſte l'eſtrangeté: & que ces choſes la, ſi
elles nous eſtoint preſantées de nouueau, nous
les trouuerions autant ou plus incroïables que
nulles autres.

Si nunc primum mortalibus adſint
Ex improuiſo, ceu ſint obiecta repente,
Nil magis his rebus poterat mirabile dici,
Aut minus ante quod auderent fore credere gētu
Celuy qui n'auoit iamais veu de riuiere, a la pre
miere qu'il rencontra il penſa que ce fut l'O
cean, & les choſes qui ſont a noſtre connoiſſan
ce

ce les plus grandes, nous les iugeons estre les
extremes que nature face en ce genre.

Et omnia de genere omni
Maxima quæ vidit quisque, hæc ingentia fingit.
Il faut iuger des choses auec plus de reuerence
de ceste infinie puissance de Dieu, & plus de
reconnoissance de nostre ignorance & foiblesse. Combien y a il de choses peu vray-semblables tesmoignées par gens dignes de foy, desquelles si nous ne pouuons estre persuadez, au
moins les faut il laisser en suspens. Car de les
condamner impossibles, c'est se faire fort par
vne temeraire presumption de sçauoir iusques
où va la possibilité. Quant on trouue dās Froissard que le conte de Foix sceut en Bearn la defaite du Roy Iean de Castille a Iuberoth le lēdemain qu'elle fut aduenue, & les moyēs qu'il
en allegue, on s'ē peut moquer, & de ce mesme
que nos annales disent que le Pape Honorius
le propre iour que le Roy Philippe Auguste
mourut, fit faire ses funerailles publiques, &
les manda faire par toute l'Italie. Car l'authorité de ces tesmoins n'a pas a l'aduenture assez
de rang pour nous tenir en bride. Mais quoy? si
Plutarque outre plusieurs exemples, qu'il allegue de l'antiquité, dict sçauoir de certaine
science que du temps de Domitian la nouuelle de la bataille perduë par Antonius en Allemaigne a plusieurs iournées de la, fut publiée
a Rome & semée par tout le monde le mesme

iour qu'elle auoit esté perdue : & si Cæsar tient
qu'il est souuent aduenu que la nouuelle a de-
uancé l'accident:dirōs nous pas que ces simples
gens la se sont laissez piper apres le vulgaire,
pour n'estre pas clair-uoians comme nous? Est-
il rien plus delicat, plus net, & plus vif que le
iugement de Pline , quand il luy plaist de le
mettre en ieu, rien plus esloingné de vanité, ie
laisse a part l'excellence de son sçauoir, duquel
ie fay moins de conte , en quelle partie de ces
deux la le surpassons nous? Toutefois il n'est si
petit escolier,qui ne le conuainque de mensonge,& qui ne luy face sa leçon sur le progres des
ouurages de nature. Quand nous lisons dans
Bouchet les miracles des reliques de sainct Hi-
laire:passe: son credit n'est pas assez grand pour
nous oster la licence d'y contredire : mais de
condamner d'vn train toutes pareilles histoires
me semble singuliere impudence. Ce grand
sainct Augustin tesmoigne auoir veu sur les reliques sainct Geruais & Protaise a Milan, vn
enfant aueugle recouurer la veüe, vne femme a Carthage estre guerie d'vn cancer par le
signe de croix, qu'vne femme nouuellemēt ba-
ptisée luy fit dessus : Hesperius vn sien familier
auoir chassé les espritz qu'infestoient sa maison
auec vn peu de terre du sepulchre de nostre Seigneur,& ceste terre depuis trāsportée a l'Eglise,vn paralitique y estāt apporté auoir esté soudain gueri: vne fēme en vne procession ayant
touché

touché a la chasse sainct Estiéne d'vn bouquet,
& de ce bouquet s'estant frottée les yeux auoir
recouuré la veuë qu'elle auoit pieça perdue , &
plusieurs autres miracles, ou il dict luy mesmes
auoir assisté. Dequoy accuserons nous & luy &
deux saincts Euesques Aurelius & Maximinus,
qu'il appelle pour ses recors:sera ce d'ignorance,simplesse,facilité, ou de malice & imposture-
re?Est-il homme en nostre siecle si impudent,
qui pense leur estre comparable,soit en vertu &
pieté,soit en sçauoir,iugemēt & suffisace?C'est
vne hardiesse dangereuse & de cōsequéce, outre l'absurde temerité qu'elle traine quāt & soy,
de mespriser ce que nous n'entendons pas. Car
apres que selon vostre beau entendemēt vous a-
uez estably les limites de la verité & de la mésonge,& qu'il se treuue que vous auez necessai-
remēt a croire des choses ou il y a encores plus
d'etrangeté qu'en ce que vous niez, vous vous e-
iiés desia obligé de les abandonner. Or ce qui
me semble aporter autant de desordre en nos
consciéces en ces troubles,ou nous sommes, de
la religion, c'est ceste dispensation que les ca-
choliques font de leur creance : il leur semble
qu'ils font bien les moderez & les entendus,
quand ils quittént & cedēt aux aduersaires aucūs articles de ceux,qui sont en debat.Mais outre ce qu'ils ne voient pas quel auantage c'est a
celuy qui vous charge,de cōmancer a luy ceder
& vous tirer arriere, & combien cela l'anime a

poursuiure sa victoire:ces articles la qu'ils choi
sissent pour les plus legiers, sont aucunefois
tres-importans.Ou il faut se submettre du tout
a l'authorité de nostre police ecclesiastique, ou
du tout s'en dispenser: ce n'est pas a nous a establir la part que nous luy debuons d'obeissance.
Et dauantage ie le puis dire pour l'auoir essayé,
ayant autrefois vsé de ceste liberté de mõ chois
& triage particulier , en mettant a nonchaloir
certains points de l'obseruãce de nostre Eglise,
qui semblẽt auoir vn visage ou plus vain, ou plus
estrange,venant a en communiquer aux hõmes
sçauans & bien fondez,i'ay trouué que ces choses la ont vn fondement massif & tressolide, &
que ce n'est que betise & ignorance , qui nous
faict les receuoir auecq moindre reuerẽce que
le reste. Que ne nous souuient il combien nous
sentons de contradiction en nostre iugement
mesmes?Cõbien de choses nous seruoient hier
d'articles de foy,qui nous sont auiourd'huy vaines mensonges? La gloire & la curiosité ce sont
les deux fleaux de nostre ame. Ceste cy nous
conduit a mettre le nez par tout,& celle la nous
defant de rien laisser irresolu & indecis.

CHAP. XXVIII.

De l'amitié.

COnsiderant la conduicte de la besongne
d'vn peintre,que i'ay, il m'a pris enuie de
l'en-

l'enfuiure. Il choifit le plus noble endroit & milieu de chafque paroy , pour y loger vn tableau
élabouré de toute fa fuffifance, & le vuide tout
au tour:il le réplit de crotefques, qui font peintures fantafques, n'ayants grace qu'en la varieté
& eftrangeté. Que font-ce icy auffi a la verité
que crotefques & corps monftrueux , rappie-
cez de diuers membres , fans certaine figure,
n'ayants ordre,fuite , ny proportion que fortuite?

Defnit in pifcem mulier formofa fuperne.

Ie vay bien iufques a ce fegond point auec mon
peintre,mais ie demeure court en l'autre,&meil-
leure partie. Car ma fuffifance ne va pas fi auāt
que d'ofer entreprēdre vn tableau riche poly &
formé felon l'art:ie me fuis aduifé d'en emprūter vn d'Eftiēne de la Boitie qui honorera tout
le refte de cefte befongne. C'eft vn difcours auquel il donna nom *De la Seruitude volontaire,*
mais ceux qui l'ont ignoré,l'ont biē propremēt
dépuis rebaptifé, Le contre vn. Il l'efcriuit par
maniere d'effay en fa premiere ieuneffe , n'a-
yant pas attaint le dixhuitiefme an de fon aage,
a l'honneur de la liberté contre les tyrans. Il
court pieça es mains des gens d'entendement,
non fans bien grande & meritée recommandation . Car il eft gentil , & plein tout ce qu'il
eft poffible. Si y a il bien a dire , que ce ne foit
le mieux qu'il peut faire , & fi en l'aage que ie
l'ay conneu plus auāce,il eut pris vn tel deffeing

K 4

que le mien, de mettre par escrit ses fantasies,
nous verrions plusieurs choses rares, & qui nous
approcheroient bien pres de l'honneur de l'ã-
tiquité. Car notamment en ceste partie des dõs
de nature, ie n'en connois nul qui luy soit comparable. Mais il n'est demeuré de luy que ce
discours, encore par rancontre, & croy qu'il ne
le veit onques puis qu'il luy eschapa , & quelques memoires sur cest edit de Ianüier fameus
par nos guerres ciuiles, qui trouueront encores
ailleurs leur place. C'est tout ce que i'ay peu recouurer de ses reliques , outre le liuret de ses
œuures que i'ay faict mettre en lumiere : & si
suis obligé particulieremẽt a ceste piece, d'autant qu'elle a serui de moyen a nostre premiere
accointance. Car elle me fut monstrée auant
que ie l'eusse veu, & me donna la premiere cõnoissance de son nom, acheminant ainsi ceste a-
mitié que nous auons nourrie, tant que Dieu a
voulu, entre nous, si entiere & si parfaite , que
certainement il ne s'en lit guiere de pareilles.
Entre nos hommes il ne s'en voit nulle trace
en vsage. Il faut que tant de choses se rencon-
trẽt pour la bastir, que c'est beaucoup si la fortune y arriue vne fois en trois siecles. Il n'est
rien a quoy il semble que nature nous aye plus
acheminé qu'a la societé. Or le dernier point
de sa perfection c'est cetuy-cy. Car des enfans
aux peres c'est plustost respect qu'amitie : l'a-
mitié se nourrit de cõmunicatiõ, qui ne peut se
trou-

trouuer entre eux, pour la trop grande difparité, & offenceroit a l'aduenture les deuoirs
de nature. Car ni toutes les fecretes penfées des peres ne fe peuuent communiquer aux
enfans, pour n'y engendrer vne meffeante pri-
uauté:ny les aduertiffemens & corrections qui
eft vn des premiers offices d'amitié,ne fe pour-
roiét exercer des enfans aux peres.Il s'eft trou
ué des natiós,ou par vfage les enfás tuoiét leurs
peres,& d'autres ou les peres tuoient leurs enfans, pour euiter l'empefchement qu'ils fe
peuuent quelquefois entreporter,& naturellement l'vn depend de la ruine de l'autre.L'amitié n'en vient iamais la.Il s'eft trouué iufques a
des philofophes defdaignás cefte coufture naturelle, tefmoing celuy qui quád on le preffoit
de l'affectió qu'il deuoit a fes enfans pour eftre
fortis de luy,fe mit a cracher, Et cela,dict il,en
eft auffi bien forty. Et ceft autre que Plutarque
vouloit induire a s'accorder auec fon frere,
Ie n'en fais pas, dict il, plus grand eftat pour
eftre forti de mefme trou . C'eft a la verité vn
beau nom, & plein de dilection que le nom de
frere,& a cefte caufe en fifmes nous luy & moy
noftre alliance. Mais ce meflange de biens,ces
partages,& que la richeffe de l'vn foit la pauure
té de l'autre, cela detrampe merueilleufement
& relafche cefte foudure fraternelle:les freres
ayátz a conduire le progrez de leur auancemét
en mefme fentier & mefme train, il eft force

K 5

qu'ils se hurtent & choquent souuent. Dauantage la correspondance & relation qui engendre ces vrayes & parfaictes amitiez, pourquoy
se trouuera elle en ceux ci? Le pere & le fils peu
uent estre de complexion entierement eslon-
gnée, & les freres aussi. C'est mon fils, c'est mõ
parẽt, mais c'est vn hõme farouche, vn meschãt,
ou vn sot. Et puis a mesure que ce sont amitiés
que la loy & l'obligation naturelle nous commande, il y a d'autant moins de nostre chois &
liberté volontaire. Et nostre liberté volontaire
n'a point de productiõ qui soit plus propremẽt
sienne que celle de l'affectiõ & amitié. Ce n'est
pas que ie n'aye essayé de ce costé la tout ce qui
en peut estre, ayant eu le meilleur pere qui fut
onques & le plus indulgent, iusques a son extreme vieillesse, & estant d'vne famille fameuse
de pere en fils, & exemplaire en ceste partie de
la concorde fraternelle. D'y comparer l'affection enuers les femmes, quoy qu'elle naisse a
la verité de nostre choix, on ne peut, ni la loger
en ce rolle. Son feu, ie le confesse,

(Neque enim est dea nescia nostri
Quæ dulcem curis miscet amaritiem)

est plus actif, plus cuisant, & plus aspre. Mais
c'est vn feu temeraire & voulage, ondoyant &
diuers, feu de fiebure, subiect a accez & remi-
ses, & qui ne nous tient qu'a vn coing. En l'amitié, c'est vne chaleur generale & vniuerselle,
temperée au demeurant & égale, vne chaleur
constante

conſtante & raſſize, toute douceur & polliſſu-
re, qui n'a rien d'aſpre & de poignãt. Qui plus
eſt en l'amour ce n'eſt qu'vn deſir forcené apres
ce qui nous fuit.

Comme ſegue la lepre il cacciatore
Al freddo, al caldo, alla montagna, al lito,
Ne piu l'eſtima poi, che preſa vede
Et ſol dietro a chi fugge affretta il piede.

Auſſi toſt qu'il entre aux termes de l'amitié,
c'eſt a dire en la conuenance des volontez, il
s'éſuanouiſt & s'aláguiſt: la iouiſſance le perd,
comme ayant la fin corporelle & ſubiecte a ſa-
cieté. L'amitié au rebours, eſt iouïe a meſure
qu'elle eſt deſirée, ne s'eſleue, ſe nourrit, ni ne
prend accroiſſance qu'en la iouiſſance, comme
eſtant ſpirituelle, & l'ame s'affinant par l'vſage.
Sous ceſte parfaicte amitié ces affectiõs vola-
ges ont autrefois trouué place chez moy: affin
que ie ne parle de luy, qui n'en cõfeſſe que trop
par ſes vers. Ainſi ces deux paſſions ſont entrées
chez moy en cõnoiſſance l'vne de l'autre, mais
en cõparaiſon iamais: la premiere maintenãt ſa
route d'vn vol hautain & ſuperbe, & regardant
deſdaigneuſemét ceſte cy paſſer ſes pointes biẽ
loing au deſſouz d'elle. Quãt aux mariages, outre ce que c'eſt vn marché qui n'a que l'entrée
libre, ſa durée eſtãt contrainte & forcée, depẽ-
dãt d'ailleurs que de noſtre vouloir, & marché
qui ordinairemét ſe faict a autres fins: cõme de
la generation, alliances, richeſſes, il y ſuruient
mille

mille fusées estrangeres a desmeler parmi, suf-
fisantes a rompre le fil & troubler le cours d'v-
ne viue affection: la ou en l'amitié, il n'y a affaires ni commerce que d'elle mesme: ioint qu'a
dire le vray la suffisance ordinaire des femmes
n'est pas pour respondre a ceste conference &
communication nourrisse de ceste saincte couture ; ni leur ame ne semble estre assez ferme
pour soustenir l'estreinte d'vn neud si presé &
si durable. Et certes sans cela s'il se pouuoit dresser vne telle accointance libre & volontaire, ou
non seulement les ames eussent ceste entiere
iouyssance: mais encore ou les corps euset part
a l'alliance, il est vray semblable que l'amitié
en seroit plus pleine & plus comble. Mais ce
sexe par nul exemple n'y est encore peu arriuer,
& cest autre licece Grecque est iustement ab-
horrée par nos meurs . Au demeurant ce que
nous appellons ordinairement amis & amitiez
ce ne sont qu'accoinctaces & familiarités nouées par quelque occasion ou commodité, par
le moyen de laquelle nos ames s'entretiennēt.
En l'amitié, dequoy ie parle, elles se meslent &
se confondent l'vn en l'autre d'vn melange si
vniuersel, qu'elles effacent, & ne retrouuēt plus
la couture qui les a iointes. Si on me presse de
dire pourquoy ie l'aymois, ie sens que cela ne
se peut exprimer, il y a ce semble au dela de
tout mon discours , & de ce que i'en puis dire,
ne sçay qu'elle force diuine & fatale mediatri-
ce de

ce de ceste vnion. Ce n'est pas vne particuliere
consideratiõ, ni deux, ni trois, ni quatre, ni mille. C'est ie ne sçay quelle quint'essence de tout
ce meslange, qui ayant saisi toute ma volõté, l'a-
mena se plonger & se perdre dans la sienne. Ie
dis perdre a la verité, ne luy reseruant rien qui
luy fut propre, ne qui fut sien. Quand Lælius en
presence des Consuls Romains, lesquels apres
la condemnation de Tiberius Gracchus poursuiuoient tous ceux, qui auoient esté de son intelligence, vint a s'enquerir de Caius Blosius
(qui estoit le principal de ses amis) combien
il eut voulu faire pour luy, & qu'il eut respondu, Toutes choses. Commēt toutes choses, suiuit il, & quoy s'il t'eut commandé de mettre le
feu en nos temples? Il ne me l'eut iamais commandé, replica Blosius: mais s'il l'eut fait? adiouta Lælius: I'y eusse obey, respondit il. S'il e-
stoit si perfaictement ami de Gracchus, comme disent les histoires, il n'auoit que faire d'of-
fenser les consulz par ceste derniere & hardie
confession: & ne se deuoit departir de l'asseurance qu'il auoit de la volonté de Gracchus, de
laquelle il se pouuoit respondre, comme de la
sienne: mais toutesfois ceux, qui accusent ceste
reponce comme seditieuse, n'entendent pas
biē ce mystere, & ne presupposent pas comme
il est, qu'il tenoit la volonté de Gracchus en
la manche & par puissance & par connoissance. Et qu'ainsi sa responce ne sonne non plus
                                          que

que feroit la mienne a qui s'enquerroit a moy
de ceſte façon, Si voſtre volontévous commandoit de tuer voſtre fille, la tueries vous?& que
ie l'accordaſſe: car cela ne porte nul teſmoigna
ge de conſentement a ce faire, par ce que ie ne
ſuis en nul doute de ma volōté,& tout auſſi peu
de celle d'vn tel ami. Il n'eſt pas en la puiſſance de tous les diſcours du monde , de me deſlo-
ger de la certitude que i'ay des intentions & iugemens du mien:nulle de ſes actions ne me ſça-
roit eſtre preſentée quelque viſage qu'elle eut,
que ie n'en trouuaſſe incontinent le vray reſort.
Nos ames ont charrié ſi long temps enſemble:
elles ſe ſont conſiderées d'vne ſi ardante affection,& de pareille affection deſcouuertes iuſques au fin fond des entrailles l'vne a l'autre:
que non ſeulemēt ie connoiſſoy la ſienne comme la mienne , mais ie me fuſſe certainement
plus volontiers ſié a luy de moy qu'a moy meſ-
mē. Qu'on ne me mette pas en ce reng ces autres amitiés communes : car i'en ay autant de
connoiſſance qu'vn autre,& des plus parfaictes
de leur genre . En ce noble commerce les offices & les bienfaits nourriſſiers des autres amitiés ne meritent pas ſeulement d'eſtre mis en
conte. Ceſte confuſion ſi pleine de nos volontez en eſt cauſe: car tout ainſi que l'amitié que
ie me porte ne reçoit nulle augmentation,pour
le ſecours que ie me dōne au beſoin,quoy que
dient les Stoiciens,& comme ie ne me ſçay nul
                                                    gré

gré du seruice que ie me fay : aussi l'vnion de
tels amis estant veritablement parfaicte, elle
leur faict perdre le sentiment de tels deuoirs
& haïr & chasser d'entre eux ces mots de diuision & de difference, comme bien-faict, obligation, reconnoissance, priere, remerciement,
& leurs pareils. Tout estant par effect commun
entre eux, volontez, pensées, iugemens, biés,
femmes, enfans, honneur, & vie, ils ne se peuuent ny prester ny donner rien. Voyla pourquoy
les faiseurs de loix pour honorer le mariage de
quelque imaginaire resemblance de ceste diuine liaison, defendent les donations entre le ma
ry & la femme, voulant inferer par la, que tout
doit estre a chacun d'eux, & qu'ils n'ont rié a di-
uiser & partir ensemble. Si en l'amitié, dequoy ie parle, l'vn pouuoit donner a l'autre, ce
seroit celuy qui receuroit le bien-faict qui o-
bligeroit son compaignon. Car cherchant l'vn
& l'autre plus que toute autre chose de s'entre-
bien-faire, celuy qui en preste la matiere & l'o
casion, c'est celuy la qui faict l'honeste & le
courtois, donnant ce contentement a son amy
d'effectuer en son endroit ce qu'il desire le plus.
Et pour monstrer comment cela se practique
par effect, i'en reciteray vn ancien exemple
qui y est singulierement propre. Eudamidas
Corinthien, auoit deux amys, Charixenus Sy-
cionien, & Aretheus Corinthien : venant a
mourir estant pauure, & ses deux amis riches,
il fit

il fit ainſi ſon teſtament: Ie legue a Aretheus de
nourrir ma mere, & l'entretenir en ſa vieilleſſe:
a Charixenus de marier ma fille & luy donner
le douaire le plus grand qu'il pourra. Et au cas
que l'vn d'eux vienne a deffaillir, ie ſubſtitue
en ſa part celuy, qui ſuruiura. Ceux qui premiers virent ce teſtament s'en mocquerent:
mais ſes heretiers en ayant eſté aduertis, l'acce-
pterent auec vn ſingulier côtentement. Et l'vn
d'entre eux Charixenus eſtant treſpaſſé cinq
iours apres, la ſubſtitution eſtant ouuerte en faueur d'Aretheus, il nourrit curieuſement ceſte
mere, & de cinq talens qu'il auoit en ſes biens, il
en donna les deux & demi en mariage a vne ſiene fille vnique, & deux & demy pour le mariage de la fille d'Eudamidas, deſquelles il fit les
ropces en meſme iour. Ceſt exemple eſt bien
plein, ſi vne condition en eſtoit a dire, qui eſt
la multitude d'amis: car ceſte parfaicte amitié,
de quoy ie parle, eſt indiuiſible: chacun ſe donne ſi entier a ſon amy, qu'il ne luy reſte rien a
deſpartir ailleurs. Au rebours il eſt marry qu'il
ne ſoit double, triple, ou quadruple, & qu'il n'ait
pluſieurs ames & pluſieurs volontez, pour les
conferer toutes a ce ſubiect. Les amitiez communes on les peut deſpartir, on peut aimer en
ceſtuy cy la beauté, en ceſt autre la facilité de
ſes meurs, en l'autre la liberalité, en celuy-la
la paternité, en ceſt autre la fraternité, ainſi du
reſte: mais ceſte amitié, qui poſſede l'ame &
la re-

la regente en toute fouueraineté, il eſt impoſſible qu'elle ſoit double. Le demeurant de ceſte hiſtoire conuient tres-bien a ce que ie diſois: car Eudamidas donne pour grace & pour faueur a ſes amis de les employer a ſon beſoin: il les laiſſe heritiers de ceſte ſiéne liberalité, qui conſiſte a leur mettre en main les moyens de luy bié-faire. Et ſans doubte la force de l'amitié ſe monſtre bien plus richemét en ſon faict, qu'en celuy d'Aretheus. Somme ce ſont effects inimaginables, a qui n'en a gouſté. Et tout ainſi que celuy qui fut rencontré a cheuauchons ſur vn batõ ſe ioüant auec ſes enfans, pria celuy qui l'y ſurprint, de n'en rien dire iuſques a ce qu'il fut pere luy meſme, eſtimant que la paſſiõ qui luy naiſtroit lors en l'ame, le rendroit iuge equitable d'vne telle actiõ: ie ſouhaiterois auſſi parler a des gens qui euſſent eſſayé ce que ie dis. Mais ſçachant combien c'eſt choſe eſlongnée du commun vſage qu'vne telle amitié, & combien elle eſt rare, ie ne m'attens pas d'en trouuer nul bon iuge. Car les diſcours meſmes que l'antiquité nous a laiſſé ſur ce ſubiect me ſemblent lâches au pris du gouſt que i'en ay. Et en ce ſeul point les effectz ſurpaſſent les preceptes meſmes dela philoſophie.

Nil ego contulerim iucundo ſanus amico.

L'antien Menãder diſoit celuy-la heureux, qui auoit peu rencontrer ſeulement l'hombre d'vn ami: il auoit certes raiſon de le dire, meſme s'il

L

en auoit tasté: car a la verité si ie compare tout
le reste de ma vie, quoy q̃ par la grace de Dieu
ie l'aye passée douce, aisée, & sauf la perte d'vn
tel ami, exempte d'afflictiõ poisante, pleine de
contentement & de tranquillité d'esprit, ayant
prins en payemãt mes commodités naturelles
& origineles sans en rechercher d'autres : si ie
la compare, dis-ic, toute aux quatre ou cinq années qu'il m'a esté donné de iouïr de la douce
compagnie & societé de ce persõnage, ce n'est
que fumée, ce n'est qu'vne nuit obscure & ennuyeuse, depuis le iour que ie le perdi,

quem semper acerbum
Semper honoratum (sic dij voluistis) habebo,
ie ne say que trainer languissant, & les plaisirs
mesmes qui s'offrent a moy, au lieu de me cõ-
soler me redoublẽt le regret de sa perte. Nous
estions a moitié de tout. Il me semble que ie
luy desrobe sa part,

Nec fas esse vlla me voluptate hic frui
Decreui, tantisper dum ille abest meus particeps.
I'estois des-ia si faict & accoustumé a estre
deuxiesme par tout, qu'il me semble n'estre
plus qu'a demi: il n'est action ou imagination,
ou ie ne le trouue a dire, comme si eut il bien
faict a moy : car de mesme qu'il me surpassoit
d'vne distance infinie en toute autre suffisance
& vertu, aussi faisoit il au deuoir de l'amitié.

Quis desiderio sit pudor aut modus
Tam chari capitis?

O mi-

O misero frater ademte mihi!
Omnia tecum vna perierunt gaudia nostra,
  Quę tuus in vita dulcis alebat amor.
Tu mea,tu moriens fregisti commoda frater
  Tecum vna tota est nostra sepulta anima,
Cuius ego interitu tota de mente fugaui
  Hæc studia,atque omnes delicias animi
Alloquar?audiero nunquam tua verba loquentē?
  Nunquam ego te vita frater amabilior
Aspiciam posthac?at certe semper amabo.

Mais oyons vn peu parler ce garſon de dixhuict
ans.   *   *   *   *   *

Parce que i'ay trouué que ceſt ouurage a eſté
depuis mis en lumiere & a mauuaiſe fin , par
ceux qui chercheur a troubler & châger l'eſtat
de noſtre police, ſans ſe ſoucier s'ils l'amende-
ront , qu'ils ont meſlé a d'autres eſcris de leur
farine,ie me ſuis dédit de le loger icy. Et affin
que la memoire de l'auteur n'en ſoit intereſſée
en l'endroit de ceux, qui n'ont peu connoiſtre
de pres ſes opinions & ſes actions : ie les aduiſe
ſe que ce ſubiect fut traicté par luy en ſon enfance par maniere d'exercitation ſeulement,
comme ſubiect vulgaire & tracaſſé en mille
endroicts des liures . Ie ne fay nul doubte
qu'il ne creut ce qu'il eſcriuoit : car il eſtoit aſſés conſcientieux, pour ne mentir pas meſmes
en ſe iouant , & ſçay d'auantage que s'il euſt
eu a choiſir, il euſt mieux aimé eſtre nay a Ve-
niſe qu'a Sarlac , & auoit raiſon:mais il auoit

L

vn'autre maxime souuerainemēt empreinte en
son ame, d'obeïr & de se soubmettre tres-re-
ligieusement aux loix, sous lesquelles il estoit
nay. Il ne fut iamais vn meilleur citoyē, ni plus
affectionné au repos de sa patrie, ni plus ennemi des remuemēs & nouuelletez de son temps:
il eut bien plutost employé sa suffisance a les
esteindre que a leur fournir dequoy les émouuoir: dauantage il auoit son esprit moulé au patron d'autres siecles que ceux cy. Or en eschange de cest ouurage serieux i'en substitueray vn
autre produit en ceste mesme saisō de son aage
plus gaillard & plus eniouë, ce sont 29. Sōnets
que le sieur de Poiferré hōme d'affaires & d'en
tendement, qui le connoissoit long temps auāt
moy a retrouué par fortune ches luy par-mi
quelques autres papiers, & me les vient d'enuoyer, de quoy ic luy suis tres-obligé, & souhai
terois que d'autres qui detiennent plusieurs lopins de ses escris par cy, par la, en fissent de mes
mes.

CHAP. XXVIII.

Vingt neuf-sonnetz d'Estienne de la Boëtie a
Madame de Grammont contesse de Guissen.

MAdame ie ne vous offre rien du mien, ou
par ce qu'il est des-ia vostre, ou par ce que
ie n'y trouue rien digne de vous. Mais i'ay voulu que ces vers en quelque lieu qu'ils se vissent,
                                                          pour-

pourtassent voſtre nom en teſte, pour l'honneur
que ce leur ſera d'auoir pour guide ceſte grande Coriſande d'Andoins. Ce preſent m'a ſemblé vous eſtre propre, d'autant qu'il eſt peu de
dames en France, qui iugent mieus & ſe ſeruēt
plus a propos que vous de la poëſie: & puis qu'il
n'en eſt point qui la puiſſent rendre viue & ani-
mée, côme vous faites par ces beaus & richas
accords, dequoy parmi vn miliō d'autres beautés, nature vo⁹ a eſtrenée, Madame, ces vers me
ritent que vous les cheriſſez: car vous ſerez de
mon aduis, qu'il n'en eſt point ſorti de Gaſcoi-
gne qui euſſent plus d'inuction & de gentileſſe, & qui teſmoignent eſtre ſortis d'vne plus riche main. Et n'entrez pas en ialouſie, dequoy
vous n'auez que le reſte de ce que pieça i'en ay
faict imprimer ſous le nom de monſieur de
Foix voſtre bon parent: car certes ceux-cy ont
ie ne ſçay quoy de plus vif & de plus bouillant:
comme il les fit en ſa plus verte ieuneſſe, & eſchauffé d'vne belle & noble ardeur que ie vous
diray, Madame, vn'autrefois. Les autres furent faicts deſpuis, comme il eſtoit a la pour-
ſuite de ſon mariage, en faueur de ſa femme, &
ſentent deſ-ia ie ne ſçay quelle froideur mari-
tale. Et moy ie ſuis de ceux qui tiennent que la
poëſie ne rid point ailleurs, comme elle faict
en vn ſubiect folatre & deſ-reglé.

L 3

SONNET.

I.

PARDON AMOVR, pardon, ô sei-
gneur ie te voüe
Le reste de mes ans, ma voix & mes escris,
Mes saglots, mes souspirs, mes larmes & mes cris :
Rien, rien tenir d'aucun, que de toy ie n'aduoüe.
Helas comment de moy, ma fortune se ioüe.
De toy n'a pas long temps, amour, ie me suis ris.
I'ay failly, ie le voy, ie me rends, ie suis pris.
J'ay trop gardé mon cœur, or ie le desaduoüe.
Si i'ay pour le garder retardé ta victoire,
Ne l'en traitte plus mal, plus grande en est ta
gloire.
Et si du premier coup tu ne m'as abbatu,
Pense qu'vn bon vainqueur & nai pour estre
grand,
Son nouueau prisonnier, quãd vn coup il se rẽd,
Il prise & l'ayme mieux, s'il a bien combatu.

II.

C'est amour, c'est amour, c'est luy seul, ie le sens :
Mais le plus vif amour, la poison la plus forte,
A qui onq pauure cœur ait ouuerte la porte.
Ce cruel n'a pas mis vn de ses tratiz perçans,
Mais arc, traits & carquois, & luy tout dãs mes
sens.
Encor vn mois n'a pas, que ma frãchise est morte,
Que ce venin mortel dans mes veines ie porte,
Et des-ia i'ay perdu & le cœur & le sens.
Et quoy? si cest amour a mesure croissoit,

Qui en si

Qui en ſi grand tourmēt dedans moy ſe conçoit?
O croiſtz, ſi tu peuz croiſtre, & amande en croiſ-
   ſant.
Tu te nourris de pleurs: des pleurs ie te prometz,
  Et pour te refreſchir, des ſouſpirs pour iamais.
  Mais que le plus grand mal ſoit au moings en
   naiſſant.

III.

C'eſt faiⁿ mon cœur, quitons la liberté.
  Dequoy meshuy ſeruiroit la deffence,
  Que d'agrandir & la peine & l'offence?
  Plus ne ſuis fort, ainſi que i'ay eſte.
La raiſon fuſt vn temps de mon coſté,
  Or reuoltée elle veut que ie penſe
   Qu'il faut ſeruir, & prendre en recompence
   Qu'oncq d'vn tel neud nul ne fuſt arreſté.
S'il ſe faut rendre, alors il eſt ſaiſon,
  Quand on n'a plus deuers ſoy la raiſon.
Ie voy qu'amour, ſans que ie le deſerue,
  Sans aucun droiⁿ, ſe vient ſaiſir de moy?
  Et voy qu'encor il faut a ce grand Roy
  Quand il a tort, que la raiſon luy ſerue.

IIII.

C'eſtoit alors, quand les chaleurs paſſées,
  Le ſale automne aus cuues va foulant
  Le raiſin gras deſſoubz le pied coulant,
  Que mes douleurs furent encommencées.
Le paiſan bat ſes gerbes amaſſées,
  Et aux caueaux ſes bouillans muis roulant,
  Et des fruitiers ſon automne croulant,

Se vange lors des peines aduancées.
   Seroit ce point vn presage donné
   Que mon espoir est des-ia moissonné?
Non certes, non. Mais pour certain ie pense,
   I'auray, si bien a deuiner i'entends,
   Si lon peut rien prognostiquer du temps,
Quelque grand fruict de ma longue esperance.

V.

I'ay veu ses yeux perçans, i'ay veu sa face claire:
   (Nul iamais sans son dã ne regarde les dieux)
   Froit, sans cœur me laisse son œil victorieux,
Tout estourdy du coup de sã forte lumiere.
Cõme vn surpris de nuit aux champs quãd il es-
   Estonné, se pallist si la fleche des cieux (claire
   Sifflant luy passe contre, & luy serre les yeux,
Il tremble, & voit, transi, Iupiter en colere.
Dy moy Madame, au vray, dy moy, si tes yeux
   vertz
   Ne sont pas ceux qu'on dit que l'amour tient
   couuertz?
Tu les auois, ie croy, la fois que ie t'ay veuë,
   Au moins il me souuient, qu'il me fust lors
   aduis
   Qu'amour, tout a vn coup, quand premier ie
   te vis,
Desbanda dessus moy, & son arc, & sa veuë.

VI.

Ce dict maint vn de moy, dequoy se plaint il tant,
   Perdant ses ans meilleurs en chose si legiere?
   Qu'a il tant a crier, si encore il espere?
                   Et s'il

Et s'il n'espere rien, pourquoy n'est il content?
Quand i'estois libre et sain i'en disois bien autāt:
  Mais certes celuy la n'a la raison entiere,
  Ains le cœur gasté de quelque rigueur fiere,
  S'il se plaint de ma plainte, et mō mal il n'ētend
Amou rtout a vn coup de cēt douleurs me poinr.
  Et puis lon m'aduertit que ie ne crie point.
Si vain ie ne suis pas que mon mal i'agrandisse
  A force de parler: son m'en peut exempter,
  Ie quitte les sonnetz, ie quitte le chanter.
  Qui me deffend le deuil, celuy la me guerisse.

VII.

Quant a chanter ton los, par fois ie m'aduenture,
  Sans ozer ton grand nom, dans mes vers ex-
    primer,
  Sondant le moins profond de ceste large mer,
  Ie trēble de m'y perdre, & aux riues m'assure.
Ie crains en loüant mal, que ie te face iniure.
  Mais le peuple estonné d'ouir tant t'estimer,
  Ardant de te connoistre, essaie a te nommer,
  Et cherchāt ton sainct nom ainsi a l'aducture,
Esbloui n'attant pas a veoir chose si claire,
  Et ne te trouue point ce grossier populaire,
Qui n'oyant qu'vn moyen, ne voit pas celuy la:
  C'est que s'il peut trier, la comparaison faicte
  Des parfaictes du mōde, vne la plus parfaicte,
  L'ors, s'il a voix, qu'il crie hardimant la voyla.

VIII.

Quand viendra ce iour la, que ton nom au vray
  passe

L 5

Par France, dans mes vers? combien & quan-
        tesfois
S'en empresse mon cœur, s'en demangent mes
        doits?
Souuent dans mes escrits de soy mesme il prend
        place.
Maugré moy ie t'escris, maugré moy ie t'efface.
    Quand astrée viendroit & la foy & le droit,
    Alors ioyeux ton nom au monde se rendroit.
    Ores c'est a ce temps, que cacher il te face,
C'est a temps maling vne grande vergoigne
    Donc Madame tãdis tu seras ma Dourdou-
        gne.
Toutesfois laisse moy, laisse moy ton nom mettre,
    Ayez pitié du temps, si au iour ie te metz,
    Si le temps te cognoist, lors ie te le prometz,
    Lors il sera doré, s'il le doit iamais estre.

I X.

O entre tes beautez, que ta constance est belle,
    Ceit ce cœur asseuré, ce courage constant,
    C'est parmy tes vertus, ce que l'on prise tant:
    Aussi qu'est il plus beau, qu'vne amitié fidelle?
Or ne charge donc rien de ta sœur infidele,
    De Vesere ta sœur: elle vas'escartant
    Tousiours flotant mal seure en son cours in-
        constant.
    Voy tu cõme a leur gré les vẽs se iouent d'elle?
Et ne te repens point pour droict de ton aisnage
    D'auoir des-ia choisi la constance en partaige.
Mesme race porta l'amitié souueraine

Des bons iumeaux, desquelz l'vn a l'autre de-
ſpart
Du ciel & de l'enfer la moitié de ſa part,
Et l'amour diffamé de la trop belle Heleine.

X.

Ie voy bien, ma Dourdouigne, encor hūble tu vas:
De te monſtrer Gaſconne en France , tu as
honte.
Si du ruiſſeau de Sorgue, on fait ores grād côte,
Si a il bien eſté quelquefois auſſi bas.
Voys tu le petit Loir comme il haſte le pas?
Comme deſ-ia parmy les plus grands il ſe côte?
Comme il marche hautain d'vne courſe plus
prompte
Tout a coſté du Mince, & il ne s'en plaint pas?
Vn ſeul Oliuier d'Arne enté au bord de Loire,
Le faiſt courir plus braue & luy donne ſa
gloire.
Laiſſe, laiſſe moy faire, Et vn iour ma Dourdoui-
gne,
Si ie deuine bien, on te cognoiſtra mieux:
Et Garonne, & le Rhone, & ces autres grands
dieux
En auront quelque enuie, & poſſible vergoigne.

X I.

Toy qui oys mes ſouſpirs, ne me ſois rigoureux
Si mes larmes apart toutes miennes ie verſe,
Si mon amour ne ſuit en ſa douleur diuerſe
Du Florentin tranſi les regretz languoreux,
Ny de Catulle auſſi, le foulaſtre amoureux,

Q iij

    Qui le cœur de sa dame en chatouillant luy
        perce,
    Ny le sçauant amour du migregeois Properce
    Ils n'ayment pas pour moy, se n'ayme pas pour
        eux.
Qui pourra sur autruy ses douleurs limiter,
    Celuy pourra d'autruy les plaintes imiter:
Chacun sent son tourment, & sçait ce qu'il endure
    Chacun parla d'amour ainsi qu'il l'entendit.
    Ie dis ce que mon cœur, ce que mon mal me dict.
    Que celuy ayme peu, qui ayme a la mesure.

XII.

Quoy? qu'est-ce? ô vens, ô nues, ô l'orage!
    A point nommé, quand moy d'elle aprochant
    Les bois, les monts, les baisses vois tranchant
    Sur moy d'aguest vous poussez vostre rage.
Ores mon cœur s'embrase d'auantage.
    Allez, allez faire peur au marchant,
    Qui dans la mer les thresors va cherchant:
    Ce n'est ainsi, qu'on m'abbat le courage.
Quand i'oy les ventz, leur tempeste, & leurs cris,
    De leurs malice, en mon cœur ie me ris.
Me pensent ils pour cela faire rendre?
    Face le ciel du pire, & l'air aussi.
    Ie veux, ie veux, & le declaire ainsi
    S'il faut mourir, mourir comme Leandre.

XIII.

Vous qui aimer encore ne sçauez,
    Ores m'oyant parler de mon Leandre,
    Ou iamais non, vous y debuez aprendre,

Si rien de bon dans le cœur vous auez.
Il oza bien branlant ses bras lauez,
   Armé d'amour, contre l'eau se deffendre,
   Qui pour tribut la fille voulut prendre,
   Ayant le frere, & le mouton sauuez.
Vn soir vaincu par les flos rigoureux,
   Voyant des-ia, ce vaillant amoureux,
   Que l'eau maistresse a son plaisir le tourne:
   Parlant aux flos, leur ietta ceste voix:
   Pardonnez moy maintenant que i'y veois,
   Et gardez moy la mort, quand ie retourne.

X I I I.

O cœur leger, ô courage mal seur,
   Penses-tu plus que souffrir ie te puisse?
   O bonté creuze, ô couuerte malice,
   Traitre beaute, venimeuse douceur.
Tu estois donc tousiours seur de ta sœur?
   Et moy trop simple il failloit que i'en fisse
   L'essay sur moy? & que tard i'entendisse
   Ton parler double & tes chantz de chasseur?
Despuis le iour que i'ay prins a t'aimer,
   I'eusse vaincu les vagues de la mer.
   Qu'est-ce meshuy que ie pourrois attendre?
   Comment de toy pourrois i'estre content?
   Qui apprendra ton cœur d'estre constant,
   Puis que le mien ne le luy peut aprendre?

X V.

Ce n'est pas moy que l'on abuze ainsi:
   Qu'a quelque enfant ses ruzes on emploie,
   Qui n'a nul goust, qui n'entend rien, qu'il oyt:

Ie ſçay aymer, ie ſçay hayr auſſi.
Contente toy de m'auoir iuſqu'icy
   Fermé les yeux, il eſt temps que i'y voie:
   Et que mes-huy, las & honteux ie ſoye
   D'auoir mal mis mon temps & mon ſoucy.
Oſerois tu m'ayant ainſi traicté
   Parler a moy iamais de fermeté?
Tu prens plaiſir a ma douleur extreme:
   Tu me deffends de ſentir mon tourment:
   Et ſi veux bien que ie meure en t'aimant.
   Si ie ne ſens, comment veux tu que i'aime?

XVI.

O l'ay ie dict? helas l'ay ie ſongé?
   Ou ſi pour vray i'ay dict blaſpheme telle?
   ça faulſe langue, il faut que l'honneur d'elle
   De moy, par moy, deſus moy, ſoit vangé.
Mon cœur chez toy, ô madame, eſt logé:
   Lá donne luy quelque geéne nouuelle:
   Fais luy ſouffrir quelque peine cruelle:
   Fais, fais luy tout, fors luy donner congé.
Or ſeras tu (ie le ſçay) trop humaine,
   Et ne pourras longuement voir ma peine.
Mais vn tel faict, faut il qu'il ſe pardonne?
   A tout le moings haut ie me desdiray
   De mes ſonnetz, & me deſmentiray,
   Pour ces deux faux, cinq cens vrais ie t'ē dōne.

XVII.

Si ma raiſon en moy s'eſt peu remettre,
   Si recouurer aſtheure ie me puis,
   Si i'ay du ſens, ſi plus homme ie ſuis,

Ie t'en mercie,ô bien hereuſe lettre.
Qui m'euſt (helas) qui m'euſt ſceu recognoiſtre
    Lors qu'enragé vaincu de mes ennuys,
    En blaſphemant madame ie pourſuis?
    De loing,honteux,ie te vis lors paroiſtre.
O ſainct papier,alors ie me reuins,
    Et deuers toy deuotement ie vins.
Ie te donrois vn autel pour ce faict,
    Qu'on viſt les traicts de ceſte main diuine.
    Mais de les voir aucun homme n'eſt digne,
    Ny moy auſſi,s'elle ne m'en euſt faict.

XVIII.

I'eſtois preſt d'encourir pour iamais quelque
    blaſme.
    De colere eſchaufé mon courage bruſloit,
    Ma fole voix au gré de ma fureur branloit,
    Ie deſpitois les dieux, & encore madame.
Lors qu'elle de loing iecte vn brefuet dãs ma flãme
    Ie le ſentis ſoudain comme il me rabilloit,
    Qu'auſſi toſt deuant luy ma fureur s'en alloit,
    Qu'il me rẽdoit vainqueur a ſa place mõ ame.
Entre vous,qui de moy,ces merueilles oyés,
    Que me dites vous d'elle? & ie vous prie voyez,
S'ainſi comme ie fais,adorer ie la dois?
    Quels miracles en moy,penſez vous qu'elle faſſe
    De ſon œil tout puiſſant,ou d'vn ray de ſa face.
Puis qu'en moy firent tant les traces de ſes doitz?

XIX.

Ie tremblois deuant elle, & attendois,tranſi,
    Pour venger mon forfaict quelque iuſte ſentẽce,
                A moy

A moy mesme consent du poids de mon offence,
Lors qu'elle me dict, va, ie te prens a merci.
Que mon loz desormais par tout soit esclarcy:
Employe la tes ans: & sans plus, mes-huy pense
D'enrichir de mon nom par tes vers nostre
    France,
Couure de vers ta faute, & paie moy ainsi.
Sus donc ma plume, il faut, pour iouïr de ma peine
Courir par sa grãdeur, d'vne plus large veine.
Mais regarde a son œil, qu'il ne nous abandonne.
Sans ses yeux, nos espritz se mourroient lan-
    guissans.
Il nous dõnent le cœur, ilz nous donnẽt le sens.
Pour se paier de moy, il faut qu'elle me donne.

X X.

O vous mauditz sonnetz, vo° qui prinstes l'audace
De toucher a madame: ô malings & peruers,
Des muses le reproche, & honte de mes vers:
Si ie vous feis iamais, il faut que ie me fasse
Ce tort de confesser vous tenir de ma race,
Lors pour vous, les ruisseaux ne furent pas
    ouuerts
D'Appollõ le doré, des muses aux yeux vertz:
Mais vous receut naissants Tisiphone en leur
    place
Si i'ay oncq quelque part a la posterité
Ie veux que l'vn & l'autre en soit desherité.
Et si au feu vangeur des or ie ne vous donne,
C'est pour vous diffamer, viuez chetifz, vi-
    uez.

                           Si

Vinez aux yeux de tous, de tout hôneur priuez:
Car c'est pour vous punir, qu'ores ie vous pardonne.

XXI.

N'ayez plus mes amis, n'ayez plus ceste enuie
Que ie cesse d'aimer, laissez moy obstiné,
Viure & mourir ainsi, puis qu'il est ordonné:
Mon amour c'est le fil, auquel se tient ma vie.
Ainsi me dict la fée: ainsi en AEagrie
Elle feit Meleagre a l'amour destiné:
Et alluma sa souche a l'heure qu'il fust né,
Et dict, toy, & ce feu, tenez vous compagnie.
Elle le dict ainsi: & la fin ordonnée
Snyuit apres le fil de ceste destinée.
La souche (ce dict lon) au feu fut consommée.
Et deslors (grãd miracle) en vn mesme momãt
On veid tout a vñ coup, du miserable amant
La vie & le tison, s'en aller en fumée?

XXII.

Quand tes yeux conquerans estonné ie regarde,
I'y veoy dedans a clair tout mon espoir escript:
I'y veoy dedans amour, luy mesme qui me rit,
Et m'y monstre mignard le bon heur qu'il me
garde.
Mais quand de te parler par fois ie me hazarde,
C'est lors que mon espoir desseiché se tarit.
Et d'aduouër iamais ton œil, qui me nourrit,
D'vn seul mot de faueur, cruelle tu n'as garde.
si tes yeux sont pour moy, or voy ce que ie dis,
Ce sont ceux la, sans plus, a qui ie me rendis.

M

Mon Dieu quelle querelle en toy mesme se dresse,
Si ta bouche & tes yeux se veulent desmentir?
Mieux vaut, mon doux tourment, mieux vaut
les despartir:
Et que i e prenne au mot de tes yeux la promesse.

XXIII.

Ce sont tes yeux tranchans qui me font le courage,
Ie veoy saulter dedans la gaye liberté,
Et mon petit archer, qui mene a son costé
La belle gaillardise & plaisir le volage.
Mais apres, la rigueur de ton triste langage
Me monstre dans ton cœur la fiere honesteté.
Et condamné ie veoy la dure chasteté,
Là grauement assise & la vertu sauuage,
Ainsi mon temps diuers par ces vagues se passe.
Ores son œil m'appelle, or sa bouche me chasse.
Helas, en c'est estrif, combien ay i'enduré.
Et puis qu'on pense auoir d'amour quelque as-
seurance,
Sans cesse nuict & iour a la seruir ie pense:
N y encor de mon mal, ne puis estre assuré.

XXIIII.

Or dis ie bien, mon esperance est morte.
Or est ce faict de mon aise & mon bien.
Mon mal est clair: maintenant ie veoy bien,
I'ay espousé la douleur que ie porte.
Tout me court sus, rien ne me reconforte,
Tout m'abandonne & d'elle ie n'ay rien,
Sinon tousiours quelque nouueau soustien,
Qui rend ma peine & ma douleur plus forte.

Ce que i'attends, c'est vn iour d'obtenir
  Quelques souspirs des gens de l'aduenir:
Quelqu'vn dira dessus moy par pitié:
  Sa dame & luy nasquirent destinez,
  Egalement de mourir obstinez,
  L'vn en rigueur, & l'autre en amitié.

XXV.

I'ay tant vescu, chetif, en ma langueur,
  Qu'or i'ay veu rompre, & suis encor en vie,
  Mon esperance auant mes yeux rauye,
  Contre lesqueulh de sa fiere rigueur.
Que m'a seruy de tant d'ans la longueur?
  Elle n'est pas de ma peine assouuie:
  Elle s'en rit, & n'a point d'autre enuie,
  Que de tenir mon mal en sa vigueur.
Donques i'auray, mal'heureux en aimant
  Tousiours vn cœur, tousiours nouueau tourmēt.
Ie me sens bien que i'en suis hors d'halaine,
  Prest a laisser la vie soubz le faix:
  Qu'y feroit on sinon ce que ie fais?
  Piqué du mal, ie m'obstine en ma peine.

XXVI.

Puis qu'ainsi sont mes dures destinées,
  I'en saouleray, si ie puis, mon soucy.
  Si i'ay du mal, elle le veut aussi.
  I'accompliray mes peines ordonnées.
Nymphes des bois qui auez estonnées,
  De mes douleurs, ie croy quelque mercy,
  Qu'en pensez vous? puis ie durer ainsi,
  Si a mes maux tresfics ne sont données?

Or si quelqu'vne a mescouter s'encline,
  Oyez pour Dieu ce qu'ores ie deuine.
Le iour est pres que mes forces ia vaines
  Ne pourront plus fournir a mon tourment.
  C'est mon espoir, si ie meurs en aimant,
  A donc, ie croy, failliray ie a mes peines.

XXVII.

Lors que lasse est de me lasser ma peine,
  Amour d'vn bien mon mal refreschissant,
  Flate au cœur mort ma playe languissant,
  Nourrit mon mal, & luy faict prendre alaine.
Lors ie conçoy quelque esperance vaine:
  Mais àussi tost, ce dur tiran, s'il sent
  Que mon espoir se renforce en croissant,
  Pour l'estoufer, cent tourmans il m'ameine,
Encor tous frez: lors ie me veois blasmant
  D'auoir esté rebelle a mon tourmant.
Viue le mal, ô dieux, qui me deuore,
  Viue a son gré mon tourmant rigoureux.
  O bien heureux, & bien heureux encore
  Qui sans relasche est tousiours mal'heureux.

XXVIII.

Si contre amour ie n'ay autre deffence
  Je m'en plaindray, mes vers le maudiront,
  Et apres moy les roches rediront
  Le tort qu'il faict a ma dure constance.
Puis que de luy i'endure ceste offence,
  Au moings tout haut, mes rithmes le diront.
  Et nos neueus, a lors qu'ilz me liront,
  En l'outrageant, m'en feront la vengeance.

                           Ayant

Ayant perdu tout l'aise que i'auois,
  Ce sera peu: que de perdre ma voix.
S'on sçait l'aigreur de mon triste soucy,
  Et fut celuy qui m'a faict ceste pláye,
  Il en aura, pour si dur cœur qu'il aye,
  Quelque pitié, mais non pas de mercy.

XXIX.

I'a reluisoit la benoiste iournée
  Que la nature au monde te denoit,
  Quand des thresors qu'elle te reseruoit
  Sa grande clef, te fust abandonnée.
Tu prins la grace a toy seule ordonnée,
  Tu pillas tant de beauté qu'elle auoit:
  Tant qu'elle, fiere, a lors qu'elle te veoit
  En est par fois, elle mesme estonnée.
Ta main de prendre en fin se contenta:
  Mais la nature encor te presenta,
Pour t'enrichir, ceste terre ou nous sommes.
  Tu n'en prins rien: mais en toy tu t'en ris,
  Te sentant bien en auoir assez pris
  Pour estre icy royne du cœur des hommes.

CHAP. XXX.

De la moderation.

COmme si nous auions l'attouchement in-
fect, nous corrompons par nostre maniement les choses, qui d'elles mesmes sont belles
& bonnes. Nous pouuons saisir la vertu: de façon qu'elle en deuiendra vicieuse. Comme il
aduient quãd nous l'embrassons d'vn desir trop
aspre & trop violant. Ceux qui disent qu'il n'y
a iamais d'exces en la vertu, d'autãt que ce n'est
plus vertu, si l'exces y est, ils se iouent de la sub
tilité des parolles.

Insani sapiens nomen ferat, æquus iniqui,
Vltra quam satis est, virtutem si petat ipsam.

C'est vne subtile consideration de la philosophie. On peut & trop aimer la vertu, & se porter immoderement en vne action iuste & ver-
tueuse. A ce biaiz se peut accómoder la parol.
diuine, Ne soyez pas plus sages qu'il ne faut:
mais soyez sobrement sages. L'amitié que nous
portons a nos femmes, elle est tres-legitime, la
theologie ne laisse pas de la brider pourtant, &
de la restraindre. Il me semble auoir leu autres-
fois ches saint Thomas, en vn endroit ou il cõ-
demne les mariages des parãtes es degrés def-
fãdus, ceste raison parmy les autres: Qu'il y a dãger que l'amitié qu'on porte a vne telle femme
soit

soit immoderée. Car si l'affection maritalle s'y
trouue entiere & perfaicte, comme elle doit, &
qu'on la surcharge encore de celle qu'on doit a
la parantelle : il n'y a point de doubte, que ce
surcroist n'éporte vn tel mary hors les barrieres de la raison, soit en l'amitié, soit aux effectz
de la iouissance. Les sciéces qui réglét les meurs
des hommes, comme la religion & la philosophie, elles se meslent de tout. Il n'est null'actiõ
si priuée & si secrette, qui se desrobe de leur cognoissance & iurisdiction. Ie veux donc de leur
part apprandre encore cecy aux maris (car il y a
grand dangier qu'ils ne se perdent en ce debor-
dement) c'est que les plaisirs mesmes qu'ilz ont
a l'acointáce de leurs femmes, ils sont merueilleusement reprouuez, si la moderation n'y est
obseruée : & qu'il y a dequoy saillir en licéce &
desbordement en ce subiet la, comme en vn suiect estrágier & illegitime. C'est vne religieuse liaison & deuote que le mariage, voila pourquoy le plaisir qu'õ en tire, ce doit estre vn plai
sir retenu, serieux & meslé a quelque peu de se-
uerité. Ce doit estre vne volupté aucunement
cõsciétieuse. Et par ceque sa principale sin c'est
la generation, il y en a qui mettent en doubte,
si lors que nous sommes sans l'esperance de cest
vsage, comme lors que les femmes sont hors
d'aage, ou enceinte, il est permis d'en rechercher
cette accointáce. Cela tiés ie pour certain qu'il
est beaucoup plus sainct de s'en abstenir. Les

M 4

Roys de Perse appelloint leurs fēmes a la cōpaignie de leurs festins : mais quand le vin venoit a les eschaufer en bon escient, & qu'il falloit tout a fait lascher la bride a la desbauche, ils les renuoioint en leur priué, pour ne les faire participantes des exces de leurs appetits desreglez & immoderez, & faisoient venir en leur lieu des femmes, ausquelles ils n'eussent point ceste obligation & ce respect. A Elius Verus l'Empereur respōdit a sa femme sur ce propos, comme elle se plaignoit, dequoy il se laissoit aler a l'amitié d'autres femmes, qu'il le faisoit par occasion conscientieuse, d'autant que le mariage estoit vn nom d'honneur & dignité, non de folastre & lasciue volupté. Il n'est en somme nulle si iuste volupté, en laquelle l'exces & l'intemperance ne nous soit reprochable. Mais a parler en bō escient, est ce pas vn miserable animal que l'homme ? a peine est-il en son pouuoir par sa condition naturelle, de gouter vn seul plaisir entier & pur, encore se met il en peine de le retrencher par discours. Il n'est pas assez chetif, si par art & par estude il n'augmente sa misere : quoy que nos medecins spirituels & corporels, comme par complot fait entre eux, ne trouuent nulle voye a la guerison, ny remede aux maladies du corps & de l'ame, que par le torment, la douleur & la peine. Les veilles, les ieusnes, les haires, les exils lointains & solitaires, les prisons perpetuelles,

les

les verges & autres afflictiõs ont esté introduites pour cela : mais en telle condition que ce
soint veritablement afflictions, & qu'il y ait de
l'aigreur poignãte. Car a qui le ieusne aiguise-
roit la santé & l'alegresse, a qui le poisson seroit
plus appetissãt que la chair, ce ne seroit plus recepte salutaire, non plus qu'en l'autre medicine
les drogues n'õt point d'effect a l'endroit de celuy, qui les prend auec goust & plaisir. L'amertume & la difficulté sont circonstances seruants
a leur operation. Le naturel qui accepteroit la
rubarbe comme familiere, en corromproit l'v-
sage : il faut que ce soit chose qui blesse nostre
estomac pour le guerir. Et icy faut la regle cõ-
mune, Que les choses se guerissent par leurs cõ-
traires : car le mal y guerit le mal.

CHAP. XXXI.

Des Cannibales.

Vãd le·Roy Pyrrhus passa en Italie, apres
qu'il eut recõneu l'ordonnance de l'armée
que les Romains luy enuoioiét au deuant, ie ne
sçay, dit il, quels barbares sont ceux-ci (car les
Grecs appelloient toutes les nations barbares)
mais la disposition de ceste armée, que ie voy,
n'est aucunemnet barbare. Autant en dirćt les
Grecs de celle que Flaminius fit passer en leur
païs. Voila cõment il se faut garder de s'atacher

M 5

aux opinions vulgaires, & faut iuger les choses
par la voye de la raison, non de la voix commune. I'ay eu lõg temps auec moy vn homme qui
auoit demeuré dix ou douze ans en c'est autre
monde, qui a esté descouuert en nostre siecle
en l'endroit ou Vilegainõ print terre, qu'il sur-
nomma la France Antartique. Ceste descouuerte d'vn païs infini de terre ferme, semble de
grande consideration. Ie ne sçay si ie me puis
respondre que il ne s'en face a l'aduenir quelqu'autre, tant de grands personnages ayans
esté trompez en ceste-ci. I'ay peur que nous a-
uons les yeus plus grands que le ventre, comme on dict, & le dit on de ceus, ausquels l'appe
tit & la faim font plus desirer de viande, qu'ils
n'en peuuët empocher. Ie crains aussi que nous
auons beaucoup plus de curiosité, que nous n'a-
uons de capacité. Nous embrassons tout: mais
ie crains que nous n'étreignons rien que du
vent. Platon introduit Solon racontant auoit
apris des prestres de la ville de Saïs en AEgypte, que iadis & auant le deluge, il y auoit vne
grande Isle nõmée Athlantide, droict a la bouche du destroit de Gibaltar, qui tenoit plus de
païs que l'Afrique & l'Asie toutes deux ensemble : & que les Roys de ceste contrée la, qui ne
possedoint pas seulement ceste isle, mais s'e-
stoint estédus dans la terre ferme si auãt, qu'ils
tenoint de la largeur d'Afrique, iusques en AE-
gypte, & de la longueur de l'Europe, iusque
en

en la Toscane entreprindrēt d'eniāber iusques
sur l'Asie,& subiuguer toutes les natiõs qui bor
dent la mer Mediterrancée iusques au golfe de
la mer Maiour, & pour cest effect trauerserent
les Espaignes, la Gaule, l'Italie iusques en la
Grece, ou les Atheniens les soustindrent:mais
que quelque temps apres & les Atheniens &
eux & leur isle furent engloutis par le deluge.
Il est bien vray-semblable que cest extreme ra-
uage d'eaux ait faict des changemens estranges
aux habitations de la terre,comme on tient que
la mer a retranche la Sycile d'auec l'Italie, Chi
pre d'auec la Surie, l'isle de Negrepont de la
terre ferme de la Beoce:& ioint ailleurs les ter
res qui estoint diuisées, comblant de limon &
de sable les fossez d'entre-deux.

Sterilisque diu palus aptáque remis
Vicinas vrbes alit , & graue sentit aratrum.

Mais il n'ya pas grande apparēce que ceste Isle
soit ce monde nouueau , que nous venons de
descouurir,car elle touchoit quasi l'Espaigne:&
ce seroit vn effect incroyable d'inundation, de
l'en auoir reculée , comme elle est, de plus de
douze cēs lieuës,outre ce q̃ les nauigations des
modernes ont des-ia presque descouuert , que
ce n'est point vne isle, ains terre ferme & con-
tinēcte auec l'Inde orićtale d'vn costé,& auec les
terres qui sont sous les deux poles d'autre part:
ou si elle en est separée , que c'est d'vn si petit
destroit

deftroit & interualle, qu'elle ne merite pas d'e-
ftre nommée ifle pour cela. L'autre tefmoignage de l'antiquité, auquel on veut raporter cefte
defcouuerte, eft dás Ariftote, au moins fi ce petit liuret des merueilles inouies eft a luy. Il ra-
côte la que certains Carthaginois s'eftát iettez
au trauers de la mer Athlátique hors le deftroit
de Gibaltar, & nauigué lóg temps, auoint defcouuert en fin vne grande ifle fertile, toute re-
ueftue de bois, & arroufée de grandes & pro-
fondes riuieres fort efloignée de toutes terres
fermes:& qu'eus & autres dépuis atirez par la
bonté & fertilité du terroir s'i en allerent auec
leurs femmes & enfans, & comencerent a s'y
habituer. Les feigneurs de Carthage voiás que
leur pays fe dépeuploit peu a peu, firent deffence expreffe fur peine de mort que nul n'eut plus
a aller la, & en chafferèt ces nouueaus habitás,
craignants, a ce que l'on dit, que par fucceffion
de temps ils ne vinfent a multiplier tellement
qu'ils les fupplantaffent eux mefmes & ruinaf-
fent leur eftat. Cefte narration d'Ariftote n'a
non plus d'accord auec nos terres neufues.
Ceft homme que i'auoy, eftoit homme fimple
& groffier, qui eft vne condition propre a rendre veritable tefmoignage. Car les fines gens
remerquent bien plus curieufement & plus de
chofes, mais ils les glofent: & pour faire valoir
leur interpretatió & la perfuader, ils ne fe peuuent garder d'alterer vn peu l'hiftoire. Ils ne
                                              vous

vous representét iamais les choses pures,ils les
inclinent & masquent selon le visage qu'ils les
ont goustées: & pour dôner credit a leur iugement & vous y attirer, prestent volontiers de
ce costé la a la matiere , l'alongent & l'ampli-
sient . Ou il faut vn homme tres-fidelle,ou si
simple qu'il n'ait pas dequoy bastir & donner
de la vray-semblance a des inuentions fauces:
& qui n'ait rien espousé. Le mien estoit tel: &
outre cela il m'a faict voir a diuerses fois plusieurs matelotz & marchâs,qu'il auoit cogneus
en ce voyage. Ainsi ie me comête de ceste in-
formaciô,sans m'enquerir de ce que les cosmo-
grafes en disent. Il nous faudroit des topogra-
phes qui nous fissent des narratiôs particulieres
des endroitz , ou ils ont esté. Mais pour auoir
cest auantage sur nous, d'auoir veu la Palesti-
ne, ils veulent auoir ce priuilege de nous côter
nouuelles de tout le demeurant du monde . Ie
voudroy que chacū escriuit ce qu'il sçait, & autant qu'il en sçait,non en cela seulemêt,mais en
tous autres subiectz.Car tel peut auoit quelque
particuliere science ou experience de la nature
d'vne riuiere ou d'vne fontaine, qui ne sçait au
reste , que ce que chacun sçait.Il entreprendra
toutes-fois,pour faire courir ce petitlopin,d'escrire toute la physique.De ce vice sourdêt plusieurs grandes incommoditez . Or ie trouue,
pour reuenir a mon propos , qu'il n'y a rien de
barbare & de sauuage en ceste natiô a ce qu'on
m'en

m'en a rapporté: sinon que chacun appelle bar
barie ce qui n'est pas de son vsage, comme de
vray il semble, que nous n'auons autre touche
de la verité, & dela raison, que l'exemple & idée
des opiniōs & vsances du païs ou nous sommes.
La est tousiours la perfaicte religion, la perfaicte police, perfect & accomply vsage de
toutes choses. Ils sont sauuages de mesmes que
nous appellons sauuages les fruits, que nature
de soy & de son progrez ordinaire a produitz.
La ou a la verité ce sont ceux que nous auons
alterez par nostre artifice, & detournez de l'ordre commun, que nous deurions appeller plutost sauuages. En ceux la sont viues & vigoureuses les vrayes & plus vtiles, & naturelles vertus
& proprietés, lesquelles nous auōs abastardies
en ceux-cy, & les auons seulement accommo-
dées au plaisir de nostre goust corrompu . Ce
n'est pas raison que l'art gaigne le point d'honneur sur nostre grāde & puissante mere nature.
Nous auons tant rechargé la beauté & richesse
de ses ouurages par noz inuentions, que nous
l'auons du tout estoufée. Si est-ce que par tout
ou sa pureté reluyt, elle fait vne merueilleuse
hōte a nos vaines & friuoles entreprinses. Tous
nos efforts ne peuuent seulement arriuer a representer le nid du moindre oyselet, sa contexture, sa beauté, & l'vtilité de son vsage: non pas
la tissure de la chetiue & vile araignée. Ces nations me semblent donq ainsi barbares, pour
auoir

auoir receu fort peu de façõ de l'esprit humain,
& estre encore fort voisines de leur naifueté o-
riginelle. Les loix naturelles leur commandẽt
encores, fort peu abastardies par les nostres,
mais c'est en telle pureté, qu'il me prend quelque fois desplaisir, dequoy la cognoissance n'en
soit venue plutost, du temps qu'il y auoit des
hommes, qui en eussent sçeu mieux iuger que
nous. Il me desplait que Licurgus & Platon ne
l'ayent euë. Car il me semble que ce que nous
voyons par experiẽce en ces nations la, surpasse non seulemẽt toutes les peintures, dequoy la
poësie a embely l'age doré, & toutes ses inuen-
.ions a feindre vne heureuse cõdition d'hõmes:
mais encore la conception & le desir mesme
de la philosophie. Ils n'ont peu imaginer vne
naifueté si pure & si simple, comme nous la voyons par experience : ni n'ont peu croire que
nostre societé se peut maintenir auec si peu d'ar
tifice & de soudeure humaine. C'est vne nation,
diroy ie a Platon, en laquelle il n'y a nulle espece de trafique, nulle cognoissance de lettres,
nulle science de nõbres, nul nom de magistrat
ni de superiorité politique, nul goust de seruice,
de richesse, ou de pauureté, nuls cõtrats, nulles
successiõs, nuls partages, nulles occupatiõs qu'oi
siues, nuls respect de parẽté que cõmun, nuls ve
stemẽs, nulle agriculture, nul metal, nul vsage de
vin ou de bled. Les paroles mesmes, qui signi-
fiẽt la mensonge, la trahison, la dissimulation,

l'aua-

l'auarice, l'enuie, la detraction, le pardõ, inouies. Combien trouueroit il la republique qu'il
a imaginée esloignée de ceste perfection? Au
demeurant, ils viuent en vne contrée de païs
tres-plaisante & tres-bien temperée: de façon
qu'a ce que m'õt dit mes tesmoings, il est rare
d'y voir vn hôme malade:& m'ont asseuré n'en
y auoir veu nul tremblant, chassieux, edenté, ou
courbé de vieillesse . Ils sont assis le long de la
mer,& fermez du costé de la terre de grãdes &
hautes môtaignes, ayant entre deux, cent lieuës
ou enuiron d'estendue en large. Ils ont grande
abondãce de poisson & de chairs, qui n'õt nulle
ressemblance aux nostres , & les mangent sans
aucun autre artifice, que de les cuyre. Le premier qui y mena vn cheual , qui les auoit prati-
quez a plusieurs autres voyages , il leur sit tant
d'horreur en ceste assiete, qu'ils le mirent en
pieces a coups de traict , auant que le pouuoir
recognoistre. Leurs bastimés sont fort lõgs
& capables de deux ou trois cêts ames, estofés
d'escorse de grands arbres , tenans a terre par
vn bout & se sostenans & appuyans l'vn contre
l'autre par le feste, a la mode d'aucunes de nos
granges, desquelles la couuerture pend iusques
a terre , & sert de fianq & de paroy. Ils ont du
bois si dur & si ferme; qu'ils en coupent & en
font leurs espées,& des grilles a cuyre leur vian
de . Leurs litz sont d'vn tissu de couton, suspen-
duz contre le toict, comme ceux de nos naui-

res, a chacun le sien . Car les femmes cou-
chent a part des maris. Ils se leuent auec le soleil , & mangent soudain apres s'estre leuez,
pour toute la iournée : car ils ne sont autre repas que celuy-la. Ils ne boyuent pas lors, mais
ils boiuent a plusieurs fois sur iour, & d'autant.
Leur breuuage est faict de quelque racine , &
est de la couleur de nos vins clairets. Ils ne le
boyuent pas autrement que tiede. Ce breuuage
ne se conserue que deux ou trois iours . Il a le
goust vn peu piquant, nullement fumeux, salutaire a l'estomac , & laxatif a ceux qui ne l'ont
guiere accoustumé. C'est vne boisso tresagrea-
ble a ceux qui y sont duits. Au lieu du pain ils
mangét d'vne certaine matiere blanche, cóme
du coriandre confit . I'en ay tasté: il a le goust
dous & vn peu fade. Toute la iournée se passe a
dancer. Les plus ieunes vont a la chasse des bestes, a tout des arcs. Vne partie des femmes s'a-
masent cepédant a chaufer leur breuuage, qui
est le principal office qu'ils reçoiuent d'elles.
Il y a quelqu'vn des vieillars, qui le matin auát
qu'ils se mettent a manger, les presche en com
mun toute vne grangée , en se promenant d'vn
bout a autre, & redisant vne mesme clause a plu
sieurs fois, iusques a ce qu'il ayt acheué le tour
(car ce sont bastimens qui ont bien cent pas
de longueur) il ne leur recommande que deux
choses, la vailláce contre les ennemis, & l'amitié a leurs femmes. Et ne faillent iamais de re-

N

merquer ceste obligation pour leur refrein,
que ce font elles qui leur maintiennent leur
boiſſon tiede & aſſaiſonnée. Il ſe void en pluſieurs lieux, & entre autres chez moy, la forme
de leurs lits, de leurs cordons, de leurs eſpées, &
braſſelets de bois, dequoy ils couurent leurs
poignets aus combats, & des grandes cannes
ouuertes par vn bout, par le ſon deſquelles ils
ſouſtiennent la cadance de leur dance. Ils ſont
ras par tout, & ſe font le poil beaucoup plus nettement que nous, ſans raſouër. Ils croyent les
ames eternelles, & celles qui ont bien merité
des dieus eſtre logées a l'endroit du ciel ou le
ſoleil ſe leue: les maudites, du coſté de l'Occident. Ils ont ie ne ſçay quels preſtres & pro-
phetes qui ſe preſentent bien rarement au peuple, ayant leur demeure aus montaignes. A
leur arriuée il ſe faict vne grãde feſte & aſſemblée ſolenne de pluſieurs vilages (chaque gran
ge comme ie l'ay deſcrite, faict vn vilage, &
ſont enuiron a vne lieuë Françoiſe l'vne de l'autre.) Ce prophete parle a eus en public, les ex-
hortant a la vertu & a leur deuoir: mais toute
leur ſcience ethique ne contient que ces deux
articles de la reſolution a la guerre, & affection
a leurs femmes. Cetuy-cy leur prognoſtique
les choſes a-venir, & les euenemens qu'ils doiuent eſperer de leurs entreprinſes: les achemine ou deſtourne de la guerre. Mais c'eſt en
                                        telle con-

telle condition, que s'il faut a bien deuiner, &
s'il leur aduient autrement qu'il ne leur a pre-
dit, il est haché en mille pieces, s'ils l'atrapēt,
& condamné pour faux prophete. A ceste cause celuy qui s'est vne fois mesconté on ne le
roid plus. Ils ont leurs guerres contre les nations qui sont au-dela de leurs montaignes,
plus auant en la terre ferme, ausquelles ils vont
tous nuds, n'ayant autres armes que des arcs ou
des espées apointées par vn bout a la mode des
langues de noz espieux. C'est chose esmer-
ueillable que de la fermeté de leurs combats,
qui ne finissent iamais que par meurtre & effu-
sion de sang, car de routes & d'effroy ils ne
sçauent que c'est. Chacun raporte pour son tro-
phée la teste de l'ennemy qu'il a tué, & la plante a l'entrée de son logis. Apres auoir long
temps bien traité leurs prisoniers, & de toutes
les commoditez, dont ils se peuuent aduiser,
celuy qui en est le maistre, faict vne grāde asse-
blée de ses cognoissans. Il attache vne corde
a l'vn des bras du prisonnier, & donne au plus
fidelle de ses amis l'autre bras a tenir de mesme, & eux deux en presence de toute l'assemblée l'assomment a coups d'espée. Apres cela
ils le rostissent & en mangent en comun, & en
enuoyēt des lopins a ceux de leurs amis qui sont
absiens. Ce n'est pas comme on pense pour s'en
nourrir, ainsi que faisoint anciennemēt les Scytes, c'est pour representer vne extreme vegean-

ce, Et qu'il soit ainsi, ayãt apperceu que les Por
tuguois, qui s'eſtoint ralliez a leurs aduerſaires,
vſoint d'vne autre ſorte de mort cõtre eux, quãd
ils les prenoint, qui eſtoit de les enterrer iuſques a la ceinture, & tirer au demeurãt du corps
force coups de traict, & les pendre apres: ils
penſerent que ces gens icy de l'autre monde,
comme ceux qui auoint ſemé la cõnoiſſance de
beaucoup de vices par mi leur voiſinage, & qui
eſtoint beaucoup plus grands maiſtres qu'eux
en toute ſorte de malice, ne prenoint pas ſans oc
caſion ceſte ſorte de vengeance, & qu'elle deuoit eſtre plus aigre que la leur, commencerẽt
de quitter leur façon ancienne, pour ſuiure ceſte cy. Ie ne ſuis pas marri que nous remerquõs
l'horreur barbareſque, qu'il y a en vne telle a-
ction : mais ouy bien dequoy iugeans bien de
leurs fautes nous ſoyõs ſi aueuglez aus noſtres.
Ie penſe qu'il y a plus de barbarie a manger vn
homme viuant, qu'a le manger mort, a deſchirer par tourmens & par geénes vn corps encore plein de ſentiment, le faire roſtir par le menu, le faire mordre & meurtrir aux chiens &
aus pourceaux: comme nous l'auons, non ſeulement leu, mais veu de freſche memoire, non
entre des ennemis anciens, mais entre des
voiſins & concitoyens, & qui pis eſt, ſous pretexte de pieté & de religion, que de le roſtir
& manger apres qu'il eſt treſpaſſé. Chryſippus & Zenon chefs de la ſecte Stoicque, ont
bien

bien pensé qu'il n'y auoit nul mal de se seruir
de nostre charoigne a quoy que ce fut, pour no
stre besoin, & d'en tirer de la nourriture:com
me nos ancestres estans assiegez par Cæsar en
la ville de Alexia se resolurent de soustenir la
faim de ce siege par les corps des vieillards,
des femmes & toutes autres personnes inutiles
au combat. Et les medecins ne creignent pas
de s'en seruir a toute sorte d'vsage, pour nostre
santé, soit pour l'appliquer au dedans, ou au dehors. Mais il ne s'y trouua iamais nulle opiniõ si
desreglée, qui excusat la trahisõn, la desloyauté,
la tyrannie, la cruauté, qui sont nos fautes ordinaires. Nous les pouuons donq bien appeller
barbares eu esgard aux regles de la raison:mais
non pas eu esgard a nous, qui les surpassons en
toute sorte de barbarie . Leur guerre est toute
noble & genereuse , & a autant d'excuse & de
beauté que ceste maladie humaine en peut receuoir. Elle n'a autre fondemẽt par mi eux, que
la seule ialousie de la vertu. Ils ne sont pas en
debat de la conqueste de nouuelles terres : car
ils iouïssent encore de ceste vberté naturelle,
qui les fournit sans trauail & sans peine de toutes choses necessaires en telle abõdance, qu'ils
n'õt que faire d'agrãdir leurs limites.Ils sõt en
core en cest heureux point de ne desirer qu'autant que leurs necessitez naturelles leur ordonnent: tout ce qui est dela,est superflu pour eus.
Ils s'entrapellent generalemẽt ceux de mesme

N 3

aage freres, enfans: ceux qui sont au dessous, &
& les veillarts sont peres a tous les autres.
Ceux-cy laissent a leurs suiuans & enfans en
commun ceste pleine possession de biens par
indiuis, sans autre titre que celuy tout pur que
nature donne a ses creatures les produisant au
monde. Si leurs voisins passent les montaignes
pour les venir assaillir, & qu'ils emportent la
victoire sur eux, l'aquest du victorieux c'est la
gloire, & l'auantage d'estre demeuré maistre
en valeur & en vertu. Car autrement ils n'ont
que faire des biens des vaincus, & s'en retour-
nent a leur païs, ou ils n'ont faute de nulle chose necessaire: ni faute encore de ceste grande
partie de sçauoir heureusement iouïr de leur
condition, & s'en contenter. Autant en font
ceux-cy a leur tour. Ils ne demandent a leurs
prisonniers autre rançõ que la confession & recognoissance d'estre vaincus. Mais il ne s'en
trouue pas vn en tout vn siecle, qui n'aime mieux
la mort, que de relascher, ni par contenance, ni
de parole, vn seul point d'vne grandeur de courage inuincible. Il ne s'en void nul qui n'aime
mieux estre tué & mangé, que de requerir seulement de ne l'estre pas. Ils les traictẽt en toute liberté, & leur fournissent de toutes les com
moditez, dequoy ils se peuuent aduiser, affin que
la vie leur soit d'autant plus chere: & les entre-
tiennent communement des menasses de leur
mort future, des tourmés qu'ils y auront a souffrir

frir,des apprests qu'on dresse pour cest effect,
du detranchement de leurs membres,& du festin qui se fera a leurs despans.Tout cela se faict
pour ceste seule fin d'arracher de leur bouche
quelque parole molle ou rabaissée, ou de leur
donner enuie de s'en fuyr , pour gaigner cest
auantage de les auoir espouuantez , & d'auoir
faict force a leur vertu & leur constáce:car aussi
a le bien prendre,c'est en ce seul point que cósiste la vraye & solide victoire . Tous les autres
auantages que nous gaignons sur nos ennemis,
ce sont auantages empruntéz,ils ne sont pas no-
stres.C'est la qualité d'vn portefaix nó de la ver
tu, d'auoir les bras & les iábes pl⁹ roides. C'est
vne qualité morte & corporelle que la disposi-
sitió: c'est vn coup de la fortune de faire broncher nostre ennemy & de luy faire siller les
yeux par la lumiere du Soleil:c'est vn tour d'art
& de sciéce,& qui peut túber en vne personne
lâche & de neant d'estre suffisant a l'escrime.
L'estimation & le pris d'vn homme cósiste au
cœur & en la volonté . C'est la ou gist son vray
honneur.La vaillance c'est la fermeté,non pas
des iambes & des bras, mais du courage & de
l'ame. Elle ne cósiste pas en la valeur de nostre
cheual,ni de nos armes,mais en la nostre. Celuy qui tombe obstiné en son courage,qui pour
quelque dangier dela mort voisine ne relasche
nul point de sa constance & asseurance, qui regarde encores en rendant l'ame son ennemy

N 4

d'vne veuë ferme & defdaigneufe , il eft batu
non pas de nous, mais de la fortune: il eft vaincu par effect, & nó pas par raifon: c'eft fon malheur qu'on peut accufer, non fa lácheté. Pour
reuenir a noftre hiftoire , il s'en faut tant que
ces prifonniers fe rendent, pour tout ce qu'on
leur fait , qu'au rebours pendant ces deux ou
trois mois qu'on les garde, ils portent vne contenance gaye , ils preffent leurs maiftres de fe
hafter de les mettre en cefte efpreuue , ils les
deffient, les iniurient, leur reprochent leur lácheté & le nóbre des batailles perdues contre
les leurs. I'ay vne chanfon faicte par vn prifonnier, ou il y a ce traict : qu'ils viennent hardiment trétous & s'affemblét pour difner de luy,
car ils mangeront quant & quant leurs peres
& leurs ayeux, qui ont ferui d'aliment & de
nourriture a fon corps: ces mufcles, dict il, cefte cher & ces veines, ce fót les voftres, pauures
fols que vous eftes , vous ne recognoiffez pas
que la fubftance des membres de voz anceftres
s'y tient encore. Sauourez les bien, vous y trouuerez le gouft de voftre propre chair . Qui eft
vne inuention, qui ne fent nullement la barbarie . Ceux qui les peignent mourans, & qui reprefentent cefte action quand on les affomme,
ils peignent le prifonnier crachât au vifage de
ceux qui les tuent, & leur faifant la mouë. De
vray ils ne ceffent iufques au dernier foufpir de
les brauer & deffier de parole & de cótenance.

Sans

Sans mentir, au pris de nous, voila des hommes
bien sauuages: car ou il faut qu'ilz le soint bien
a bon escient, ou que nous le soions : il y a vne
merueilleuse distance entre leur constance &
la nostre. Les hommes y ont plusieurs femmes:
& en ont d'autant plus grand nombre, qu'ilz
sont en meilleure reputation de vaillance. C'est
vne beauté remercable en leurs mariages, que
la mesme jalousie que nos femmes ont pour
nous empescher de l'amitié & bien-veuillance
d'autres femmes, les leurs l'ont toute pareille
pour la leur acquerir. Estans plus soigneuses de
l'honneur de leurs maris, que de toute autre
chose, elles cerchent & mettent toute leur soli-
citude a auoir le plus de côpagnes qu'elles peuuent, d'autant que c'est vn tesmoignage de la
valeur du mary. Et afin qu'on ne panse point
que tout cecy se face par vne simple & seruile
obligation a leur vsance, & par l'impression de
l'authorité de leur ancienne coustume, sans discours & sans iugement, & pour auoir l'ame si
stupide que de ne pouuoir prendre autre parti:
il faut alleguer quelques traitz de leur suffisance. Outre celuy que ie vien de reciter de l'vne
de leurs chansons guerrieres, i'en ay vn'autre
amoureuse qui commance en ce sens : Cou-
leuure arreste toy, arreste toy coleuure, afin
que ma sœur tire sur le patron de ta peinture, la
façô & l'ouurage d'vn riche cordon, que ie puisse donner a m'amie : ainsi soit en tout temps ta

beauté & ta disposition preferée a tous les autres serpés. Ce premier couplet c'est le refrein
de la chanson. or i'ay assez de commerce auec
la poësie pour iuger cecy, que non seulement il
n'y a rien de barbarie en ceste imagination,
mais qu'elle est tout a fait Anacreontique. Leur
langage au demeurant, c'est le plus doux langage du monde , & qui a le son le plus agreable a
l'oreille. Il retire fort aux terminaisons grecques. Trois d'entre eux, ignorans combien cou-
tera vn iour a leur repos & a leur bon heur, la
conoissance des corruptions de deça, & que de
ce commerce naistra leur ruine, comme ie pre-
supose qu'elle soit des-ia auancée, bien miserables de s'estre laissez piper au desir de la nouuelleté , & auoir quitté la douceur de leur ciel,
pour venir voir le nostre, furét a Roüan du téps
que le feu Roy Charles neufiesme y estoit. Le
Roy parla a eux long temps, on leur fit voir nostre façon, nostre pompe , la forme d'vne belle
ville. Apres cela, quelqu'vn leur en demáda leur
aduis, & voulut sçauoir d'eux, ce qu'ils y auoint
trouué de plus admirable: ils respondirent trois
choses, d'ou i'ay perdu la troisiesine , & en suis
bié marry, mais i'en ay encore deux en memoire. Ilz dirent qu'ilz trouuoint en premier lieu
fort estrange, que tant de grandz hómes portás
barbe, roides , fortz & armez , qui estoint au
tour du Roy (il est vray semblable que ilz parloint des Souisses de sa garde) se soubs-missent
a obeir

a obeir a vn enfant, & qu'on ne choisissoit plus
tost quelqu'vn d'entre eux pour commãder:Se-
condement (ilz ont vne façon de leur langage
telle qu'ils nomment les hômes moitié les vns
des autres) qu'ilz auoint aperceu qu'ilz y auoit
parmy nous des hommes pleins & gorgez de
toute sorte de commoditez,& biẽ soulz, & que
leurs moitiez estoint mendians a leurs portes,
décharnez de faim & de pauureté,& trouuoint
estrange comme ces moitiez icy necessiteuses
pouuoint souffrir vne telle iniustice , qu'ilz ne
prinsent les autres a la gorge,ou missent le feu
a leurs maisons. Ie parlay a l'vn d'eux fort long
temps: mais i'auois vn truchement qui me suy-
uoit si mal,& qui estoit si empesché a receuoir
mes imaginations par sa bestise,que ie n'ẽ peus
tirer guiere de plaisir. Sur ce que ie luy deman-
day quel fruit il receuoit de la superiorité qu'il
auoit parmy les siens(car c'estoit vn Capitaine,
& nos matelots le nommoint Roy) il me dict
que c'estoit marcher le premier a la guerre : de
combien d'hommes il estoit suiui : il me mon-
tra vne espace de lieu, pour signifier que c'e-
stoit autãt qu'il en pourroit en vne telle espace:
ce pouuoit estre quatre ou cinq mille hom-
mes:si hors la guerre toute son authorité estoit
expirée : il dict qu'il luy en restoit cela , que
quand il visitoit les vilages qui dépendoint de
luy, on luy dressoit des sentiers au trauers des
hayes de leurs bois, par ou il peut passer bien a
l'aise.

laiſſe. Tout cela ne va pas trop mal. Mais quoy,
ils ne portent point de haut de chauſſes.

CHAP. XXXII.

Qu'il faut ſobrement ſe meſler de iuger des
ordonnances diuines.

LE vray champ & ſubiect de l'impoſture
ſont les choſes inconnuës, d'autant qu'en
premier lieu l'eſtrangeté meſme donne credit,
& puis n'eſtant point ſubiectes a nos diſcours
ordinaires elles nous oſtent le moyen de les
combatre, d'ou il aduient qu'il n'eſt rien creu
ſi fermement que ce qu'on ſçait le moins , ny
gens ſi aſſeurez que ceux qui nous content des
fables, comme Alchimiſtes, Prognoſtiqueurs,
Iudiciaires, Chiromantiens, Medecins, *id genus
omne*. Auſquelz ie ioindrois volontiers, ſi i'o-
ſois, vn tas de gens, interpretes & côtrerolleurs
ordinaires des deſſains de Dieu, faiſans eſtat de
trouuer les cauſes de chaſque accident , & de
veoir dans les ſecretz de la volonté diuine, les
motifs incomprehenſibles de ſes operations.
Et quoy que la varieté & diſcordance côtinuel-
le des euenemens les reiette de coin en coin, &
d'orient en occident , ils ne laiſſent de ſuiure
pourtant leur eſteuf, & de meſme creon peindre le blanc & le noir. Suffit a vn Chreſtien
croire toutes choſes venir de Dieu , les receuoir

uoir auec reconnoiſſance de ſa diuine & inſcru-
table ſapience, pourtant les prendre en bonne
part, en quelque viſage & gouſt qu'elles luy
ſoint enuoyées. Mais ie trouue mauuais ce que
ie voy en vſage de chercher afermir & appuyer
noſtre religion par le bon-heur & proſperité
de nos entrepriſes. Noſtre creance a aſſez d'autres fondemens ſans l'authoriſer par les euenemens. Car le peuple accouſtumé a ces argumés
plauſibles & proprement de ſon gouſt, il eſt
dangier, quand les euenemens viennent a leur
tour contraires & deſ-auantageux, qu'il en eſ-
branle ſa ſoy: comme aux guerres ou nous ſommes pour la religion, ceux qui eurent l'aduantage au rencontre de la Rochelabeille faiſans
grand feſte de ceſt accident, & ſe ſeruans de ceſte fortune pour certaine approbation de leur
party: quand ils viennent apres a excuſer leurs
deſfortunes de Montcontour & de Iarnac, ſur-
ce que ce ſont verges & chaſtiemens paternelz,
s'ilz n'ont vn peuple du tout a leur mercy, ilz
luy font aſſez aiſément ſentir que c'eſt prendre
d'vn ſac deux mouldures, & de meſme bouche
ſouffler le chaud & le froid. Il vaudroit mieux
l'entretenir des vrays fondemens de la verité.
C'eſt vne belle bataille nauale qui s'eſt gai-
gnée ces mois paſſez contre les Turcs ſous la
conduite de don Ioan d'Auſtria, mais il a bien
pleu a Dieu en faire autres-fois voir d'autres
telles a nos deſpens. Somme il eſt mal ayſé de
ramener

ramener les choses diuines a nostre suffisance,
qu'elles n'y souffrent du deschet. Et qui voudroit rendre raison de ce que Arrius & Leõ son
Pape, chefs principaux de ceste heresie moururent en diuers temps de morts si pareilles & si
estranges (car retirez de la dispute par douleur
de ventre a la garderobe tous deux y rendirent
subitement l'ame) & exagerer ceste vengeance
diuine par la circonstance du lieu, y pourroit
bien encore adiouster la mort de Heliogaba-
lus, qui fut aussi tué en vn retraict. Mais quoy?
le martyr Irenée se trouue engagé en mesme
fortune. Somme il se faut contenter de la lumiere qu'il plait au Soleil nous communiquer
par ses rayons : & qui esleuera ses yeux pour en
prendre vne plus grande dans son corps mesme, qu'il ne trouue pas estrange si pour la peine
de son outrecuidance il y perd la veüe.

CHAP. XXXIII.

De fuir les voluptez au pris de la vie.

J'Auois bien veu cõuenir en cecy la pluspart
des anciennes opinions, Qu'il est heure de
mourir lors qu'il y a plus de mal que de bien a
viure : & que de conseruer nostre vie a nostre
tourment & incommodité c'est choquer les
reigles mesmes de nature , comme disent ces
vieilles regles.

ἢ ζῆν ἀλύπως, ἢ θανεῖν εὐδαιμόνως
Καλὸν θνήσκειν οἷς ὕβριν τὸ ζῆν φέρει
Κρεῖσσον τὸ μὴ ζῆν ἐςὶν ἢ ζῆν αἰχλίως.

Mais de pousser le mespris de la mort iusques a
tel degré que de l'employer pour se distraire
des honneurs, richesses, grandeurs, & autres faueurs & biens que nous appellons de la fortune, comme si la raison n'auoit pas assez affaire a
nous persuader de les abandonner, sans y adiouter ceste nouuelle recharge, ie ne l'auois veu ny
commander ny pratiquer, iusques lors que ce
passage de Seneca me tomba entre mains : auquel conseillant a Lucilius personnage puissant
& de grande authorité autour de l'Empereur,
de changer ceste vie voluptueuse & tumultuai-
re, & de se retirer de ceste presse du monde, a
quelque vie solitaire tranquille & philosophique, surquoy Lucilius alleguoit quelques difficultez, Ie suis d'aduis (dict-il) que tu qui-
tes ceste vie la, ou la vie tout a faict. Bien te
conseille-ie de suiure la plus douce voye, & de
destacher plustost que de rompre ce que tu as
mal noüé, pourueu que s'il ne se peut autrement destacher, tu le rompes. Il n'y a homme
si coüard qui n'ayme mieux tomber vne fois,
que de demeurer tousiours en branle. I'eusse
trouué ce conseil sortable a la rudesse Stoique:
mais il est plus estrange qu'il soit emprunté
d'Epicurus, qui escrit a ce propos, choses toutes
pareil-

pareilles a Idomeneus. Si est-ce que ie pense a-
uoir remarqué quelque traict semblable parmi
nos gens, mais auec la moderation Chrestienne. S. Hilaire euesque de Poitiers, ce fameux
ennemy de l'heresie Arriene estât en Syrie fut
aduerti qu'Abra sa fille vnique, qu'il auoit laissée pardeça auecques sa mere, estoit poursuiuie
en mariage par les plus apparens seigneurs du
païs, comme fille tres-bien nourrie, belle, riche, & en la fleur de son aage.   Il luy escriuit
(comme nous voyons) qu'elle ostât son affection de tous ces plaisirs & aduantages, qu'on
luy presentoit: qu'il luy auoit trouué en sõ voyage vn party bien plus grand & plus digne, d'vn
mary de bien autre pouuoir & magnificence,
qui luy feroit presens de robes & de ioyaux de
pris inestimable. Son dessein estoit de luy faire
perdre le goust & l'vsage des plaisirs mondains
pour la ioindre toute a Dieu.   Mais a cela le
plus court & plus certain moien luy semblant
estre la mort de sa fille, il ne cessa par veus, prieres, & oraisons de faire requeste a Dieu de l'o-
ster de ce monde, & de l'apeller a soy: comme il
aduint. car bien-tost apres son retour elle luy
mourut, dequoy il monstra vne singuliere allegresse. Cestuy-cy semble encherir sur les autres, de ce qu'il s'adresse a ce moyen de prime
face, qu'ilz ne prennent que subsidierement, &
puis que c'est a l'endroit de sa fille vnique.
Mais ie ne veux obmettre le bout de ceste histoire

stoire, encore qu'il ne soit pas de mon propos.
La femme de sainct Hilaire ayant entendu par
luy , comme la mort de leur fille s'estoit conduite par son dessein & volonté, & combien elle auoit plus d'heur d'estre deslogée de ce môde, que d'y estre, print vne si viue apprehension
de la beatitude eternelle & celeste , qu'elle so-
licita son mary auec extreme instance, d'en faire autant pour elle. Et Dieu a leurs prieres cô-
munes l'ayant retirée a soy bien tost apres , il
ne fut iamais mort embrassée auec si grand
contentement.

CHAP. XXXIIII.

La fortune se rencontre souuent au train
de la raison.

L'Inconstance du bransle diuers de la fortune faict qu'elle nous doiue presenter toute espece de visages: y a il nulle action de iustice plus expresse que celle icy ? Le Duc de Va-
lentinois ayant enuie d'empoisonner Adrian
Cardinal de Cornete , ches qui le Pape Alexâ-
dre sixiesme son pere & luy alloient souper au
Vatican , enuoya deuant quelque bouteille de
vin empoisonné , & commanda au sommelier
qu'il la gardast bien soigneusement. Le pape y
estant arriué auant le fils , & ayant demandé a
boire, ce sommelier, qui pensoit ce vin ne luy

O

auoir esté recommandé que pour sa bonté, en
seruit au Pape,& le Duc mesme y arriuant sur
le point de la collation & se fiant qu'on n'auroit pas touché a sa bouteille,en prit a son tour,
en maniere que le pere en mourut soudain, &
le fils apres auoir esté longuement tourmenté
de maladie, fut reserué a vn'autre pire fortune.
Quelquefois il semble a point nommé qu'elle
se ioüe a nous. Le seigneur d'Estrée,lors gui-
don de monsieur de Vandome, & le seigneur
de Liques Lieutenant de la compagnie du Duc
d'Ascot estans tous deux seruiteurs de la sœur
du sieur de Founguefelles , quoy que de diuers
partis(comme il aduient aux voisins de la frô-
tiere)le sieur de Licques l'éporta: mais le mesme iour des nopces,& qui pis est,auant le coucher, le marié ayant enuie de rompre vn boys
en faueur de sa nouuelle espouse , sortit a l'escarmouche pres de sainct Omer , ou le sieur
d'Estrée se trouuant le plus fort le feit son prisonnier, & pour faire valoir son aduantage encore faufit il que la damoiselle,

Coniugis ante coacta noui dimittere collum,
Quam veniens vna atque altera rursus
hyems
Noctibus in longis auidum saturasset amorem,
Posset vt abrupto viuere coniugio,

luy fit elle mesme requeste par courtoisie de
luy rendre son prisonnier,comme il feist,la noblesse Françoise ne refusant iamais rien aux
Dames

Dames. Quelque fois il luy plaît enuier sur nos
miracles. Nous tenons que le Roy Clouis affiegeant Angoulesme, les murailles cheurent
d'elles mesmes par faueur diuine. Et Bouchet
emprunte de quelqu'autheur que le Roy Robert affiegeant vne ville, & s'estant desrobé du
siege pour aller a Orleans solemnizer la feste
de Sainct Aignan, comme il estoit en deuotion sur certain point de la messe, les murailles
de la ville affiegée s'en allerēt sans aucun effort
en ruine. Elle fit tout a contrepoil en nos guerres de Milan. Car le Capitaine Rense affiegeât
pour nous la ville d'Eronne, & ayant faict mettre la mine soubz vn grand pan de muraille, &
le mur en estant brusquement enleué hors de
terre, recheut toutes-fois tout empâné si droit
dans son fondement, que les assiegez n'en vau-
sirent pas moins. Quelquefois elle faict la medecine. Iason Phereus estant abandonné des
medecins, pour vne apostume, qu'il auoit dans
la poitrine, ayant enuie de s'en défaire au
moins par la mort, se ietta en vne bataille a
corps perdu dans la presse des ennemis, ou
il fut blessé a trauers le corps si a point que
son apostume en creua & guerit. Surpassa elle pas Protogenes en la science de son art? Cestuy-cy estoit peintre, & ayant parfaict l'image d'vn chien las & recreu a son contentemēt
en toutes les autres parties, mais ne pou--
uant representer a son gré l'escume & la baue,

despité contre sa besongne prit son espouge,&
côme elle estoit abreuuée de diuerses peintures, la ietta côtre, pour tout effacer. La fortune
porta tout a point le coup a l'endroit de la bouche du chien , & y parfournit ce a quoy l'art
n'auoit peu attaindre. N'adresse elle pas quelquefois nos côseils & les corrige ? Isabel Royne d'Angleterre ayant a repasser de Zelande en
son Royaume auec vne armée en faueur de son
fils contre son mary, estoit perdue , si elle fut
arriuée au port qu'elle auoit proieté, y estât at-
tédue par ses ennemis. Mais la fortune la print
en mer, & la ietta contre son vouloir ailleurs,
ou elle print terre en toute seurté. Et cest ancien qui ruant la pierre a vn chien en assena &
tua sa marastre, eust il pas raison de prononcer
ce vers,

Ταυτόμαΐον ἡμῶν καλλίω βυλένεται
la fortune a meilleur aduis que nous.

CHAP. XXXV.

D'vn defaut de nos polices.

FEu mon pere, homme pour n'estre aydé que
de l'experience & du naturel, d'vn iugement
bien net, m'a dict autrefois , qu'es commande-
mens qui luy estoient tombez en main, il auoit
desiré de mettre en train, qu'il y eust certain
licu designé , auquel ceux qui eussent besoin de
quelque chose, se peussent rendre, & faire enregiftrer

giſtrer leur affaire a vn officier eſtably pour
ceſt effect:comme,tel cherche cõpagnie pour
aller a Paris, tel cherche vn ſeruiteur de telle
qualité,tel cherche vn maiſtre, tel demande vn
ouurier,qui cecy,qui cela, chacun ſelon ſon beſoing. Et ſemble que ce moyen de nous entrad-
uertir apporteroit non legiere commodité au
commerce publique.Car a tous les coups il y a
des conditions, qui s'entrecherchent : & pour
ne ſe pouuoir rencontrer laiſſent les hommes
en extreme neceſſité. I'entens,auec vne grand'
honte de noſtre ſiecle, qu'a noſtre veüe, deux
tres-excellés perſonnages en ſçauoir ſont morts
en eſtat de n'auoir pas leur ſoul a manger : Li-
lius Gregorius Giraldus en Italie, & Sebaſtia-
nus Caſtalio en Allemagne. Et croy qu'il y a
mil'hommes qui les euſſent appellez auec tres-
aduantageuſes conditions, s'ilz l'euſſent ſceu.
Le monde n'eſt pas ſi generalement corrompu,
que ie ne ſçache tel homme, qui ſouhaiteroit
de bien grande affection, que les moiens que
les ſiens luy ont mis en main, ſe peuſſent employer tant qu'il plaira a la fortune, qu'il en
iouïſſe,a mettre a l'abry de la neceſſité les perſonnages rares & remarquables en quelque ſorte de valeur, que le mal'heur combat quelquefois iuſques a l'extremité:& qui les mettroit
pour le moins en tel eſtat, qu'il ne tiendroit
qu'a faute de bon diſcours,s'ilz n'eſtoient contens.

CHAP. XXXVI.

De l'vsage de se vestir.

OV que ie vueille donner, il me faut forcer
quelque barriere de la coustume, tant el-
l'a soigneusement bridé toutes nos auenues. Ie
deuisoy en ceste saison frileuse, si la façon d'aller tout hud de ces nations dernierement trouuées est vne façon forcée par la chaude temperature de l'air , comme nous disons des Indiens, & des Mores, ou si c'est l'origine des hômes. Les gens d'entendement , d'autant que
tout ce qui est soubz le ciel, comme dit la saincte parolle, est subiect a mesmes loix , ont accoustumé en pareilles considerations a celles
icy, ou il faut distinguer les loix naturelles des
controuuées , de recourir a la generalle police
du monde , ou il n'y peut auoir rien de contrefaict. Or tout estant exactemēt fourny ailleurs
de filet & d'éguille pour maintenir son estre,
il est a la verité mécreable, que nous soions
seuls produits en estat deffectueus & indigent,
& en estat qui ne se puisse maintenir sans secours estrangier. Ainsi ie tiens que comme les
plantes , arbres, animaux & tout ce qui vit, se
treuue naturelement equipé de suffisante couuerture, pour se deffendre de l'iniure du temps.
Proptereáque ferè res omnes aut corio sunt
Aut seta, aut conchis, au callo, aut cortice tecta:
aussi

auſſi eſtions nous: mais comme ceux, qui eſtei-
gnent par artificielle lumiere celle du iour,
nous auôs eſteint & eſtouffé nos propres moyẽs
par les moyens empruntez & eſtrangiers. Et
eſt ayſé a voir que c'eſt la couſtume qui nous
faict impoſſible ce qui ne l'eſt pas. Car de ces
nations, qui n'ont aucune connoiſſance de veſtemens, il s'en trouue d'aſſiſes enuiron ſoubz
meſme ciel, que le noſtre : & puis la plus delicate partie de nous eſt celle, qui ſe tient touſiours deſcouuerte. Si nous fuſſions nez auec
condition de cotillons & de greguesques , il
ne faut faire doubte que nature n'euſt armé
d'vne peau plus eſpoiſſe ce qu'elle euſt abandonné a la baterie des ſaiſons , comm' ell' a
garny le bout des doigts & plante des pieds.
Ie ne ſçay qui demandoit a vn de nos gueux,
qu'il voyoit en chemiſe en plain hiuer, auſſi
ſcarbillat que tel qui ſe tient ammitoné dans
les martes iuſques aux oreilles, comme il pouuoit auoir patience. Et vous monſieur, reſpon-
dit-il, vous auez bien la face deſcouuerte , or
moy ie ſuis tout face. Les Italiens content du
fol du Duc de Florence, ce me ſemble, que ſon
maiſtre s'enquerant comment ainſi mal veſtu
il pouuoit porter le froid, a quoy il eſtoit bien
empeſché luy meſme: ſuiuez dict-il, ma recepte de charger ſur vous tous vos accouſtremẽs,
comme ie fay les miens , vous n'en ſouffrirez
non plus que moy. Le Roy Maſſiniſſa iuſques a

O 4

l'extreme vieillesse ne peut estre induit a aller
la teste couuerte par froid, orage, & pluye qu'il
fit, & le Roy Agesilaus obserua iusques a sa decrepitude de porter pareille vesture en hiuer
qu'en esté. Cæsar, dict Suetone, marchoit tousiours deuât sa troupe, & le plus souuent a-pied
la teste descouuerte, soit qu'il fit Soleil, ou qu'il
pleut: & autant en dict on d'Hannibal.

Tum vertice nudo
Excipere insanos imbres cæliq́ue ruinam.

Celuy que les Polonnois ont choisi pour leur
Roy apres le nostre, qui est a la verité vn des
plus grans Princes de nostre siecle, ne porte iamais gans, ny ne change pour l'hiuer & temps
qu'il face, le mesme bonnet qu'il porte au couuert. Et puis que nous sômes sur le froid & Frâ-
çois accoustumez a nous biguarrer, adioustons
d'vne autre piece, que le Capitaine Martin du
Bellay dict au voyage de Luxembourg auoir
veu les gelées si apres, que le vin de la munitiô se
coupoit a coups de hache & de coignée, se de-
bitoit aux soldats par poix, & qu'ilz l'êportoiêt
dans des paniers. & Ouide a deux doigts prez.

Nudáque consistunt formam seruantia testæ
Vina, nec hausta meri, sed data frusta bibunt.

CHAP. XXXVII.

Du ieune Caton.

IE n'ay point ceste erreur commune de iuger d'autruy selon moy, & de rapporter la
condi-

condition des autres hommes a la mienne . Ie
croy ayſément d'autruy beaucop de choſes , ou
mes forces ne peuuent attaindre . La foibleſſe
que ie ſens en moy, n'altere aucunement les o-
pinions que ie dois auoir de la vertu & valeur
de ceux qui le meritent. Rampant au limon de
la terre ie ne laiſſe pas de remerquer iuſques
dans les nuës la hauteur d'aucunes ames heroï-
ques. C'eſt beaucoup pour moy d'auoir le iugement reglé, ſi les effects ne le peuuēt eſtre,
& maintenir au moins ceſte maiſtreſſe partie
exempte de la corruption & débauche . C'eſt
quelque choſe d'auoir la volonté bonne, quand
les iambes me faillent. Ce ſiecle, auquel nous
viuons, au moins pour noſtre climat, eſt ſi plō-
bé, que le gouſt meſme de la vertu en eſt adire,
& ſemble que ce ne ſoit autre choſe qu'vn iargon de colliege. *Virtutem verba putant vt lucū
ligna*: il ne ſe recognoit plus d'action puremēt
vertueuſe. Celles qui en portent le viſage, elles
n'en ont pas pourtant l'eſſence . Car le profit,
la gloire, la crainte, l'acoutumance, & autres
telles cauſes eſtrangeres nous acheminent a les
produire. La iuſtice, la vaillance, la debonnaireté, que nous exerçons lors, elles peuuēt eſtre
dictes telles pour la conſideration d'autruy, &
du viſage qu'elles portēt en publicq, mais ches
l'ouurier ce n'eſt nullement vertu. Il y a vne autre fin propoſée. Elle n'aduouë riē que ce qui ſe
faict en ſa conſideration & pour elle ſeule. Qui

O 5

plus eſt, nos iugemens ſont encores malades &
ſuiuent la corruption de nos meurs. Ie voy la
pluſpart des eſprits de mõ temps faire les inge-
nieus a obſcurcir la gloire des belles & genereuſes actions ancienes, leur donnant quelque
interpretation vile, & leur controuuans des occaſions & des cauſes vaines, ſoit par malice, ou
par ce vice de ramener leur creance a leur portée, dequoy ie viens de parler: ſoit, comme ie
penſe plutoſt, pour n'auoir pas la veuë aſſez
forte & aſſez nette pour imaginer & cõceuoir
la ſplendeur de la vertu en ſa pureté naiſue:
comme Plutarque dict, que de ſon temps il y
en auoit qui attribuoient la cauſe de la mort
du ieune Caton a la crainte qu'il auoit eu de
Ceſar, dequoy il ſe picque auecques raiſon. Et
peut on iuger par la, combien il ſe fut encore
plus offencé de ceux qui l'ont attribuée a l'ambition : & de ceux qui font l'honneur la fin de
toutes actions vertueuſes. Ce perſonnage la fut
veritablement vn patron, que nature choiſit
pour monſtrer iuſques ou l'humaine fermeté
& conſtance pouuoir atteindre. Mais ie ne ſuis
pas icy a meſmes pour traicter ce riche argument. Ie veux ſeulement faire luiter enſemble les traitz de cinq poëtes Latins ſur la loüã-
ge de Caton.

Sit Cato dum viuit ſane vel Ceſare maior,
dict vn, *Et inuictum deuicta morte Catonem*
dict l'autre : & l'autre parlant des guerres ciuiles

les d'entre Cæsar & Pompeius,

Victrix causa dijs placuit, sed victa Catoni.

Et le quatriesme sur les loüanges de Cæsar.

Et cuncta terrarum subacta
Præter atrocem animum Catonis.

Et le maistre du cœur apres auoir étalé les nós
des plus grands Romains en sa peinture finit
en ceste maniere:

his dantem iura Catonem.

C H A P. XXXVIII.

Comme nòus pleurons & rions d'vne mef-
me chose.

Quand nous rencontrons dans les histoires
qu'Antigonus sceut tref-mauuais gré a son
fils de luy auoir presenté la teste du Roy Pyrrhus son ennemi, qui venoit sur l'heure mesme
d'estre tué combatant contre luy: & que l'ayãt
veüe il se print bien fort a pleurer : & que le
Duc René de Lorreine pleura aussi la mort du
Duc Charles de Bourgoigne, qu'il venoit de
deffaire, & en porta le deüil en son enterremẽt:
& que en la batalle d'Auroy, que le Conte de
Montfort gaigna contre Charles de Blois sa
partie pour le Duché de Bretaigne, le victorieux rencontrant le corps de son ennemi tref-
passé en mena grand deuil, il ne faut pas s'efcrier soudain

Et così

Et cosi auen che l'animo ciascuna
Sua passion sotto el contrario manto
Ricopre, con la vista hor' chiara hor bruna.

Quand on presenta a Cæsar la teste de Pompeius, Les histoires disent qu'il en destourna sa veuë comme d'vn vilain & mal plaisant spectacle. Il y auoit eu entre eux vne si longue intelligence & societé au manimât des affaires publiques, tant de cômunauté de fortunes, tant d'offices reciproques & d'alliance, qu'il ne faut pas croire que ceste contenance fut toute fauce & contrefaicte, comme estime cest autre

      Tutúmque putauit
Iam bonus esse socer, lachrimas non sponte ca-
      dentes
Effudit, gemitúsque expressit pectore læto.

Car bien que a la verité la pluspart de nos actiôs ne soient que masque & fard, & qu'il puisse quelque fois estre vray,

Heredis fletus sub persona risus est:

Si est-ce qu'au iugement de ces accidens il faut considerer comme nos ames se trouuent souuent agitées de diuerses passions. Et tout ainsi qu'en nos corps ils disent qu'il y a vn'assemblée de diuerses humeurs, desquelles celle la est maistresse, qui commande le plus ordinairemen: en nous, selon nos complexions: aussi en nos ames, bien qu'il y ait diuers mouuemens, qui l'agitent, si faut il qu'il y en ait vn a qui le champ demeure. Mais ce n'est pas auec si entier auantage

                    tage

tage que pour la volubilité & souppleſſe de noſtre ame les plus foibles,par occaſion ne regaignent encor la place,& ne facent vne courte charge a leur tour. D'ou nous voyons non ſeulement aux enfans,qui vont tout naiſuement apres la nature , pleurer & rire ſouuent de meſme choſe:mais nul d'entre nous ne ſe peutvanter,quelque voyage qu'il face a ſon ſouhait,que encore au départir de ſa famille & de ſes amis il ne ſe ſente friſonner le courage:& ſi les larmes ne luy en eſchappent tout a faict,au moins met il le pied a l'eſtrieu d'vn viſage morne & côtriſté.Et quelque gentille flâme qui eſchaufe le cœur des filles bien nées, encore les deſprend on a force du col de leurs meres,pour les rendre a leur eſpous, quoy que die ce bon compaignon.

Eſt ne nouis nuptis odio venus,anne parentum
Fruſtrantur falſis gaudia lachrimulis,
Vbertim thalami quas intra limina fundunt?
Non,ita me diui,vera gemunt,iuuerint.

Ainſi il n'eſt pas eſtrange de plaindre celuy-la mort,qu'on ne voudroit nullemét eſtre en vie. On diét que la lumiere du Soleil n'eſt pas d'vne piece continue:mais qu'il nous elance ſi dru ſans ceſſe nouueaus rayons les vns ſur les autres que nous n'en pouuons apperceuoir l'entredeux.Nous auons pourſuiui auec reſolue volonté la vengeáce d'vne iniure,& reſenti vn ſingulier contétemét de la victoire,nous en pleurons

rons pourtant . Ce n'est pas de cela que nous
pleurons . Il n'y a rien de changé, mais nostre
ame regarde la chose d'vn autre œil, & se la represente par vn autre visage. Car chaque chose
a plusieuts biais & plusieurs lustres. La parenté, les anciennes acointances & amities saisissent
son imagination , & la passionnent pour l'heure, selon leur condition, mais le contour en est
si brusque , qu'il nous eschappe:& a ceste cause
voulans de toute ceste suite continuer vn corps,
nous nous trompons. Quand Timoleon pleure le meurtre qu'il auoit commis d'vne si meure & genereuse deliberation , il ne pleure pas
la liberté rendue a sa patrie, il ne pleure pas le
Tyran, mais il pleure son frere. L'vne partie
de son deuoir est iouée, laissons luy en iouër
l'autre .

CHAP. XXXIX.

De la solitude.

LAissons a part ceste longue comparaison de
la vie solitaire a l'actiue:& quant a ce beau
mot, dequoy se couure l'ambition & l'auarice,
Que nous ne sommes pas nés pour nostre particulier, ains pour le publicq: rapportons nous
en hardimēt a ceux qui sont en la dãse, & qu'ils se
battent sur la cõsciéce, si au rebours les estats
les charges & ceste tracasserie du mõde ne se re
cher-

cherche plustost, pour tirer du publicq son pro
fit particulier. Les mauuais moyens par ou on
s'y pousse en nostre siecle, monstrent bien que
la fin n'en vaut gueres. Respondons a l'ambition que c'est elle mesme qui nous donne goust
de la solitude : car que fuit elle tant que la societé, que cherche elle tant que ses coudées
frasches & point de compaignon? Il y a dequoy
bien & mal faire partout. Toutefois si le mot
de Bias est vray, Que la pire part c'est la plus
grande, ou ce que dit l'Ecclesiastique, Que de
mille il n'en est pas vn bon, la contagion est
tresdangereuse en la presse. Il faut ou imiter
les vitieux, ou les haïr. Tous les deux sont dan-
gereus, & de leur resembler, parce qu'ils sont
beaucoup, & d'en haïr beaucoup, parce qu'ils
sont dissemblables. Ce n'est pas que le sage ne
puisse par tout viure content, voire & seul en la
foule d'vn palais. Mais s'il est a choisir, il en fui-
ra, dit il, mesmes la veuë. Il portera s'il est besoing cela, mais s'il est en luy il eslira ce-cy. Il
ne luy semble point suffisamment s'estre def-
faict des vices, s'il faut encores qu'il conteste
auec ceux d'autry. Or la fin, ce crois-ie, en est
tout vne: d'é viure plus a loisir & a son ayse. Mais
on n'en cherche pas tousiours bien le chemin.
Souuét on pense auoir quitté les affaires, on ne
les a que chágés. Il n'y a guiere moins de tourment au gouuernement d'vne famille qu'en vn
estat entier. Ou que l'ame soit empeschée,
elle

elle y est toute:& pour estre les occupatiõs domestiques moins importantes, elles n'en sont
pas moins importunes pourtant. Dauantage,
pour nous estre deffaicts de la Cour & du marché,nous ne sommes pas deffaicts des princi-
paus tourmens de nostre vie.

Ratio & prudentia curas,
Non locus effusi latè maris arbiter aufert.

L'ambition, l'auarice, l'irresolution,la peur &
les concupiscences ne nous abandonnent point.
pour changer de contrée.

Et post equidem sedet atra cura.

Elles nous suiuent souuent iusques dãs les cloi-
stres,& dans les escoles de philosophie.Ni les
desers, ni les rochers creusés, ni la here,ni les
icunes ne nous en démelent.

Hæret lateri letalis arundo.

On disoit a Socrates que quelqu'vn ne s'estoit
nullement amendé a son voyage. Ie croy bien,
dit il,il s'estoit emporté auecques soy.

Quid terras alio calentes
Sole mutamus?patria quis exul
Se quoque fugit?

Si on ne se descharge premierement & son a-
me du fais qui la presse, le remuement la fera fouler dauantage : comme en vn nauire les
charges empeschent moins,quand elles sont
rassises. Vous faictes plus de mal que de bien
au malade de luy faire changer de place, vous
ensachés le mal en le remuãt. Comme les pals
s'enfoncent

s'enfoncent plus auant, & s'affermiſſent en les
branlant & ſecouant. Parquoy ce n'eſt pas aſſés
de s'eſtre eſcarté du peuple, ce n'eſt pas aſſés de
changer de place, il ſe faut eſcarter des conditiõs populaires, qui ſont en no°: il ſe faut ſequeſtrer & r'auoir de ſoy. Noſtre mal nous tiēt en
l'ame. Or elle ne ſe peut échaper a elle meſme.
In culpa eſt animus, qui ſe non effugit vnquam.
Ainſi il la faut ramener & retirer en ſoy: c'eſt
la vraye ſolitude & qui ſe peut iouïr au milieu
des villes & des cours des Roys, mais elle ſe
iouyt plus commodement a part . Or puis que
nous entreprenõs de viure ſeulz, & de nous paſſer de compagnie, faiſons que noſtre contentement deſpende de nous. Deſprenons nous de
toutes les liaiſons qui nous attachent a autruy.
Gaignons ſur nous de pouuoir a bon eſcient viure ſeuls & y viure a noſtr'aiſe. Stilpon eſtant
eſchappé de l'embraſement de ſa ville, ou il a-
uoit perdu femme, enfans & cheuances, Dé-
metrius Poliorcetes, le voiant en vne ſi grande
ruine de ſa patrie le viſage non effrayé, luy demanda, s'il n'auoit pas eu du dõmage, il reſpondit que non, & qu'il n'y auoit Dieu mercy rien
perdu du ſien. Certes l'homme d'entendement
n'a rien perdu, s'il a ſoy meſme. Quand la ville
de Nole fut ruinée par les Barbares, Paulinus
qui en eſtoit Eueſque y ayant tout perdu, & leur
priſonnier, prioit ainſi Dieu, Seigneur garde
moy de ſentir ceſte perte, car tu ſçais qu'ils n'õt

P

encore rien touché de ce qui est a moy. Les richesses qui le faisoiét riche,& les biés qui le fai
soiét bon,estoiét encore en leur entier. Voila q̃
c'est de bien choisir les thresors qui se puissent
garantir de l'iniure, & de les cacher en lieu, ou
personne n'aille,& qui ne puisse estre trahi que
par nous mesmes. Il faut auoir femmes,enfans,
biens & sur tout de la santé,qui peut, mais non
pas s'y attacher en maniere que nostre bô heur
en despende. Il se faut reseruer vne arrierebou-
tique toute nostre, toute franche , en laquelle
nous establissons nostre vraye liberté & principale retraicte & solitude. En ceste-cy faut il
prendre nostre ordinaire entretien de nous a
nous mesmes , & si priué , que nulle acointance ou communication estrangiere n'y trouue
place: discourir & y rire , comme sans femme,
sans enfans, & sans biens, sans train , & sans valetz: affin que quâd l'occasion aduiendra de leur
perte, il ne nous soit pas nouueau de nous en
passer. Nous auons vne ame côtournable en soy
mesme, elle se peut faire compagnie, elle a dequoy assaillir & dequoy defendre , dequoy receuoir,& dequoy dôner. Ne craignôs pas en ceste solitude nous croupir d'oisiueté ennuyeuse.
En nos actions accoustumées,de mille , il n'en
est pas vne qui nous regarde. Celuy que tu vois
grimpant contremont les ruines de ce mur,fu-
rieux &`hors de soy , en bute de tant de har-
quebuzades: & c'est autre tout cicatricé,transi
& passe

& paſſe de faim, deliberé de creuer plutoſt que
de luy ouurir la porte , penſe tu qu'ils y ſoient
pour eux?pour tel a l'aduenture qu'ils ne virent
onques, & qui ne ſe donne nulle peine,de leur
faict, plongé cependant en l'oiſiueté & aux delices . Ceſtuy-cy tout pituiteux, chaſſieux &
craſſeux, que tu vois ſortir apres minuit d'vn e-
ſtude, penſes tu qu'il cherche parmi les liures,
comme il ſe rendra plus homme de bien, plus
content & plus ſage ? nulles nouuelles . Il y
mourra,ou il apprendra a la poſterité la meſure des vers de Plaute , & la vraye orthogra-
phie d'vn mot Latin.Qui ne contre-change volontiers la ſanté, le repos, & la vie a la reputation & a la gloire, la plus inutile , vaine &
fauce monnoye , qui ſoit en noſtre vſage ?
Noſtre mort ne nous faiſoit pas aſſez de peur,
chargeons nous encores de celle de nos femmes,de nos enfans , & de nos gens . Nos affaires ne nous donnoient pas aſſez de peine , prenons encores a nous tourmenter, & rompre la
teſte de ceux de nos voiſins & amis.

Vah quemquamne hominem in animum inſtitue-
re,aut
Parare quod ſit charius,quam ipſe eſt ſibi?

Or c'eſt aſſez veſcu pour autruy, viuons pour
nous au moins ce bout de vie.Ramenós a nous
& a noſtre vray profit nos cogitations & nos
intentions . Ce n'eſt pas vne legiere partie

partie que de faire seurement sa retraicte, elle
nous empesche assez sans y mesler d'autres entreprinses. Puis que Dieu nous donne loysir de
disposer de nostre deslogemét, preparons nous
y, plions bagage, prenons de bon'heure congé
de la compagnie, despetrons nous de ces violé-
tes prinses, qui nous engagent ailleurs, & esloi-
gnent de nous. Il faut desnouër ces obligatiós
si fortes : & meshuy aymer ce-cy & cela, mais
n'espouser rié que soy. C'est a dire, le reste soit
a nous, mais nó pas ioint & colé en façó qu'on
ne le puisse desprendre sans nous escorcher &
arracher ensemble quelque piece du nostre. La
plus grande chose du monde c'est de sçauoir e-
stre a soy. Il y a des complexions plus propres
a ce precepte les vnes que les autres. Celles qui
ont l'apprehension molle & lâche, & vn'affection & volonté difficile, & qui ne se prend pas
aysémēt, desquelz ie suis, & par naturelle có-
dition & par discours, ils se plieront plus aisément a ce conseil, que les ames actiues & tendues, qui embrassent tout, & s'engagét par tout,
qui se passionnent de toutes choses, qui s'offrét,
qui se presentent, & qui se donnent a toutes occasions. Il se faut seruir de ces commodités ac-
cidétales & hors de nous, en tant qu'elles nous
sont plaisantes, mais sans en faire nostre principal fondement: ce ne l'est pas, ni la raison, ni
la nature ne le veulēt. Pourquoy contre ses loix
asseurirons nous nostre contentemét a la puis-

sance d'autruy? D'anticiper aussi les accidés de
fortune, se priuer des cómoditez qui nous sont
en main, cóme plusieurs ont faict par deuotion,
& quelques philosophes par discours, se seruir
soy mesmes, coucher sur la dure, se creuer les
yeux, ietter ses richesses emmy la riuiere, rechercher la douleur, ceux la pour par le tourment de ceste vie en acquerir la beatitude d'vn
autre: ceux-cy pour s'estát logez en la plus basse
marche se mettre en seurté de nouuelle cheute,
c'est l'actió d'vne vertu excessiue. les natures plus
roides & plus fortes facét leur cachete mesmes
glorieuse & exemplaire.

> *Tuta & paruula laudo,*
> *Cum res deficiunt, satis inter vilia fortis:*
> *Verum vbi quid melius contingit & vnctius, idem*
> *Hos sapere, & solos aio bene viuere, quorum*
> *Conspicitur nitidis fundata pecunia villis.*

Il y a pour moy assez affaire sans aller si auant.
Il me suffit sous la faueur de la fortune me preparer a sa défaueur, & me representer estant a
mon aise, le mal aduenir autant que l'imagination y peut atteindre : tout ainsi que nous nous
accoustumons aux ioutes & tournois & contre-
faisons la guerre en pleine paix. Ie voy iusques
a quels limités va la necessité naturelle: & considerant le pauure mendiant a ma porte souuét
plus enioué & plus sain que moy, ie me plante
en sa place : i'essaye de chausser mon ame a son

biaiz. Et courrant ainſi par les autres exemples, quoy que ie penſe la mort, la pauureté, le meſpris, & la maladie a mes talons, ie me reſous aiſément de n'entrer en effroy de ce qu'vn moindre que moy prend auec telle patience, & ne puis croire que la baſſeſſe de l'entēdemēt puiſſe plus que la vigueur, ny que les effects du diſcours ne puiſſent arriuer aux effects de l'accouſtumance. Et connoiſſant combiē ces commodités acceſſoires tiennent a peu, ie ne laiſſe pas. en pleine iouiſſance de ſuplier Dieu pour ma ſouueraine requeſte qu'il me rende content de moy-meſme, & des biens qui naiſſent de moy. Ievoy des ieunes hommes gaillards, qui ne laiſſent pas de porter dans leurs coffres vne maſſe de pillules pour s'enſeruir quand le rheume les preſſera, lequel ils craignent d'autant moins qu'ils en penſent auoir le remede plus a main. Ainſi faut il faire, & encore ſi on ſe ſent ſubiect a quelque maladie plus forte, ſe garnir de ces medicamens qui aſſopiſſent & endorment la partie. L'occupatió qu'il faut choiſir a vne telle vie, ce doit eſtre vne occupation non penible ni ennuyeuſe, autrement pour neant ferions nous eſtat d'y eſtre venus chercher le ſeiour. Cela depend du gouſt particulier d'vn chacun: le mien ne s'accomode nullement au ménage. Ceux qui l'aiment ils s'y doiuent adonner auec moderation.

Çonentur ſibi res, non ſe ſubmittere rebus.

C'eſt

C'eſt autrement vn office ſeruile que la meſnagerie, comme le nomme Saluſte:ell'a des parties plus nobles & excuſables , comme le ſoing
des iardinages que Xenophon attribue a Cyrus. Et ſe peut trouuer vn moyen entre ce bas
& vile ſoing tandu & plein de ſolicitude qu'on
voit aux hommes qui s'y plongent du tout, &
ceſte profonde & extreme nonchalance laiſſant tout aller a l'abandon, qu'on voit en d'autres .

Democriti pecus edit agellos
Cultaque , dum peregre eſt animus ſine corpore
velox.

Mais oyons le conſeil que donne le ieune Pline a Cornelius Rufus ſon amy ſur ce propos. Ie
te conſeille en ceſte pleine & graſſe retraicte,
ou tu es , de quiter a tes gens ce bas & abiect
ſoing du meſnage, & t'adonner a l'eſtude des
lettres, pour en tirer quelque choſe qui ſoit toute tienne:il entend la reputation d'vne pareille
humeur a celle de Cicero, qui dict vouloir employer ſa ſolitude & ſeiour des affaires publiques a s'é acquerir par ſes eſcris vne vie immor
telle. Ni la fin ni le moyen de ce conſeil ne me
contante. Nous retombons touſ-iours de la fieure en chaud mal . Premierement, ceſte occupation des liures ſi elle a faute de regle & de
meſure, elle eſt auſſi penible que nulle autre, &
auſſi ennemie de la ſanté, qui doit eſtre principalement conſiderée. Et ne ſe faut point laiſſer

P 4

endormir au plaisir qu'on y prend:c'est ce mesme plaisir qui perd le mesnagier, l'auaricieus, le voluptueux, & l'ambitieux. Les sages nous apprennent assez a nous garder de la trahison de nos appetis, & a discerner les vrays plaisirs & entiers, des plaisirs meslez & bigarrez de plus de peine. Car la pluspart des plaisirs, disent ils, nous chatouillent & embrassent pour nous estrangler, comme faisoient les larrons que les AEgyptiens appelloient Philistas. Et si la douleur de teste nous venoit auāt l'yuresse, no⁹ nous garderions de trop boire: mais la volupté, pour nous tromper, marche deuant & nous cache sa suite. Les liures sont plaisans, mais si de leur frequentation nous en perdons en fin la gayeté & la santé nos meilleurs pieces, quittons les. Ie suis de ceux qui pensent que leur fruict ne sçauroit contrepoiser ceste perte. Comme les hommes qui se sentent de long temps affoiblis par quelque indisposition, se rengent a la fin a la mercy de la medecine, & se font desseigner par art certaines regles de viure, pour ne les plus outrepasser: aussi celuy qui se retire ennuié & dégousté de la vie commune, doit former ceste-cy aux regles de la raison, l'ordonner & renger par premeditation & discours. Il doit auoir prins congé de toute espece de tourment, quelque visage qu'il porte, & fuïr en general les passions, qui empeschent la tranquillité du corps & de l'ame. Au menage, a

l'estude,

l'eſtude , a la chaſſe , & tout autre exercice , il faut donner iuſques aux limites du plaiſir , & garder de s'engager plus auant , ou la
peine commence a ſe meſler parmy. Il faut re-
ſeruer d'enbeſoignement & d'occupation, autant ſeulement qu'il en eſt beſoing, pour nous
tenir en haleine, & pour nous garantir des incommoditez que tire apres ſoy l'autre extremité d'vne molle oyſiueté & aſſopie. Il y a des
ſciences ſeches & épineuſes & la plus part for-
gées pour le ſeruice de la preſſe. Il les faut laiſſer a ceux qui ſont au ſeruice du môde. Ie n'ayme pour moy que des liures ou plaiſans & fa-
ciles, qui me chatouillent, ou ceux qui me conſolent , & conſeillent a regler ma vie & ma
mort.

  Tacitum ſyluas inter reptare ſalubres
Curantem quidquid dignum ſapiête bonóque eſt.
Les gens plus ſages peuuent ſe forger vn repos
tout ſpirituel ayant l'ame forte & vigoreuſe.
Moy qui l'ay molle & commune, il faut que
i'ayde a me ſoutenir par les commoditez corporelles: & l'aage m'ayant tantoſt deſrobé celles qui eſtoient plus ſelon mon gouſt, i'inſtruis
& aiguiſe mon appetit a celles qui reſtent plus
ſortables a ceſte autre ſaiſon. Il faut retenir a
tout nos dents & nos griffes l'vſage des plaiſirs
de la vie que nos ans nous arrachêt des poingtz
les vns apres les autres : & les alonger de toute
noſtre puiſſance.

Quamcumque Deus tibi fortunauerit horam,
Grata sume manu, nec dulcia differ in annum.

Or quant a la fin que Pline & Cicero nous proposent, de la gloire , c'est bien loing de mon
conte. La plus contraire humeur a la retraite
c'est l'ambition. La gloire & le repos sont choses, qui ne peuuent loger en mesme giste. A ce
que ie voy ceux cy n'ont que les bras & les iambes hors de la presse: leur ame, leur intention y
demeure engagée plus que iamais. Ils se sont
seulement reculez pour mieux sauter, & pour
d'vn plus fort mouuement faire vne plus viue
faucée dans la trouppe. Vous plaist il voir côme ilz tirent court d'vn grain: mettons au côtre-
pois l'aduis de deux philosophes, & de deux sectes tresdifferentes, escriuäs l'vn a Idomeneus,
l'autre a Lucilius leurs amis, pour du maniemẽt
des affaires & des grandeurs les retirer a la solitude. Vous auez (disent ilz) vescu nageant &
flotant iusques a present, venez vous en mourir
au port. Vous auez dóné le reste de vostre vie a
la lumiere, donnez cecy a l'ombre. Il est impossible de quitter les occupatiós, si vous n'en qui-
tes le fruict. A ceste cause défaites vous de tout
soing de nom & de gloire. Il est dangier que la
lueür de voz actiós passées ne vous esclaire que
trop, & vous suiue iusques dans vostre taniere.
Quitez auecq les autres voluptez celle qui viẽt
de l'approbation d'autruy: & quant a vostre science & suffisance, ne vous chaille', elle ne per-
dra

dra pas ſon effect, ſi vous en vales mieux vous
meſme. Souuienne vous de celuy, a qui comme
on demandaſt a quoy faire il ſe penoit ſi fort
en vn art, qui ne pouuoit venir a la cognoiſſance de guiere de gens : i'en ay aſſez de peu, reſpondit il, i'en ay aſſez d'vn, i'en ay aſſez de pas
vn. Il diſoit vray: vous & vn compaignon eſtez
aſſez ſuffiſant theatre l'vn a l'autre, ou vous a
vous meſmes. Que le peuple vous ſoit vn, & vn
vous ſoit tout le peuple, C'eſt vne laſche ambition de vouloir tirer gloire de ſon oyſiueté & de
ſon repos. Il faut faire comme les animaux, qui
effacent la trace a la porte de leur tanieres. Ce
n'eſt plus ce qu'il vous faut chercher, que le môde parle de vous, mais côme il faut q̃ vo⁰ parliés
a vous meſmes. Retirez vous en vous, mais preparez vous premierement de vous y receuoir.
Ce ſeroit folie de vous fier a vous meſmes, ſi
vous ne vous ſçauez gouuerner. Il y a moyen de
faillir en la ſolitude comme en la compagnie.
Iuſques a ce que vous vous ſoiez rendu tel deuant qui vous n'oſiez clocher: & iuſques a ce
que vous ayez honte & reſpect de vous meſmes,
preſantez vous touſiours en l'imagination Caton, Phocion & Ariſtides, en la preſance deſquelz les folz meſmes cacheroient leurs fautes: & eſtabliſſez les contrerolleurs de toutes
voz intentions, ſi elles ſe detraquent, leur reuerence les remettra en train. Il vous contiendront en ceſte voie de vous contenter de vous
meſ-

mesmes , de n'emprunter rien que de vous,
d'arrester & fermir vostre ame en certaines &
limitées cogitations, ou elle se puisse plaire, &
ayant entendu les vrays biens, desquelz on iouit
a mesure qu'on les entend, s'en contenter, sans
desir de prolongement de vie ny de nom. Voila le conseil de la vraye & naifue philosophie,
non d'vne philosophie ostentatrice & parliere,
comme est celle des deux premiers.

CHAP. XL.

Consideration sur Ciceron.

ENcor'vn traict a la comparaison de ces couples: Il se tire des escris de Cicero & de ce
Pline (nullement retirant a mon aduis aux humeurs de son oncle) infinis tesmoignages de
nature outre mesure ambitieuse. entre autres
qu'ilz sollicitent au sceu de tout le monde les
historiens de leur temps de ne les oblier en
leurs registres : & la fortune comme par despit
a faict durer iusques a nous la vanité de ces requestes, & pieça faict perdre ces histoires. Mais
cecy surpasse toute bassesse de cœur en personn-
nes de tel rang , d'auoir voulu tirer quelque
principale gloire du caquet & de la parlerie,
iusques a y employer les lettres priuées écri-
ptes a leurs amis: en maniere, que aucunes ayāt
failly leur saison pour estre enuoyées , ils les
                                              sont

font ce neantmoins publier auec ceste digne
excuse, qu'ils n'ont pas voulu perdre leur trauail
& veillées. Sied il pas bien a deux consuls Romains, souuerains magistras de la chose publique emperiere du monde, d'employer leur loisir a ordonner & fagoter gentiment vne belle
missiue, pour en tirer la reputation de bien entendre le langage de leur nourrisse? Que feroit
pis vn simple maistre d'école qui en gaignat sa
vie ? Si les gestes de Xenophon & de Cæsar
n'eussent de bien loing surpassé leur eloquence,
ie ne croy pas qu'ils les eussent iamais escrits.
Ils ont cherché a recommander non leur dire,
mais leur faire, & si la perfection du bien parler pouuoit apporter quelque gloire sortable a
a vn grand personnage, certainement Scipion
& Lælius n'eussent pas resigné l'honneur de
leurs comedies & toutes les mignardises & delices du langage Latin a vn serf Afriquain : car
que cest ouurage soit leur, sa beauté & son excellence le maintient assez , & Terence l'aduoüe luy mesme. C'est vne espece de moquerie
& d'iniure de vouloir faire valoir vn homme
par des qualitez mes-aduenâtes a son rág, quoy
qu'elles soient autrement loüables , & par les
qualitez aussi qui ne doiuent pas estre les siennes principales. Comme qui loüeroit vn Roy
d'estre bon peintre, ou bon architecte, ou encore bon arquebouzier, ou bon coureur de ba-
gue : ces louanges ne font honneur, si elles ne
                                                        sont

sont presentées en foule, & a la suite de celles
qui luy sont plus propres : a sçauoir de la iustice, & de la science de conduire son peuple en
paix & en guerre. De ceste façon faict honneur a Cyrus l'agriculture, & a Charlemaigne
l'eloquence, & connoissance des bonnes lettres. Plutarque dict d'auantage que de paroistre si excellent en ses parties moins necessaires, c'est produire contre soy le tesmoignage d'auoir mal dispencé son loisir, & l'estude
qui deuoit estre employé a choses plus necessaires & vtiles. De façon que Philippus Roy
de Macedoine ayant ouy ce grand Alexandre
son filz chanter en vn festin a l'enuy des meilleurs musiciens, N'as tu pas honte, luy dict-il,
de chanter si bien? Et a ce mesme Philippus vn
musicien auecques qui il debatoit de son art,
Ia a Dieu ne plaise Sire, luy dit-il, qu'il t'aduië-
ne iamais tant de mal que tu entendes ces choses la mieux que moy. Et Antisthenes print
pour argument de peu de valeur en Ismenias
dequoy on le vantoit d'estre excellent iouëur
de flutes : & disent les sages que pour le regard
du sçauoir il n'est que la philosophie, & pour
le regard des effetz que la vertu, qui generalement soit propre a tous degrez & a tous ordres. Il y a quelque chose de pareil en ces autres deux philosophes : car ilz promettent aussi
eternité aux lettres qu'ilz escriuent a leurs amis,
mais c'est d'autre façon, & s'accommodant
pour

pour vne bonne fin a la vanité d'autruy. Car ilz
leur mandent que si le soing de se faire connoistre aux siecles aduenir & de la renommée les
arreste encore au maniemét des affaires, & leur
fait craindre la solitude & la retraicte , ou ilz
les veulent appeller, qu'ilz ne s'en donnent plus
de peine. Car ilz ont assez de credit auec la posterité pour leur respondre, que ne fut que par
les lettres qu'ils leur escriuent, ils rendront leur
nom aussi connu & fameus que pourroient faire leurs actions publiques. Et outre ceste difference encore ne sont ce pas lettres vuides &
descharnées , qui ne se soutiennent que par vn
delicat chois de motz entassez & rangez a vne
iuste cadence , ains farcies & pleines de beaux
discours de sapience, par lesquelles on se rend
non plus eloquent, mais plus sage , & qui nous
aprenent non a bien dire mais a bien faire. Fy
de l'eloquence qui nous laisse enuie de soy, non
des choses . Si ce n'est qu'on die que celle
de Cicero estant en si extreme perfection
se donne corps elle mesme. I'adiousteray encore vn conte que nous lisons de luy a ce propos, pour nous faire toucher au doigt son naturel. Il auoit a orer en public , & estoit vn peu
pressé du temps pour se preparer a son ayse.
Eros l'vn de ses serfs le vint aduertir que l'audience estoit remise au l'endemain : il en fut
si ayse qu'il luy donna liberté pour ceste bonne nouuelle.

CHAP.

CHAP. XLI.

De ne communiquer sa gloire.

DE toutes les resueries du monde la plus
receuë & plus vniuerselle est le soing de
la reputation & de la gloire , que nous espou-
sons iusques a quitter les richesses , le repos, la
vie & la santé , qui sont biens effectuelz & sub-
stantiaux, pour suiure ceste vaine image , & ceste simple voix, qui n'a ny corps ny prise:

La fama ch'inuaghisce a vn dolce suono
Gli superbi mortali, & par si bella,
E vn echo, vn sogno, anzi d'vn sogno vn ombra
Ch'ad ogni vento si dilegua & sgombra.

Et des humeurs des-raisonnables des hommes,
il semble que les philosophes mesmes se défa-
cent plus tard & plus enuis de ceste cy, que de
nulle autre. Car comme dit Cicero , ceux mesmes qui la combatent, encores veulent ilz, que
les liures , qu'ilz en escriuent, portent au front
leur nom : & se veulent rendre glorieux de ce
qu'ilz ont mesprisé la gloire.   Toutes autres
choses tôbent en cômerce. Nous prestons nos
biens & nos vies au besoing de nos amis. Mais
de communiquer son honneur & d'estrener autruy de sa gloire, il ne se voit guieres. Catulus
Luctatius en la guerre contre les Cymbres,
ayât faict tous ses effortz d'arrester ses soldatz
qui

qui fuyoiét deuant les ennemis, se mit luy mesmes entre les fuïardz., & contrefit le coüard:
affin qu'ils semblassent plustost suiure leur capitaine que fuyr l'ennemy. C'estoit abandonner sa reputation, pour couurir la honte d'autruy. Quand l'Empereur Charles cinquiesme
passa en Prouence lan 1537. on tient que An-
thoine de Leue voyant son maistre resolu de ce
voyage, & l'estimant luy estre merueilleusemét
glorieux, opinoit toutefois le contraire, & le
desconseilloit : a ceste fin que toute la gloire &
honneur de ce cõseil en fut attribué a son maistre, & qu'il fut dict son bõ aduis & sa preuoiã-
ce auoir esté telle, que contre l'opinion de tous
il eust mis enfin vne si belle entreprinse, qui
estoit l'honnorer a ses despens. Les Ambassadeurs Thraciens consolans Archileonide mere de Brasidas, de la mort de son filz, & le haut-
louäns iusques a dire qu'il n'auoit pas laissé son
pareil, elle refusa ceste louänge priuée & particuliere pour la rendre au public : Ne me dités
pas cela, fit elle, ie sçay que la ville de Sparte a
plusieurs citoiens plus grandz & plus vaillans
qu'il n'estoit. En la bataille de Crecy le prince
de Gales encores fort icune auoit l'auant-gar-
de a conduire, le principal effort du rencontre
sust en cest endroit : les seigneurs qui l'accompagnoient se trouuäs en dur party d'armes, mã-
darent au Roy Edouärd de s'approcher, pour
les secourir. Il s'enquit de l'estat de son filz , &

Q

luy ayant esté respondu qu'il estoit viuant & a
cheual: Ie luy ferois, dit-il, tort de luy aller
maintenant desrobber l'honneur de la victoire
de ce combat, qu'il a si lốg tếps soustenu: quelque hazard qu'il y ait, elle sera toute sienne , &
n'y voulut aller ny enuoier, sçachant s'il y fust
allé, qu'on eust dict que tout estoit perdu sans
son secours, & qu'on luy eut attribué l'aduantage de tout cest exploit.

CHAP. XLII.

De l'inequalité qui est entre nous.

PLutarque dit en quelque lieu qu'il ne trouue point si grande distance de beste a beste, comme il trouue d'homme a homme. Il
parle de la suffisance de l'ame & qualitez internes. A la verité ie trouue si loing d'Epaminundas, comme ie l'imagine, iusques a tel que ie
connois, ie dy capable de sens cốmun, que i'en-
cherirois volontiers sur Plutarque : & pensé
qu'il y a plus de distance de tel a tel homme,
qu'il n'y a de tel homme a telle beste. C'est a
dire, que le plus excellent animal est plus approchant de l'homme de la plus basse marche,
que n'est cest homme d'vn autre homme grand
& excellent. Mais a propos de l'estimation des
hommes : c'est merueille que sauf nous, nulle
chose s'estime que par ses propres qualitez.

Nous

Nous loüons vn cheual de ce qu'il est vigoureux & adroit, non de son harnois: vn leurier de
sa vitesse, non de son colier : vn oyseau de son
aile , non de ses longes & sonettes. Pourquoy
de mesmes n'estimons nous vn homme par ce
qui est sien? Il a vn grand train, vn beau palais,
tant de credit , tant de rente : tout cela est autour de luy, non en luy. Vous n'achetez pas vn
chat en poche . Si vous marchandez vn cheual, vous luy ostez ses bardes, vous le voyez nud
& a descouuert : ou s'il est couuert , comme on
les presantoit antiennement aux princes a vandre, c'est par les parties moins necessaires, affin que vous ne vous amusez pas a la beauté de
son poil, ou largeur de sa croupe , & que vous
vous arrestez principalement a considerer les
iambes , les yeux & le pied , qui sont les membres les plus nobles, & les plus vtiles,

Regibus hic mos est, vbi equos mercantur, apertos
Inspiciunt, ne si facies vt sæpe decora
Molli fulta pede est, emptorẽ inducat hiantem,
Quod pulchræ clunes , breue quod caput, ardua
　　　　ceruix.

Pourquoy estimant vn homme l'estimez vous
tout enueloppé & empacqueté? Il ne nous faict
monstre que des parties, qui ne sont nullement
siennes : & nous cache celles , par lesquelles
seules on peut vrayement iuger de son estimation. C'est le pris de l'espée que vous cherches
non de la guaine. Vous n'en donnerez a l'ad-

uenture pas vn quatrain, si vous l'auez des-
pouillé:il le faut iuger par luy mesme, non par
ses atours. Et comme dit tres-plaisamment vn
ancien, Sçauez vous pourquoy vous l'estimez
grand?vous y comptez la hauteur de ses patins:
la base n'est pas de la statue. Mesurés le sans
ses eschaces: qu'il mette a part ses richesses &
honneurs: qu'il se presante en chemise: A il
le corps propre a ses functions, sain & allegré?
qu'elle ame a il?Est elle belle,capable,& heureusement garnie de toutes ses pieces?Est elle
riche du sien, ou de l'autruy ? La fortune n'y a
elle que voir?si les yeux ouuertz elle attend les
espées traites. S'il ne luy chaut par ou luy sorte la vie,par la bouche, ou par le gosier. Si elle
est rassise,equable & côtente:c'est ce qu'il faut
veoir, & iuger par la les extremes differences
qui sont entre nous. Est-il

> *sapiens, sibique imperiosus,*
> *Quem neque pauperies,neque mors, neque vincu-*
> *cula terrent,*
> *Responsare cupidinibus,contemnere honores*
> *Fortis,& in seipso totus teres atque rotundus,*
> *Externi nequid valeat per laue morari:*
> *In quem manca ruit semper fortuna.*

Vn tel homme est cinq cens brasses au dessus
des royaumes & des duchez.Il est luy mesmes
a soy son empire & ses richesses.Il vit satis-fait,
content & allegre. Et a qui a cela,que reste-il?

> *Nonne videmus*

Nil

Nil aliud sibi naturam latrare, nisi vt quoi
Corpore seiunctus dolor absit, mente fruatur,
Iucundo sensu cura semotus metúque?

Comparez a celuy la la tourbe de nos hômes
ignorante, stupide & endormie, basse, seruile,
pleine de fiebure & de frayeur, instable & continuellement flotante en l'orage des passions
diuerses, qui la poussent & tempestent, pendant
toute d'autruy. Il y a plus d'esloignement que
du ciel a la terre: & toutefois l'aueuglement de
nostre vsage est tel, que nous en faisons peu ou
point d'estat. La ou si nous considerons vn pai-
san & vn Roy, il se presente soudain a noz yeux
vn'extreme disparité, qui ne sont differentz
par maniere de dire qu'en leurs chausses. Car
comme les ioueurs de comedies vous les voyez
sur l'eschaffaut faire vne mine de Duc & d'Empereur: mais tantost apres les voila deuenus valetz & crocheteurs miserables, qui est leur
naisiue & originelle condition : aussi l'Empereur, duquel la pompe vous esblouit en public,
voyez le derriere le rideau, ce n'est rien qu'vn
homme commun, & a l'aduenture plus vil que
le moindre de ses subiectz. La coüardise, l'irresolution, l'ambition, le despit & l'enuie l'agitent comme vn autre.

Non enim gaza neque consularis
Summouet lictor miseros tumultus
Mentis & curas laqueata circum
Tecta volantes.

Q 3

La fiebure, la migraine & la goutte l'efpargnēt
elles non plus que nous? Quand la vieilleffe luy
fera fur les efpaules, les archiers de fa garde l'en
defchargeront ils? Quand la frayeur de la mort
le tranfira, fe r'affeurera il par l'affiftance des
gentilshommes de fa chambre? Quand il fera
en ialoufie & caprice, nos bonnettades le re-
mettront elles? Ce ciel de lict de velours tou
enflé d'or & de perles n'a nulle vertu a rappai-
fer les tranchées d'vne verte colique.

N ec calida citius decedunt corpore febres,
Textilibus ſi in picturis oſtróque rubenti
Iacteris, quàm ſi plebeia in veſte cubandum eſt.

Les flateurs du grand Alexandre luy faifoient a
croire qu'il eftoit fils de Iupiter. Vn iour eftant
bleffé, regardant efcouler le fang de fa plaie, Et
bien qu'en dites vous? fit-il, eft-ce pas icy vn
fang vermeil & puremēt humain? Il n'eft pas de
la façõ de celuy que Homere fait efcouler de la
plaie des dieux. Hermodorus le poëte auoit
fait des vers en l'hõneur d'Antigonus, ou il l'ap
pelloit filz du Soleil: & luy au contraire, celuy,
dit-il, qui vuide ma chaize percée, fçait bien
qu'il n'en eft rien. C'eft vn hõme pour tous potages. Et fi de foy mefmes c'eft vn homme mal
né, l'empire de l'vniuers ne le fçauroit rabiller.
Les biés de la fortune tous tels qu'ilz fõt, encores faut il auoir du gouft pour les fauourer: c'eft
le iouïr non le poffeder, qui nous rend heureux.

N on domus & fundus, non æris aceruus & auri,
A Egroto

A Egroto domini deduxit corpore febres,
Non animo curas, valeat possessor oportet,
Qui comportatis rebus bene cogitat uti.
Qui cupit, aut metuit, iuuat illū sic domus aut res,
Vt lippum pictæ tabulæ, fomenta podagram.
Sincerū est nisi vas, quodcunque infundis acescit.

Il est vn sot, son goust est mousse & hebeté, il
n'en iouit non plus qu'vn morfondu de la douceur du vin Grec, ou qu'vn cheual de la richesse
du harnois, duquel on l'a paré. Et puis, ou le
corps & l'esprit sont en mauuais estat, a quoy
faire ces cómoditez externes: veu que la moindre picqueure d'espingle, veu que la moindre
passion de l'ame est suffisante a nous oster le
plaisir de la monarchie du monde? A la moindre strette que luy donne la goutte perd il pas
le souuenir de ses palais & de ses grandeurs?
S'il est en colere sa principauté le garde elle
de rougir, de paslir, de grincer les dēts comme
vn fol? Or si c'est vn habile homme & bien né,
la royauté n'adioute rien a son bon'heur.

Si ventri bene, si lateri est pedibúsque tuis, nil
Diuitiæ poterunt regales addere maius.

Il voit que ce n'est que biffe & piperie. Voire a
l'aduenture il sera de l'aduis du Roy Seleucus,
Que qui sçauroit le poix d'vn sceptre ne dai-
gneroit l'amasser quand il le trouueroit a terre. Il le disoit pour les grādes & penibles charges, qui touchent vn bon Roy. Certes ce n'est
pas peu de chose que d'auoir a regler autruy,

puis qu'a regler nous mesmes il se presante tant
de difficultez. Quant au commander, qui semble estre si doux , considerant l'imbecillité du
iugement humain , & la difficulté du chois es
choses nouuelles & doubteuses , ie suis fort de
cest aduis, qu'il est bien plus aisé & plus plaisant de suiure que de guider, & que c'est vn grãd
seiour d'esprit de n'auoir a tenir qu'vne voye
tracée , & a respondre que de soy. Mais le Roy
Hieron en Xenophon dict dauantage, qu'a la
iouyssance des voluptez mesmes, ilz sont de pire condition , que les priuez: d'autant que l'aysance & la facilité leur oste l'aigre-douce pointe que nous y trouuons. Pensons nous que les
enfans de cœur prennent grand plaisir a la mu-
sicque. La sacieté la leur rend plustost ennuyeuse. Les festins, les danses, les masquarades, les
tournois reiouissent ceux qui ne les voyent pas
souuent, & qui ont desiré de les voir, mais a qui
en faict ordinaire , le goust en deuient fade &
mal plaisant : ny les dames ne chatouillent celuy qui en iouyt a cœur saoul. Qui ne se donne
loisir d'auoir soif, ne sçauroit prendre plaisir a
boire. Les farces des bateleurs nous res-iouis-
sent : mais aux ioüeurs elles seruent de coruée.
Et qu'il soit ainsi , ce sont delices aux princes,
& c'est leur feste de se pouuoir quelque fois
trauestir & démettre a la façon de viure basse
& populaire.

Plerumque grata principibus vices

Mundáque

Mundæque paruo sub lare pauperum
Cænç sine aulæis & ostro
Solicitam explicuere frontem.

Et outre cela , ie croy a dire la vérité que ce luſtre de grandeur apporte non legieres incommoditez a la iouiſſance des principales voluptez. Ils ſont trop eſclairés & trop en butte. Voila pourquoy les poëtes feignent les amours de
Iupiter conduites ſous autre viſage que le ſien,
& de tant de practiques amoureuſes qu'ils luy
attribuent , il n'en eſt qu'vne ſeule, ce me ſemble, ou il ſe trouue en ſa grandeur & maieſté.
Mais reuenons a Hieron. Il recite auſſi combiē
il ſent d'incommoditez en ſa royauté pour ne
pouuoir aller & voyager en liberté, eſtant com
me priſonnier dans les limites de ſon païs : &
qu'en toutes ſes actions il ſe trouue enueloppé
d'vne facheuſe preſſe. De vray a voir les noſtres
tous ſeuls a table aſſiegez de tant de regardans
inconus, i'en ay eu ſouuēt plus de pitié que d'ē-
uie: & ne m'eſt iamais tombé en fantaſie que ce
ſut quelque notable commodité a la vie d'vn
homme d'entēdemēt, d'auoir vne vingteine de
contrerolleurs a ſa chaiſe percée: ni que les ſer-
uices d'vn homme qui a dix mille liures de rē-
te , ou qui a pris Caſal, ou defendu Siene, luy
ſoint plus commodes & acceptables que d'vn
bon valet & bien experimenté. Mais ſur tout
Hieron faict cas, de quoy il ſe voit priué de toute amitié & ſocieté mutuele. En laquelle ami-

tié confiste le plus parfaict & doux fruict de la
vie humaine. Car quel tefmoignage d'affectiõ
& de bonne volonté puis-ie tirer de celuy, qui
me doit, veuille il ou nõ, tout ce qu'il peut? Puis
ie faire eftat de fon humble parler & courtoi-
fe reuerence, veu qu'il n'eft pas en luy de me la
refufer? L'honneur que nous receuons de ceux
qui nous craignent, ce n'eft pas hõneur: ces re-
fpects fe doiuent a la royauté non a moy. Voif-
ie pas que le mefchant, le bon Roy, celuy qu'on
haït, celuy qu'õ ayme, autant en a l'vn que l'autre. De mefmes aparéces, de mefme cerimonie,
eftoit ferui mon predeceffeur, & le fera mõ fuc-
ceffeur. Si mes fubiectz ne m'offencent pas, ce
n'eft pas tefmoignage d'aucune bõne affectiõ.
Pourquoy le prendray-ie en cefte part la, puis
qu'ils ne pourroient quãd ils voudroiẽt? Nul ne
me fuit pour l'amitié, qui foit entre luy & moy:
car il ne s'y fçauroit coudre amitié, ou il y a fi
peu de relation & de correfpondance. Ma hauteur m'a mis hors du commerce des hommes:
il y a trop de difparité & de difproportion. Ils
me fuiuent par contenance & par couftume, ou
pour en tirer leurs aggrandiffemens & commoditez particulieres. Tout ce qu'ilz me dict,
tout ce qu'ils me font ce n'eft que fard & piperie: leur liberté eftant toute bridée par la grande puiffance que i'ay fur eux: ie ne voy rien autour de moy que couuert & mafqué. Ses cour-
tifans loüoient vn iour Iulien l'Empereur de
faire

faire bonne iustice: Ie m'en orguillerois volontiers, dict-il, de ces loüanges, si elles venoient de personnes qui ozassent accuser ou mesloüer mes actions contraires, quand elles y seroient. Quand le Roy Pyrrhus entreprenoit de passer en Italie, Cyneas son sage conseiller luy voulât faire sentir la vanité de son ambition, & bien Sire, luy demanda il, a qu'elle fin dressez vous ceste grande entreprinse? Pour me faire maistre de l'Italie, respondit il soudain. Et puis, suiuit Cyneas, cela faict? Ie passeray dict l'autre, en Gaule & en Espaigne. Et apres? ie m'en iray subiuguer l'Afrique. Et en fin? Quand i'auray mis le monde en ma subiection, ie me reposeray & viuray content & a mon aise. Pour Dieu Sire, fit lors Cyneas, dictes moy, a quoy il tient que vous ne soyez des a present, si vous voulez, en cest estat? Pourquoy ne vous logez vous des ceste heure, ou vous dités aspirer, & vous espargnes tant de trauail & de hazard que vous iettez entre deux?

Nimirum quia non bene norat quæ esset habendi
Finis, & omnino quoad crescat vera voluptas.

Ie m'en vais clorre ce pas par vn verset ancien, que ie trouue singulierement beau a ce propos:
Mores cuique sui fingunt fortunam.

CHAP.

CHAP. XLIII.

Des loix somptuaires.

LA façon, dequoy nos loix essaient a regler
les foles & vaines despences des tables &
vestemens, semble estre contraire a sa fin.
Le vray moyē, ce seroit d'engēdrer aux hômes
le mespris de l'or & de la soye, comme de choses vaines & inutiles: & nous leur augmentons
l'honneur & le pris, qui est vne bien inepte façon pour en dégouster les hommes . Car dire
ainsi, Qu'il n'y aura que les Princes qui puissent
porter du velours & de la tresse d'or, & l'interdi
re au peuple, qu'est ce autre chose que mettre
en credit ces vanitez-la, & faire croistre l'enuie a chacun d'en vser? Que les Roys quittent
hardiment ces marques de grandeur, ils en ont
assez d'autres:& par l'exemple de plusieurs nations nous pouuons apprēdre assez de meilleures façons de nous distinguer exterieurement,
& nos degrez (ce que i'estime a la verité estre
bien requis en vn estat) sans nourrir pour cest
effect ceste corruption & incommodité si appa
rente. C'est merueille comme la coustume en
ces choses indifferentes plante aisémēt & soudain le pied de son authorité. A peine fusmes
nous vn an pour le dueil du Roy Henry second
a porter du drap a la cour, il est certain que des-

ia a l'opinion d'vn chacun les foyes eſtoient venues a telle vilité, que ſi vous en voyez quelqu'ũ
veſtu, vous en faiſiez ſoudain argumẽt, que c'eſ-
ſtoit quelque homme de neant . Elles eſtoient
demeurées en partage aux medecins & aux chirurgiens. Et quoy qu'vn chacuņ ſuta peu pres
veſtu de meſme , ſi y auoit il d'ailleurs aſſez de
diſtinctions apparentes des qualitez des hommes. Que les Rois & les Princes commencent
a quitter ces deſpéces, ce ſera faict: en vn mois
ſans edit & ſans ordonnance nous irons treſ-
to° apres. La Loy deuroit dire tout au rebours.
Que le cramoiſi & l'orfeuerie eſt defendue
a toute eſpece de gẽs, ſauf aux baſteleurs & aux
courtiſanes. De pareille inuention corrigea ce
grãd Zeleucus les meurscorrõpues desLocriẽs.
Ses ordonnãces eſtoient telles , Que la femme
de condition libre ne puiſſe mener apres elle
plus d'vne chambriere , ſinon lors qu'elle ſera
yure: ni ne puiſſe ſortir hors dela ville de nuiĉt,
ni porter ioyaux d'or a l'entour de ſa perſonne,
ni robbe enrichie de broderie , ſi elle n'eſt publique & putain: Que ſauf les ruffiens, a l'homme ne loiſe porter en ſon doigt aneau d'or, ni
robbe delicate , cõme ſont celles des draps tiſ-
ſus en la ville de Milet. Et ainſi par ces excep-
tions honteuſes il diuertiſſoit ingenieuſement
les perſonnes des ſuperfluitez & delices perni-
cieuſes.

C H A P.

CHAP. XLIIII.

Du dormir.

LA raiſon nous ordonne bien d'aller tousiours meſme chemin, mais non toutesfois
meſme train. Et ores que le ſage ne doiue pas
dōner aux paſſiōs humaines, de ſe fouruoier de
la droicte carriere, il peut bien ſans intereſt de
ſon deuoir, leur quitter auſſi d'ē haſter ou retar
der ſon pas, & ne ſe planter pas comme vn
Coloſſe immobile & impaſſible. Quãd la vertu
meſme ſeroit incarnée, ie croy que le poux luy
battroit pluſ fort allãt a l'aſſaut, qu'allãt diſner.
Voire il eſt neceſſaire qu'elle s'eſchauffe & s'eſ
meuue. A ceſte cauſe i'ay remarqué pour choſe
rare de voir quelquefois les grãds perſonnages,
aux plus hautes entreprinſes & importans affaires, ie tenir ſi entiers en leur aſſiete, que de n'en
accourcir pas ſeulemēt leur ſommeil. Alexandre le grãd, le iour aſſigné a ceſte furieuſe bataille cõtre Darius, dormit ſi profondemēt, &
ſi haute matinée, que Parmenion fut contraint
d'entrer en ſa chãbre, & approchant de ſon lict
l'appeller deux ou trois fois par ſon nom, pour
l'eſmeiller, le tēps d'aller au cõbat le preſſant.
l'Empereur Othon ayãt reſolu de ſe tuer, & ceſte meſme nuict, apres auoir mis ordre a ſes aſ-
ſaires domeſtiques, party ſon argēt a ſes ſeruiteurs,

teurs, & affilé le tranchant d'vne espée, dequoy
il se vouloit dōner, n'attēdant plus qu'a sçauoir
si chacun de ses amis s'estoit retiré en seurté,
se print si profondement a dormir, que ses valetz de chambre l'entēdoient ronfler. La mort
de c'est Empereur a beaucoup de choses pereil-
les a celle du grand Caton, & mesmes cecy: car
Caton estant pret a se deffaire, cependant qu'il
attēdoit qu'on luy rapportat nouuelles si les se-
nateurs qu'il faisoit retirer, s'estoiēt elargis du
port d'Vtique, se mit si fort a dormir qu'on l'o-
yoit souffler de la chābre voisiñe: & celuy qu'il
auoit enuoyé vers le port l'ayant esueillé pour
luy dire que la tourmente empeschoit les sena-
teurs de faire voile a leur aise, il y en renuoya
encore vn autre, & se r'enfonsant dās le lict se re
mit encore a sommeiller, iusques a ce q̃ ce dernier l'asseura de leur partement. Encore auons
nous dequoy le comparer au faict d'Alexandre en ce grand & dangereux orage, qui le
menassoit par la sedition du Tribun Metellus
voulant publier le decret du rappel de Pompeius dans la ville, auecques son armée lors
de l'émotion de Catilina: auquel decret Caton seul insistoit, & en auoient eu Metellus, &
luy de grosses parolles & grands menasses au
Senat. Mais c'estoit au lendemain en la place
qu'il failloit venir a l'execution, ou Metellus
outre la faueur du peuple & de Cæsar conspi-
rant lors aux aduantages de Pompeius se deuoit
                                            trouuer

trouuer accompagné de force esclaues estrangiers & escrimeurs a outrance, & Caton fortifié
de sa seule constance: de sorte que ses parens,
ses domestiques, & beaucoup de gens en estoient en grand soucy. Et en y eut qui passerent la
nuict ensemble, sans vouloir reposer, ni boire,
ni mâger, pour le dangier qu'ils luy voioient pre
paré, mesme sa femme & ses sœurs ne faisoient
que pleurer & se tourmenter en sa maison: la ou
luy au contraire reconfortoit tout le monde, &
apres auoir souppé comme de coustumé, s'en
alla coucher & dormir de fort profond sommeil, iusques au matin que l'vn de ses compagnons au Tribunat, le vint esueiller pour aller
a l'escarmouche. La connoissance, que nous a-
uons de la grandeur de courage de ces trois hômes par le reste de leur vie, nous peut faire iuger en toute seurté, que cecy leur partoit d'vne
ame si loing enleuée au dessus de telz accidens
qu'ilz n'en daignoient entrer en nulle emotiõ
non plus que d'accidens ordinaires. En la bataille nauale que Augustus gaigna contre Sex
tus Pompeius en Sicile, sur le point d'aller au
combat, il se trouua pressé d'vn si profond
sommeil, qu'il faut que ses amis l'esueillassêt,
pour donner le signe de la bataille. Cela donna occasion a M. Antonius de luy reprocher
depuis qu'il n'auoit pas eu le cœur seulement
de regarder les yeux ouuerts l'ordonnance de
son armée, & de n'auoir osé se presenter aus soldatz,

datz, iufques a ce qu'Agrippa luy vint annócer
la nouuelle de la victoire qu'il auoit eu fur fes
ennemis. Mais quant au ieune Marius, qui fit
encore pis (car le iour de fa derniere iournée
contre Sylla, apres auoir ordonné fon armée &
donné le mot & figne de la bataille, il fe coucha
deffous vn arbre a l'ombre pour fe repofer, &
s'édormit fi ferré, qu'a peine fe peut il efueiller
dela route & fuite de fes gens, n'ayant rien veu
du combat) ils difent que ce fut pour eftre fi extremement aggraué de trauail & de faute de
dormir, que nature n'en pouúoit plus. Et a ce
propos les medecins aduiferôt fi le dormir eft
fi neceffaire, que noftre vie en dépende. Car
nous trouuons bié qu'on fit mourir le Roy Per-
feus de Macedoine prifonnier a Rome luy em-
pefchant le fommeil. Mais Pline en allegue,
qui ont vefcu lóg temps fans dormir vne feule
goute.

CHAP. XLV.

De la bataille de Dreux.

IL y eut tout plein de rares accidens en noftre bataille de Dreux: mais ceux qui ne fa-
uorifent pas fort a la reputation de mófieur de
Guife, mettent volontiers en auant qu'il ne fe
peut excufer d'auoir faict alte & téporifé auec
les forces qu'il commandoit, cependant qu'on

R

enfonçoit monſieur le Conneſtable chef de
l'armée , auecques l'artillerie : & qu'il valoit
mieux ſe hazarder prenant l'ennemy par flanc,
qu'attendât l'aduâtage de le voir en queuë ſouffrir vne ſi lourde perte. Mais outre ce que l'iſſue
en teſmoigna, qui en debattra ſans paſſion , me
confeſſera aiſément, a mon aduis, que le but &
la viſée non ſeulement d'vn capitaine, mais de
chaſque ſoldat doit regarder ſeulement la victoire en gros, & que nulles occurrences particulieres , quelque intereſt qu'il y ait, ne le
doiuent diuertir de ce point la. Philopœmen
en vne rencontre contre Machanidas ayant enuoyé deuant pour attaquer l'eſcarmouche bonne trouppe d'archiers & gens de traict, & l'ennemy apres les auoir renuerſez s'amuſant a les
pourſuiure a toute bride, & coulant apres ſa victoire le long de la bataille, ou eſtoit Philopœmen, quoy que ſes ſoldats s'en émeuſſent,
il ne fut d'aduis de bouger de ſa place , ni de ſe
preſenter a l'ennemy pour ſecourir ſes gens:
ains les ayant laiſſé chaſſer & mettre en pieces a ſa veuë , commença la charge ſur les ennemis au bataillon de leurs gens de pied, lors
qu'il les vit tout a fait abandonnés de leur gens
de cheual : & bien que ce fuſſent Lacedemoniens, d'autant qu'il les prit a heure, que pour
tenir tout gaigné ils commençoient a ſe deſ-
ordonner, il en vint aiſément a bout , & cela
faict, ſe mit a pourſuiure Machanidas . Ce
                                        faict

fait eſt germain a celuy de Monſieur de Guiſe.

CHAP. XLVI.

Des noms.

QVelque diuerſité d'herbes qu'il y ait, tout
s'enueloppe ſous le nom de ſalade . De
meſme ſous la conſideration des noms, ie m'en
voy faire icy vne galimafrée de diuers articles . Chaſque nation a quelques noms qui
ſe prennent, ie ne ſçay comment, en mauuaiſe part : & a nous Iehan, Guillaume, Benoit.
Item il ſemble y auoir en la genealogie des
Princes certains noms fatalement affectez:
comme des Ptoloméés a ceux d'AEgypte, de
Henris en Angleterre, Charles en France,
Baudoins en Flandres, & en noſtre ancienne Aquitaine des Guillaumes, d'ou l'on dict
que le nom de Guienne eſt venu par vn froid
rencontre, s'il n'en y auoit d'auſſi crus dans
Platon meſme . Item c'eſt vne choſe legiere,
mais toutefois digne de memoire pour ſon e-
ſtrangeté , & eſcripte par teſmoing oculaire,
que Henry Duc de Normandie, fils de Henry ſecond Roy d'Angleterre , faiſant vn feſtin en France, l'aſſemblée de la nobleſſe y
fut ſi grande que pour paſſe-temps s'eſtant di-
uiſée en bandes par la reſſemblance des noms,
en la premiere troupe qui fut des Guillaumes,

R 2

il se trouua cẽt dix cheualiers assis a table portans ce nom, sans mettre en conte les simples
gentils-hõmes & seruiteurs. Item il se dit qu'il
faict bon auoir bon nom, c'est a dire credit &
reputation, mais encore a la verité est il commode d'auoir vn nom beau & qui aisément se
puisse comprendre & mettre en memoire: car
les Roys & les grands nous en connoissent plus
aisément & oublient plus mal volontiers: outre
ce qu'a la verité de ceux mesmes qui nous ser-
nent, nous commandons plus ordinairement
& employõs ceux, desquels les noms se presentent le plus facilement en la bouche. I'ay veu
le Roy Henry second ne pouuoir iamais nommer a droit vn gentil-homme de ce quartier
de Gascogne, & a vne fille de la Royne il fut
luy mesme d'aduis de donner le nom general
de la race, par ce que celuy de la maison paternelle luy sembla trop diuers. Item on dit que
la fondation de nostre Dame la grand a Poitiers, prit origine de ce que vn icune homme
debauché logé en cest endroit, ayant recouuré
vne garce, & luy ayant d'arriuée demandé son
nom, qui estoit Marie, se sentit si viuement e-
spris de religion & de respect de ce nom Sa-
crosainct de la vierge mere de nostre Sauueur,
que non seulement il la chassa soudain, mais en
amanda tout le reste de sa vie, & qu'en cõsideration de ce miracle il fut basti en la place, ou
estoit la maison de ce ieune homme vne cha-
pelle

pelle au nom de noſtre Dame,& depuis l'Egli
ſe que nous y voyons. Item dira pas la poſterité
que noſtre reformation d'auiourd'huy ait eſté
delicate & exacte, de n'auoir pas ſeulemēt cō-
batu les erreurs,& les vices,& rempli le mōde
de deuotion, d'humilité, d'obeıſſance, de paix
& de toute eſpece de vertu? mais d'auoir paſſé ıuſque a combatre ces anciens noms de nos
baptelmes, Charles, Loys, François, pour peu-
pler le monde de Mathuſalem, Ezechiel, Ma-
lachie, beaucoup mieux ſentans de la foy? Vn
gentil'homme mien voiſin eſtimant les commoditez du vieux temps au pris du noſtre, n'o-
blioit pas de mettre en conte la fierté & ma-
gnificēce des noms de la nobleſſe de ce temps,
Don Grumedan, Quedragan, Ageſilan, &
qu'a les ouïr ſeulemēt ſonner il ſe ſentoit qu'ils
auoient eſté bien autres gens, que Pierre, Guil-
lot, & Michel. Item ie ſçay bon gré a Iacques
Amıot d'auoir laiſſé dans le cours d'vn'oraiſon Françoiſe les noms Latins tous entiers,
ſans les bigarrer & changer, pour leur donner
vne cadence Françoiſe. Cela ſembloit vn peu
rude au commencement : mais deſ-ia l'vſage
par le credit de ſon Plutarque nous en a oſté
toute l'eſtrangeté. I'ai ſouhaité ſouuēt que ceux
qui eſcriuēt les hiſtoires en Latin noˢlaiſſaſſent
nos noms tous tels qu'ils ſont. Car en faiſant de
Vaudemont, Vallemontanus & les Metamor-
phoſant pour les garber a la Grecque ou a la

R 3

Romaine, nous ne sçauions ou nous en sommes,& en perdons la cónoissance.Pour clorre
nostre conte, c'est vn vilain vsage & de tres-
mauuaise conséquéce en nostre Fráce d'appeller chácun par le nom de sa terre & seigneurie,& la chose du monde, qui faict plus mesler
& mesconnoistre les races.Vn cabdet de bóne
maison ayát eu pour son apanage vne terre,sous
le nom de laquelle il a esté connu & honoré,ne
peut honnestement l'abádonner:dix ans apres
sa mort la terre s'en va a vn estrangier, qui en
faict de mesmes:deuinés ou nous sommes de la
connoissancé de ces hómes. Il ne faut pas aller
querir d'autres exemples que de nostre maison
royalle, ou autant de partages, autant de surnoms,cependant l'originel de la tige nous est
eschappé.Mais ceste consideration me tire par
sorce a vn autre champ.Sódons vn peu de prés,
& pour Dieu regardons, a quel fondemét nous
attachons ceste gloire & reputation, pour laquelle se bouleuerse le monde. Ou assćós nous
ceste renommée que nous allons questant auec
si grád peine?C'est en somme Pierre ou Guillaume, qui la porte, prend en garde, & a qui
elle touche. Et ce Pierre ou Guillaume qu'est-
ce qu'vne voix pour tous potages ? ou trois ou
quatre traicts de plume, premierement si aisez a varier, que ie demanderois volontiers a
qui touche l'honneur de tant de victoires, a
Guesquin, a Glesquin, ou Gueaquin? Il y auroit

roit bien plus d'apparence icy qu'en Luciē que
Σ .mit T. en procez:car

N on leuia aut ludicra petuntur
Præmia.

Il y va de bon, il est questiō laquelle de ces lettres doit estre payée de tant de sieges, batailles,
blessures, prisons & seruices faicts a la couronne de Frāce par ce sien fameux cōnestable. Nicolas Denisot n'a eu soing que des lettres de
son nom, & en a chāgé toute la cōtexture, pour
en bastir le Conte d'Alsinois, qu'il a estrené de
la gloire de sa poësie & peinture. Et l'historien
Suetone n'a aymé que le sens du sien, & en ayāt
priué Lenis, qui estoit le surnom de son pere, a
laissé Tranquillus successeur de la reputation de
ses escrits. Qui croiroit que le capitaine Bayard
n'eut honneur, que celuy qu'il a emprunté des
faicts de Pierre Terrail? & qu'Antoine Escalin
se laisse voler a sa veuë tant de nauigations &
charges par mer & par terre au capitaine Pou-
lin, & au Baron de la Garde? Secondement ce
sont traicts de plume cōmuns a mill'hommes.
Combien y a il en toutes les races de personnes de mesme nom & surnom? Et puis qui empesche mon palefrenier de s'appeller Pom-
pée le grand? mais apres tout, quels moyens,
quels ressors y a il qui attachēt a mon palefrenier trespassé, ou a cest autre homme qui eut la
teste trāchée en Aegypte, & qui ioignent a eux
ceste voix glorifiée, & ces traicts de plume ainsi

R 4

honorez, pour qu'ils s'en aduentagent.
Id cinerem & manes credis curare sepultos?
Toutefois

ad hæc se
Romanus Graiúsque & barbarus induperator
Erexit, causas discriminis atque laboris
Inde habuit, tanto maior famæ sitis est, quam vir-
tutis.

CHAP. XLVII.

De l'incertitude de nostre iugement.

C'Est bien ce que dict ce vers,
Ἐπέων δὲ πολὺς νόμος ἔνθα κỳ ἔνθα,
il y a prou loy de parler par tout, & pour, & con
tre. Pour exemple
Vinse Hannibal & non seppe vsar'poi
Ben la vittoriosa sua ventura,
Qui voudra estre de ce party, & faire valoir a-
uecques nos gens la faute de n'auoir dereniere-
ment poursuiui nostre pointe a Montcontour,
ou qui voudra accuser le Roy d'Espagne, de n'a-
uoir sceu se seruir de l'aduantage qu'il eut contre nous a sainct Quintin, il pourra dire ceste
faute partir d'vne ame enyurée de sa bonne
fortune, & d'vn courage, lequel plein & gor-
gé de ce commencement de bon heur, perd
le goust de l'accroistre, des-ia par trop empesché a digerer ce qu'il en a : il en a sa brassée
toute

toute comble, il n'en peut saisir dauantage indigne que la fortune luy aye mis vn tel bien entre mains: car quel profit en sent-il, si ce neantmoins il donne a son ennemy moyen de se remettre sus? Qu'ell'esperance peut on auoir qu'il
ose vn'autrefois attaquer ceux-cy ralliez & remis, & de nouueau armez de despit & de vengeance, qui ne les a osé ou sceu poursuiure tous
rompus & effrayez?

Dum fortuna calet, dum conficit omnia terror.

Mais en fin que peut il attendre de mieux, que
ce qu'il vient de perdre? Ce n'est pas comme a
l'escrime ou le nombre de touches donne gain.
Tant que l'ennemy est en pieds, c'est a recommencer de plus belle : ce n'est pas victoire, si
elle ne met fin a la guerre. En ceste escarmouche ou Cæsar eut du pire pres la ville d'Oricū,
il reprochoit aux soldatz de Pompeius, qu'il
eust esté perdu, si leur Capitaine eust sceu vaincre: & luy chaussa bien autrement les esperons,
quand ce fut a son tour. Mais pourquoy ne dira
lon aussi au contraire? que c'est l'effect d'vn esprit precipitant & insatiable de ne sçauoir mettre fin a sa cōuoitise: que c'est abuser des faueurs
de Dieu, que de leur vouloir faire perdre la
mesure qu'il leur a prescripte: & que de se reietter au dangier apres la victoire, c'est la remettre encore vn coup a la mercy de la fortune:
que l'vne des plus grandes sagesses en l'art militaire c'est de ne pousser pas son ennemy au

R 5

defespoir. Sylla & Marius en la guerre fociale
ayant défaict les Marfes, en voyant encore vne
trouppe de refte qui par d'efefpoir fe reuenoit
ietter a eux comme beftes furieufes, ne feurent
pas d'aduis de les attandre. Si l'ardeur de Monfieur de Foix ne l'eut emporté a pourfuiure
trop afprement les reftes de la victoire de Ra-
uenne, il ne l'eut pas fouillée de fa mort. Toutefois encore feruit la recente memoire de fon
exemple, a conferuer monfieur d'Anguien de
pareil inconuenient, a Serifoles. Il faict dangereux affaillir vn homme, a qui vous auez ofté
tout autre moien defchapper que par les armes:
car c'eft vne violente maiftreffe d'efcole que la
neceffité. Clodomire Roy d'Aquitaine apres fa
victoire pourfuiuant Gondemar Roy de Bour-
gogne vaincu & fuiant, le força de tourner tefte, mais fon opiniatreté luy ofta le fruict de fa
victoire, car il y mourut.

Pareillement qui auroit a choifir ou de tenir
fes foldatz richement & fomptueufement armez, ou armez feulement pour la neceffité : il
fe prefenteroit en faueur du premier party, duquel eftoit Sertorius , Philopœmen , Brutus,
Cæfar & autres, que c'eft toufiours vn éguillon
d'honneur & de gloire au folda: de fe voir paré, & vn'occafion de fe rendre plus obftiné au
combat , ayant a fauuer fes armes, comme fes
biens & heritages. Mais il s'offriroit auffi de
l'autre part, qu'on doit pluftoft ofter au foldat
le

le soing de se côseruer,que de le luy accroiftre:
qu'il craindra par ce moyen doublement a fe
hazarder:ioint que c'eft augmenter a l'ennemy
l'enuie de la victoire, par ces riches defpouilles.
Et a l'on remarqué que d'autre fois cela encou-
ragea merueilleufement les Romains a l'encô-
tre des Samnites.Licurgus deffendoit aux fiés
non feulement la fumptuofité en leur equipage
mais encore de defpouiller leurs ennemis vaincus,voulant,difoit-il, que la pauureté & frugalité reluifit auec le refte de fa bataille.

    Aux fieges & ailleurs ou l'occafion nous ap-
proche de l'ennemy, nous donnons volontiers
licence aux foldatz de le brauer, defdeigner,&
iniurier de toutes façons de reproches : & non
fans apparence de raifon. Car ce n'eft pas faire
peu que de leur ofter toute efperance de grace
& de compofition,en leur reprefentât qu'il n'y
a plus ordre de l'attendre de celuy qu'ilz ont fi
fort outragé, & qu'il ne refte remede que de la
victoire. Si eft-ce qu'il en mefprit a Vitellius,
car ayât affaire a Othô plus foible en valeur de
foldatz def-accouftumez de longue main du
faict de la guerre , & amollis par les delices de
la ville , il les agaffa tant en fin par fes parolles
piquantes,leur reprochât leur pufillanimité,&
le regret des Dames & feftes qu'ilz venoient de
laiffer a Rome,qu'il leur remit par ce moien le
cœur au ventre. ce que nuls enhortemens n'a-
uoient fceu faire:& les attira luy mefme fur fes
                                        bras,

bras, ou l'on ne les pouuoit pouſſer. Et de vray
quand ce ſont iniures qui touchent au vif , elles
peuuent faire ayſéement que celuy qui alloit
lâchement a la beſogne pour la querelle de ſon
Roy, y aille d'vn autre affection pour la ſienne propre.

A conſiderer de combien d'importance eſt
la conſeruation d'vn chef en vn'armée , & que
la viſée de l'ennemy regarde principalement
ceſte teſte, a laquelle tiennent toutes les autres
& en dependēt:il ſemble qu'on ne puiſſe mettre en doubte ce conſeil,que nous voions auoir
eſté pris par pluſieurs grands chefs,de ſe traue-
ſtir & deſguiſer ſur le point de la meſlée. Toutefois l'inconuenient qu'on encourt par ce
moyen n'eſt pas moindre que celuy qu'on penſe fuir. Car le capitaine venant a eſtre meſconu
des ſiens, le courage qu'ils prennent de ſon e-
xēple & de ſa preſence,vient auſſi quant & quāt
a leur faillir, & perdant la veüe de ſes merques
& enſeignes accouſtumées , ils le iugent ou
mort, ou s'eſtre deſrobé deſeſperant de l'affai-
re.Et quant a l'experience nous luy voyons fauoriſer tantoſt l'vn, tantoſt l'autre party. L'accident de Pyrrhus en la bataille qu'il eut contre le conſul Leuinus en Italie nous ſert a l'vn &
a l'autre viſage. car pour s'eſtre voulu cacher
ſous les armes de Demogacles & luy auoir dō-
né les ſiennes , il ſauua bien ſans doute ſa vie,
mais auſſi il en cuida encourir l'autre inconuenient

nient de perdre la bataille.

A la bataille de Pharſale entre autres reproches qu'on donne a Pompeius, c'eſt d'auoir ar-reſté ſon armée pied coy attendant l'ennemy. Pour autant que cela (ie deſ-roberay icy les motz meſmes de noſtre Plutarque qui valent mieux que les miens) affoiblit la violence que le courir donne aux premiers coups, & quant & quant oſte l'eſlancement des combatans les vns contre les autres, qui a accouſtumé de les rem-plir d'impetuoſité & de fureur plus que nulle autre choſe, quãd ils viennent a s'entrechoquer de roideur, leur augmentant le courage par le cry & la courſe: & rend la chaleur des ſouldats en maniere de dire refroidie & figée. Voila ce qu'il diễt pour ce rolle. Mais ſi Cæſar eut per-du, qui n'euſt peu auſſi bien dire, qu'au contrai-re la plus forte & roide aſſiete c'eſt celle en la-quelle on ſe tient planté ſans bouger, & que qui eſt en ſa démarche arreſté reſerrant & eſpar-gnant pour le beſoing ſa force en ſoy meſmes, a grand auantage contre celuy qui eſt esbranlé, & qui a deſ-ia employé a la courſe la moitié de ſõ haleine. Outre ce que l'armée eſtất vn coprs de tant de diuerſes pieces , il eſt impoſſible qu'elle s'eſmeuue en ceſte furie , d'vn mouue-ment ſi iuſte qu'elle n'en altere ou rompe ſon ordonnance : & que le plus diſpoſt ne ſoit aux priſes auất que ſon cõpagnon le ſecoure. D'au-tres ont reglé ce doubte en leur armée de ceſte
manie-

maniere. Si les ennemis vous courrēt sus, attendez les de pied coy : s'ils vous attendent de
pied coy, courez leur sus.

Au passage que l'Empereur Charles cinquiesme fit en Prouence, le Roy François fust au
propre d'eslire ou de luy aller au deuant en Italie, ou de l'attendre en ses terres. Et bien qu'il
considerast combien c'est d'aduantage de conseruer sa maison pure & nette de troubles de la
guerre, afin qu'entiere en ses forces elle puisse
continuellement fournir deniers & secours au
besoing : Que la necessité des guerres porte a
tous les coûps , de faire le degast, ce qui ne se
peut faire bonnement en nos biens propres, &
si le paisant ne porte pas si doucement ce raua-
ge de ceux de son party, que de l'ēnemy : en maniere qu'il s'en peut aysément allumer des sedi-
tions & des troubles parmy nous : Que la licēce
de desrober & de piller, qui ne peut estre per-
mise en son païs, est vn grād support eux ennuis
de la guerre : Et qui n'a autre esperēce de gaing
que sa solde , il est mal aisé qu'il soit tenu en
office estant a deux pas de sa femme & de sa retraicte : Que celuy qui met la nappe tombe tousiours des despens : Qu'il y a plus d'allegresse a
assaillir qu'a deffendre : Et que la secousse de
la perte d'vne bataille dans nos entrailles est si
violente, qu'il est malaisé qu'elle ne crolle tout
le corps , attandu qu'il n'est passion contagieu-
se, comme celle de la peur, ny qui se preigne si
aysée-

ayféement a credit, & qui s'efpande plus bruf-
quement : & que les villes qui auront ouy l'ef-
clat de cefte tempefte a leurs portes, qui auront
recueilli leurs Capitaines & foldatz tremblans
encore & hors d'haleine, il eft dangereux fur
la chaude qu'ils ne fe iettent a quelque mauuais
party. Si eft-ce qu'il choifit de r'appeller les
forces qu'il auoit de la les mons & de voir venir l'ennemy. Car il peut imaginer au contraire, qu'eftât ches luy & entre fes amis il ne pouuoit faillir d'auoir plante de toutes commoditez. Les riuieres, les paffages a fa deuotion luy
conduiroient fans ceffe & viures & deniers en
toute feurté & fans befoing d'efcorte : Qu'il auroit fes fubietz d'autant plus affectiónez, qu'ilz
auroient le dangier plus pres : Qu'ayant tant de
villes & de barrieres pour fa feurté, ce feroit a
luy de donner loy au combat felon fon oportunité & aduantage : & s'il luy plaifoit de tempo-
rizer : Qu'a labri & a fon aife il pourroit voir
morfondre fon ennemy & fe defaire foy mefmes, par les difficultez qui le combatroient engagé en vne terre eftrangiere, ou il n'auroit deuant ny derriere luy, ny a cofté, rié qui ne luy fit
guerre : nul moien de refréchir ou eflargir fon
armée fi les maladies s'y mettoient, ny de loger
a couuert fes bleffés, nuls deniers, nulz viures,
qu'a pointe de lance, nul loifir de fe repofer &
prédre haleine, nulle fciéce de lieux & du país,
qui le fceut deffendre d'embuches & furprifes :
                                    & s'il

& s'il venoit a la perte d'vne bataille, nul moyē
d'en sauuer les reliques. Et n'auoit pas faute
d'exemples pour l'vn & pour l'autre parti. Scipion trouua bien meilleur d'aller assaillir les
terres de son ennemy en Afrique, que de deffē-
dre les siennes & le combatre en Italie, ou il
estoit, dou bien luy en prit. Mais au contraire,
Hannibal en ceste mesme guerre se ruina d'a-
uoir abandonné la conqueste d'vn païs estran-
ger pour aller deffendre le sien. Les Atheniens
ayant laissé l'ennemy en leurs terres pour passer en la Sicile eurent la fortune contraire mais
Agathocles Roy de Siracuse l'eust fauorable
ayant passé en Afrique & laissé la guerre chez
soy. Ainsi nous auons bien accoustumé de dire
auec raison que les euenements & issues depē-
dent mesme en la guerre pour la pluspart de la
fortune. Laquelle ne se veut pas renger & assu-
ietir a nostre discours & prudence, comme disent ces vers

Et male consultis pretium est prudentia fallax,
Nec fortuna probat causas sequitúrque merentes:
Sed vaga per cunctos nullo discrimine fertur.
Scilicet est aliud quod nos cogátque regátque
Maius, & in proprias ducat mortalia leges.

Mais a le bien prendre, il semble que nos conseils & deliberations en dépendent bien autant,
& que la fortune n'est pas plus incertaine & temeraire que nos discours.

CHAP.

CHAP. XLVIII.

Des destries.

ME voicy deuenu grammairien, moy qui n'apprins iamais nulle lágue que par routine, & qui ne sçay encore que c'est d'adiectif, coniunctif, & d'ablatif. Il me semble auoir ouy dire que les Romains auoient des cheuaux qu'ils appelloient *funales* ou, *dextrarios*, qui se menoient a dextre ou a relais pour les prendre tous frez au besoin : & de la vient que nous appellons destriers les cheuaux de seruice. Et nos Romans disent ordinairement adestrer pour accompaigner. Ils appelloient aussi *desultorios equos* des cheuaux qui estoient dressez de façon que courans de toute leur roideur acouplez coté a coté l'vn de l'autre , sans bride, sans selle, les gentils-hommes Romains, voire tous armés au milieu de la course se iettoient & reiettoient de l'vn a l'autre. On dict de Cæsar & aussi du grand Pompeius que parmy leurs autres excellentes qualitez ils estoient fort bien a cheual: & de Cæsar , qu'en sa ieunesse monté a dos sur vn cheual & sans bride il luy faisoit prendre carriere les mains tournées derriere le dos. Comme nature a voulu faire de ce personnage la & d'Alexandre deux miracles en l'art militaire, vous diriez qu'elle s'est aussi es-

S

forcée a les armer extraordinairement. Car chácun sçait du cheual d'Alexandre Bucefal, qu'il auoit la teste retirant a celle d'vn toreau, qu'il ne se souffroit monter a personne qu'a son maistre, ne peut estre dressé que par luy mesme, fut honoré apres sa mort, & vne ville bastie en son nom. Cæsar en auoit aussi vn autre qui auoit les piedz de deuant comme vn homme, ayant l'ongle coupée en forme de doigts, qui ne peut estre monté ny dressé que par Cæsar, lequel dedia son image apres sa mort a la déesse Venus. Ie ne démonte pas volontiers quand ie suis a cheual. Car c'est l'assiete, en laquelle ie me trouue le mieux & sain & malade. Aussi dict Pline qu'elle est tres-salutaire a l'estomac & aux iointures. Poursuiuons donc, puis que nous y sommes. On lict en Xenophon la loy de Cyrus deffendant de voyager a pied a homme, qui eust cheual. Trogus & Iustinus disent que les Parthes auoient accoustumé de faire a cheual non seulement la guerre, mais aussi tous leurs affaires publiques & priuez, marchander, parlementer, s'entretenir, & se promener : & que la plus notable differéce des libres & des serfs parmy eux c'est que les vns vont a cheual & les autres a pié. Il y a plusieurs exemples en l'histoire Romaine (& Suetone le remarque plus particulierement de Cæsar) des Capitaines qui commandoient a leurs gens de cheual de mettre pied a terre, quand ilz se trouuoiét pressez

fez de l'occafion, pour ofter aux foldatz toute
efperance de fuite. Mais nos anceftres & notamment du temps de la guerre des Anglois
en tous les combatz folemnelz & iournées affi-
gnées ils fe mettoient tous a pié, pour ne fe fier
a nulle autre chofe, qu'a leur force propre &
vigueur de leur courage & de leurs membres,
de chofe fi chere que l'honneur & la vie. Vous
engagez voftre valeur & voftre fortune a celle de voftre cheual. Ses playes & fa mort tirent
la voftre en confequence, fon effray ou fa fureur vous rendent ou temeraire ou lâche. S'il
a faute de bouche ou d'efperon c'eft a voftre
honneur a en refpondre. A cefte caufe ie ne
trouue pas eftrange, que ces combatz la fuffent
plus fermes & plus furieux que ceux qui fe font
a cheual. Et chofe que nous appellons a la focieté d'vn fi grand hazard, doit eftre en noftre
puiffance le plus qu'il fe peut. Comme ie con-
feilleroy de choifir les armes les plus courtes,
& celles dequoy nous nous pouuons le mieux
refpondre. Il eft bien plus feur de s'affeurer d'v-
ne efpée que nous tenons au poing, que du bou-
let qui efchappe de noftre piftole, en laquelle
il y a plufieurs pieces, la poudre, la pierre, le
rouët, defquelles la moindre qui viendra a
faillir vous fera faillir voftre fortune. Mais quât
a ceft'arme la i'en parleray plus largement ou
ie feray comparaifon des armes anciennes aux
noftres, & fauf l'eftonnement des oreilles,

S 2

a quoy meshuy chacun est appriuoisé, ie croy que c'est vn'arme de fort peu d'effect, & espere que nous en quitterons bien tost l'vsage. Encore ne faut il pas oblier la plaisante assiete qu'auoit a cheual vn maistre Pierre Pol Docteur en Theologie, que Monstrelet recite auoir accoustumé se promener par la ville de Paris & ailleurs assis de costé comme les femmes. Il dit aussi ailleurs que les Gascons auoiêt des cheuaux terribles accoustumez de virer en courant, dequoy les François, Piccars, Flamens & Brabançons faisoient grand miracle pour n'auoir accoustumé de le voir. Ce sont ses mots Ie ne sçay quel maniement ce pouuoit estre, si ce n'est celuy de nos passades. Cæsar parlant de ceux de Suede, Aux rêcontres qui se font a cheual, dict-il, ils se iettent souuent a terre pour combatre a pié, ayant accoustumé leurs cheuaus de ne bouger ce pendant de la place, ausquels ils recourent promptemêt, s'il en est besoing. Et selon leur coustume, il n'est rien si vilain & si lâche que d'vser de selles & bardelles, & mesprisêt ceux qui en vsent: de maniere que fort peu en nôbre ilz ne craignent pas d'en assaillir plusieurs. Le Roy Alphonce, celuy qui dressa en Espaigne l'ordre des cheualliers de la Bande ou de L'escharpe, leur dôna entre autres regles de ne monter ny mule ny mulet, sur peine d'vn marc d'argent d'amende, côme ie viens d'apprendre dans les lettres de Gueuara, desquelles

quelles ceux qui les ont appellées dorées, faisoient iugement bien autre que celuy que
i'en say.

CHAP. XLVIIII.

Des coustumes anciennes.

I'Excuserois volontiers en nostre peuple de
n'auoir autre patron & regle de perfection
que ses propres meurs & vsances : car c'est vn
commun vice, non du vulgaire seulement, mais
quasi de tous hommes, d'auoir leur visée & leur
arrest sur le train auquel ils sont nais. Ie suis cô-
tent quand il verra Fabritius ou Scipion, qu'il
leur trouue la contenance & le port barbare,
puis qu'ilz ne sont ny vestus ny façonnez a nostre mode. Mais ie me plains de sa particuliere
indiscretion, de se laisser si fort piper & aueu-
gler a l'authorité de l'vsage present, qu'il soit
capable de changer d'opinion & d'aduis tous
les mois, s'il plait a la coustume, & qu'il iuge si
diuersement de soy mesmes. Quand il portoit
le busc de son pourpoin entre les mamelles, il
maintenoit par viues raisons qu'il estoit tres-
bien. Quelques années apres le voila aualé iusques entre les cuisses, il se moque de son autre
vsage, le trouue inepte & insuportable. La façon de se vestir presente luy faict incontinent
con damner & mespriser l'ancienne, d'vne re-

solution si grande, & d'vn consentement si vniuersel que vous diriez que c'est vne vraie manie qui luy roule ainsi son entendement. Par
ce que nostre changement est si subit& si prompt
en cela que l'inuention de tous les tailleurs du
monde ne sçauroit fournir assez de nouuelletez : il est force que bien souuent les formes
mesprisées reuiennent en credit, & celles la
mesmes tombent en mespris tantost apres, &
qu'vn mesme iugement preigne en l'espace de
quinze ou vingt ans deux ou trois , non diuerses seulement, mais contraires opinions, d'vne
inconstance & legereté incroyable. Ie veux icy
entasser aucunes coustumes anciennes, que i'ay
en memoire, les vnes de mesme les nostres , les
autres differentes : afin qu'ayant en l'imagination ceste continuelle variation des choses humaines nous en ayons le iugement plus esclaircy & plus ferme. Ce que nous disons de
combatre l'espée & la cape, il s'usoit encores
entre les Romains , ce dict Cæsar, *Sinistris sa-*
gos inuoluunt gladiósque distringunt: & remerque des lors en nostre nation ce vice , qui est
encore, d'arrester les passans que nous rencontrons en chemin , & de les forcer de nous dire
qui ils sont , & de prendre a iniure & occasion
de querelle , s'ilz refusent de nous respondre.
Aux bains que les anciens prenoient tous les
iours auant le repas , & les prenoint aussi ordinairement que nous faisons de l'eau a lauer les
                                               mains

mains, ils ne se lauoint du commencement que
les bras & les iambes : mais dépuis & d'vne
coustume qui a duré plusieurs siecles & en la
plus part des nations du monde, ilz se lauoint
tous nudz d'eau mixtiōnée & parfumée:de maniere qu'ils prenoint pour tesmoignage de grāde simplicité de se lauer d'eau simple. Les plus
affetez & delicatz se parfumoint bien trois ou
quatrefois par iour tout le corps. Ilz se faisoiét
souuant pinceter le poil par tout, comme les
femmes Françoises ont pris en vsage depuis
quelque temps de faire leur front,

Quod pectus,quod crura tibi,quod brachia vellis,
Quoy qu'ilz eussent des oignemens,qui seruoint a cela de faire tomber le poil qu'ilz appelloint *Psilotrum*

Psilotro nitet,aut arida latet abdita creta.
Ilz aimoint a se coucher mollement, & alle-
guent pour preuue de patience de coucher sur
des materas.Ilz māgeoint couchez sur des lits,
a peu prez en mesme assiete que les Turcs de
nostre temps.*Inde thoro pater Æ Eneas sic orsus
ab alto.* Et dit on du ieune Caton que despuis la
bataille de Pharsale, estant entré en deuil du
mauuais estat des affaires publiques il mangea
toushours assis,prenāt vn train de vie plus auste-
re.Ilz baisoint les mains aux grāde pour les hō-
norer & caresser. Et entre les amis ilz s'ētrebai-
soint en se saluant comme font les Venitiens.
Gratatúsque darem cum dulcibus oscula verbis.

Ilz mengeoint comme nous le fruict a l'issue
de table. Ilz se torchoint le cul (il faut laisser
aux femmes cesté vaine superstition des parolles)auec vne esponge. Voila pourquoy *spongia*
est vn mot obscœne en Latin: & estoit ceste esponge attachée au bout d'vn baston , comme
tesmoigne l'histoire de celuy qu'on menoit
pour estre presenté aux bestes deuát le peuple,
qui demanda congé d'aller a ses affaires , & la
n'ayant autre moyen de se tuer , il se fourra ce
baston & esponge dans le gosier,& s'en estou-
fa. Ilz s'essuyoint le catze de laine perfumée,
quand ilz en auoint faict,

At tibi nil faciam, sed lota mentula lana.

Il y auoit aux carrefours a Rome des vaisseaux
& demy-cuues poury apresler a pisser aux
passans.

Pusi sæpe lacum propter se ac dolia curta
Somno deuincti credunt extollere vestem.

Ilz faisoint collation entre les repas. & y auoit
en esté des vendeurs de nege pour refréchir le
vin:& en y auoit qui se seruoint mesme de ceste
nege en hyuer,ne trouuás pas le vin encore lors
assez froid:les grands auoint leurs eschançons
& trenchans, & leurs folz pour leur donner du
plaisir:on leur seruoit en hyuer la viáde sur des
fouyers qui se portoint sur la table : & auoint
des cuisines portatiues,dans lesquelles tout leur
seruice se trainoit apres eux.

Has vobis epulas habete lauti,

N os

Nos offendimur ambulante cœna.

& en esté ils faisoient souuent en leurs sales
basses couler de l'eau fresche & claire dans des
canaus au dessous d'eux, ou il y auoit force poisson en vie, que les assistans choisissoint & prenoint en la main pour le faire aprester chacun
a son goust. Car le poissõ a tousiours eu ce priuilege, cõme il a encores, que les grans se meslent de le sçauoir aprester. Car aussi en est le
goust beaucoup plus exquis, que de la chair,
aumoins pour moy. Mais en toute sorte de magnificence, de desbauche & d'inuentions vo-
luptueuses, de molesse & de sumptuosité, nous
faisons a la verité ce que nous pouuõs pour les
égaler : car nostre volonté est bien aussi gastée
que la leur : mais nostre suffisance n'y peut arriuer : nos forces ne sont non plus capables de les
ioindre en ces parties la vitieuses, qu'aux vertueuses. Car les vnes & les autres partent d'vne
vigueur d'esprit, qui estoit sans comparaison
plus grãde en eux qu'en nous : & les ames a mesure qu'elles sont moins fortes, elles ont d'autãt
moins de moyen de faire ni fort bien, ni fort
mal. Le haut bout d'estre eux c'estoit le milieu.
Le deuant & derriere n'auoint en escriuant &
parlant aucune signification de grandeur, comme il se voit euidemmẽt par leurs escris : ils diront Oppius & Cæsar, aussi volõtiers, que Cé-
sar & Oppius : & dirõt moy & toy indifferem-
ment comme toy & moy. Voila pourquoy i'ay

S s

antrefois remerqué en la vie de Flaminius de
Plutarque Frãçois vn endroit, ou il semble que
l'autheur parlant de la ialousie de gloire, qui e-
stoit entre les AEtoliens & les Romains, pour
le gain d'vne bataille qu'ils auoient obtenu en
commun, face quelque pois de ce qu'aux chansons Grecques, on nommoit les AEtholiens
auant les Romains, s'il n'y a de l'Amphibolo-
gie aux motz François. Les Dames estans aux
estuues y receuoient quant & quant des hommes, & se seruoient la mesme de leurs valetz a
les frotter & oindre.

Inguina succinctus nigra tibi seruus aluta
   Stat, quoties calidis nuda foueris aquis.

Elles se saupoudroient de quelque poudre pour
reprimer les sueurs. Les anciens Gaulois, dict
Sidonius Apollinaris, portoiét le poil long par
le deuant, & le derriere de la teste tondu, qui
est ceste façon qui vient estre renouuellée par
l'vsage efféminé & lâche de ce siecle. Les Romains payoient ce qui estoit deu aux bateliers
pour leur voiture des l'entrée du bateau, ce que
nous faisons apres estre rendus a port.

Dum as exigitur, dum mula ligatur
   Tota abit hora.

Les femmes couchoient au lict du costé de la
ruelle. Voyla pourquoy on appelloit Cæsar
spondã Regis Nicomedis : mais il y a des liures
entiers faicts sur c'est argument.

                              CHAP.

CHAP. L.

De Democritus & Heraclitus.

LE iugement eſt vn vtil a tous ſubiects, & ſe
meſle par tout. A ceſte cauſe aux eſſais, que
ie fay icy, i'y employe toute ſorte d'occaſion.
Si c'eſt vn ſubiect que ie n'entéde point, a cela
meſme ie l'eſſaye, ſondant le gué de bié loing,
& puis le trouuât trop profond pour ma taille,
ie me tiens a la riue, & ceſte recónnoiſſance de
ne pouuoir paſſer outre, c'eſt vn traict de ſon
effect, voire de ceux, de quoy il ſe vante le plus.
Tantoſt a vn ſubiect vain & de neát i'eſſaye voir
s'il trouuera dequoy luy donner corps, & dequoy l'appuyer & eſtançonner. Tantoſt ie le
promene a vn ſubiect noble & fort tracaſſé, auquel il n'a rien a trouuer de ſoy meſme, le chemin en eſtant ſi frayé & ſi batu qu'il ne peut
marcher que ſur la piſte d'autruy. La il faict ſon
ieu a trier la route qui luy ſemble la meilleure:
& de mille ſentiers, il dict que ceſtuy-cy ou
celuy la a eſté le mieus choiſi. Au demeurant
ie laiſſe la fortune me fournir elle meſme les
ſubiectz : d'autant qu'ils me ſont également
bons. Et ſi n'entreprans pas de les traicter entiers & a fons de cuue. De mille viſages qu'ils
ont chacû, i'ē prés celuy qu'il me plaiſt. Ie les ſaiſis volētiers par quelque luſtre extraordinaire
& fan-

& fantafque. I'en trieroy bié de plus riches &
pleins, fi i'auoy quelque autre fin propofée que
celle que i'ay. Toute action eft propre a nous
faire connoiftre. Cefte mefme ame de Cæfar,
qui fe faict voir a ordôner & dreffer la bataille
de Pharfale, elle fe faict auffi voir a dreffer des
parties oyfiues & amoureufes. On iuge vn cheual, non feulement a le voir manier fur vne carriere, mais encore a luy voir aller le pas, voire
& a le voir en repos a l'eftable. Democritus &
Heraclytus ont efté deus philofophes, defquels
le premier trouuant vaine & redicule l'humaine condition ne fortoit guiere en public qu'a-
uec vn vifage moqueur & riant. Heraclitus, aiât
pitié & compaffion de cefte mefme condition
noftre, en portoit le vifage continuellement a-
trifté & les yeux chargez de larmes. I'ayme
mieux la premiere humeur: non par ce qu'il eft
plus plaifant de rire que de pleurer: mais par ce
qu'elle eft plus defdaigneufe, & qu'elle nous a-
cufe plus que l'autre. Et il me femble que nous
ne pouuons iamais eftre affez mefprifez felon
noftre merite. La plainte & la commiferation
elles font meflées a quelque eftimation de la
chofe qu'on plaint. Les chofes dequoy on fe
moque, on les eftime vaines & fans pris. Ie ne
péfe point qu'il y ait tant de malheur en nous,
comme il y a de vanité, ni tant de malice comme de fotie. Nous ne fommes pas tant pleins
de mal, comme d'inanité. Nous ne fommes pas
tant

tant miſerables, comme nous ſommes viles.
Ainſi Diogenes, qui baguenaudoit a par ſoy,
roulant ſon tonneau, & hochant du nez le grãd
Alexandre, nous eſtimant treſtous des mouches, ou des veſſies pleines de vent, il eſtoit biẽ
iuge plus aigre & plus piquant, & par conſequent, plus iuſte a mon humeur que Timon, celuy qui fut ſurnommé le haiſſeur des hommes.
Car ce qu'on hait on le prend a cœur. Cetuy-cy
nous ſouhaitoit du mal, eſtoit paſſionné du deſir de noſtre ruine, fuioit noſtre conuerſation
comme dangereuſe, de meſchans & de nature
depraüée. L'autre nous eſtimoit ſi peu que nous
ne pourrions, ni le troubler, ni l'alterer par noſtre contagion. Nous laiſſoit de cõpagnie, non
pour la crainte, mais pour le deſdain de noſtre
commerce. Il ne nous eſtimoit capables, ni de
bien, ni de mal faire. De meſme marque fut la
reſponce de Statilius, auquel Brutus parla pour
le ioindre a la conſpiratiõ contre Cæſar: il trou
ua l'entreprinſe iuſte, mais il ne trouua pas les
hommes dignes, pour leſquels on ſe mit aucunement en peine.

CHAP. LI.

De la vanité des parolles.

VN Rhetoricien du temps paſſé diſoit que
ſon meſtier eſtoit de choſes petites les faire pa-

re paroiſtre & trouuer grãdes. On luy eut faict
donner le fouët en Sparte, de faire profeſſion
d'vn'art pipereſſe & mẽſongere. Ceux qui maſ-
quẽt & fardẽt les femmes, font moins de mal.
Car c'eſt choſe de peu de perte de ne les voir
pas en leur naturel:la ou ceux-cy font eſtat de
tromper, non pas nos yeux, mais noſtre iugemẽt:& d'abaſtardir & corroinpre l'eſſence des
choſes. Les republiques qui ſe ſont maintenues
en vn eſtat reglé & bien policé,comme la Cre-
tenſe ou la Lacedemonienne , elles n'ont pas
faict grand conte d'orateurs. C'eſt vn vtil inuẽ-
té pour manier & agiter vne tourbe, & vne cõ-
mune deſreiglée,& vtil qui ne s'ẽploye qu'aux
eſtatz malades, cõme la medecine. En ceux ou
le peuple, ou les ignorãs, ou tous ont tout peu,
comme celuy d'Athenes, de Rhodes & de Rome,& ou les choſes ont eſté en perpetuelle tẽ-
peſte,la ont foiſonné les orateurs. Et a la verité il ſe void peu de perſonnages en ces republi
ques la, qui ſe ſoict pouſſez en grand credit ſans
le ſecours de l'eloquence. Pompeius, Cẽſar,
Craſſus, Lucullus, Lentulus, Metellus ont pris
de la leur plus grand appui a ſe monter a ceſte
grandeur d'authorité,ou ils ſont en fin arriuez,
& s'ẽ ſont aydez plus que des armes. On remarque auſſi que l'art d'eloquence a fleuri le plus,
lors que les affaires ont eſté en plus mauuais eſ-
ſtat,& que l'orage des guerres ciuiles les a agitez: comme vn champ libre & indõté porte les
                                        herbes

herbes plus gaillardes. Il semble par la que les
estats qui dépédét d'vn monarque en ont moins
de besoin que les autres. Car la bestise & facilité,qui se trouue en la'commune,& qui la rend
subiecte a estre maniée & contournée par les
oreilles au doux son de ceste harmonie,sans ve
nir a poiser & connoistre la verité des choses
par la force de la raison,ceste défaillance ne se
trouue pas si aisément en vn seul,& est plus aisé
de le garétir par bon conseil de l'impressió de
ceste poison.On n'a pas veu sortir de Macedoine ni de Perse nul orateur de'renom. I'en ay
dict ce mot sur le subiect d'vn Italié,que ie vien
d'étretenir, qui a seruy le feu Cardinal Carraf-
fe de maistre d'hostel iusques a sa mort . Ie luy
faisoy cóter de sa charge: il m'a fait vn discours
de ceste science de gueule, auec vne grauité &
contenance magistrale , cóme s'il m'eust parlé
de quelque grád point de theologie.Il m'a de-
chifré vne difference de goustz: celuy qu'ó a a
ieun, qu'ó a apres le segond & tiers seruice : les
moyens tátost de luy plaire simplemét,tantost
de l'eueiller & piquer : la police de ses sauces,
premieremét en general,& puis particularisant
les qualitez des ingrediens & leurs effectz: les
differences des salades selon leur saison, celle
qui doit estre reschaufée , celle qui veut estre
seruie froide , la façó de les orner & embeillir
pour les rêdre encores plaisâtes a la veüe.Apres
cela il est entré sur l'ordre du seruice plein de
mille

millebelles & importátes côsideratiôs. Et tout
cela enflé de riches & magnifiques parolles, &
celles mesmes qu'on employe a traiter du gouuernement d'vn Empire. Il m'est souuenu de
mon homme

Hoc salsi:m est, hoc adustum est, hoc lautum est
       parum,
Illud recte, iterum sic memento, sedulo
Moneo quæ possum pro mea sapientia.
Postremo tanquam in speculum, in patinas, De-
       mea,
Inspicere iubeo, & moneo quid facto vsus sit.

Si est-ce que les Grecs mesmes louerent grandement l'ordre & la dispositiô que Paulus AE-
milius obserua au festin qu'il leur fit au retour
de Macedoine, mais ie ne parle point icy des
effects, ie parle des motz. Ie ne sçay s'il en aduient aus autres comme a moy : mais ie ne me
puis garder quand i'oy nos architectes s'enfler
de ces gros motz de pilastres, architraues, cor-
nices d'ouurage Corinthien & Dorique & sem
blables de leur iargon, que mon imagination
ne se saisisse incontinent du palais d'Apolidon.
Et par effect ie trouue que ce sont les chetiues
pieces de la porte de ma cuisine. C'est vne piperie voisine a ceste-cy, d'appeller les offices de
nostre estat par les titres superbes des romains,
encore qu'ils n'ayent nulle ressemblance de
charge, & encores moins d'authorité & de puissance. Et ceste cy aussi (qui seruira a mon aduis
                                  vn iour

vn iour de tesmoignage d'vne singuliere vanité
de nostre siecle) d'employer vainement & sans
aucune consideration les surnoms les plus glorieus, dequoy l'ancienneté ait honoré vn ou
deux personnages en plusieurs siecles, a qui bō
nous semble. Platon a emporté ce surnom de
diuin par vn consentement vniuersel, que nul
n'a essayé de luy enuier : & les Italiens qui se
vantent, & auecques raison, d'auoir commune-
mēt l'esprit plus esueillé & le discours plus sain
que les autres natiōs de leur temps, en viennēt
d'estrener l'Aretin. Auquel sauf vne façon de
parler bouffie & bouillonnée de pointes, inge-
nieuses a la verité, mais recherchées de loing,
& fantasques, & outre l'eloquence en fin, telle
qu'elle puisse estre, ie ne voy pas qu'il y ait rien
au dessus des communs autheurs de son siecle:
tant s'en faut qu'il approche de ceste diuinité
ancienne. Et le surnom de grād nous l'attachōs
a des Princes, qui n'ont eu rien au dessus de la
grandeur commune.

CHAP. LII.

De la parsimonie des anciens.

ATtilius Regulus general de l'armée Romai
ne en Afrique, au milieu de sa gloire & de
ses victoires cōtre les Carthaginois, escriuit a la
chose publique qu'vn valet de labourage qu'il

T

auoit laiffé feul au gouuernement de fon bien,
qui eftoit en tout fept arpas de terre, s'en eftoit
enfuy ayant defrobé fes vtilz de labourage, &
demãdoit congé pour s'en retourner & y pouuoir, de peur que fa femme & fes enfans n'en
euffent a fouffrir. Le Senat pourueut a commettre vn autre a la conduite de fes biens , &
luy fift reftablir, ce qui luy auoit efté defrobé,
& ordonna que fa femme & enfans feroient
nourris aus defpens du public. Le vieus Caton reuenant d'Efpaigne Conful vendit fon
cheual de feruice pour efpargner l'argent qu'il
eut coufté a le ramener par mer en Italie . Et
eftant au gouuernemēt de Sardaigne faifoit fes
vifitations a pied, n'ayant auec luy nulle autre
fuite que d'vn officier de la chofe publiq, qui le
fuiuoit, luy portât fa robe & vn vafe a faire des
facrifices: & le plus fouuent il pourtoit fa male
luy mefme. Il fe vãtoit de n'auoir iamais porté
robe qui euft coufté plus de dix efcuz, ni auoir
enuoyé au marché pl⁹ de dix folz pour vn iour,
& des maifons qu'il auoit aux champs, qu'il n'ē
auoit nulle qui fut crepie & enduite par dehors. Scipion Aemilianus apres deux triom-
phes & deux Confulatz , ala en legation auec
fept feruiteurs feulement . On tient qu'Homere n'en euft iamais qu'vn, Platon trois, Zenon
le chef de la fecte Stoique pas vn.

CHAP.

CHAP. LIII.

D'vn mot de Cæsar.

SI nous nous amufions par fois a nous con-
fiderer, & le temps que nous mettons a
contreroller autruy & a connoiftre les chofes,
qui font hors de nous, que nous l'amploiffions a
nous fonder nous mefmes, nous fentirions aifément combien toute cefte noftre contexture
eft baftie de pieces foibles & defaillantes.
N'eft ce pas vn fingulier tefmoignage d'imperfection de ne pouuoir raffoir noftre contentement en nulle chofe, & que par defir
mefme & imagination il foit hors de noftre
puiffance de choifir ce qu'il nous faut? Dequoy
porte bon tefmoignage cefte grande & noble difpute qui a toufiours efté entre les Philofophes, pour trouuer le fouuerain bien de
l'homme,& qui dure encore & durera eternel-
lement fans refolutiõ & fans accord. Quoy que
ce foit qui tõbe en noftre cõnoiffance & iouif-
fance,nous fentons qu'il ne nous fatisfaict pas,
& allons beát apres les chofes aduenir & inco-
nues,d'autant que les prefentes ne nous foulent
pas.Non pas a mon aduis qu'elles n'ayent affez
dequoy nous fonler: mais ceft que nous les fai-
fiffions d'vne prife malade & defreglée: noftre

T 2

goust est irresolu & incertain : il ne sçait rien
tenir, ni riĕ iouïr de bóne façon. L'hóme estimant que ce soit le vice des choses, il se remplit
& se paît d'autres choses qu'il ne sçait point, &
qu'il ne cognoit point, ou il applique ses desirs
& ses esperances , les prend en honneur & reuerence: comme dict Cæsar, *Communi fit vitio*
natura, vt inuisis, latitantibus atque incognitis re-
bus magis confidamus, vehementiusque exterrea-
mur. Il se faict par vn vice ordinaire de nature,
que nous ayons & plus de fiáce, & plus de crain
te des choses que nous n'auons pas veu & qui
sont cachées & inconnues.

CHAP. LIIII.

Des vaines subtilitez.

IL est de ces subtilitez friuoles & vaines, par
le moyen desquelles les hommes cherchent
quelque fois de la recommandation : comme
les poëtes, qui font des ouurages entiers de vers
commençans par vne mesme lettre. Nous voyons des œufz, des boules , des aisles , des ha-
ches façonnées anciennement par les Grecs,
auec la mesure de leurs vers en les alongeant
ou accoursissant: en maniere qu'ils viennent a
representer telle ou telle figure. Telle estoit la
science

ſcience de celuy, qui s'amuſa a conter en combien de ſortes ſe pouuoient renger les lettres
de l'alphabet , & y en trouua ce nombre incroyable, qui ſe void dans Plutárque. Ie trouue bonne l'opinion de celuy, a qui on preſenta
vn homme apris a ietter de la main vn grain de
mil auec telle induſtrie, que ſans faillir il le paſſoit touſiours dans le trou d'vne eſguille, & luy
demanda lon apres quelque preſent pour loyer d'vne ſi rare ſuffiſance: ſurquoy il ordonna
bien plaiſamment & iuſtement a mon aduis,
qu'on ſit dóner a ceſt ouurier deux ou trois mi-
notz de mil, affin qu'vne ſi belle art ne demeuraſt ſans exercice. C'eſt vn teſmoignage de la
foibleſſe de noſtre iugement de recommander
der les choſes par la rarité ou nouuelleté , ou
encore par la difficulté, ſi la bonté & vtillté n'y
ſont ioinctes. Nous venons preſentement de
nous iouër ches moy, a qui pourroit trouuer
plus de choſes qui ſe tiénent par les deux bouts
extremes, comme, Sire, c'eſt vn titre qui ſe
donne a la plus eſleuée perſonne de noſtre e-
ſtat, qui eſt le Roy,& ſe donne auſſi au vulgaire, comme aux marchans, & ne touche point
ceux d'entre deux. Les femmes de qualité on
les nóme Dames, les moyénes Damoiſelles,&
Dames encore celles de la plus baſſe marche.
Democritus diſoit, que les dieux & les beſtes
auoient les ſentimens plus aiguz que les hommes, qui ſont au moyen eſtage. Les Romains

T 3

portoient mesme accoutrement les iours de
deuil & les iours de feste. Il est certain que la
peur extreme, & l'extreme ardeur de courage
troublent également le ventre & le laschent.
La foiblesse qui nous vient de froideur & des-
goutement aux exercices de Venus, elle nous
vient aussi d'vn appetit trop vehement, & d'vne
chaleur desreglée. L'extreme froideur & l'extreme chaleur cuisent & rotissent. Aristote
dict que les cueus de plõb se fondent & cou-
lent de froid & de la rigueur de l'hyuer, comme d'vne chaleur vehemente. La bestise & la
sagesse se rencõtrent en mesme point de goust
& de resolution a la souffrance des accidés humains. Les sages gourmandent & comman-
dent le mal, & les autres l'ignorent. Ceux-cy
sont, par maniere de dire, au deça des accidens: les autres au dela. Lesquels apres en auoir
bien poisé & consideré les qualitez, les auoir
mesurez & iugez tels qu'ils sont, il s'eslancent
au dessus par force d'vn vigoureux courage:
Ils les desdaignent & foulent aux pieds, ayant
vne ame forte & solide, contre laquelle les
traicts de la fortune venant a donner, il est
force qu'ils reialissent & s'émoussent trouuant
vn corps, dans lequel ils ne peuuent faire impression. L'ordinaire & moyenne condition
des hommes loge entre ces deux extremitez,
qui est de ceux qui aperçoiuent les maux, les
                                          gou-

gouftent , & ne les peuuent fupporter. L'enfance & la decrepitude fe rencontrent en imbecilité de ceruueau . L'auarice & la profufion
en pareil defir d'attirer & d'acquerir . Mais
parce que apres que le pas a efté ouuert a l'e-
fprit, i'ay trouué comme il aduient ordinairement , que nous auions pris pour vn exercice
malaifé & d'vn rare fubiect, ce qui ne l'eft aucunement , & qu'apres que noftre inuention a
efté efchaufée, elle defcouure vn nombre infini de pareils exemplēs , ie n'en adiouteray que
ceftuy-cy: que fi ces effays eftóiét dignes qu'on
en iugeat, il en pourroit aduenir a mon aduis,
qu'ils ne plairoient guiere aus efpritz commūs
& vulgaires, ni guiere aux finguliers & excellens. Ceux-la n'y entendroient pas affez, ceux-
cy y entedroient trop . Ils pouroient viuoter
en la moyenne region.

CHAP. LV.

Des Senteurs.

IL fe dict d'aucuns , comme d'Alexandre le
grand, que leur fueur efpādoit vn odeur foef-
ue par quelque rare & extra-ordinaire complexion : dequoy Plutarque & autres recher-
chēt la caufe. Mais la commune façõ des corps
eft au contraire : & la meilleure condition qui

T 4

soit en cela, c'est de ne sentir a rien de mauuais
Et la douceur mesmes des halaines les plus pures elle n'a rien de plus excellent que d'estre
simple & sans aucune odeur, qui nous offence,
comme sont celles des enfans biens sains. Voila pourquoy dict Plaute.

Mulier tum bene olet, vbi nihil olet.

La plus perfaicte senteur d'vne femme, c'est ne
sentir a rien. Et les bonnes senteurs estrangieres, on a raison de les tenir pour suspectes a ceux
qui s'en seruēt, & d'estimer qu'elles soient em-
ployées pour couurir quelque defaut naturel de
ce costé-la. D'ou naissent ces rencontres des
Poëtes anciens, C'est puïr que de santir a bon.

Rides nos Coracine nil olentes.

Malo quam bene olere nil olere. Et ailleurs.

*Posthume non bene olet, qui bene semper
olet.*

CHAP. LVI.

Des Prieres.

IE propose icy des fantasies informes & irresolues, comme font ceux qui publiēt des
questions doubteuses a debattre aus escoles,
non pour establir la verite, mais pour la chercher : & les soubmetz au iugemēt de ceux, a qui
il touche de regler non seulement mes actions
& mes

& mes escris, mais encore mes pensées. Esgalement m'en sera acceptable & vtile la condénation, comme l'approbation. Et pourtant me remettant tousiours a l'authorité de leur censure, qui peut tout sur moy, ie me mesle ainsin temerairement a toute sorte de propos, comme icy: Ie ne sçay si ie me trompe: mais puis que par vne faueur particuliere de la bonté diuine, certaine façon de priere nous a esté prescripte & dictée mot a mot par la bouche de Dieu, il m'a tousiours semblé que nous en deuions auoir l'vsage plus ordinaire, que nous n'auons: & si i'en estoy creu a l'entrée & a l'issue de nos tables, a nostre leuer & coucher, & a toutes actions particulieres, ausquelles on a accoustumé de mesler des prieres, ie voudroy que ce fut le seul patenostre que les Chrestiens y employassent. L'Eglise peut estendre & diuersifier les prieres selon le besoing de nostre instruction: car ie sçay bien, que c'est tousiours mesme substance & mesme chose, mais on deuoit donner a celle la ce priuilege, que le peuple l'eust continuellement en la bouche : car il est certain qu'elle dit tout ce qui nous sert, & qu'elle est trespropre a toutes occasions. I'auoy presentement en la pensée, d'ou nous venoit cest'erreur de recourir a Dieu en tous nos desseins & entreprinses. Il est bien nostre seul & vnique protecteur, mais encore qu'il daigne nous honnorer de ceste douce aliáce paternelle, il est pourtant autant iuste, comme il est bon: & nous fauorise selon la raison de sa iustice, non selon nos inclinations & volontez. Sa iustice & sa puissance sont inseparables. Pour neant implorons nous sa force en vne mauuaise cause, il faut auoir l'ame nette au moins en ce temps la, auquel nous le prions, & deschargée des passions vitieuses : autrement nous luy presentons nous mesines les verges, dequoy nous chastier. Au lieu de rabiller nostre faute nous la redoublons presentans a celuy, a qui nous auons a demander pardon, vne affection pleine d'irreuerance & de haine. Voila pourquoy ie ne louë pas volontiers ceux, que ie voy prier Dieu plus souuent & plus ordinairement, si les actions voisines de la priere ne me tesmoignent quelque amendement & reformation. Nous prions par vsage & par coustume : ou pour mieux dire, nous lisons ou prononçons nos prieres: ce n'est en fin, que contenance. Ce n'est pas sans grande raison, ce me semble, que l'Eglise Catholique defend l'vsage promiscue, temeraire & indiscret des sainctes & diuines chansons, que le sainct Esprit a dicté en Dauid. Il ne faut messer Dieu en nos actions qu'auecque reuerence & attention pleine d'hôneur & de respect. Ceste vois est trop diuine, pour n'auoir autre vsage que d'exercer les poulmons & plaire a nos oreilles. C'est de la conscience qu'elle doit estre produitte, & non pas de la langue. Ce n'est

pas

pas raiſon qu'ô permette qu'vn garſon de boutique parmy ces vains & friuoles penſemens
s'en entretienne & s'en iouë. On m'a dict que
ceux meſmes, qui ne ſont pas de noſtre aduis en
cela, defandent pourtant entre eux l'vſage du
nom de Dieu, en leurs propos communs. Ilz ne
veulent pas qu'on s'en ſerue par vne maniere
d'interiection, ou d'exclamation, ny pour teſmoignage, ny pour comparaiſon. en quoy ie
trouue qu'ilz ont raiſon. Et en quelque maniere que ce ſoit, que nous appellons Dieu a noſtre commerce & ſocieté, il faut que ce ſoit ſe-
rieuſement & religieuſement. Il y a, ce me
ſemble, en Xenophon vn tel diſcours, ou il môtre que nous deuons plus rarement prier Dieu:
d'autant qu'il n'eſt pas aiſé, que nous puiſſions ſi
ſouuant remettre noſtre ame en ceſte aſſiete
reglée, reformée, & deuotieuſe, ou il faut qu'elle ſoit pour ce faire: autrement nos prieres ne
ſont pas ſeulement vaines & inutiles, mais vitieuſes & deteſtables. Pardonne nous, diſons
nous, comme nous pardonnons a ceux qui nous
ont offencez. Que diſons nous par la, ſinon que
nous luy offrons noſtre ame exempte de vengeance & de rancune ? Toutesfois ie voy qu'en
nos vices meſmes nous appellôs Dieu a noſtre
aide & au complot de nos fautes. L'auaricieux
le prie pour la conſeruation vaine & ſuperflue
de ſes treſors: l'ambitieux pour ſes victoires &
côduite de ſa fortune, le voleurl'employe a ſon
ayde

ayde pour franchir le hazart & les difficultez,
qui s'oposent a l'execution de ses meschantes
entreprinses, ou le remercie de l'aisance qu'il
a trouué a desgosiller vn passant. La Royne de
Nauarre Marguerite recite d'vn ieune prince, & encore qu'elle ne le nomme pas, sa grandeur l'a rendu assez connoissable, qu'alant a vne
assignation amoureuse & coucher auec la femme d'vn Aduocat de Paris, son chemin s'adon-
nant au trauers d'vne Eglise, il ne passoit iamais en ce lieu sainct alant ou retournant de
son entreprinse, qu'il ne fit ses prieres & oraisons. Ie vous laisse a penser l'ame pleine de ce
beau desir, a quoy il emploioit la faueur diuine. Toutesfois elle alegue cela pour vn tesmoignage de singuliere deuotion. Mais ce n'est pas
par ceste preuue seulement qu'on pourroit verifier que les femmes ne sont guieres propres
a traiter les mysteres de la Theologie. Vne
vraye priere, & vne religieuse reconciliatiõ de
nous a Dieu, elle ne peut tomber en vne ame
impure & submise lors mesmes a la dominatiõ
de Satan. Celuy qui appelle Dieu a son assistã-
ce pendant qu'il est dans le train du vice, il fait
comme le coupeur de bourse, qui appelleroit la
iustice a son aide, ou comme ceux qui produisent le nõ de Dieu en tesmoignage de mensõ-
ge. Il est peu d'hommes qui ozassent mettre en
euidance & presenter en public les requestes,
& prieres secretes qu'ilz font a Dieu.

Haud

Haud cuius promptum eſt murmurque humileſ-
que ſuſurros,
Tollere de templis & aperto viuere voto.

Voila pourquoy les Pythagoriens vouloint que
les prieres qu'on faiſoit a Dieu, fuſſent publiques & ouyes d'vn chacun, afin qu'on ne le requit pas de choſe indecente & iniuſte,comme
faiſoit celuy la,

Clare cum dixit Apollo,
Labra mouet metuens audiri:pulchra Lauerna
Da mihi fallere,da iuſtum ſanctumque videri.
Noſtem peccatis,& fraudibus obiice nubem.

Il ſemble a la verité, que nous nous ſeruions de
nos prieres,comme ceux qui emploient les paroles ſainctes & diuines a des ſorcelleries & effectz magiciens, & que nous facions noſtre
conte que ce ſoit de la contexture, ou ſon, ou
ſuite des motz que depende leur effect. Car
ayant l'ame pleine de concupiſcence, non touchée de repentance, ny d'aucune nouuelle re-
conciliation enuers Dieu, nous luy alons preſenter ces parolles que la memoire preſte a noſtre langue : & eſperons en tirer vne expiation
generale de nos fautes. Il n'eſt rien ſi aiſé , ſi
doux,& ſi fauorable que la loy diuine,elle nous
appelle a ſoy,ainſi ſautiers & deteſtables comme nous ſommes : Elle nous tend les bras &
& nous reçoit en ſon giron, pour vilains , ordz
& bourbeus que nous ſoions, & que nous ayons
a eſtre a l'aduenir. Mais encore en recompenſe
la faut

la faut il regarder de bon œuil : encore faut il
receuoir ce pardon auec action de graces : &
au moins pour cest instant que nous nous a-
dreſſons a elle , auoir l'ame desplaiſante de
ſes fautes & ennemie des concupiſcences , qui
nous ont pouſſez a l'offencer.

CHAP. LVII.

De l'aage.

IE ne puis receuoir la façon, dequoy nous e-
ſtabliſſons la durée de noſtre vie. Ie voy que
les ſages l'acourſiſſent bien fort au pris de la
commune opinion. Comment, dict le ieune
Caton, a ceux qui le vouloint empeſcher de ſe
tuer, ſuis i'a ceſte heure en aage, ou on me puiſſe
reprocher d'abandonner trop toſt la vie? Si n'a-
uoit il que quarante huict ans. Il eſtimoit ceſt
aage la bien meur & bien auancé, conſiderant
combien peu d'hommes y arriuent. Et ceux qui
ſe conſolent en ce, que ie ne ſçay quel cours
qu'ilz nomment naturel, promet quelques années au delà, ilz le pourroint faire, s'ilz auoint
priuilege qui les exemptat d'vn ſi grand nombre d'accidens, auſquelz chacun de nous eſt en
bute par vne naturelle ſubiection , qui peuuent
interrompre ce cours qu'ilz ſe promettent.
Quelle reſuerie eſt-ce de s'atendre de mourir
d'vne

d'vne defaillance de forces, que l'extreme vieillesse apporte, & de se proposer ce but a nostre
durée: veu que c'est la façon de mort la plus rare de toutes, & la moins en vsage? Nous l'apel-
lons seule naturelle, comme si c'estoit contre
nature de voir vn homme se rompre le col d'v-
ne cheute, s'estoufer d'vn naufrage, se laisser surprendre a la peste ou a vn pleuresi, & cōme si nostre condition ordinaire ne nous presentoit point a tous ces inconueniens. Ne nous
flatons point de ces beaux motz: on doit a l'auē-
ture appeller plustost naturél ce, qui est general, commun, & vniuersel. Mourir de vieillesse c'est vne mort rare, singuliere & extraordinaire, & d'autant moins naturelle que les autres, c'est la derniere & extreme sorte de mourir: plus elle est eslognée de nous, d'autāt est elle moins esperable: c'est bic la borne, au dela de
laquelle nous n'yrons pas, & que la loy de nature a prescript pour n'estre point outre-pas-
sée: Mais c'est vn sien rare priuilege de nous
faire durer iusques la. C'est vne exēptiō qu'elle
dōne par faueur particuliere, a vn seul en l'espace de deux ou trois siecles, le deschargeant des
trauerses & difficultez qu'elle a ietté entre deux
en ceste longue carriere. Par ainsi mon opiniō
est de regarder que l'aage, auquel nous sōmes
arriuez, c'est vn aage auquel peu de gēs arriuēt.
Puisque d'vn train ordinaire les hommes ne
viennent pas iusques là, c'est signe, que nous
                                    sommes

fommes bien auant. Et puis que nous auôs paffé les limites accoustumez, qui est la vraye mesure de nostre vie, nous ne deuons esperer d'a-
ler guiere outre. Ayant eschapé tant d'occasiô
de mourir, où nous voyôs trebucher le monde,
nous deuons recognoistre qu'vne fortune extraordinaire côme celle la qui nous maintient,
& hors de l'vsage commun, ne nous doit guiere durer. C'est vn vice des loix mesmes d'auoir
ceste fauce imagination : elles ne veulent pas
qu'vn homme soit capable du maniment de ses
biens qu'il n'ait vingt cinq ans, & a peine con-
seruera il iusques lors le maniment de sa vie.
Auguste retrancha cinq ans des anciennes ordonnances Romaines, & declaira qu'il suffisoit
a ceux qui prenoint charge de iudicature d'a-
uoir trante ans. Seruius Tullius, dispensa les
cheualiers qui auoint passé quarante sept ans
des couruées de la guerre : Auguste les remist a
quarante cinq. De renuoyer les hommes au seiour auant cinquante cinq ou soixante ans, il me
semble n'y auoir pas grande apparence. Ie se-
rois d'aduis qu'on estandit nostre vacation &
occupation autant qu'on pourroit, pour la commodité publique. Mais ie trouue la faute en
l'autre costé, de ne nous y embesoigner pas af-
sez tost. Cestuy cy auoit esté iuge vniuersel
du monde a dixneuf ans, & veut que pour iuger de la place d'vne goutiere on en ait trante.
Quant a moy i'estime que nos ames sont de-
noüées

nouées a vingt ans , ce qu'elles doiuent eſtre,
& qu'elles peuuent tout ce qu'elles pourrõt ia-
mais.Iamais ame qui n'ait donné en ceſt aage,la
preuue bien euidente & certaine de ſa force &
valeur,ne la donna dépuis. Les qualitez & vertus naturelles produiſent dans ce terme la, ou
iamais , ce qu'elles ont de vigoreux & de beau.
De toutes les belles actions humaines,qui ſont
venues a ma cognoiſſance , de quelque ſorte
qu'elles ſoint,ie penſerois en auoir plus grande
part,a nombrer celles qui ont eſté produites &
aux ſiecles antiens & au noſtre , auant l'aage de
trante ans,que celles qui l'ont eſté apres. Quãt
a moy ie tien pour certain que dépuis ceſt'aage
la,&mon eſprit & mon corps ont plus diminué
qu'augmente , & plus reculé que auanſé : il eſt
poſſible qu'a ceux qui emploient biẽ le temps,
la ſcience & l'experiance croiſſent auec la vie:
mais la viuacité,la promptitude,la fermeté &
autres parties bien plus noſtres,plus importantes & eſſentieles ſe faniſſent & s'alanguiſſent.
Ie me pleins donc des lois, non pas dequoy elles nous laiſſent trop long temps a la beſoigne,
mais dequoy elles nous emploient trop tard.Il
me ſemble que conſiderant la foibleſſe de noſtre vie , & a combien d'eſcueilz ordinaires &
naturelz elle eſt oppoſée , on n'en deuroit pas
faire ſi grande part a la naiſſance, a l'oiſiueté &
a l'aprentiſſage.

V

ESSAIS DE
MICHEL DE MON-
TAIGNE.

Liure Second.

De l'inconstance de nos actions.

E v x qui s'exercitent a
contreroller les actions
humaines, ne se trouuent
en nulle partie si empes-
chez qu'a les rappiesser &
mettre a mesme lustre.
Car elles se contredisent
quelque fois de si estrange façon, qu'il semble
impossible qu'elles soient parties de mesme
boutique. Le ieune Marius se trouue tantost fils
de Mars, tantost fils de Venus. Le Pape Bonifa-
ce huitiesme entra, dit on, en sa charge comme
vn renard, s'y porta comme vn lion, & mourut

A 2

comme vn chien. Et qui croiroit que ce fust ceste vraye image de la cruauté Neron, comme on luy presentast a signer, suiuant le stile, la sentence d'vn criminel condamné, qui eust respondu, Pleust a Dieu que ie n'eusse iamais sceu escrire, tant le cœur luy serroit de condáner vn homme a mort. Tout est si plein de telz exemples, voire chacun s'en peut tant fournir a soy mesme, que ie trouue estráge de voir quelque fois des gens d'entendement se mettre en peine d'assortir ces pieces, veu que l'irresolution me semble le plus commun & apparent vice de nostre nature, tesmoing ce fameus verset de Publius le farseur,

Malum consilium est, quod mutari non potest.

Et de toute l'antienneté il est malaisé de choisir vne douzaine d'hommes, qui ayent dressé leur vie a vn certain & asseuré train: qui est le principal but de la sagesse : car pour la comprendre tout en vn mot, dict vn ancien, & pour embrasser en vne toutes les reigles de nostre vie, c'est vouloir & ne vouloir pas tousiours mesme chose:ie ne daignerois, dit-il, adiouster, pourueu que la volonté soit iuste : car si elle n'est iuste, il est impossible qu'elle soit tousiours vne. De vray i'ay autrefois apris que le vice ce n'est que des-reglement & faute de mesure, & par consequent il est impossible d'y attacher la constance. C'est vn mot de Demosthenes, dit-on, que le commencement de toute
vertu

vertu c'eſt conſultation & deliberatiõ, & la fin
perfection, & conſtance. Si par diſcours nous
entreprenions certaine voie, nous la prendriõs
la plus belle, mais nul n'y a penſé.

Quod petiit, ſpernit, repetit quod nuper omiſit:
A Eſtuat, & vita diſconuenit ordine toto:

Noſtre façon ordinaire c'eſt d'aller apres les
inclinations de noſtre apetit, a gauche, a dextre,
contre-mont, contre-bas, ſelon que le vent des
occaſions nous emporte : nous ne penſons, ce
que nous voulons qu'a l'inſtant que nous le
voulons: & changeons comme c'eſt animal, qui
prend la couleur du lieu ou on le couche. Ce
que nous auons a ceſt' heure propoſé nous le
changeons tantoſt , & tantoſt encore retour-
nons ſur nos pas, ce n'eſt que branle & incon-
ſtance.

Ducimur vt neruis alienis mobile lignum.

Nous n'alons pas, on nous emporte, comme les
choſes qui flottent, ores doucement, ores auecques violence, ſelon que l'eau eſt ireuſe ou bo-
naſſe: cháque iour nouuelle fantaſie , & ſe meuuent nos humeurs auecques les mouuemens du
temps.

Tales ſunt hominum mentes, quali pater ipſe
Iuppiter auctifero luſtrauit lumine terras.

A qui auroit preſcrit & eſtabli certaines loix &
certaine police en ſa teſte , nous verrions tout
par tout en ſa vie reluire vn'equalité de meurs,
vn ordre , & vne relation infalible des vnes

choſes aux autres. Le diſcours en ſeroit bien aiſé a faire, comme il ſe voit du ieune Caton: qui
en a touché vne marche a tout touché: c'eſt vne
harmonie de ſons treſ-accordans, qui ne ſe peut
démentir: a nous au rebours, autant d'actiós autãt faut-il de iugemés particuliers: le plus ſeur a
mon opinion c'eſt de les rapporter aux circonſtances voiſines, ſans entrer en plus longue recherche, & ſans en conclure autre conſequence.
Pendant les débauches de noſtre pauure eſtat,
on me rapporta, qu'vne fille bien pres de la ou
i'eſtoy, s'eſtoit precipitée du haut d'vne fene-
ſtre pour éuiter la force d'vn belitre de ſoldat
ſon hoſte: elle ne s'eſtoit pas tuée a la cheute, &
pour redoubler ſon entrepriſe, s'eſtoit voulu
donner d'vn couſteau par la gorge, mais on l'en
auoit empeſchée. Toutefois apres s'y eſtre bien
fort bleſſée, elle meſme cófeſſoit que le ſoldat
ne l'auoit encore preſſée que de requeſtes, ſol-
licitatiós, & preſens, mais qu'elle auoit eu peur
qu'en fin il en vint a la contrainte : & la deſſus
les parolles, la contenance, & ce ſang teſmoing
de ſa vertu a la vraye façon d'vn'autre Lucrece.
Or i'ay ſceu a la verité qu'auant & dépuis ell'
auoit eſté garſe de bonne & amiable compoſition. Comme dict le conte, tout beau & honneſte que vous eſtez, quãd vous aurez failli voſtre
pointe, n'en concluez pas incontinent vne chaſteté inuiolable en voſtre maiſtreſſe , ce n'eſt
pas a dire que le muletier n'y trouue ſon heure.

re. Antigonus ayant pris en affection vn de ses
soldatz pour sa vertu & vaillance, commanda a
ses medecins de le penser d'vne maladie longue & interieure. qui l'auoit tourmenté long
temps. Et s'aperceuant apres sa guerison qu'il
alloit beaucoup plus lâchement aux affaires,
luy demanda qui l'auoit ainsi changé & encoü-
ardi: Vous mesmes, Sire, luy respôdit-il, m'ayât
deschargé des maux, pour lesquels ie ne tenois
conte de ma vie. Le soldat de Lucullus ayant
esté déualisé par les ennemis fist sur eux pour
se reuencher vne belle entreprise. Quand il se
fut remplumé de sa perte, Lucullus l'ayant pris
en bonne opiniô l'emploioit a quelque exploit
hazardeux par toutes les plus belles remonstrâ-
ces, dequoy il se pouuoit auiser,

Verbis quæ timido quoque possent addere men-
tem,

Emploiez y, respondit-il, quelque miserable
soldat deualisé:

Quantumuis rusticus ibit,
Ibit eo, quo vis, qui zonam perdidit, inquit.

& refusa resoluement d'y aller. Celuy que vous
vites hier si auantureux, ne trouuez pas estrange de le voir aussi poltron le l'endemain. Ou
la cholere, ou la necessité, ou la compagnie,
ou le vin, ou le son d'vne trompette luy auoit
mis le cœur au ventre, ce n'est vn cœur ainsi
formé par discours. Ces circonstances le luy
ont fermy, ce n'est pas merueille si le voy-

V 4

la deuenu lâche par autres circonstances contraires. Et encore que ie sois tousiours d'aduis
de dire du bien le bien, & d'interpreter plustost
en bonne part les choses qui le peuuent estre: si
est ce que l'estrangeté de nostre condition
porte que nous soyons souuent par le vice mesmes poussés a bien faire, si le bien faire ne se
iugeoit par la seule intention. Parquoy vn fait
courageux ne doit pas conclure vn hôme vaillant: celuy qui le seroit bien a point il le seroit
tousiours & a toutes occasions: si c'estoit vne habitude de vertu, & non vne saillie, elle rendroit
vn homme pareillement resolu a tous accidens, tel seul, qu'en compaignie: tel en camp
clos, qu'en vne bataille: car quoy qu'on die, il
n'y a pas autre vaillance sur le paué & autre en
la guerre. Aussi courageusement porteroit il
vne maladie en son lict, qu'vne blessure au câp,
& ne craindroit non plus la mort en sa maison
qu'en vn assaut. Nous ne verrions pas vn mesme homme donner dans la bresche d'vne braue asseurance, & se tourmenter apres comme
vne femme de la perte d'vn proces ou d'vn filz.
Nostre faict ce ne sont que pieces rapportées,
& voulons acquerir vn honneur a fauces ensei-
gnes. La vertu ne veut estre suiuie que pour elle mesme, & si on emprunte par fois son masque pour autre occasió, elle nous l'arrache aussi tost des poingts. C'est vne viue & forte tein-
ture, quand l'ame en est vne fois abreuée, & qui
ne

ne s'en va qu'elle n'éporte la piece. Voyla pourquoy pour iuger d'vn homme, il faut fuiure lô-
guement & curieufement fa trace, fi la conftan-
ce ne s'y maintient de fon feul fondement, fi la
varieté des occurrences luy faict changer de
pas, (ie dy de voye : car le pas s'en peut ou haster, ou appefantir) laiffes le courir : celuy la s'é
va auau le vent, comme dict la deuife de noftre
Talebot. Ce n'eft pas merueille, dict vn ancien,
que le hazard puiffe tât fur nous, puis que nous
viuôs par hazard. A qui n'a dreffé en gros fa vie
a vne certaine fin, il eft impoffible de difpofer
les actions particulieres. Il eft impoffible de réger les pieces, a qui n'a vne forme du tout en fa
tefte : a quoy faire la prouifion des couleurs, a
qui ne fçait ce qu'il a à peindre : nul ne fait certain deffain de fa vie : & n'en deliberôs qu'a parcelles. L'archier doit premieremêt fçauoir ou
il vife, & puis y accommôder la main, l'arc, la
corde, la flefche, & les mouuemês : nos confeils
fouruoient, par ce qu'ils n'ont pas d'adreffe &
de but. Nul vêt ne fait pour celuy qui n'a point
de port deftiné. Ie ne fuis pas d'aduis de ce iugement qu'on fit pour Sophocles, de l'auoir argu-
gumente fuffifant au maniment des chofes do-
meftiques contre l'accufation de fon fils, pour
auoir veu l'vne de fes tragœdies. Nous fommes
tous de lopins, & d'vne contexture fi môftreu-
fe & diuerfe, que chafque piece fait fon ieu. Et
fe trouue autant de difference de nous a nous

V 5

mesmes, que de nous a autruy. Puis que l'ambi
tion peut apprendre aux hommes & la vaillance, & la temperance, & la liberalité, voire & la
iustice: puis que l'auarice peut plâter au courage d'vn garçô de boutique nourri a l'ombre &
a l'oysiueté l'asseurance de se ietter si loing du
seyer domestique a la mercy des vagues & de
Neptune courroucé dans vn fraile bateau, &
qu'elle apprend encore la discrectiô & la prudence: & que Venus mesmes fournit de resolution & de hardiesse la ieunesse encore soubs la
discipline & la verge, & gendarme le tendre
cœur des pucelles au giron de leurs meres : ce
n'est pas tour de rassis entendemêt de nous iuger simplement par nos actions de dehors, il
faut sonder iusqu'au dedans, & voir par quels
ressors se donne le bransle: mais d'autant que
c'est vne hazardeuse & haute entreprinse, ie voudrois que moins de gens s'en meslassent.

CHAP. II.

De l'yurognerie.

LE monde n'est que varieté & dissemblance.
Les vices sont tous pareils en ce qu'ils sont
tous vices, & de ceste façon l'entendent a l'aduenture les Stoiciens: mais encore qu'ils soiêt
également vices, ils ne sont pas égaus vices : &
que celuy qui a franchi de cent pas les limités,
Quos

Quos vltra citráque nequit consistere rectum,
ne soit de pire condition, que celuy qui n'en est
qu'a dix pas, il n'est pas croyable: & que le sacrilege ne soit pire que le larrecin d'vn chou
de nostre iardin:

Nec vincet ratio, tantumdem vt peccet idemque,
Qui teneros caules alieni fregerit horti,
Et qui nocturnus diuûm sacra legerit.

Il y a autât en cela de diuersité qu'en nulle autre chose. Or l'yurognerie entre les autres me
semble vn vice grossier & brutal. L'esprit a plus
de part ailleurs. Et il y a des vices, qui ont ie ne
sçay quoy de genereux, s'il le faut ainsi dire. Il
y en a ou la science se mesle, la diligêce, la vaillance, la prudence, l'adresse & la finesse: cestuy-
cy est tout corporel & terrestre. Aussi la plus
grossiere nation de celles qui sont auiourd'huy,
c'est celle la seule qui le tient en credit. Les autres vices alterent l'entendement, cestuy-cy le
renuerse : & en dict on entre autres choses que
côme le moust bouillant dâs vn vaisseau pousse
a mont tout ce qu'il y a dans le fond, que aussi le
vin faict desbonder les plus intimes secretz a
ceux qui en ont pris outre mesure. Iosephe côte qu'il tira les vers du nez a vn certain ambassadeur que les ennemis luy auoiêt enuoyé l'ayant
fait boire d'autant. Toutesfois Auguste s'estant
fié a Lucius Piso, qui côquit la Trace, des plus
priuez affaires qu'il eut, ne s'en trouua iamais
mesconté , ny Tyberius de Cossus, a qui il se
deschar-

deschargeoit de tous ses côseils: quoy que nous
les sçachons auoir esté si fort subiects au vin,
qu'il en a fallu rapporter & l'vn & l'autre du
senat yure,

Externo inflatum venas de more lyęo.

Nous voyons nos Allemans noyés dans le vin
se souuenir encore de leur quartier, du mot, &
de leur râg. Il est certain que l'antiquité n'a pas
fort descrié ce vice. Les escris mesmes de plusieurs Philosophes en parlent bien mollemêt.
Et iusques aux Stoyciens il y en a qui côseillent
de se dispenser quelque fois a boire d'autant, &
de s'enyurer pour relâcher l'ame. Et la vraye
image de la vertu Stoique Caton a esté reproché de bien boire. Cyrus ce Roy tant renômé,
allegue bien entre ses autres loüanges pour se
preferrer a son frere Artaxerxes qu'il sçauoit
beaucoup mieux boire que luy. Et és natiôs les
mieux reiglées & policées cest essay de boire
d'autant estoit fort en vsage. I'ay ouy dire a Sil-
uius excellant medecin de Paris, que pour garder que les forces de nostre estomac ne s'apa-
ressent, il est bon vne fois le mois les esueiller
par cest excez, & les picquer pour les garder
de s'engourdir. Mon goust & ma complexion
est plus ennemie de ce vice que mon discours:
car outre ce que ie captiue aysément mes crea-
ces soubs l'authorité des opinions anciennes, ie
le trouue bien vn vice lâche & stupide, mais
moins malicieux & domageable que les autres,
qui

qui choquent quaſi tous de plus droit fil la ſocieté publique. Et ſi nous ne nous pouuons dôner du plaiſir qu'il ne nous couſte quelque choſe, comme ils tiennét, ie trouue que cevicecou-
te moins a noſtre conſciécce que les autres, outre ce qu'il n'eſt point de difficile queſte, & aiſé a trouuer, qui eſt vne conſideration qui n'eſt
pas a meſpriſer. Les incommoditez de la vieilleſſe, qui ont beſoing de quelque appuy & re-
frechiſſement, elles pourroient me engendrer
auecq raiſô deſir de ceſte faculté: car c'eſt quaſi le dernier plaiſir naturel que le cours des ans
nous dérobe . La chaleur naturelle, diſent les
bons compaignons, elle ſe prent premierémét
aux pieds. Celle la touche l'enfance: de-la elle
monte a la moyenne region , ou elle ſe plante
long temps, & y produit, ſelon moy, les ſeuls
vrays plaiſirs de la vie corporelle: ſur la fin a la
mode d'vne vapeur qui va montant & s'exha-
lant ell'arriue au goſier, ou elle faict ſa derniere
re poſe. Mais c'eſt vne vieille & plaiſante queſtion , Si l'ame du ſage ſeroit pour ſe rendre a
la force du vin.

Si munita adhibet vim ſapientiç.

A combien de vanité nous pouſſe ceſte bonne
opinion, que nous auons de nous: la plus reiglée
ame du monde & la plus parfaicte, n'a que trop
affaire a ſe tenir en pieds , & a ſe garder de ne
s'emporter par terre de ſa propre foibleſſe. De
mille il n'en eſt pas vne qui ſoit debout & raſ-
ſi ſe

fiſe vn inſtant de ſa vie : & ſe pourroit mettre
en doubte, ſi ſelon ſa naturelle condition elle y
peut iamais eſtre. Mais d'y ioindre la conſtance, c'eſt ſa derniere perfection: ie dis quãd rien
ne la choqueroit, ce que mille accidens peuuét
faire. Lucrece, ce grand poëte a beau Philoſo-
pher & ſe bander, le voila rendu inſenſé par vn
breuuage amoureux. Pẽſent ils qu'vne Apoplexie n'eſtourdiſſe auſſi bien Socrates, qu'vn portefaix. Les vns ont oblié leur nom meſme par
la force d'vne maladie, & vne legiere bleſſure
a rẽuerſe le iugemẽt a d'autres. Tant ſage qu'il
voudra, mais en fin c'eſt vn hõme: qu'eſt il plus
caduque, plus miſerable, & plus de neant? la ſageſſe ne force pas nos conditions naturelles, il
faut qu'il ſille les yeux au coup qui le menaſſe.
Il faut qu'il fremiſſe planté au bord d'vn precipice. Il palit a la peur, il rougit a la hõte, il ge-
mit a la colique, ſinõ d'vne voix vaincue du mal,
au moins comme eſtant en vne aſpre meſlée.
Humani a ſe nihil alienum putat.
Les poëtes n'oſent pas deſcharger ſeulement
des larmes leurs heros.
Sic fatur lachrymãs, claſſique immittit habenas.
Luy ſuffiſe de brider & moderer ſes inclinatiõs.
Car de les emporter il n'eſt pas en luy. Ceſtuy
meſme noſtre Plutarque ſi parfaict & excellẽt
iuge des actiõs humaines, a voir Brutus & Tor-
quatus tuer leurs enfans, eſt entré en doubte
ſi la vertu pouuoit donner iuſques la : & ſi ces
per-

personnages n'auoient pas esté plustost agitez
par quelque autre passion. Toutes actions hors
les bornes ordinaires sont subiectes a sinistre
interpretatió, d'autát que nostre goust n'aduiét
non plus a ce qui est au dessus de luy, qu'a ce qui
est au dessous. Quãd nous oyons nos martyrs
crier au Tiran au milieu de la flâme, C'est assez
rosti de ce costé la, hache le, mãge le, il est cuit,
recommance de l'autre. Quand nous oyons en
Iosephe cest enfant tout deschiré de tenailles
mordantes & persé des alcines d'Antiochus, le
deffier encore criant d'vne voix ferme & asseurée, Tiran tu pers temps, me voicy tousiours a
mó aise. Ou est ceste douleur, ou sont ces tourmens, dequoy tu me menassois? n'y sçais tu que
cecy? ma constance te donne plus de peine, que
ie n'en sens de ta cruauté. O lásche belistre tu
te rẽs, & ie me renforce, fay moy pleindre, fay
moy flechir, fay moy rendre si tu peus: donne
courage a tes satellites, & a tes bourreaux: les
voila defaillis de cœur, ils n'en peuuent plus,
arme les, acharne les. Certes il faut confesser
qu'en ces ames la il y a quelque alteration, &
quelque fureur, tãt sainte soit elle. Quand nous
arriuons a ces saillies Stoiques, i'ayme mieux e-
stre furieux que voluptueux.

Μανεῖεν μᾶλλον ἤ ἡδίειεν

Quand Sextius nous dit, qu'il ayme mieux estre
enterré de la douleur que de la volupté: Quand
Epicurus entrepréd de se faire chatouiller a la
goute

goute, & desdaignât le repos & la santé, que de
gayeté de cœur il deffie les maux, & mesprisant
les douleurs moins aspres, dedaignât de les luiter, & de les combatre, qu'il en appelle & desire des fortes & poingnantes.

Spumantémque dari pecora inter inertia votis
Optat aprum, aut fuluum descēdere monte leonē.

Qui ne iuge que ce sont boutées d'vne ame es-
lancée hors de son giste. Nostre ame ne sçauroit de son siege atteindre si haut:il faut qu'elle le quite & s'esleue, & prenant le frein aux
dens qu'el l'emporte & rauisse son homme si
loing, qu'apres il s'estonne luy mesme de son
faict. Comme aux exploits de la guerre, la chaleur du combat pousse les hommes genereux
souuent a franchir des pas si hazardeus,qu'estât
reuenus a eux ils en transissent d'estonnement
les premiers. Côme aussi les poëtes sont espris
souuent d'admiration de leurs propres ouurages, & ne reconnoissent plus la trace,par ou ils
ont passé vne si belle carriere . C'est ce qu'on
appelle aussi en eux ardeur & manie:& comme
Platon dict que pour neant hurte a la porte de
la poësie,vn homme rassis. Aussi dict Aristote
que null'ame excellête n'est exempte de quelque meslange de folie . Et a quelque raison
d'appeler fureur tout eslancement tant loüable
soit il, qui surpasse nostre propre iugement &
discours: d'autant que la sagesse c'est vn maniment reglé de nostre ame, & qu'elle conduit a-
uec

uec mesure & proportion.
CHAP. III.

Coustume de L'Isle de Cea.

SI philosopher c'est douter, côme ils disent,
a plus forte raison niaiser & fantastiquer, cô
me ie fais, doit estre doubter. Car c'est aux ap-
prentifs a enquerir & a debatre, & au cathedrát
de resoudre. Mon cathedrát c'est l'authorité de
la Sacro-sainte volonté diuine, qui nous reigle
sans contredit, & qui a son rang au dessus de ces
humaines & vaines contestations. Philippus
estát entré a main armée au Peloponese, quelcun disoit a Damidas que les Lacedemoniens
auroient beaucoup a souffrir, s'ils ne se remet-
toient en sa grace : E poltron, respondit il, que
peuuent souffrir ceux qui ne craignent point la
mort ? On demandoit aussi a Agis comme vn
homme pourroit viure vrayement libre, Mesprisant, dict-il, le mourir. Ces propositions &
mille pareilles qui se rencontrent a ce propos,
sonnent euidément quelque chose au dela d'attendre patiément la mort, quand elle nous viét.
Car il y a en la vie plusieurs choses pires a souffrir que la mort mesme, tesmoing cest enfant
Lacedemonié pris par Antigonus & védu pour
serf, lequel pressé par son maistre a s'employer
a quelque seruice abiect, Tu verras, dit il, que tu
as acheté: ce me seroit honte de seruir ayant la
liberté si a main, & ce disant se precipita du

X

haut de la maiſon. Antipater menaſſant aſprement les Lacedemoniens pour les réger a certaine ſiéne demãde: Si tu nous menaſſes de pis que la mort, reſpondirent ils, nous mourrons plus volontiers. C'eſt ce que qu'on dit, Que le ſage vit tant qu'il doit, non pas tant qu'il peut, & que le preſent que nature nous ait fait le plus fauorable,& qui nous oſte tout moyen de nous pleindre de noſtre côdition,c'eſt de nous auoir laiſſé la clef des champs. Elle n'a ordôné qu'vne entrée a la vie,& cết mille yſſues. Pourquoy te plains tu de ce monde?il ne te tient pas:ſi tu vis en peine ta lâcheté en eſt cauſe.A mourir il ne reſte que le vouloir.

V bique mors eſt:optime hoc cauit Deus,
Eripere vitam nemo non homini poteſt:
At nemo mortem:mille ad hanc aditus patent.

Et ce n'eſt pas la recepte a vne ſeule maladie,la mort eſt la recepte a tous maux. C'eſt vn port treſaſſeuré, qui n'eſt iamais a craindre & ſouuết a rechercher. Tout reuient a vn, que l'hôme ſe donne ſa fin, ou qu'il la ſouffre, qu'il coure au deuant de ſon iour,ou qu'il l'attếde. D'ou qu'il vienne c'eſt touſiours le ſien . en quelque lieu que le filet ſe rôpe,il y eſt tout,c'eſt le bout de la fuſée. La plus volôtaire mort c'eſt la plus belle,la vie deſpend de la volôté d'autruy,la mort de la noſtre . En nulle choſe nous ne deuôs tất nous accômoder a nos humeurs,qu'en celle la. La reputatiõ ne touche pas vne telle entrepriſe:c'eſt

se:c'est folie d'en auoir respect. Le viure c'est
seruir,si la liberté de mourir en est a dire . Le
cómun train de la guerison se conduit aux despens de la vie.On nous incise,on nous cauterise,on nous detranche les mébres,ou nous sou-
strait l'alimét & le sang:vn pas plus outre nous
voila gueris tout a fait.Pourquoy n'est la veine
du gosier autant a nostre commandement que
la mediane ? Aux plus fortes maladies les plus
forts remedes.Seruius le grammairien ayát la
goute n'y trouua meilleur remede que de s'appliquer du poison aus iambes, & vescut dépuis
ayant ceste partie du corps morte . Dieu nous
donne assez de congé, quand il nous met en tel
estat, que le viure nous est pire que le mourir.
Mais cecy ne s'en va pas sans contraste.Car outre l'authorité,qui en detendát l'homicide y enueloppe l'homicide de soy-mesmes , d'autres
philosophes tiennent,que nous ne pouuons a-
bandonner ceste garnison du monde sans le có-
mandement expres de celuy,qui nous y a mis,
& que c'est a Dieu qui nous a icy enuoyés non
pour nous seulement, ains pour sa gloire & seruice d'autruy, de nous donner congé, quand il
luy plaira,non a nous de le prendre.Autrement
comme deserteurs de nostre charge nous sommes punis en l'autre monde,

Proxima deinde tenent mœsti loca,qui sibi letum
Insontes peperere manu,lucémque perosi
Proiecere animas.

X 2

Il y a bien plus de cõstance a vſer la chaine, qui
nous tient, qu'a la rõpre, & plus de fermeté en
Regulus qu'en Caton. C'eſt l'indiſcretion &
l'impatiéce, qui nous haſte le pas. nuls accidés
ne font tourner le dos a la viue vertu: elle cherche les maux & la douleur, comme ſon alimét.
Les menaſſes des tyrãs, les gehenes & les bour
reaux l'animent & la viuifient.

> *Duris vt ilex tonſa bipennibus*
> *Nigrę feraci frondis in Algido*
> *Per damna, per cędes, ab ipſo*
> *Ducit opes animũmque ferro:*

Et comme dict l'autre,

> *Non eſt vt putas virtus, pater,*
> *Timere vitam, ſed malis ingentibus*
> *Obſtare, nec ſe vertere ac retro dare.*

Rebus in aduerſis facile eſt contemnere mortem.

> *Fortius ille facit, qui miſer eſſe poteſt.*

C'eſt le rolle de la couardiſe, nõ de la vertu, de
s'aller tapir dans vn creux, ſoubz vne tombe
maſſiue, pour ćuiter les coupz de la fortune.
Elle ne rompt ſon chemin & ſon train, pour o-
rage qu'il face.

> *Si fractus illabatur orbis*
> *Impauidam ferient ruinę.*

Le plus communement la ſuyte d'autres incõ-
ueniens nous pouſſe a ceſtuy-cy. Voire quelque
fois la ſuyte de la mort faict, que nous y courons, comme ceux qui de peur de precipice s'y
lancent eux meſmes.

Multos

Multos in summa pericula misit
Venturi timor ipse mali: fortisimus ille est,
Qui promptus metuenda pati, si cominus instent,
Et differre potest.
Sepe vsque adeo mortis formidine, vitę
Percipit humanos odium, lucisque videndę,
Vt sibi consciscant męrenti pectore lethum,
Obliti fontem curarum hunc esse timorem.

Et l'opinion qui desdaigne nostre vie, elle est
ridicule en nous. Car en fin c'est nostre estre:
c'est nostre tout. Les choses qui ont vn estre
plus noble & plus riche, peuuent desdaigner le
nostre. Mais c'est contre nature, que nous nous
mesprisons & mettons nous mesmes a nonchal-
loir. C'est vne maladie particuliere, & qui ne
se voit en nulle autre creature, de se haïr & de
se combattre. C'est de pareille vanité, que nous
desirons estre autre chose, que ce que nous sommes. Le fruit d'vn tel desir ne nous touche pas;
d'autant qu'il se côtredict & s'épesche en soy.
Celuy qui desire d'estre fait d'vn hôme ange, il
ne fait riē pour luy. Car n'estant plus, il n'aura
plus dequoy se resiouïr & ressentir de cest amē-
demēt. La securité, l'indolence, l'impassibilité,
la priuatiō des maux de cefte vie, que no⁹ ache-
tons au pris de la mort, ne nous apporte nulle
cômodité. Pour neant euite la guerre, celuy qui
ne peut iouïr de la paix, & pour neāt fuit la peine
qui n'a dequoy sauourer le repos. Entre ceux du
premier aduis il y a eu grād doute sur ce, qu'el-

les occasions sont assez iustes, pour faire entrer
vn hôme ē ce party de se tuer:ilz appellēt cela
εὔλογον ἐξαγωγίω. Car quoy qu'ils diēt, qu'il
faut souuent mourir pour causes legieres, puis
que celles qui nous tiennēt en vie, ne sont guiere foites, si y faut il quelque mesure Il y a des
humeurs fantastiques & sans discours, qui ont
poussé non des hommes particuliers seulemēt,
mais des peuples a se deffaire. I'en ay allegué
par cy deuāt des exemples:& nous lisons en outre, des vierges Milesienes que par vne conspi-
ration furieuse elles se pēdoient les vnes apres
les autres, iusques a ce que le magistrat y pourueut ordonnant que celles qui se trouueroient
ainsi pendues fussent trainées par le mesme licol toutes nues par la ville. Quand Threicion
presche Cleomenes de se tuer pour le mauuais
estat de ses affaires,& ayāt fuy la mort plus honorable en la bataille qu'il venoit de perdre,
d'accepter cesté autre qui luy est secōde en hōneur,& ne donner point loisir au victorieux de
luy faire souffrir, ou vne mort, ou vne vie hōteu
se, Cleomenes d'vn courage Lacedemonien &
Stoique refuse ce cōseil comme lásche & effœ-
miné:C'est vne recepte, dit-il, qui ne me peut ia
mais manquer, & de laquelle il ne se faut seruir
tāt qu'il y a vn doigt d'esperáce de reste: que le
viure est quelque tois cōstance & vaillāce:qu'il
veut que sa mort mesme serue a son païs, & en
veut faire vn acte d'honneur & de vertu. Threi-
cien

ciõ se creut des lors & se tua. Cleomenes en fit
aussi autant despuis, mais ce fut apres auoir essayé le dernier point de la fortune. Tous les in-
cõueniẽs ne valẽt pas qu'on veuille mourir pour
les euiter. Et puis y ayãt tant de soudains chãge-
mẽs aux choses humaines, il est malaisé a iuger
a quel point nous sommes iustemẽt au bout de
nostre esperance. Toutes choses, disoit vn mot
ancien, sont esparables a vn hõme pẽdant qu'il
vit. Ouy mais, respõd Seneca, pourquoy auray-
ie plustost en la teste cela, que la fortune peut
toutes choses pour celuy qui est viuãt, que cecy,
que fortune ne peut riẽ sur celuy, qui sçait mourir. On voit Iosephe engagé en vn si apparẽt dã
gier & si prochain, tout vn peuple s'estãt esleué
cõtre luy, que par discours il n'y pouuoit auoir
nulle resource: toutefois estãt, cõme il dit, conseillé sur ce point par vn de ses amis de se deffaire,
biẽ luy seruit de s'apiniatrer encore en l'esperãce. Car la fortune cõtourna outre toute raisõ
humaine cest accidẽt de tels biaɩz qu'il s'ẽ veid
deliuré sans aucũ incõueniẽt. Et Marcus Brutus
au cõtraire acheua de perdre les reliques de la
Romaine liberté, de laqlle il estoit protecteur,
par la precipitatiõ & temerité, dequoy il se tua
auãt le tẽps & l'ocasiõ. Pline dit qu'il n'y a que
trois sortes de maladies, pour lesquelles euiter
on aye accoustumé de se tuer, la plus aspre de
toutes c'est la pierre a la vessie, quand l'vrine en
est retenue la seconde, la doleur d'estomach:

la tierce, la doleur de teste. Pour euiter vne pire
mort il y en a, qui font d'aduis de la prendre
a leur pofte. Les femes Iuifues apres auoir fait
circócir leurs enfans s'alloient precipiter quát
& eux fuyant la cruauté d'Anthiochus. On m'a
conté qu'vn prifonnier de qualité eftant en nos
conciergeries, fes parens aduertis qu'il feroit
certainement condamné, pour éuiter la honte
de telle mort, apofterent vn preftre pour luy
dire, que le fouuerain remede de fa deliurance
eftoit qu'il fe recómandaft a tel fainct, auec tel
& tel veü, & qu'il fut huit iours fans prédre aucun alimét, quelque defailláce & foibleffe qu'il
fentit en foy, il l'é creut, & par ce moyé fe deffit fans y penfer de fa vie & du dágier. Scribonia
confeillant Libo fon nepueu de fe tuer pluftoft
que d'attendre la main de la iuftice, luy difoit
que c'eftoit proprement faire l'affaire d'autruy
que de conferuer fa vie pour la remettre entre
les mains de ceux qui la viendroient chercher
trois ou quatre iours apres, & que c'eftoit feruir
fes ennemis, de garder fó fág pour leur en faire
curée. Il fe lict dás la Bible que Nicanor perfe-
cuteur de la Loy de Dieu ayát enuoyé fes fatellites pour faifir le bon vieillard Rafias, furnómé
pour l'hóneur de fa vertu, le pere aux Iuifz, cóme ce bon hóme n'y veit plus d'ordre, fa porte
bruflée, fes énemis preftz a le faifir, chofifát de
mourir genercufement pluftoft q̃ de venir entre
les mains des mefchás, & de fe laiffer maftiner
                                    contre

contre l'honneur de son rang, qu'il se frapa de
son espée : mais le coup pour la haste n'ayant
pas esté bien assené, il courut se precipiter du
haut d'vn mur au trauers de la troupe, laquelle
s'escartant & luy faisant place, il cheut droicte-
ment sur la teste. Ce neantmoins se sentant encore quelque reste de vie il ralluma son courage, & s'esleuant en pieds tout ensanglanté &
chargé de coups, & fauçant la presse donna iusques a certain rocher coupé & precipiteux, ou
n'en pouuant plus, il print a deux mains ses entrailles les deschirant & froissant, & les ietta a
trauers les poursuiuans, appellant & atestant la
vengence diuine. Des violences qui se font a la
conscience, la plus a euiter a mon aduis c'est
celle qui se fait a la chasteté des femmes, d'autant qu'il y a quelque plaisir corporel naturellement meslé parmy: & a ceste cause le dissen-
tement n'y peut estre asses entier: & semble que
la force soit meslée a quelque volonté? Pelagia
& Sophronia toutes deux canonisées, celle la
se precipita dans la riuiere auec sa mere & ses
sœurs, pour euiter la force de quelques soldats: &
ceste cy se tua aussi pour euiter la force de Ma-
xentius l'Empereur. Il nous sera a l'aduenture
honnorable aux siecles aduenir qu'vn bien sçauant auteur de ce temps & notammēt Parisien
se met en peine de persuader aux dames de nostre siecle de prendre plustost tout autre party,
que d'entrer en l'horrible conseil d'vn tel de-

X 5.

s-espoir. Ie suis marri qu'il n'a sceu, pour mesler
a ses contes le bon mot que i'apprins a Toulouse d'vne fême passée par les mains de quelques soldats: Dieu soit louë, disoit elle, qu'au
moins vne fois en ma vie ie m'ē suis soulée sans
peché. A la verité ces cruautez ne sont pas dignes de la douceur Frāçoise. Aussi Dieu mercy
nostre air s'en voir infiniment purgé depuis ce
bon aduertissement. Suffit qu'elles dient nenny
en le faisant suiuant la reigle du bon Marot.
L'histoire est toute pleine de ceux qui en mille
façons ont changé a la mort vne vie peneuse.
Mais on desire aussi quelque fois la mort pour
l'esperance d'vn plus grand bien. Ie desire, dict
sainct Paul, estre dissoult, pour estre auec Iesus
Christ: Et qui me desprendra de ces liens? Cle-
ombrotus Ambraciota ayant leu le Phædō de
Platon entra en si grand appetit de la vie aduenir, que sans autre occasion il s'alla precipiter
en la mer. Iacques du Chastel Euesque de Soif-
son au voyage d'outremer que fist S. Loys voyāt
le Roy & toute l'armée en train de reuenir en
France, laissant les affaires de la religion im-
parfaites, print resolution de s'en aller plus tost
en paradis, & ayant dit a Dieu a ses amis donna
seul a la veuë d'vn chacun dans l'armée des ennemis, ou il fut mis en pieces. Il y a eu des polices qui se sont meslées de reigler ce doubte.
En nostre Marseille il se gardoit au temps passé du venin preparé a tout de la cigue, aux des-

pens

pens publics, pour ceux qui voudroient hatter
leurs tours, ayant premierement approuué aux
six cés, qui estoiét leur senat, les raisons de leur
entreprise:& n'estoit loisible autremét que par
congé du magistrat & par occasions legitimes
de mettre la main sur soy. Cesle loy estoit encor'ailleurs. Sextus Pompeius allant en Asie
passa par l'Isle de Cea de Negrepont. il aduint
de fortune pendant qu'il y estoit, comme nous
l'appréd l'vn de ceux de sa compagnie, qu'vne
femme de grande authorité ayant rendu côte a
ses citoyens pourquoy elle estoit resolue de finir sa vie, pria Pópeius d'assister a sa mort pour
la rendre plus honnorable, ce qu'il fit: & ayant
long temps essayé pour neant, a force d'eloqué-
ce, qui luy estoit merueilleusement a main, & de
persuasion, de la destourner de ce dessein, souf-
frit en fin qu'elle se contentast. Elle auoit passé
quatre vingt dix ans en tres-heureux estat d'e-
sprit & de corps, mais lors couchée sur son lit
mieux paré que de coustume, & appuiée sur le
coude. Les dieux dit elle, ô Sextus Pompeius, &
plustost ceux que ie laisse, que ceux que ie vay
trouuer, te sçachét gré dequoy tu n'as desdaigné
d'estre & conseiller de ma vie, & tesmoing de
ma mort. De ma part ayant tousiours essayé le
fauorable visage de fortune, de peur que l'enuie de trop viure ne m'en face voir vn contraire, ie m'en vay d'vne heureuse fin donner congé aux restes de mon ame, laissant de moy deux
filles

filles & vne legion de nepueux. cela faict
ayant presché & enhorté les siens a l'vnion
& a la paix, leur ayant départy ses biens, & recommandé les dieux domestiques a sa fille aif-
née, elle print d'vne main asseurée la coupe, ou
estoit le venin, & ayant faict ses veux a Mercure, & les prieres de la conduire en quelque heureux siege en lautre monde, auala brusquement
ce mortel breuuage. Or entretint elle la compagnie du progres de son operation: & comme
les parties de son corps se sentoient saisies de
froid l'vn'apres l'autre: iusques a ce qu'ayant dit
en fin qu'il arriuoit au cœur & aux entrailles,
elle appella ses filles pour luy faire le dernier
office & luy clorre les yeux. Pline recite de
certaine nation hyperborée, qu'en icelle pour
la douce temperature de l'air les vies ne se finissent communement que par la propre volonté des habitans, mais qu'estans las & sous de
viure ilz ont en coustume au bout d'vn long
aage, apres auoir fait bonne chere, se precipiter
en la mer du haut d'vn certain rochier, destiné
a ce seruice.

CHAP. IIII.

A demain les affaires.

IE donne auec grande raison, ce me semble,
la palme a Iacques Amiot sur tous nos escriuains

uains François, non seulement pour la naifueté
& pureté du langage , en quoy il surpasse tous
autres, ny pour la constance d'vn si long trauail,
ny pour la profondeur de son sçauoir, ayant peu
déuelopper si heureusement vn autheur si espineux & ferré (car on m'en dira ce qu'on voudra : ie n'entens rien au Grec , mais ie voy vn
sens si beau , si bien ioint & entretenu par tout
en sa traduction, que ou il a certainement entē-
du l'imagination vraye de l'auteur, ou ayant par
longue conuersation planté viuement dans son
ame vne generale Idée de celle de Plutarque, il
ne luy a aumoins rien presté qui le desmente
ou qui le desdie) mais sur tout ie luy sçay bon
gré d'auoir sceu trier & choisir vn liure si digne
& si a propos pour en faire present a son pays.
Nous autres ignorans estions perdus si ce liure ne nous eust releuez du bourbier: sa mercy
nous osons a cest' heure & parler & escrire : les
dames en regentent les maistres d'escole: c'est
nostre breuiaire. Si ce bon homme vit, ie luy
resigne Xenophon pour en faire autant. C'est
vn'occupation plus aisée & d'autant plus propre a sa vieillesse, & puis ie ne sçay comment il
me semble, quoy qu'il se desmele biē brusquement & nettement d'vn mauuais pas , que toutesfois son stile est plus ches soy, quand il n'est
pas pressé, & qu'il roulle a son aise. I' estois a
cest' heure sur ce passage, ou Plutarque dict de
soy mesmes, que Rusticus assistant a vne sienne
decla-

declamation a Rome, y receut vn paquet de la
part de l'Empereur , & temporisa de l'ouurir
iusques a ce que tout fut faict: en quoy (dict-il)
toute l'assistance loua singulierement la grauité de ce personnage. De vray estant sur le propos de la curiosité , & de ceste passion auide &
gourmande de nouuelles, qui nous faict auec
tant d'indiscretion & d'impatience abandonner toutes choses pour entretenir vn nouueau
venu, & perdre tout respet & contenance .pour.
crocheter soudain, ou que nous soions , les lettres qu'on nous apporte, il a eu raison de louër
la grauité de Rusticus, & pouuoit encor y ioindre la louange de sa ciuilité & courtoisie, de
n'auoir voulu interrompre le cours de sa declamation. Mais ie fay doute qu'on le peut
louër de prudence , car receuant a l'improueu
lettres & notamment d'vn Empereur, il pouuoit bien aduenir que le differer a les lire eust
esté d'vn grand preiudice. Le vice contraire a
la curiosité c'est la nonchalance , en laquelle
i'ay veu plusieurs hômes si extremes, que trois
ou quatre iours apres on retrouuoit encores en
leur pochettes les lettres toutes closes, qu'on
leur auoit enuoyées. Du temps de nos peres
monsieur de Boutieres cuida perdre Turin,
pour , estant en bonne compagnie a souper, a-
uoir remis a lire vn aduertissement qu'on luy
donnoit des trahisons, qui se dressoient contre
ceste ville, ou il commandoit:& ce mesme Plutarque

tarque m'a appris que Iulius Cæfar fe fut fauué,
fi allant au fenat , le iour qu'il y fut tué par les
coniurez, il euft leu vn memoire qu'on luy pre-
fenta contenant le faict de l'entreprife. Et fait
auffi luy mefmes le conte d'Archias Tyran de
Thebes, que le foir auant l'execution de l'entreprife que Pelopidas auoit faicte de le tuer, pour
remettre fon païs en liberté, il luy fut efcrit
par vn autre Archias Athenien de point en
point ce qu'on luy preparoit, & que ce pacquet
luy ayant efté rendu pendãt fon fouper, il remit
a l'ouurir difãt ce mot, qui dépuis paffa en prouerbe en Grece, A demain les affaires. Vn fage
homme peut a mon opiniõ pour l'intereft d'autruy comme pour ne rompre indecemment cõpagnie ainfi que Rufticus, ou pour ne difconti-
nuer vn autre affaire d'importance, remettre a
entendre ce qu'on luy apporte de nouueau.
Mais pour fon intereft ou plaifir particulier
mefmes, s'il eft homme aïant charge publique
pour ne rompre fon difner, voire ny fon fommeil, il eft inexcufable de le faire. Et anciene-
ment eftoit a Rome la place confulaire, qu'ils
appelloient, la plus honnorable a table , pour
eftre plus a deliure, & plus acceffible a ceux
qui furuiendroient ou pour porter nouuelles a
celuy qui feroit affis, ou pour luy donner quelque aduertiffement a l'oreille. Tefmoignage
que pour eftre a table ilz ne fe departoient pas
de l'entremife d'autres affaires & furuenances.
                                        Mais

Mais quand tout est dit, il est malaisé és actiôs
humaines de donner reigle si iuste par discours
de raison, que la fortune n'y maintienne son
droict.

CHAP. V.

De la conscience.

IE passois vn iour païs pendant nos guerres
ciuiles, auec vn honneste gentil'homme &
de bonne façon. Il estoit du party contraire au
mien, mais ie n'en sçauois rien: car il se côtre-
faisoit tout autre, & le pis de ces guerres, c'est
que les cartes sont si meslées, vostre ennemy
n'estant distingué d'auec vous de nulle marque
apparente, ny de langage, ny de port, ny de façon, nourry en mesme loix, mesmes meurs &
mesme foyer, qu'il est malaisé d'y euiter côfusion & desordre. Cela me faisoit craindre a
moy mesmes de r'encontrer nos trouppes en
lieu ou ie ne fusse conneu, pour n'estre en peine
de decliner mon nom, & de pis a l'aduenture.
Mais cestuy-cy en auoit vne fraieur si esperdue,
& ie le voyois si mort a chasque rencôtre d'hômes, & passage de villes, qui tenoient pour le
Roy, que ie deuinay en fin que c'estoient alarmes que sa conscience luy donnoit. Il sembloit
a ce pauure homme qu'au trauers de son masque & des croix de sa cazaque on iroit lire iusques

ques dans ſon cœur ſes ſecretes intentions. Tãt
eſt merueilleux l'effort de la conſcience. Elle
nous faiɔt trahir, accuſer, & cõbatre nous meſmes, & a faute de teſmoing eſtrãgier, elle nous
produit nous meſmes contre nous.

Occultum quatiens animo tortore flagellum.

Ce conte eſt en la bouché des enfans. Beſſus
Pœonien reproché d'auoir de gayeté de cœur
abbatu vn nid de moineaux, & les auoir tues,
diſoit auoir eu raiſon : par ce que ces oyſillons
ne ceſſoient de l'accuſer faucement du meurtre
de ſon pere. Ce parricide iuſques lors auoit eſté
occulte & inconnu, mais les furies vengereſſes
de la conſcience, le firent mettre hors a celuy
meſmes qui en deuoit porter la penitence. He-
ſiode corrige le dire de Platon, Que la peine
ſuit de bien pres le peché : car il dit qu'elle naiſt
en meſme inſtant & quant & quant le peché.
Quiconque attent la peine, il la ſouffre, & quiconque l'a meritée l'attant. La meſchãceté d'elle meſme fabrique des tourmens contre ſoy.

Malum conſilium conſultori peſſimum,

comme la mouche gueſpe picque & offence autruy, mais plus ſoy meſme, car elle y perd ſon
éguillon & ſa force pour iamais,

Vitáſque in vulnere ponunt.

Les Cantarides ont en elles quelque partie qui
ſert contre leur poiſon de contrepoiſon par vne
contrarieté de nature. Auſſi a meſme qu'on
prend le plaiſir au vice, il s'engẽdre vn deſplai-

Y

ſir contraire en la conſciēce qui nous tourmente de pluſieurs imaginations penibles veillās &
dormans. Apollodorus ſongeoit qu'il ſe voioit
eſcorcher par les Scythes,& puis bouillir dedās
vne marmite, & que ſon cœur murmuroit en
diſant,ie te ſuis cauſe de tous ces maux.　Nulle
cachette ne ſert aux meſchans,diſoit Epicurus,
parce qu'ilz ne ſe peuuēt aſſeurer d'eſtre cachez
la conſcience les deſcouurant a eux meſmes,

Prima eſt hæc vltio,quod ſe
Iudice nemo nocens abſoluitur.

Comme elle nous remplit de crainte, auſſi fait
elle d'aſſeurance & de confiance.

Conſcia mens vt cuique ſua eſt,ita concipit intra
　　Pectora pro facto ſpémque metúmque ſuo.

Il y en a mille exemples, il ſuffira d'en alleguer
trois de meſme perſonnage. Scipion eſtant vn
iour accuſé deuāt le peuple Romain d'vne accu-
ſation importante,au lieu de s'excuſer ou de flater ſes iuges,Il vous ſiera biē,leur dit-il, de vouloir entreprendre de iuger de la teſte de celuy,
par le moiē duquel vous auez l'authorité de iuger de tout le mōde. Et vn'autre-fois pour toute reſponce aux imputations que luy mettoit ſus
vn Tribun du peuple, au lieu de plaider ſa cauſe,Allons,dit-il mes citoiēs, allons rendre graces aux Dieux de la victoire qu'ils me donnarēt
contre les Carthaginois en pareil iour,que cetuy cy. Et ſe mettant a marcher deuant vers le
temple voyla toute l'aſſemblé,& ſon accuſateur
　　　　　　　　　　　　　　　　　　meſmes

mefmes a fa fuite. Et Petilius aiant efté fufcité
par Caton pour luy demáder conte de l'argent
manié en la prouince d'Antioche, Scipió eftant
venu au Senat pour ceft effeft produifit le liure
des raifons qu'il auoit deffoubs fa robbe, & dit
que ce liure en contenoit au vray la recepte &
la mife: mais comme on le luy demanda pour le
mettre au greffe, il le refufa, difant ne fe vouloir pas faire cefte honte a foy mefme: & de fes
mains en la prefence du fenat le defchira & mit
en pieces. Ie ne croy pas qu'vne ame cauterizée
fceut côtrefaire vne telle affeurance. C'eft vne
dangereufe inuention que celle des gehenes, &
femble que ce foit pluftoft vn effay de patience
que de verité. Car pourquoy la douleur me fera elle pluftoft confeffer ce qui en eft, qu'elle
ne me forcera de dire ce qui n'eft pas? Et au rebours fi celuy qui n'a pas fait ce, dequoy on l'ac-
cufe, eft affez patient pour fupporter ces tour-
mentz, pourquoy ne le fera celuy qui l'a fait, vn
fi beau guerdon que de la vie luy eftant propo-
fé? Ie penfe que le fondement de cefte inuentió
vient de la confideration de l'effort de la confcience. Car au coulpable il femble qu'elle aide a la torture pour luy faire confeffer fa faute,
& qu'elle l'affoibliffe: & de l'autre part qu'elle
fortifie l'innocent, contre la torture pour dire
vray. c'eft vn moyen plein d'incertitude & de
danger. Mais tât y a que c'eft le mieux que l'humaine foibleffe aye peu inuenter.

Y 2

CHAP. VI.

De l'exercitation.

IL est mal-aisé que le discours & l'instruction,
encore que nostre creance s'y applique volõtiers, soint assez puissantes pour nous acheminer iusques a l'action: si outre cela nous n'exerçons & formons nostre ame par experience au
train, auquel nous la voulons renger. Autremẽt
quãd elle sera au propre des effetz, elle s'y trouuera sans doute empeschée, quelques bonnes
opinions qu'elle ait. Voyla pourquoy parmy les
philosophes, ceux qui ont voulu ateindre a quel
que plus grande excellence, ne se sont pas con-
tentés d'attendre a couuert & en repos les rigueurs de la fortune, de peur qu'elle ne les surprint inexperimentez & noueaux au combat:
ains ilz luy sont alez au deuant, & se sont iettez
a escient a la preuue des difficultez. Les vns en
ont abandõné les richesses, pour s'exercer a vne
pauureté volontaire : les autres ont recerché le
labeur, & vne austerité de vie penible pour se
durcir au mal & au trauail: d'autres se sont priuez des parties du corps, les plus cheres , cõme
de la veuë & des membres propres a la generation, de peur que leur seruice trop plaisant &
trop mol ne relaschat & n'atẽdrit la fermeté de
leur ame. Mais a mourir, qui est la plus grande

befoigne que nous ayôs a faire, l'exercitatiô ne
nous y peut de riē ayder. On fe peut par vfage &
par experience fortifier contre les douleurs, la
honte, l'indigence, & tels autres accidents, mais
quant a la mort nous ne la pouuons effayer qu'-
vne fois, nous y fommes tous aprentifs, quand
nous y venons. Il s'eft trouué anciennemēt des
hommes fi excellens mefnagers du tēps, qui ont
effayé en la mort mefme de la goufter & fauourer: & ont tendu & bandé leur efprit pour voir
que c'eftoit de ce paffage : mais ils ne font pas
reuenus nous en dire des nouuelles.

Nemo expergitus extat
Frigida quem femel eft vitai paufa fequuta.
Canius Iulius noble homme Romain, de vertu
& fermeté finguliere, ayant efté condamné a la
mort par ce mōftre de Caligula, outre plufieurs
merueilleufes preuues qu'il dōna de fa refolution, comme il eftoit fur le point de fouffrir la
main du boureau, vn philofophe fō amy luy demanda, & bien Canius, en qu'elle démarche eft
a cefte heure voftre ame, que fait elle, en quels
penfemens eftes vous? Ie penfois, luy refpōdit-
il, a me tenir preft & bandé de toute ma force,
pour voir, fi en ceft inftāt de la mort, fi court &
fi brief, ie pourray apperceuoir quelque deflo-
gement de l'ame, & fi elle ara quelque reffenti-
māt de fon yffue, pour, fi i'ē apres quelque chofe, en reuenir donner apres, fi ie puis, aduertiffement a mes amis. Cetuy cy philofophe nō feu-

Y 3

lemēt iusqu'a la mort, mais en la mort mesme.
Quelle asseurance estoit ce & quelle fierté de
courage, de vouloir que sa mort luy seruit de leçon? & auoir loisir de penser ailleurs en vn si
grand affere? Il me sēble toutesfois qu'il y a ql-
que façon de nous apriuoiser a elle, & de l'essayer aucunement. Nous en pouuons auoir experience, sinon entiere & parfecte, aumoins telle qu'elle ne soit pas inutile, & qui nous rende
plus fortifiés & asseures. Si nous ne la pouuons
ioindre, nous la pouuons aprocher, nous la pouuons reconnoistre: Et si nous ne donnōs iusques
a son fort, aumoins verrons nous & en pratique-
rons les auenues. Ce n'est pas sans raison qu'on
nous fait regarder a nostre sōmeil mesme, pour
la ressemblance qu'il a de la mort. Mais ceux
qui sont tombez par quelque violent accident
en defaillance de cœur, & qui y ont perdu tous
sentimens, ceux la a mon aduis ont esté bien
prés de voir son vray & naturel visage. Car quāt
a l'instant & au point du passage, il n'est pas a
craindre qu'il porte auec soy nul trauail ou des
plaisir: dautant que nous ne pouuons auoir ny
goust ny sentiment sans loisir. Nos actions &
operations ont besoin de temps, qui est si court
& si precipité en la mort, qu'il faut necessairement qu'elle soit insensible. Ce sont les approches que nous auons a craindre: & celles la
peuuent tomber en experience. Plusieurs choses nous semblent plus grandes par imagination

tion que par effect. I'ay passé la plus grãde partie de mon aage en vne parfaicte & entiere san-
té:ie dy non seulement entiere mais encore allegre & bouillante. Cest estat plein de verdeur
& de feste me faisoit trouuer si horrible la consideration des maladies, que quand ie suis venu
dépuis a les essayer, i'ay trouué leurs pointures
molles & lâches au pris de ma crainte. Cela
seul d'estre tousiours enfermé dans vne chambre me sembloit insupportable. Ie fus incontinent dressé a y estre vne semaine, & vn mois,
plein d'emotion, d'alteration & de foiblesse:&
ay trouué que lors de ma santé ie plaignois les
malades beaucoup plus que ie ne me trouue a
plaindre moy mesme, quand i'en suis, & que la
force de mon apprehention encherissoit pres
de moitié l'essence & verité de la chose. I'éspere
qu'il m'en aduiendra de mesme de la mort : &
qu'elle ne vaut pas la peine que ie prens a tant
d'apretz que ie dresse , & tant de secours que
i'appelle & assemble pour en soustenir l'effort.
Mais a toutes auantures nous ne pouuons nous
donner trop d'auātage. Pendāt noz troisiesmes
troubles, ou deusiesmes (il ne me souuient pas
bien de cela) m'estant alé vn iour promener a
vne lieuë de chez moy, qui suis assis dãs le moiau
de tout le trouble des guerres ciuiles de Frāce,
estimant estre en toute seurté, & si voisin de ma
retraicte, que ie n'auoy nul besoin de meilleur
equipage , i'auoy pris vn cheual bien aisé, mais

Y 4

non guiere ferme : a mon retour vn'occasion
soudaine s'est ât presentée de m'aider de ce che
ual a vn seruice, qui n'estoit pas bien de son vsage, vn de mes gens grand & fort , monté sur vn
puissant roussin , qui auoit vne bouche desespe-
rée, frais au demeurant & vigoureux , pour faire
le hardy & deuancer ses compaignons, vint a le
pousser a toute bride droit dans ma route , &
fondre comme vn colosse sur le petit hôme &
petit cheual, & le foudroier de sa roideur & de
sa pesanteur, nous enuoyant l'vn & l'autre les
piedz contremôt: si que voila le cheual abatu &
couché tout étourdi , moy dis ou douze pas au
dela mort estendu a la renuerse , le visage tout
meurtry & tout escorché, mon espée que i'auoy
a la main, a plus de dix pas au dela, ma ceinture
en pieces, n'ayant ny mouuemêt ny sentimêt nô
plus qu'vne souche. C'est le seul esuanouissemêt
que i'aye senti iusques a ceste heure. Ceux qui
estoint auec moy, apres auoir essayé par tous
les moiens qu'ils peurent de me faire reuenir,
me tenans pour mort, me prindrent entre leurs
bras & m'en portoint auec beaucoup de difficulté en ma maison , qui estoit loin de-la enuiron vne demy lieuë Françoise. Sur le chemin
& apres auoir esté plus de deux grosses heures
tenu pour trespassé, ie commençay a me mouuoir & respirer: car il estoit tombé si grande a-
bôdance de sang dâs mon estomac, que pour l'é
descharger nature eust besoin de resusciter ses
                                    forces.

forces. On me mit sur mes pieds, ou ie rendy vn
plein seau de bouillons de sang pur:& plusieurs
fois dépuis par le chemin il m'en falut faire de
mesme . Par la ie commençay a reprendre vn
peu de vie, mais ce fut par les menus , & par vn
si long trait de temps, que mes premiers sentimens estoiét beaucoup plus approchans de la
mort que de la vie. Ceste recordation que i'en
ay fort empreinte en mon ame me represan-
tant son visage & son idée si prez du naturel,
me concilie aucunement a elle. Quand ie commençay a y voir ce fut d'vne veuë si trouble , si
foible,& si morte, que ie ne discernois encores
rien que la lumiere.

—come quei ch'or apre or chiude
Gli occhi, mezzo tra'l sonno e l'esser desto.

Quand aus functions de l'ame , elles naissoient
auec mesme progrez, que celles du corps. Ie me
vi tout sanglant : car mon pourpoint estoit ta-
ché par tout du sang que i'auoy rendu. La premiere pensée qui me vint, ce fut que i'auoy vne
harquebusade en la teste. Et de vray en mesme
temps il s'en tiroit plusieurs autour de nous. Il
me sembloit que ma vie ne me tenoit pl⁹ qu'au
bout des leures. Ie fermois les yeux pour ayder
ce me sembloit a la pousser hors,& prenois plai
sir a m'alanguir & a me laisser aller . C'estoit
vne imagination qui ne faisoit que nager super-
ficielement en mon ame , aussi tendre & aussi
foible que tout le reste. Mais a la verité nô seu-

lement exempte de desplaisir, ains meslée a ceste douceur, que sentent ceux qui se laissent emporter au sommeil. Ie croy certainement, que
c'est ce mesme estat ou se trouuent ceux qu'on
void défaillans de foiblesse & de la lõgue maladie en l'agonie de la mort : & croy que nous
les pleignons sans cause, estimãs qu'ils sont agitez de grieues douleurs, ou auoir l'ame pressée
de cogitations penibles. C'a esté tousiours mõ
aduis contre l'opiniõ de plusieurs, & mesme de
Estienne de la Boetie, que ceux que nous voyõs
ainsi renuersés & assoupis aux aproches de leur
fin, ou acablez de la longueur du mal, ou par
l'accident d'vne apoplexie, ou mal caduc, ou
blessez en la teste, que nous oyons rommeller
& rendre par fois des souspirs trenchans, quoy
que nous en tirons aucuns signes, par ou il semble qu'il leur reste encore de la cognoissance,
& quelques mouuemens que nous leur voyons
faire du corps : i'ay tousiours pensé, dis-ie, qu'ils
auoient & l'ame & le corps enseueli, & endormi, & ne pouuois croire que a vn si grãd estõ-
nement de membres & si grande défaillance
des sens, l'ame peut maintenir aucune force au
dedãs pour se recõnoistre, & que par ainsi ils
n'auoiét nul discours qui les tourmétast, & qui
leur peut faire iuger & sentir la misere de leur
condition, & que par consequent ils n'estoient
pas fort a plaindre. Les Poëtes ont feint quelques dieux sauorables a la deliurance de ceux
qui

qui trainoient ainſi vne mort languiſſante,

hunc ego Diti
Sacrum iuſſa fero,téque iſto corpore ſoluo.

Et les vois & reſponſes courtes & deſcouſues,
qu'on leur arrache quelque fois a force de crier
autour de leurs oreilles & de les tampéter, ou
des mouuemens qui ſemblent auoir quelque
conſentement a ce qu'on leur demande , ce ne
ſont pas teſmoignages qu'ils viuēt pourtant, au
moins vne vie entiere. Il nous aduient ainſi ſur
le beguayemēt du ſommeil, auant qu'il nous ait
du tout ſaiſis, de ſentir comme en ſonge ce qui
ſe faict autour de nous , & ſuiure les vois, d'vne
ouïe trouble & incertaine, qui ſemble ne donner qu'aus bords de l'ame: & faiſons des reſpō-
ſes a la ſuite des dernieres paroles, qu'on nous
a dictes, qui ont plus de fortune que de ſens. Or
a preſant que ie l'ay eſſayé par effect, ie ne ſay
nul doubte que ie n'en aye bien iugé iuſques a
ceſte heure. Car premierement eſtāt tout eſua-
nouy ie me trauaillois d'entrouurir mon pourpoint a belles ongles (car i'eſtoy deſarmé) & ſi
ſçay que ie ne ſentoy en l'imagination riē qui
me bleſſat. Car il y a pluſieurs mouuemens en
nous qui ne partēt pas de noſtre diſcours, ceus
qui tōbent, ils eſlancent ainſi les bras au deuāt
de leur cheute par vne naturelle impulſiō, qui
fait q̃ nos mēbres ſe preſtent des offices. I'auoy
mō eſtomac preſſé de ce ſang caillé, mes mains
y cou-

y couroient d'elles mesmes, comme elles font
souuent, ou il nous demange contre l'ordonna-
nance de nostre volonté. Il y a plusieurs animaux & des hommes mesmes, apres qu'ils font
trespassez, ausquels on void reserrer & remuer
des muscles. Chácun sçait par experience qu'il
a des parties qui se branlent, & esmeuuent souuent sans son cógé. Or ces passions qui ne nous
touchét que l'escorse, ne se peuuét dire nostres.
Pour les faire nostres, il faut que l'homme y
soit engagé tout entier : & les douleurs que le
pied ou la main sentent pendant que nous dor-
môs ne sont pas a nous. Comme i'aprochay de
chez moy, ou l'alarme de ma cheute auoit des-
ia couru, & que ceux de ma famille m'eurent rê-
contré auec les cris accoustumés en telles choses, non seulement ie respondois quelque mot a
ce qu'on me demandoit, mais encore ils disent
que ie m'aduisay de cómander qu'on dónast vn
cheual a ma femme, que ie voioy s'empestrer
& se tracasser dans le chemin, qui est montueus
& malaisé. Il semble que ceste consideration
deut partir d'vne ame esueillée: si est ce que ie
n'y estois aucunement: c'estoiét des pensemens
vains en nuë, qui estoiét esmeus par les sens des
yeus & des oreilles. Ils ne venoient pas de chés
moy. Ie ne sçauoy pourtant ni d'ou ie venoy, ni
ou i'aloy, ni ne pouuois poiser & considerer ce
que on me demandoit. Ce sont des legiers effects, q̃ les sens produisoient d'eux mesmes, cóme

me d'vn vſage. Ce que l'ame y preſtoit, c'eſtoit
en ſonge, touchée bien legierement, & comme
lechée ſeulement par la molle impreſſion des
ſens. Cependant mon aſſiete eſtoit a la verité
treſ-douce & paiſible. Ie n'auoy nulle afflictiõ
ny pour autruy ny pour moy : c'eſtoit vne langueur & vne extreme foibleſſe ſãs aucune douleur. Ie vy ma maiſon ſans la recognoiſtre.
Quand on m'euſt couché, ie ſenti vne infinie
douceur a ce repos, car i'auoy eſté vilainement
tiraſſé par ces pauures gens qui auoient pris la
peine de me porter entre leurs bras, par vn lõg
& treſmauuais chemin, & s'i eſtoiẽt laſſez deus
ou trois fois les vns apres les autres. On me
preſenta force remedes, dequoy ie n'en receus
aucun, tenant pour certain, que i'eſtoy bleſſé a
mort par la teſte. C'euſt eſté ſans mentir vne
mort bien heureuſe: car la foibleſſe de mon
diſcours me gardoit d'en rien iuger, & la foibleſſe du corps d'en rien ſentir. Ie me laiſſoy
couler ſi doucemẽt & d'vne façon ſi molle & ſi
aiſée q̃ ie ne ſens guiere nulle action ſi plaiſante, que celle-la eſtoit. Quand ie vins a reuiure
& a reprendre mes forces, qui fut deux ou trois
heures apres, ie me ſenty tout d'vn train rõga-
ger aux douleurs, ayãt les membres tous mou-
lus & froiſſés de ma cheute, & en fus ſi mal
deux ou trois nuits apres, que i'en cuiday re-
mourir encore vn coup, mais d'vne mort plus
viſue, & me ſens encore quatre ans apres de la
ſecouſ-

ſecouſſe de ceſte froiſſure. Ie ne veus pas oublier cecy, que la derniere choſe en quoy ie me
peux remettre, ce fut en la ſouuenance de ceſt
accident, & me fis redire pluſieurs fois, ou i'a-
loy, d'ou ie venoy, a quelle heure cela m'eſtoit
aduenu auant que de le pouuoir conceuoir.

Quant a la façon de ma cheute on me la cachoit en faueur de celuy, qui en auoit eſté cauſe, & m'en forgeoit on d'autres. Mais long tēps
apres & le lendemain, quand ma memoire vint
a s'étrouuir, & me repreſenter l'eſtat, ou ie m'e-
ſtoy trouué en l'inſtant, que i'auoy aperceu ce
cheual fondāt ſur moy (car ie l'auoy veu a mes
talōs & me tins pour mort, mais ce penſement
auoit eſté ſi ſoudain que la peur n'eut pas loyſir
de s'y engendrer) il me ſembla que c'eſtoit vn
eſclair qui me frapoit l'ame de ſecouſſe, & que
ie reuenoy de l'autre monde. Ce conte d'vn
euenement ſi legier eſt aſſez vain, n'eſtoit l'inſtruction que i'en ay tirée pour moy: car a la verité pour s'apriuoiſer a la mort, ie trouue qu'il
n'y a que de s'en auoiſiner. Or, cōme dict Pline, chacun eſt a ſoy-meſme vne tres bonne diſcipline, pourueu qu'il ait la ſuffiſance de s'eſ-
pier de pres. Ce n'eſt pas icy ma doctrine, c'eſt
mon eſtude, & n'eſt pas la leçon d'autruy, c'eſt
la mienne.

CHAP.

CHAP. VII.

Des recompenses d'honneur.

CEux qui escriuent la vie d'Auguste Cæsar,
ils remerquent cecy en sa discipline militaire, que des presens & dons il estoit merueilleusemēt liberal enuers ceux, qui le meritoiēt:
mais que des pures recompenses d'hōneur il en
estoit bien autāt espargnāt. Si est ce qu'il auoit
esté luy mesme gratifié par son oncle de toutes
les recōpenses militaires auāt, qu'il eust iamais
esté a la guerre. C'a esté vne belle inuention &
receüe en la plus part des polices du mōde, d'establir certaines merques vaines & sans pris,
pour en honorer & recompenser la vertu, comme sont les couronnes de l'aurier, de chesne,
de meurte, la forme de certain vestement, le
priuilege d'aller en coche par ville, ou de nuit
auecques flambeau, quelque assiete particuliere
aux assemblées publiques, la prerogatiue d'aucuns surnoms & titres, certaines merques aux
armories, & choses semblables, dequoy l'vsage
a estédiuersemēt receu selō l'opiniō des natiōs,
& dure encores iusques a nous . Nous auons
pour nostre part, & plusieurs de nos voisins les
ordres de Cheualerie, qui ne sont establis qu'a
ceste fin . C'est a la verité vne bien bonne &
profitable coustume de trouuer moyen de recognoi-

cognoiſtre la valeur des hommes rares & excellens,& de les contéter & ſatis-faire par des
recompenſes, qui ne chargent aucunement le
publiq,& qui ne couſtent rien a vn Prince. Et
ce qui a eſté touſiours cóneu par experiéce ancié
ne,& ſ̃ nous auós autrefois auſſi peu voir entre
nous,que les gens d'hôneur auoient plus de ialouſie de telles recompenſes,que de celles,ou il
y auoit du guein & du profit,cela n'eſt pas ſans
raiſon & grande apparence : ſi au pris qui doit
eſtre ſimplement l'honneur on y meſle d'autres
commoditez , & de la richeſſe:ce meſlange au
lieu d'augmenter l'eſtimation,il la rauale & en
retranche.L'ordre ſaint Michel qui a eſté ſi lóg
temps en honneur par mi nous,n'auoit point de
plus gráde commodité que celle-la,de n'auoir
communication de nulle autre cómodité. Cela
faiſoit que autre-fois, il n'y auoit ne charge ni
eſtat quel qu'il fut,auquel la nobleſſe pretendit
auec tant de deſir & d'affection qu'elle faiſoit
a l'ordre , ni nulle qualité qui apporta plus de
reſpect & de grandeur,la vertu embraſſant &
aſpirant plus volontiers a vne recópenſe purement ſienne,qu'a nulle autre.Car a la verité les
autres dós & preſens n'ont pas leur vſage ſi noble,d'autát qu'on les employe a toute autre ſorte d'occaſiós.C'eſt vne monnoye a toute eſpece de marchandiſe.Par des richeſſes on paye le
ſeruice d'vn valet, la diligence d'vn courrier, le
dancer, le voltiger, le parler , & les plus viles
offices

offices qu'ō reçoiue : voire & le vice mefme s'ē
paye, la flaterie, le maquerelage, la trahifon &
autres, que nous employons a noftre vfage par
l'entremife d'autruy . Ce n'eft pas merueille fi
la vertu reçoit & defire moins volontiers cefte
forte de monnoie , que celle qui luy eft propre
& particuliere toute noble & genereufe. Mais
Augufte auoit raifon d'eftre beaucoup plus mef
nagier & efpargnant de cefte-cy, que de l'autre , d'autant que l'honneur c'eft vn priuilege
qui tire fa principale effence de la rarité, & la
vertu mefme.

Cui malus eft nemo, quis bonus effe poteft?

On ne remerque pas pour la recommandation
d'vn homme, qu'il ait foing de la nourriture de
fes enfans , d'autant que c'eft vne action commune, quelque iufte qu'elle foit. Ie ne pēfe pas
que nul citoyē de Sparte fe glorifiat de fa vail-
lāce, car c'eftoit vne vertu populaire & vulgaire en leur nation : & aufsi peu de la fidelité &
mefpris des richeffes. Il n'efchoit pas de recō-
penfe a vne vertu, pour grande qu'elle foit, qui
eft paffée en couftume:& ne fçay auec, fi nous
l'appellerions iamais grande eftant commune.
Puis donc que ces loyers d'honneur n'ont autre
pris & eftimation que cefte la, que peu de gēs
en iouiffent , il n'eft pour les aneantir que d'en
faire largeffe . Quand il fe trouueroit plus de
gens qu'au temps paffé, qui meritaffent noftre
ordre, il n'en faloit pas pourtāt corrōpre l'efti-

Z

mation. Et peut ayſément aduenir que plus de
gens le meritẽt, car il n'eſt nulle des vertus qui
s'eſpende ſi ayſement que la vaillãce militaire.
Il y en a vne autre vraye, perfecte & philoſo-
phique, dequoy ie ne parle point, & me ſers de
ce mot, ſelon noſtre vſage, bien plus grãde que
ceſte cy & plus pleine, qui eſt vne force & aſſeu
rance de l'ame meſpriſant égalemẽt toute ſorte
d'accidens, equable, vniforme & conſtante, de
laquelle la noſtre n'eſt qu'vn bien petit rayon.
L'vſage, l'inſtitution, l'exemple & la couſtume
peuuent tout ce qu'elles veulent en l'eſtabliſſe-
ment de celle, dequoy ie parle, & la rẽdent ayſement vulgaire, commune, & populaire, cóme
il eſt treſ ayſé a voir par l'experiẽce que nous en
donnent nos guerres ciuiles. Il eſt vray qu'a la
verité la recompẽſe de l'ordre ne touchoit pas
au temps paſſé ſeulement ceſte conſideration,
elle regardoit plus loing. Ce n'a iamais eſté le
payemẽt d'vn valeureus ſoldat, mais d'vn capitaine fameus & noble. La ſcience d'obeir ne
meritoit pas vn loyer ſi honorable. On y reçe-
roit anciennement vne ſuffiſance militaire plus
vniuerſelle, & qui embraſſat la plus part & plus
grãdes parties d'vn bon hôme de guerre, qui fut
encore, outre cela de cõdition accõmodable a
vne telle dignité. Mais ie di, quand plus de gens
en ſeroiẽt dignes qu'il ne s'en trouuoit autreſ-
fois, qu'il ne falloit pas pourtant s'en rẽdre plus
liberal : & eut mieux vallu faillir a n'ẽ eſtrener

pas tous ceux, a qui il eſtoit deu, que de perdre
pour iamais, comme nous venons de faire, l'vſage d'vne inuention ſi propre & ſi vtile. Nul hõme de cœur ne daigne s'auantager de ce qu'il a
de cõmun auec pluſieurs: & ceux d'auiourd'huy
qui ont moins merité ceſte recompenſe, font
plus de contenance de la deſdaigner, pour ſe loger par la au reng de ceux a qui on a faiĉt tort
d'eſpandre indignement & auilir ceſt honneur
qui leur eſtoit particulierement deu. Or de s'atendre en effaçãt & aboliſſant ceſte-cy de pouuoir ſoudain remettre en credit & renoueller
vne ſemblable couſtume, ce n'eſt pas entreprin
ſe propre a vne ſaiſon ſi licencieuſe & malade
qu'eſt celle, ou nous nous trouuons a preſant: &
en auiẽdra que la derniere encourra des ſa naiſ
ſance les incommodités, qui viennẽt de ruiner
l'autre. Les regles de la diſpenſation de ce nouuel ordre auroiẽt beſoing d'eſtre extrememẽt
tendues & contreintes, pour luy donner authorité: & ceſte ſaiſon tumultuere n'eſt pas capable d'vne bride courte & reglée, outre ce qu'auant qu'on luy puiſſe donner credit, il eſt be
ſoing qu'on ayt perdu la memoire du premier,
& du meſpris auquel il eſt cheu. Ce lieu pourroit receuoir quelque diſcours ſur la conſideration de la vaillance, & de la difference de ceſte
vertu aux autres. Mais Plutarque eſtant ſouuãt
retõbé ſur ce propos, & nous eſtant ſi familier
par l'air Frãçois qu'õ luy a donné ſi perfeĉt &

Z 2

ſi plaiſãt, ie me meſlero iſpour neãt de raporter
icy ce qu'il en dict. Mais cecy eſt digne d'eſtre
remerqué, que noſtre nation dóne a la vaillãce
le premier degré des vertus, comme ſon nom
meſme móſtre, qui viẽt de valeur, & que a noſtre vſage, quand nous di ſons vn hõme qui vaut
beaucoup, ou vn homme de biẽ, au ſtile de noſtre court, & de noſtre nobleſſe, ce n'eſt a dire
autre choſe qu'vn vaillant homme: d'vne façon
pareille a la Romaine. Car la generalle appel-
lation de vertu prend chés eux ethymologie de
la force. La forme propre & ſeule & eſſencielle
de la nobleſſe en France, c'eſt la vacation militaire. Il eſt vray ſemblable que la premiere
vertu qui ſe ſoit faite paroiſtre entre les hómes
& qui a donné aduãtage aux vns ſur les autres,
ça eſté ceſte cy : par laquelle les plus forts &
courageux ſe ſont rendus maiſtres des plus foibles, & ont aquis reng & reputation particuliere: d'ou luy eſt demeuré ceſt honneur & dignité de langage : ou bien que ces nations eſtant
tres-belliqueuſes ont donné le pris a celle des
vertus, qui leur eſtoit la plus familiere, & le
plus digne tiltre. Tout ainſi que noſtre paſſion
& ceſte fieureuſe ſolicitude que nous auons de
la chaſteté des femmes, fait auſſi qu'vne bonne femme, vne femme de bien & femme d'hóneur & de vertu ce ne ſoit a la verité a dire autre choſe pour nous qu'vne femme chaſte : cóme ſi pour les obliger a ce deuoir nous mettiós
                                    a non-

a nonchaloir tous les autres, & leur lâchions la
bride a tout autre faute, pour entrer en côposi-
tion de leur faire quitter ceste cy.

CHAP. VIII.

DE L'AFFECTION DES PE-
res aux enfans.

A Madame d'Estissac.

MAdame si l'estrangeté ne me sauue & la
nouuelleté, qui ont accoustumé de dôner
pris aux choses, ie ne sors iamais a mon honneur de ceste sotte entreprinse: mais elle est si
fantastique, & a vn visage si esloigné de l'vsage
commun, que cela luy pourra donner passage.
C'est vne humeur melâcolique, & vne humeur
par consequent tres ennemie de ma complexiô
naturelle, produicte par le chagrein de la solitude, en laquelle il y a quelques années que ie
m'estoy ietté, qui m'a mis premierement en teste ceste resuerie de me mesler d'escrire. Et
puis me trouuant entierement desgarny & vuide de toute autre matiere ie me suis presenté
moy-mesmes a moy pour argument & pour
subiect. C'est vn dessein farouche & môstreux.
Il n'y a rien aussi en ceste besoingne digne d'e-
stre remerqué que céte bizarrerie: car a vu sub-

Z 5

iect si vain & siuile, le meilleur ouurier du mõde n'eust sceu dõner forme & façon qui merite
qu'on en face conte. Or madame, ayant a m'y
pourtraire au vif i'é eusse oublié vn traict d'in-
portance, si ie n'y eusse representé l'honneur &
reuerence singuliere, que i'ay tousiours porté a
vos merites & a vos vertus. Et l'ay voulu dire
notãment a la teste de ce chapitre: d'autant que
par mi vos autres grandes qualitez celle de l'a-
mitié que vous auez monstrée a vos enfans tiét
l'vn des premiers rêgs. Qui sçaura l'aage auquel
Monsieur d'Estissac vous laissa vesue, les grãds
& honorables partis, qui vous ont esté offertz
autant qu'a Dame de France de vostre condition, la cõstance & fermeté dequoy vous auez
soustenu tant d'années & au trauers de tãt d'espineuses difficultez, la charge & conduite de
leurs affaires, qui vous ont agitée par tous les
coins de France, & vous tiennent encores assiegée, l'heureus acheminement que vous y auez
donné par vostre seule prudence ou bône fortune: il dira aisément auec moy que nous n'auõs
nul exemple d'affection maternelle en nostre
temps plus expres que le vostre. Ie loüe Dieu,
Madame, qu'elle est si bien emploiée: car les
bonnes esperances que donne de soy Monsieur
d'Estissac assurent assés, que quand il sera en
aage vous en retirerez l'obeissance & reconois-
sance d'vn tres-bon filz. Mais d'autant qu'a cause de son enfance, il n'a peu remerquer les extremes

tremes offices qu'il a receu de vous en si grand
nóbre, ie veus, si ces escris viennét vn iour a luy
tomber entre mains, lors que ie n'auray plus ni
bouche ni parole qui le puisse dire, qu'il reçoiue
de moy ce tesmoignage en toute verité, qui luy
sera encore plus visuement tesmoigné par les
bós effects, dequoy si Dieu plait il se ressentira,
qu'il n'est gentil'hôme en Frāce qui doiue plus
à sa mere qu'il fait: & qu'il ne peut dóner a l'aduenir plus certaine preuue de sa valeur & de sa
vertu, qu'en vous reconnoissant pour telle.

S'il y a quelque loy vrayemét naturelle, c'est
a dire quelque instinct, qui se voye vniuersellement & perpetuellement empreint aux bestes
& en nous (ce qui n'est pas sans controuerse) ie
puis dire a mó aduis, qu'apres le soing que chasque animal a de sa conseruatió & de fuyr ce qui
nuit, l'affection que l'engendrant porte a son
engeance tient le second lieu en ce reng. Et par
ce que nature semble nous l'auoir recommâdée
regardant a estâdre & faire aller auant les pieces succeissiues de ceste siêne machine: ce n'est
pas de merueille, si a reculons des enfans aux
peres elle n'est pas si grande. Puis qu'il a pleu
a Dieu nous estrener de quelque capacité de
discours, affin que comme les bestes nous ne
fussions pas seuilement assuiectis aux loix cómunes, ains que nous nous y apliquissions par
iugement & liberté volôtaire, nous deuons bié
prester vn peu a la simple authorité de nature:

Z 4

mais non pas nous laisser tyranniquement emporter a elle , la seule raison doit auoir la conduite de nos inclinations . l'ay de ma part le goust estrangement mousse a ces propensions, qui sont produites en nous sans l'ordonnance & entremise de nostre iugement. Comme sur ce subiect, dequoy ie parle, ie ne puis gouster ceste passion, dequoy on embrasse les enfans a peine encore nez , n'ayant ni mouuemēt en l'ame, ni forme recônoissable au corps, par ou ils se puis-sent rēdre aimables. Vne vraye affection & biē regléc deuroit naistre & s'augmēter auec la cônoissance qu'ils nous donnēt d'eux , & lors s'ils le valent, l'inclination naturelle marchāt quāt & quant la raison, les cherir d'vne amitié vraye-mēt paternelle, & en iuger de mesme s'ils sont autres , nous rendans tousiours a la raison non-obstant la force naturelle. Il en va fort souuent au rebours , & le plus cômunement nous nous sentōs plus esmeus des trepignemēs ieus & mignardises pueriles de nos enfans, q̃ nous ne fai-sons apres de leurs actions toutes formées: cô-me si nous les auions aymés pour le plaisir que nous en receuions, non pour eux mesmes. Et tel fournit bien liberalement de iouets a leur en-fance, qui se trouue resserré a la moindre dépé-ce qu'il leur faut estant hommes. Voire il sem-ble que la ialousie que nous auons de les voir paroistre & iouïr du mõde, quād nous sommes a mesme de le quitter, nous rēd plus espargnás
& re-

& retrains enuers eux. Il nous séble qu'ils nous
marchent sur les talons.& si nous auiós a craindre cela , puis que l'ordre naturel porte qu'ilz
ne peuuent a dire verité, estre,ny viure qu'aux
despens de nostre substance, nous ne deuions
pas estre peres.Quant a moy ie treuue que c'est
cruauté & iniustice de ne les receuoir au partage & societé de nos biés,& compaignós en l'intelligence de nos affaires domestiques, quand
ils sont en aage, & de ne retrancher & reserrer
nos commodités pour pouruoir aux leurs, puis
que nous les auons engendres a cet effect. C'est
iniustice de voir qu'vn pere vieil, cassé, radoté,
demi-mort iouisse seul a vn coin du fouier des
biens qui suffiroint a l'auancement & entretien
de plusieurs enfans,& qu'il les laisse cependant
par faute de moyen perdre leurs meilleures
années sans se pousser au seruice public & connoissance des hómes. On les iette au desespoir
de chercher par quelque voie,pour iniuste qu'el
le soit, a pouruoir a leur besoin. Comme i'ay
veu de mon temps plusieurs ieunes hommes de
bonne maison si adonnez au larcin, que nulle
institutió ne les en pouuoit détourner.I'en có-
noy vn tres-bien apparenté , a qui par la priere
d'vn sien frere tres-honneste & braue gentil'-
hóme ie parlay vne fois pour cest effect. Il me
respondit & confessa tout rondement , qu'il a-
uoit esté acheminé a cest' ordure par la rigueur
& auarice de son pere, mais qu'a present il **y**

estoit si accoustumé, qu'il ne s'en pouuoit garder. Et lors il venoit d'estre surpris en larcin
des bagues d'vne dame, au leuer de laquelle il
s'estoit trouué auec beaucoup d'autres. Il me fit
souuenir du conte que i'auois ouy faire d'vn autre gentil'homme si fait & façonné a ce beau
mestier du temps de sa ieunesse, que venant a-
pres a estre maistre de ses biens, deliberé d'a-
bandonner ceste trafique, il ne se pouuoit garder pourtant, s'il passoit pres d'vne boutique,
ou il y eust chose, dequoy il eust besoin, de la
dérober en peine de l'enuoier payer apres. Et
en ay veu plusieurs si accoustumez & rompus a
cela, que parmy leurs compaignons mesmes ils
dérobóiét ordinairemét des choses qu'ils vouloient rendre. Ce quartier de Gascogne est a la
verité vn peu plus descrié de ce vice que les autres de nostre nation. Si est ce que nous auons
veu de nostre temps a diuerses fois entre les
mains de la iustice des hommes de maison d'autres contrées de la France conuaincus de plusieurs horribles voleries. Ie crains que de ceste
débauche il s'en faille aucunement prendre a ce
vice des peres. Et si on me respód ce que fit vn
iour vn Seigneur de bon entendement, qu'il faisoit espargne des richesses, nó pour en tirer autre fruict & vsage que pour se faire honnorer &
rechercher aux siens, & que l'aage luy ayát osté
toutes autres forces c'estoit le seul remede qui
luy restoit pour se maintenir en authorité en sa
                                            famil-

famille,& pour euiter qu'il ne vint a mespris &
desdain a tout le monde. Cela est quelque chose: mais c'est la medecine a vn mal, duquel on
deuoit euiter la naissance. Vn pere est bien miserable qui ne tient l'affection de ses enfans,
que par le besoin qu'ilz ont de son secours, si
cela se doit nommer affection : il faut se rendre
respectable par sa vertu & par sa suffisace,& ay-
mable par sa bonté & douceur de ses meurs.
Les cendres mesmes d'vne riche matiere elles
ont leur pris:& les os & reliques des personnes
d'honneur nous auons accoustumé de les auoir
en respect & reuerence. Nulle vieillesse ne peut
estre si caduque & si rance a vn personnage qui
a passé en honneur son aage , qu'elle ne soit ve-
nerable,& notamment a ses enfans , desquels il
faut auoir reglé l'ame a leur deuoir par raison
non par necessité & par le besoin, ny par rudesse & par force.

Et errat longe mea quidem sententia
Qui imperium credat esse grauius aut stabilius
Vi quod fit, quam illud quod amicitia adiungitur.
Voulons nous estre aimez de nos enfans , leur
voulons nous oster l'occasion de souhaiter nostre mort (combien qu'a la verité nulle occasiõ
d'vn si horrible souhait ne peut estre ny iuste
ny excusable) accommodons leur vie raisonnablement de ce qui est en nostre puissance. Pour
cela il ne nous faudroit pas marier si ieunes que
nostre aage viéne quasi a se confondre auec le
leur:

leur:car cest inconueniēt nous iette a plusieurs
grādesdifficultez,ie dy specialemēt a la noblesse,qui est d'vne cōditiō oysiue,& qui ne vit,cō-
me on dit,que de ses rētes:car ailleurs, ou la vie
est questuere,la pluralité & compagnie des enfans c'est vn agencement de mesnage, ce sont
autant de nouueaux vtils & instrumens a s'enri-
chir.Les anciens Gaulois estimoint a extremē
reproche d'auoir eu accointance de femme a-
uant l'aage de vint ans:& recommandoiēt singulierement aux hommes,qui se vouloiēt dresser pour le seruice de la guerre, de conseruer
bien auant en l'aage leur pucellage, d'autant
que les courages s'en amollissent & diuertis-
sent.

Ma hor congiunto a giouinetta sposa
Lieto homai de'figli era inuilito
Negli effetti di padre & di marito.

Vn gentil'homme qui a trante cinq ans, il n'est
pas tēps qu'il face place a son fils qui en a vint.
Il est luy mesme au train de paroiste & aux
voyages des guerres & en la court de sō prince.
Il a besoin de ses pieces. Il lui en doit certainement faire part, mais telle part , qu'il ne s'ou-
blie pas pour autruy. Et a celuy la peut seruir
iustement cette responce que les peres ont ordinairemēt en la bouche:Ie ne me veux pas despouiller deuant que de m'aller coucher. Mais
vn pere aterré d'annēes & de maux, priué par
sa foiblesse & faute de santé,de la commune societé

cieté des hommes, il se faict tort & a autruy de
couuer inutilement vn grand tas de richesses. Il
est assez en estat, s'il est sage, pour auoir desir
de se dépouiller pour se coucher , non pas iusques a la chemise, mais iusques a vne robbe de
nuit bien chaude. Le reste des pompes & de ses
riches atours, dequoy il n'a plus que faire , il
doit en estrener volontiers ceux, a qui par ordō-
nance naturelle cela doit apartenir. C'est raison
qu'il leur en laisse l'vsage , puis que nature l'en
priue. Autrement sans doute il y a de la malice
& de l'enuie. La plus belle des actions de l'Empereur Charles cinquiesme ce fut celle la , d'a-
uoir sceu reconnoistre que la raison nous commande assez de nous dépouiller, quand nos robes nous chargent & empeschent, & de nous
coucher quand les iambes nous faillent. Il re-
signa ses moiens, grandeur & puissance a son
fils, lors qu'il sentit defaillir en soy la fermeté
& la force pour conduire les affaires auec la
gloire qu'il y auoit aquise.

Solue senescentem mature sanus equum, ne
Peccet ad extremum ridendus & ilia ducat.

Ceste faute de ne se sçauoir reconnoistre de
bonne heure & sentir l'impuissance & extreme
alteration que l'aage apporte naturellement &
au corps & a l'ame, qui a mon opinion est esgale (si l'ame n'en a plus de la moitié) a perdu la
reputation de la plus part des grands hommes
du monde. I'ay veu de mon temps & connu fa-
milie-

milieremēt des personnages de grande authorité, qu'il estoit bien aysé a voir estre merueilleusement descheus de ceste ancienne suffisance, que ie connoissois par la reputation qu'ilz
en auoient acquise en leurs meilleurs ans. Ie les
eusse pour leur honneur volontiers souhaitez
retirez en leur maison a leur ayse & déchargés
des occupations publiques & guerrieres qui
n'estoint plus pour leurs espaules. I'ay autrefois
esté priué en la maison d'vn gentil'homme vesue & fort vieil, d'vne vieillesse toutefois assez
verte. Cetuy cy auoit plusieurs filles a marier
& vn filz desia en aage de paroistre. cela luy
chargeoit sa maison de plusieurs despences &
visites estrangieres, a quoy il ne prenoit nul
goust, non seulement pour le soin de l'espargne
mais encores plus, pour auoir, a cause de l'aage,
pris vne forme de vie fort esloignée de la nostre. Ie luy dy vn iour vn peu hardiment, comme i'ay accoustumé de produire librement ce
qui me viēt en la bouche, qu'il luy sieroit mieux
de nous faire place, & de laisser a sō fils sa maison principale (car il n'auoit que celle la de
bien logée & accommodée)& se retirer en vne
siéne terre, qu'il auoit fort voisine, ou nul n'apporteroit incommodité a son repos, puis qu'il
ne pouuoit autrement euiter nostre importunité, veu la condition de ses enfans. Il m'en creut
dépuis & s'en trouua fort bien. Ce n'est pas a
dire qu'on leur donne, par telle voie obliga-
                                        tion,

ti on,de laquelle on ne se puisse plus desdire, ie
leur lairrois, moy qui suis tantost a mesme de
iouer ce rolle,la iouissance de ma maison & de
mes biens, mais auec liberté de m'en repentir,
s'ils m'en donnoient occasion:ie leur en lerrois
l'vsage , par ce qu'il ne me seroit plus cómode:
& de l'authorité des affaires en gros ie m'en re-
serueurois autát qu'il me plairoit: ayát tousiours
iugé que ce doit estre vn grand contentement a
vn pere vieux de mettre luy mesme ses enfás en
train du gouuernemét de ses affaires,& de pouuoir pendant sa vie controoller leurs deporte-
mens:leur fournissant d'instructió & d'auis suyuant l'experience qu'il en a,& d'acheminer luy
mesme l'ancien honneur & ordre de sa maison en la main de ses enfans,& se respondre par
la des esperances qu'il peut prendre de la conduite a venir. Et pour cet effect ie ne voudrois
pas fuir leur compagnie: ie voudroy les esclai-
rer de prés & iouïr moy mesme selon le goust
de mon aage , de leur allegresse, & de leurs fe-
stes.Si ie ne viuoy parmy eux(cóme ie ne pourroy sans offencer leur assemblée par le chagrin
de mon aage & l'importunité de mes maladies, & sans contraindre aussi & forcer les reigles & façons de viure que i'aurois lors)ie voudroy au moins viure pres d'eux a vn quartier
de ma maison non pas le plus pompeus , mais
commode.   Non comme ie vy il y a quelques
années , vn Doyen de Sainct Hilaire de Poitiers

tiers rendu a vne telle solitude par l'incommodité de sa santé, que lors que i'entray en sa
chambre il y auoit vint deux ans qu'il n'en e-
stoit sorty vn seul pas, & si auoit toutes ses actiõs
libres & aysées sauf vn reume qui luy tomboit
sur l'estomac. A peine vne fois la sepmaine
vouloit il permettre que nul entrast pour le
voir: il se tenoit tousiours enfermé par le dedãs
de sa chambre seul, sauf qu'vn valet luy apportoit vne fois le iour a mãger, qui ne faisoit qu'ê-
trer & sortir. Son occupation estoit se promener & lire quelque liure (car il connoissoit aucunement les lettres) obstiné au demeurant de
mourir en ceste démarche, comme il fit bien
tost apres. I'essayeroy par vne douce conuersation de nourrir en mes enfans vne viue amitié & bienueillance non sainte en mon endroit.
Ce qu'on gaigne ayséement en vne nature bien
née. Car si ce sont bestes furieuses, il les faut é-
uiter & fuir pour telles. Ie hay ceste coustume
de priuer les enfans qui sont en aage du commerce & intelligence priuée & familiere des
peres, & de vouloir maintenir en leur endroict
vne morgue séuere & estrangiere pleine de rã-
cune & de desdain esperant par la les tenir en
crainte & obeissance. Car c'est vne farce tres-
inutile, qui rend les peres ennuïeux aux enfans,
&, qui pis est, ridicules: ils ont la ieunesse & les
forces en la main, & par consequent le vent &
la faueur du monde, & reçoiuēt auecques moc-
querie,

querie,ces mines fieres & coleres d'vn homme
qui n'a plus de fang ny au cœur, ny aux veines.
Quand ie pourroy me faire craindre, i'aymeroy
encore mieux me faire aymer. Feu Monfieur le
Marefchal de Monluc ayant perdu celuy de fes
enfans,qui mourut en l'Ifle de Maderes,braue
gentil'homme a la verité & de grande efperance,me faifoit fort valoir entre fes autres regrets
le defplaifir & creue-cœur qu'il fentoit de ne
s'eftre iamais cõmuniqué a luy: & fur cefte humeur d'vne grauité &grimace paternelle,auoir
perdu la cõmodité de goufter & bien connoiftre fon fils,& auffi de luy declarer l'extreme a-
mitié qu'il luy portoit,& le digne iugemẽt qu'il
faifoit de fa vertu. Et ce pauure garſon,difoit-il
n'a rien veu de moy qu'vne contenance refroi-
gnée & pleine de mefpris , & a emporté cefte
creance,que ie n'ay fceu ny l'aimer ny l'eftimer
felõ fõ merite. A qui gardoy-ie a découurir cefte finguliere affection que ie luy portoy dans
mon ame ? eftoit ce pas luy qui en deuoit auoir
tout le plaifir & toute l'obligation ? Ie me fuis
contraint & geéné pour maintenir ce vain mafque:& y ay perdu le plaifir de fa conuerfation &
fa volonté quant & quãt,qu'il ne me peut auoir
portée autre que bien froide,n'ayant iamais receu de moy que rudeffe,ny fenti qu'vne façõ tyrannique. Ie trouue que cefte plainte eftoit biẽ
prife & raifonnable: car comme ie fçay par vne
trop certaine experience, il n'eft nulle fi douce

Aa

consolatiõ en la perte de nos amis que celle que
nous aporte la souuenance de n'auoir riẽ oublié
a leur dire,& d'auoir eu auec eux vne parfaicte
& entiere communication. Entre autres coustumes particulieres qu'auoient nos anciens Gaulois, a ce q̃ dit Cæsar, céte cy en estoit , Que les
enfans ne se presentoint aux peres ny s'ozoint
trouuer en public en leur compaignie, que lors
qu'ils commençoint a porter les armes, comme
s'ils vouloint dire que lors il estoit aussi temps
que les peres les receussent en leur familiarité
& accointance. I'ay veu encore vne autre sorte
d'indiscretion en aucuns peres de mõ téps , qui
ne se contentent pas d'auoir priué pendant leur
longue vie leurs enfans de la part, qu'ilz deuoiẽt
auoir naturellemẽt en leurs fortunes, mais lais-
sẽt encore apres eux a leurs femmes ceste mesme authorité sur tous leurs biens,& loy d'en disposer a leur fantasie. Et ay connu tel seigneur
des premiers officiers de nostre couronne aïant
par esperance de droit a venir, plus de cinquãte
mille escus de rente, qui est mort necessiteux &
accablé de debtes, aagé de plus de cinquãte ans,
sa mere en son extreme decrepitude iouissant
encore de tous ses biẽs par l'ordonnãce du pere
qui auoit de sa part vécu pres de quatrevints ans.
Cela ne me semble aucunement raisonnable.
C'est raison de laisser l'administration des affaires aux meres pẽdãt que les enfãs ne sont pas
en aage selon les loix pour en manier la charge:
                                              mais

mais le pere les a bien mal nourris, s'il ne peut
esperer qu'en cest aage la ils auront plus de sagesse & de suffisance que sa fẽme, veu l'ordinaire foiblesse du sexe. Bien seroit-il toutefois a la
verité plus contre nature de faire dépendre les
meres de la discretiõ de leurs enfãs. On leur doit
donner largement, dequoy maintenir leur estat
selõ la conditiõ de leur maison & de leur aage,
d'autãt que la necessité & l'indigence est beaucoup plus mal seante & malaisée a supporter a
elles qu'aux masles: il faut plustost en charger les
enfans que la mere. Mais au demeurãt il me sẽ-
ble, ie ne sçay comment, qu'en toutes façons la
maistrise n'est aucunemẽt deuë aux femmes sur
des hõmes, sauf la maternelle & naturelle, si ce
n'est pour le châtiment de ceux, qui par quelque
humeur sieureuse se sont volõtairemẽt soubmis
a elles. Mais cela ne touche point les vieilles,
dequoy nous parlõs icy. C'est l'apparẽce de ceste cõsideration, qui nous a fait forger & dõner
pied si volontiers a ceste loy, que nul ne veit onques, qui priue les fẽmes de la successiõ de ceste
couróne: & n'est guiere seigneurie au mõde, ou
elle ne s'allegue, comme icy, par vne vray-semblance de raison qui l'authorise. Mais la fortune
luy a donné plus de credit en certains lieux qu'-
aux autres. Il est aussi dangereux de laisser a leur
iugement la dispensation & distribution de nostre succession selon le chois qu'elles feront des
enfans, qui est a tous les coups inique & fãtasti-

que. Car c'est appetit desreglé & goust malade
qu'elles ont au téps de leurs groisses, elles l'ont
en l'ame en tout téps. Cómunement on les void
s'adóner aux plus foibles & malotrus, ou a ceux,
si elles en ont, qui leur pendent encores au col.
Car n'ayant point assez de force de discours
pour choisir & embrasser ce qui le vaut, elles se
laissent plus volontiers aller, ou les impressions
de nature sont plus seules & plus apparétes: cóme les animaux qui n'ont cognoissance de leurs
petitz, ny goust de la parenté, que pendát qu'ilz
leur pendét a la mamelle. Et si il est aisé a voir
par experience que ceste affection naturelle, a
qui nous donnons tant d'authorité, a les racines
bien foibles. Pour vn fort legier profit nous ar-
rachons tous les iours leurs propres enfans d'ê-
tre les bras des meres, & leur faisons prédre les
nostres en charge: nous leur faisons abandóner
les ieurs a quelque chetiue nourrisse a qui nous
ne voulós pas commettre les nostres, ou a quelque cheure, leur defandant non seulement de
les alaiter, quelque dágier qu'ils en puissét encourir, mais encore d'en auoir aucun soin, pour
s'éployer du tout au seruice des nostres. Et voit
on a la plus part d'entre elles s'engendrer bien
tost par accoustumance vn' affection bastarde
plus vehemente que la naturelle, & plus grande
sollicitude sans comparaison de la conseruatió
des enfans empruntez, que des leurs propres. Et
ce que i'ay parlé des cheures, c'est d'autát qu'il
est

eſt ordinaire chez moy de voir les femmes de
vilage, lors qu'elles ne peuuent nourrir les enfans de leurs mamelles appeller des cheures a
leur ſecours. Et i'ay a ceſte heure deus laquays
chez moy, qui ne tetterent iamais que huicț
iours laicț de femme. Ces cheures ſont incõti-
nant duytes a venir alaitter ces petits enfans, re-
conoiſſent leur voix quand ils crient & y acou-
rent. Si on leur en preſente vn autre que leur
nourriſſon, elles le refuſent: & l'enfant en faicț
de meſmes d'vne autre cheure. I'en vis vn l'autre iour, a qui on oſta la ſienne par ce que ſon
pere ne l'auoit qu'empuntée d'vn ſien voiſin. Il
ne peut iamais s'adonner a l'autre qu'õ luy preſenta, & mourut ſans doute de faim. Les beſtes
alterẽt & abaſtardiſſent auſſi aiſéemẽt que nous
ceſte affecțion naturelle. Or a conſiderer ceſte
ſimple occaſion d'aymer nos enfans, pour les a-
uoir engendrés, pour laquelle nous les appellõs
chair de noſtre chair, & os de nos os, il ſemble
qu'il y ait bien vne autre producțion venant de
nous qui ne ſoit pas de moindre recommanda-
țion. Car ce que nous engendrons par l'ame, les
enfantemens de noſtre eſprit & de noſtre ſuffiſance, ſont produicțs par vne plus noble partie
que la corporelle, & ſont plus noſtres: nous ſommes pere & mere enſemble en ceſte generatiõ:
ceux cy nous couſtent bien plus cher. & nous
apportent plus d'honeur, s'ils ont quelque choſe de bon. Car la valeur de nos autres enfans eſt

Aa 3

beaucoup plus leur, que nostre: la part que nous
y auons est bien legiere , mais de ceux cy toute
la beauté, toute la grace & excellēce est nostre.
Par ainsi ils nous representēt & nous rapportēt
bien plus viuement que les autres. A ceste cause
les histoires estant pleines d'exemples de ceste
amitié commune des peres enuers les enfans, il
ne m'a pas semblé hors de propos d'ē trier aussi
quelcun de ceste cy. Il y eut vn Labienus a Rome, personnage de grāde valeur & authorité, &
entre autres qualitez excellent en toute sorte de
literature, qui estoit, ce croy-ie, fils de ce grand
Labienus le premier des capitaines qui furent
soubs Cæsar en la guerre des Gaules, & qui dépuis s'estant ietté au party du grād Pōpeius s'y
maintint si valeureusemēt iusques a ce que Cæsar le deffit en Espaigne. Ce Labienus dequoy ie
parle, eust plusieurs enuieux de sa vertu, & comme il est vray semblable, les courtisans & fauo-
ris des Empereurs de son temps pour ennemis
de sa franchise & des humeurs paternelles, qu'il
retenoit encore contre la tyrannie, desquelles il
est croyable qu'il auoit teint ses escrits & ses
liures.   Ses aduersaires poursuiuirent deuant le
magistrat a Rome & obtindrēt de faire condā-
ner plusieurs siens ouurages , qu'il auoit mis en
lumiere, a estre bruslés. Ce fut par luy que com-
menca ce nouuel exēple de peine qui dépuis fut
continué a Rome a plusieurs autres, de punir de
mort les escrits mesmes, & les estudes. Il n'y a-
uoit

uoit point affez de moyen & matiere de cruauté
fi nous n'y meſliós des choſes meſmes que nature a exćeptées de tout ſentimēt & de toute ſouf-
france,cõme la reputation & les inuentions de
noſtre eſprit:& fi nous n'alions cõmuniquer les
maus corporels aux diſciplines & monumēs des
Muſes.Or Labienus ne peut ſouffrir ceſte perte
ny de ſuruiure a ceſte ſienne ſi chere géniture,il
ſe fit porter & enfermer tout vif dans le monu-
mēt de ſes anceſtres,la ou il pourueut tout d'vn
train a ſe tuer & a s'enterrer enſemble. Il eſt
malaiſé de monſtrer nulle autre plus vehemēte
affećtion paternelle que celle la. Caſſius Seuerus homme treſ-eloquent & ſon familier voyāt
bruſler ſes liures crioit que par meſme ſentēce
on le deuoit quāt & quātcondāner a eſtre bruſlé tout vif,car il portoit & cõſeruoit en ſa memoire tout le cõtenu en iceux.Le bon Lucanus
eſtant cõdāne a mort par ce vilain de Nerõ,ſur
les derniers traits de ſa vie cõme la pluſpart du
ſãg ſut deſia eſcoulé par les veines des bras,qu'il
s'eſtoit faićtes tailler a ſon medecin pour mourir,& q̃ la froideur eut ſaiſy les extremitez de ſes
mēbres, & cõmençant a approcher des parties
vitales,la derniere choſe qu'il eut en ſa memoire ce furēt aucūs des vers de ſõ liure de la guerre de Farſale,qu'il recitoit, & mourut ayant ceſte derniere voix en la bouche. Cela qu'eſtoit
ce qu'vn tendre & paternel congé qu'il prenoit
de ſes enfans , repreſentant les a-dieux & les

Aa 4

eſtroits embraſſemens que nous donnons aux
noſtres en mourant,& vn effet de ceſte naturelle inclination qui rappelle en noſtre ſouuenáce
en ceſte extremité, les choſes, que nous auons
heu les plus cheres pendant noſtre vie. Penſons
nous qu'Epicurus qui en mourant tormenté, côme il dict, des extremes douleurs de la colique
auoit toute ſa conſolation en la beauté de ſa doctrine qu'il laiſſoit au monde , eut receu autant
de contentement d'vn nombre d'enfans bien
nais & bié eſleués, s'il en euſt eu, comme il faiſoit de la production de ſes riches eſcrits ? &
que s'il euſt eſté au chois de laiſſer apres luy vn
enfant contrefaict & mal nay, ou vn liure ſot &
inepte, qu'il ne choiſit pluſtoſt , & non luy ſeulement mais tout homme de pareille ſuffiſance,
d'encourir le premier mal'heur que l'autre? Ce
ſeroit a l'aduenture impieté en ſainct Auguſtin
(pour exemple) ſi d'vn coſté on luy propoſoit
d'éterrer ſes eſcrits, dequoy noſtre religion reçoit vn ſi grand fruit, ou d'enterrer ſes enfans au
cas qu'il en eut, s'il n'aimoit mieux enterrer ſes
enfans. Il eſt peu d'hómes amoureux de la poëſie , qui ne ſe gratifiaſſent plus d'eſtre peres de
l'Eneide que du plus beau garſon de France: &
qui ne ſouffriſent plus aiſéement l'vne perte que
l'autre. Il eſt malaiſé a croire qu'Epaminondas
qui ſe vátoit de laiſſer pour toute poſterité des
filles qui feroient vn iour honneur a leur pere
(c'eſtoiét les deux nobles victoires qu'il auoit
                                          gai-

gaigné sur les Lacedemoniens)euſt volontiers
conſenti a échanger celles la aux mieux nées &
mieux coiffées de toute la Grece: ou que Alexandre & Cæſar ayent iamais ſouhaité d'eſtre
priués de la grãdeur de leurs glorieux faicts de
guerre, pour l'incommodité d'auoir des enfans
& heretiers , quelques parfaicts & acccmplis
qu'ils peuſſent eſtre:voire ſe ſay grand doubte
que Phidias ou autre excellent ſtatuere aymat
autant la conſeruation & la durée de ſes enfans
naturelz, comme il feroit d'vne image excellente , qu'auec long trauail & eſtude il auroit
parfaicte ſelon l'art. Et quant a ces paſſions vitieuſes & furieuſes , qui ont eſchauffé quelque
fois les peres a l'amour de leurs filles,ou les me
res enuers leurs fils, encore s'ẽ trouue il de pareilles en ceſte autre ſorte de parenté:teſmoing
ce que les Poëtes recitent de Pygmalion,qu'a-
yãt baſty vne ſtatue de femme de beauté ſingu-
liere il deuint ſi éperdument eſpris de l'amour
forcené de ce ſien ouurage,qu'il falut,qu'en ſa-
ueur de ſa race les dieux la luy viuifiaſſent.
Tentatum molleſcit ebur poſitóque rigore
Subſedit digitis.

CHAP. IX.

Des armes des Parthes.

CEſt vne façõ vitieuſe de la nobleſſe de noſtre tẽps,& pleine de molleſſe,de ne prẽ-

dre les armes que fur le point d'vne extreme
neceſſité & s'en deſcharger auſſi toſt qu'il y a
tant ſoit peu d'apparance que le danger ſoit eſ-
loigné:d'ou il ſuruient pluſieurs deſordres. Car
chacun criant & courât a ſes armes ſur le point
de la charge les vns ſont a laſſer encore leur cui-
raſſe,que leurs compaignons ſont deſia rôpus
Nos peres donnoient leur ſalade, leur lance, &
leurs gantelets a porter,&n'abandonoiêt le reſte de leur equipage tât que la couruée duroit.
Nos troupes ſont a ceſte heure toutes trou-
blées & difformes par la confuſion du bagage
& des valets,qui ne peuuêt eſloigner leur maî-
ſtres, a cauſe de leurs armes. Pluſieurs nations
vont encore & alloient anciennemêt a la guerre ſans armes, & ceux d'entre nous qui les meſpriſent n'empirêt pour cela de guiere leur mar-
ché.S'il ſe voit quelqu'vn tué par le deſaut d'vn
harnois , il n'en eſt guiere moindre nôbre que
l'empeſchement des armes a fait perdre enga-
gés ſoubs leur peſanteur,ou froiſſez & rompus,
ou par vn contre-coup , ou autrement . Car il
ſemble,a la verité, a voir la charge des noſtres
& leur eſpeſſeur,que no⁹ne cherchôs qu'a nous
deffendre & mettre a couuert. Nous auons aſſez a faire a en ſouſtenir le fais , ſans nous empeſcher a autre choſe, entrauez & côtrains ſans
mouuement & ſans diſpoſition,comme ſi nous
n'auions a combattre que du choq de la peſanteur de nos armes : & comme ſi nous n'auions
                                        pas

pas pareille obligation a deffendre nos armes,
comme elles ont a nous deffendre. Et a prefent
que nos mofquetaires font en credit, ie croy que
lon trouuera quelque inuention de nousem-
murer pour nous en garentir, & nous faire trainer a la guerre enfermez dans des baftions,
comme ceux que les Romains faifoient porter
a leurs elephans. Cefte humeur eft bien efloignée de celle de Scipion furnommé A Emilia-
nus, lequel accufa aigrement fes foldats, de ce
qu'ils auoient femé des chauffe-trapes foubs
l'eau a l'endroit du foffé par ou ceux d'vne ville
qu'il affiegeoit, pouuoient faire des forties fur
luy : difant que ceux qui affailloient deuoient
penfer a entreprendre non pas a craindre. Or
il n'eft que la couftume qui nous rende infup-
portable la charge de nos armes.

L'husbergo in doffo haueano & l'elmo in tefta
Dui di quelli guerrier de i quali io canto.
Ne notte o di doppo quentraro in quefta
StanZa gli haueano mai mefi da canto,
Che facile a portar comme la vefta
Era lor, perche in vfo l'auean tanto.

Les gens de pied Romains, portoient non feulement le morrion, l'efpée, & l'efcu : car quant
aux armes, dit Cicero, ils eftoiet fi acouftumés
a les porter, qu'elles ne les empefchoient non
plus que leurs mébres : mais quant & quát enco
re, ce qu'il leur failloit de mégeaille pour quin
ze iours, & certaine quátité de paux pour faire
leurs

leurs rempars. Leur discipline militaire estoit
beaucoup plus rude & plus austere que la nostre: aussi produisoit elle de bien autres effets.
Ce traict est merueilleus a ce propos, qu'il fut
reproché a vn soldat Lacedemonien, qu'estant
a l'expedition d'vne guerre on l'auoit veu soubs
le couuert d'vne maiso. Ils estoiêt si durcis a la
peine que c'estoit hôte d'estre veu soubs autre
toict que celuy du ciel, quelque temps qu'il sit.
Nous ne menerions guiere loing nos gens a ce
pris la. Au demeurant Marcellinus, hôme nourry aux guerres Romaines, remerque curieuse-
mêt la façõ que les Parthes auoiêt de s'armer,
& la remerque d'autāt qu'elle estoit esioignée
de la Romaine. Or par ce qu'elle me semble
bien fort aprochāte de la nostre, i'ay voulu retirer ce passage de son autheur, ayāt pris autres
fois la peine de dire bien amplement ce que ie
sauois sur la cõparaison de nos armes aux armes
Romaines. Mais ce lopin de mes brouillars
m'ayant esté desrobé auec plusieurs autres par
vn hôme, qui me seruoit, ie ne le priueray point
du profit, qu'il en espere faire. Aussi me seroit il
bien malaysé de remascher deux fois vne mesme viande. Ils auoient, dit il, des armes tissues
en maniere de petites plumes, qui n'êpesehoiêt
pas le mouuement de leur corps: & si estoiêt si
fortes que noz dards reialissoient venant a les
hurter (ce sont les escailles, dequoy nos ancestres auoient fort acoustumé de se seruir) & en
vn au-

vn autre lieu, Ils auoient, dit-il, leurs cheuaux
forts & roydes couuertz de gros cuyr,& eux e-
ſtoiét armez de cap a pied de groſſes lames de
fer régées de tel artifice, qu'a l'ēdroit des iointures des membres elles preſtoient au mouuement. On euſt dit que c'eſtoient des hômes de
fer:car ils auoient des acouſtremens de teſte ſi
proprement aſſis, & repreſentans au naturel la
forme & parties du viſage, qu'il n'y auoit moyē
de les aſſener que par des petits trous rôds, qui
reſpondoient a leurs yeux, leur dônant vn peu
de lumiere,& par des fentes, qui eſtoient a l'ē-
droit des naſeaux, par ou il prenoiēt aſſez mal-
aiſemēt halaine. Voila vne deſcriptiō, qui retire biē fort a l'equipage d'vn hôme d'armes Frāçois, a tout ſes bardes. Ie veus dire encore ce
mot pour la fin : Plutarque dit que Demetrius
fit faire pour luy & pour Alcinus le premier
homme de guerre qui fut au prés de luy, a chácun vn harnois complet du poids de ſis vints liures, la ou les communs harnois n'en peſoient
que ſoixante.

CHAP. X.

Des liures.

IE ne fay point de doute, qu'il ne m'aduienne
ſouuent de parler de choſes, qui ſont ailleurs
plus richement traictées chés les maiſtres du
meſtier,& plus veritablement. C'eſt icy purement

ment l'essay de mes facultés naturelles, & nulle-
memt des acquises:& qui me surprédra d'ignorāce,il ne sera rien côtre moy.Car a peine res-
pôdroy ie a autruy de mes discours, qui ne m'ē
respons point a moy mesme,ny n'en suis satis-
fait. Qui sera en cherche de science,si la cherche ou elle se loge. Il n'est rien dequoy ie face
moins de profession. Ce sont icy mes fantasies,
par lesquelles ie ne tasche point a donner a cōnoistre les choses,mais moy. Elles me seront
a l'aduenture connues vn iour, ou l'ont autres-
fois esté , selon que la fortune m'a peu porter
sur les lieus,ou elles estoient esclaircies . Mais
i'ay vne memoire,qui n'a point dequoy conseruer trois iours la munitiō,que ie luy auray dō-
né en garde. Ainsi ie ne pleuuy nulle certitude,
si ce n'est de faire connoistre ce que ie pēse : &
iusques a quel point monte pour ceste heure la
connoissance,que i'ay de ce,dequoy ie traicte.
Qu'on ne s'atende point aux choses, dequoy ie
parle,mais a ma façon d'en parler & a la creance que i'en ay . Ce que ie desrobe d'autruy ce
n'est pas pour le faire mien: ie ne pretens icy
nulle part,que celle de raisonner & de iuger:le
demeurant n'est pas de mon rolle. Ie n'y demande rien,sinon qu'on voie si i'ay sceu choisir
ce,qui ioignoit iustement a mon propos.Et ce
que ie cache par fois le nō de l'autheur a escient
és choses que i'emprunte, c'est pour tenir en
bride la legiereté de ceux, qui s'entremettent
de iu-

de iuger de tout ce qui fe prefente,&n'ayãs pas
le nez capable de gouter les chofes par elles
mefmes,s'arreftët au nom de l'ouurier & a fon
credit. Ie veux qu'ils s'efchaudent a condamner Ciceron ou Ariftote en moy. De cecy fuis
ie tenu de refpondre,fi ie m'ëpefche moy-mef-
me,s'il y a de la vanité & vice en mes difcours,
que ie ne fente point, ou que ie ne foye capable
de fentir en me le reprefentant. Car il efchape
fouuent des fautes a nos yeux , mais la maladie
du iugement confifte a ne les pouuoir aperce-
uoir lors qu'on les offre a fa veuë . La fcience
& la verité peuuent loger chéz nous fans iugement,& le iugemët y peut auffi eftre fans elles.
Voire la reconnoiffance de l'ignorance eft vn
des plus beaux & plus feurs tefmoignages de
iugement que ie trouue. Ie n'ay point d'autre
fergent de bande a ranger mes pieces que la
fortune.A mefme que mes refueries fe prefentent , ie les entaffe:tantoft elles fe preffent en
foule,tantoft elles fe trainent a la file. Ie veus
qu'on voye mon pas naturel & ordinaire ainfi
detraqué qu'il eft.Ie me laiffe aller côme ie me
trouue. Auffi ne font ce pas icy mes articles de
foy , qu'il ne foit pas permis d'ignorer & d'en
parler cafuellemët & temerairemët.Ie fouhai-
terois bië auoir plus parfaifte intelligence des
chofes , mais ie ne la veux pas achetter fi cher
qu'elle coufte.Mon deffein eft de paffer doucement nó laborieufemët ce qui me refte de vie.
                                    Il n'eft

Il n'est rien pourquoy ie me vueille rompre la
teste, non pas pour la science mesme, de quelque grand pris qu'elle soit. Ie ne cherche aux
liures qu'a m'y dóner du plaisir par vn hôneste
amusement: ou si i'estudie, ie n'y cerche que la
science, qui traicte de la connoissance de moy
mesmes, & qui m'instruise a bien mourir & a
bien viure. Les difficultez, si i'en rencontre en
lisant, ie n'en ronge pas mes ongles: ie les laisse
la, apres leur auoir faict vne charge ou deux. Si
ce liure me fasche i'en prens vn autre, & ne m'y
adonne qu'aux heures ou l'ennuy de rien faire commence a me saisir. Ie ne me prés guiere
aux nouueaux, pour ce que les anciens me semblent plus tendus & plus roides: ni aux Grecs,
par ce que mon iugement ne se satisfait pas d'v-
ne moyenne intelligence. Entre les liures simplement plaisans, ie trouue des modernes le
Decameron de Boccace, Rablays, & les baisers
de Iean second, s'il les faut loger sous ce tiltre,
& des siecles vn peu au dessus du nostre, l'histoi
re A Ethiopique dignes qu'on s'y amuse. Quát
aux Amadis & telle sorte d'escrits ils n'ont pas
eu le credit d'arrester seulement mon enfance.
Ie diray encore cecy ou hardimét ou temerai-
remét, que ceste vieille ame poisante ne se laisse plus chatouiller, non seulement a l'Arioste,
mais encores au bon Ouide: sa facilité & ses inuentions qui m'ont rauy autres-fois, a peine
m'entretienent elles a ceste heure. Ie di librement
ment

ment mon aduis de toutes chofes, voire & de
celles qui furpaffent a l'auenture ma fuffifance,
& que ie ne tiens nullement eftre de ma iurif-
dictiō. Ce que i'é opine, ce n'eft pas auffi pour
eftablir la grandeur & mefure des chofes, mais
pour faire cognoiftre la mefure & force de ma
veuë. Quand ie me trouue dégouté de l'Axio-
che de Platon, comme d'vn ouurage fans nerfs
& fans force, eu efgard a vn tel autheur, mon iugement ne s'en croit pas. Il n'eft pas fi vain de
s'opofer a l'authorité de tant d'autres meilleurs
iugemens, ni ne fe donne temerairement la loy
de les pouuoir accufer: il s'en prend a foy-mef-
mes, & fe condamne ou de s'arrefter a l'efcorce
ne pouuant penetrer iufques au fons, ou de regarder la chofe par quelque faus luftre: il fe cō-
tente de fe garentir feulement du trouble & du
defreiglement. Quant a fa foibleffe il la recō-
noit volontiers. Il penfe donner iufte interpretation aux aparences, que fon aprehenfion
luy prefente, mais elles font imbecilles & im-
parfaictes. La plus part des fables d'Efope ont
plufieurs fens & intelligéces. Ceux qui les my-
thologifent en choififfent quelque vifage, qui
quadre bien a la fable, mais c'eft le premier
vifage & fuperficiel. Il y en a d'autres plus vifz,
plus effentielz & internes, aufqlz ils n'ont fçeu
penetrer. Voyla comme i'en fay. Mais pour
fuyure ma route, il m'a toufiours femblé, qu'en
la poëfie, Vergile, Lucrece, Catulle, & Horace
Bb

tiennent de bien loing le premier reng. Et notâment Vergile en ses Georgiques, que i'estime le plus plein & parfaict ouurage de la Poësie. A la côparaison duquel on peut recônoistre
ay sément qu'il y a des endroits en l'A Eneide,
ausquels l'autheur eut donné encore quelque
tour de peigne, s'il en eut eu loisir. I'ayme aussi
Iucain & le practique volontiers, nô tant pour
son stile (car il se laisse trop aller a ceste affectation de pointes & subtilités de son temps)
mais pour sa valeur propre, & verité de ses opinions & iugemês. Quât au bon Terence, la mignardise & les graces du langage Latin, ie le
trouue admirable a representer au vif, les mouuemês de l'ame & conditiô de nos meurs. Ie ne
le puis lire si souuent que ie n'y trouue quelque
beauté & grace nouuelle. Ceux des têps voisins
a Virgile se pleignoient, dequoy aucuns luy cô-
paroient Lucrece. Ie suis d'opinion que c'est a
la verité vne côparaison inegale. Mais i'ay bien
a faire a me r'assurer en ceste creance, quand ie
me treuue attaché a quelque beau lieu de ceux
de Lucrece. S'ils se piquoient de ceste comparaison, que diroient ils de la bestise & stupidité
barbaresque de ceux qui luy côparent a cet'heu
re Arioste? & qu'en diroit Arioste luy mesme,
ô seclû insipiens et infacetû. I'estime que les anciens auoient encore plus a se pleindre de ceux
qui comparoient Plaute a Terence, que de la
comparaison de Lucrece a Vergile. Pour l'e-
stima-

ſtimation de Terence il m'eſt ſouuent tombé
en fantaſie, comme en noſtre temps, ceux qui
ſe meſlent de faire des comedies (comme les
Italiens qui y ſont eſſez heureux) employent
trois ou quatre argumens de celles de Terence ou de Plaute, pour en faire vne des leurs.Ils
entaſſent en vne ſeule Comedie cinq ou ſix contes de Boccace. Ce qui les faict ainſi ſe charger de matiere,c'eſt la deſfiance qu'ils ont de ſe
pouuoir ſouſtenir de leurs propres graces, il
faut qu'ils trouuent vn corps, où s'appuyer : &
n'ayant pas du leur aſſez dequoy nous arreſter,
ils veulent que le conte nous amuſe.Il en va de
mon autheur tout au contraire.Les perfections
& beautés de ſa façon de dire nous font perdre
le gouſt de ſon ſubiect. Sa gentileſſe & ſa mignardiſe nous arreſtent par tout. Il eſt par tout
ſi plaiſant,

Liquidus puróque ſimillimus amni,

& nous réplit tant l'ame de ſes graces,que nous
fuyons la fin de ſon hiſtoire. Ceſte meſme cõſideration me tire plus auant.Ie voy que les bõs
& anciens Poëtes ont euité l'affectation & la
recherche non ſeulement des fantaſtiques eleuations Eſpagnoles & Petrarchiſtes , mais des
pointes meſmes plus douces & plus retenues,
qui ſont l'ornemẽt de tous les ouurages Poëti-
ques des ſiecles ſuiuans. Si n'y a il homme au
monde qui les trouue a dire en ces anciens,

& qui n'admire plus ſans comparaiſon l'égale
poliſſure & ceſte perpetuelle douceur & beauté fleuriſſance des Epigrammes de Catulle, que
tous les eſguillons, dequoy Martial eſguiſe la
queuë des ſiens. C'eſt ceſte meſme raiſon que
ie diſoy tantoſt, comme dit Martial meſme de
ſoy, *Minus illi ingenio laborandū fuit, in cuius*
locum materia ſucceſſerat. Ces premiers la ſans
s'eſmouuoir & ſans ſe picquer ſe font aſſez ſentir. Ils ont dequoy rire par tout, il ne faut pas
qu'ils ſe chatouillent : ceux-cy ont beſoing de
ſecours eſtrangier. A meſure qu'ils ont moins
d'eſprit, il leur faut plus de corps. Tout ainſi
qu'en la danſe & en nos bals i'ay remerqué, que
ces hômes de vile côdition, qui en tiennēt eſcole, pour ne pouuoir repreſenter le port & la de-
cence de noſtre nobleſſe, en recôpenſe de ceſte
grace, qu'ils ne peuuent imiter, cherchent a ſe
recommander par des ſauts perilleux & autres
mouuemens eſtranges & bâtelereſques. Et côme i'ay veu auſſi les badins excellēs iouänt leur
rolle, vetus a leur ordinaire & d'vne contenance commune, nous donner tout le plaiſir qui ſe
peut tirer de gens de leur metier : les aprētifs
& qui ne ſont de ſi haute leçon, il faut qu'ils s'ē-
farinēt le viſage : il leur faut trouuer des veſtemens ridicules, des mouuemens & des grima-
ces, pour nous apreſter a rire. Ceſte mienne
conception ſe reconnoit mieux qu'en toute autre lieu en la comparaiſon de l'Aeneide & du
Furieus.

Furieus. Celuy-la on le voit aller a tire d'aisle
d'vn vol haut & ferme suiuât toufiours sa poin-
te:ceftuy-cy voleter & fauteler de conte en côte,comme de branche en branche ne fe fiant a
fes aifles, que pour vne bien courte trauerfe,&
prendre pied a chafque bout de châp , de peur
que l'haleine & la force luy faille,

Excurfufque breues tentat.

Voila donc quant a cefte forte de fubiects les
autheurs qui me plaifent le plus. Quant a mon
autre leçô,qui mefle vn peu plus de fruit au plai
fir , par ou i'apprens a renger mes humeurs &
mes conditions , les liures qui m'y feruent plus
ordinairemêt , c'eft Plutarque, dépuis qu'il eft
Frãçois,& Seneque. Ils ont tous deux cefte notable commodité pour mô humeur,que la fciêce que i'y cherche , elle y eft traictée a pieces
découfues, qui ne demandent pas l'obligation
d'vn long trauail,dequoy ie fuis incapable, côme font les Opufcules de Plutarque & les Epi-
ftres de Seneque,qui eft la plus belle partie de
fes efcrits & la plus profitable . Il ne faut pas
grâde entreprinfe pour m'y mettre,& les quitte ou il me plait. Car elles n'ont point de fuite
des vnes aus autres.Ces autheurs ont beaucoup
de fimilitude d'opinions,comme auffi leur fortune les fit naiftre emiron mefme fiecle , tous
deux preccpteurs de deux Empereurs Romains
tous deux venus de païs eftrãgier, tous deux ri-

ches & puiſſans. Leurs creances ſont des meilleures de toute la philoſophie, & traictées d'v-
ne ſimple façon & pertinéte. Plutarque eſt plus
vniforme & conſtant, Seneque plus ondoyant
& diuers. Ceſtuy-cy ſe peine, ſe roidit & ſe téd
pour armer la vertu côtre la foibleſſe, la crainte & les vitieus appetis: lautre ſemble n'eſtimer
pas tant leur effort & d'eſdaigner d'en haſter
ſon pas & ſe mettre ſur ſa targue . Plutarque a
les opinions Platoniques, douces, & accommo-
dables a la ſocieté ciuile: l'autre les a Stoiques
& Epicuriennes, plus eſloignées de l'vſage commũ, mais plus commodes & plus fermes. Il paroit en Seneque qu'il preſte vn peu a la tirannie
des Empereurs de ſon temps. Car ie tiens pour
certain que c'eſt d'vn iugement forcé qu'il cõ-
damne la cauſe de ces genereux meurtriers de
Cæſar. Plutarque eſt libre par tout . Seneque
eſt plein de pointes & ſaillies : Plutarque de
choſes. Celuy la vous eſchauffe plus & vous eſ-
meut : ceſtuy-cy vous contente dauantage, &
vous paye mieux. Quãt a Cicero, les ouurages,
qui me peuuent ſeruir chéz luy a mon deſſeing,
ce ſont ceux qui traitent de nos meurs & regles
de noſtre vie. Mais a confeſſer hardimét la ve-
rité(car puis qu'õ a frãchi les barrieres de l'impudence, il n'y a plus de bride) ſa façon d'eſcrire me ſemble laſche & ennuyeuſe & toute autre
pareille façon. Car ſes prefaces, digreſſiõs, definitions, partitions, etymologies conſument
                                        la plus

la plus part de son ouurage. Ce qu'il y a de vif
& de mouelle , est estouffé par la longueur de
ses apprets.Si i'ay employé vne heure a le lire,
qui est beaucoup pour moy , & que ie r'amen-
toiue ce que i'en ay tiré de suc & de substance,
la plus part du temps ie n'y treuue que du vent.
Car il n'est pas encor venu aux argumens, qui
seruent a son propos,& aux raisons qui touchêt
propremêt le neud que ie cherche. Pour moy,
qui ne demâde que a deuenir plus sage,nõ plus
sçauant,ces ordõnances logiciennes & Aristo-
teliques ne sont pas a propos.Ie veux qu'on viẽ-
ne soudain au point: i'entẽs assez que c'est que
mort,& volupté,qu'õ ne s'amuse pas a les ana-
tomizer.Ie cherche des raisons bonnes & fermes d'arriuée qui m'instruisent a en soustenir
l'effort . Ny les subtilités grammairiennes, ni
l'ingenieuse contexture de parolles & d'argumentations n'y seruêt.Ie veus des discours qui
donnent la premiere charge dans le plus fort
du doubte : les siens languissent autour du pot.
Ils sont bons pour l'escole, pour le barreau,&
pour le sermõ,ou nous auõs loisir de sommeiller : & sommes encores vn quart d'heure apres
asses a têps pour rencontrer le sil du propos. Il
est besoin de parler ainsi aux iuges,qu'on veut
gaigner'a tort ou a droit, aux enfans,& au vul-
gaire.Ie ne veux pas qu'õ employe le têps a me
rendre atantif,& qu'on me crie cinquante fois,
Or oyez , a la mode de nos Heraux. Les Ro-

mains diſoyent en leur Religion , *Hoc age* : ce
ſont autant de parolles perdues pour moy. I'y
viês tout preparé des le logis : il ne meſaut point
d'alechement, ni de ſauſe : ie menge bien la viâ-
de toute crue : & au lieu de m'eguiſer l'apetit
par ces preparatoires & auât-ieus, on me le laſſe
& affadit. Les deux premiers & Pline & leurs
ſemblables ilz n'ont point de *hoc age*, ilz veulent auoir a faire a gens qui s'en ſoyêt aduertis
eux meſmes : ou s'ils en ont, c'eſt vn *hoc age*, ſub-
ſtâtiel & qui a ſon corps a part. Ie voy auſſi volontiers ſes Epitres & notâment celles *ad At-
ticum*, non ſeulemêt par ce qu'elles contiennêt
vne treſample inſtruction de l'hiſtoire & affaires de ſon têps : mais beaucoup plus pour y deſcouurir ſes humeurs priuées. Car i'ay vne ſingu-
liere curioſité, comme i'ay dit ailleurs, de connoiſtre l'ame & les internes iugemens de mes
autheurs. Il faut bien iuger leur ſuffiſance, mais
non pas leurs meurs, ni leurs opinions naiſues
par ceſte môſtre de leurs eſcris, qu'ils étalêt au
theatre du monde. I'ay mille fois regretté, que
nous ayôs perdu le liure, que Brutus auoit eſcrit
de la vertu. Car il faict beau apprêdre la Theorique de ceux, qui ſçauent bien la practique.
Mais d'autant que c'eſt autrechoſe le preſche,
que le preſcheur, i'ayme bien autant voir Brutus chés Plutarque, que chés luy meſine . Ie
choiſiroy plutoſt de ſçauoir au vray les deuis
que Brutus tenoit en ſa tente a quelqu'vn de
ſes pri-

ſes priuez amis la veille d'vne bataille, que les
propos qu'il tint le lendemain a ſon armée : &
ce qu'il faiſoit en ſon cabinet & en ſa chambre,
que ce qu'il faiſoit emmy la place & au Senat.
Quant a Cicero, ie ſuis du iugement commun,
que hors la ſcience , il n'y auoit pas beaucoup
d'excellence en luy : il eſtoit bon citoyen d'vne
nature debonnaire, comme ſont volontiers les
hommes gras, & goſſeurs, côme il eſtoit, mais
de lácheté & de vanité il en auoit ſans mentir
beaucoup. Et ſi ne ſçay comment l'excuſer d'a-
uoir eſtimé ſa poëſie digne d'eſtre miſe en lumiere. Ce n'eſt pas grande imperfection que
de mal faire des vers : mais c'eſt a luy faute de
iugement de n'auoir pas ſenty combien ils e-
ſtoiét indignes de la gloire de ſon nom. Quant
a ſon eloquence, elle eſt du tout hors de côpa-
raiſon, ie croy que iamais homme ne l'egalera.
Si eſt-ce qu'il n'a pas en cela franchi ſi net ſon
aduantage comme Vergile a faict en la poëſie.
Car bien toſt apres luy il s'en eſt trouué qui l'ôt
penſé égaler & ſurmonter, quoy que ce ſuſt a
bien fauces enſeignes. Mais a Vergile nul encore dépuis luy n'a oſé ſe côparer. Et a ce propos i'en veux icy adiouter vne hiſtoire. Le ieune
Cicero, qui n'a reſſemblé ſon pere que de nom,
commandant en Aſie, il ſe trouua vn iour en ſa
table pluſieurs eſtrangiers, & entre autres Cæ-
ſtius aſſis au bas bout , comme on ſe met ſouuét
aux tables ouuertes des grands. Cicero s'infor-

ma qui il estoit a l'vn de ses gens, qui luy dit son
nom. Mais comme celuy qui songeoit ailleurs
& qui oblioit ce qu'on luy respondoit, il le luy
redemenda encore depuis deux ou trois fois: le
seruiteur pour n'estre plus en peine de luy redire si souuent mesme chose, & pour le luy faire
connoistre par quelque circonstance, c'est, dict
il, ce Cæstius de qui on vous a dit, qu'il ne faict
pas grand estat de l'eloquence de vostre pere au
pris de la sienne. Cicero s'estant soudain picqué
de cela commenda qu'on empoignast ce pauure Cæstius: & le fit tres-bien soëter en sa presence. Voila vn mal courtois hoste. Entre ceux
mesmes, qui ont estimé toutes choses contées
ceste sienne eloquence incomparable, il y en a
eu, qui n'ont pas laissé d'y remarquer des fautes.
Comme ce grand Brutus son amy, il disoit que
c'estoit vne eloquence cassée & esrenée *Fractā
& elumbem.* Les orateurs voisins de sō siecle re-
prenoient aussi en luy ce curieux soing de certaine longue cadance, au bout de ses clauses : &
remerquoient ces mots *esse videatur,* qu'il y emploie si souuét. Pour moy i'ayme mieux vne cadance qui tombe plus court, coupée en ïambes.
Si mesle il par fois bien rudement ses nombres
mais bien rarement. l'en ay remerqué ce lieu a
mes aureilles *Ego vero me minus diu senem esse
mallem, quam esse senem, antequā essem.* Les historiens sont le vray gibier de mon estude: car ils
sont plaisans & aysez: & quant & quant la consi-
dera-

fideration des natures & conditions de diuers
hommes, les couftumes des nations differentes,
c'eft le vray fuiect de la fciéce morale. Or ceux
qui efcriuent les vies, d'autant qu'ils s'amufent
plus aux confeils qu'aux euenemens : plus a ce,
qui part du dedás, qu'a ce qui arriue au dehors:
ceux la me font plus propres. Voyla pourquoy
en toutes fortes c'eft mon homme que Plutarque. Ie recherche bien curieufement non feulement les opinions & les raifons diuerfes des
philofophes anciés fur le fuiect de mon entreprinfe & de toutes fectes: mais auffi leurs meurs
leurs fortunes, & leur vie. Ie fuis bien marry
que nous n'ayons vne douzaine de Laertius, ou
qu'il ne fe foit plus eftandu. En ce genre d'e-
ftude des hiftoires, il faut feuilleter fans di-
ftinction toutes fortes d'autheurs & vieils &
nouueaux, & barragouins & François, pour y
apprendre les chofes, dequoy diuerfement ils
traictent. Mais Cæfar feul me femble meriter
qu'on l'eftudie, non pour la fcience de l'hiftoire feulement, mais pour luy mefme, tant
il a de perfection & d'excellence par deffus
tous les autres, quoy que Salúfte foit du nombre. Certes ie lis ceft autheur auec vn peu plus
de reuerence & de refpect, qu'on ne lift les humains ouurages, tantoft le confiderant luy
mefme par fes actions, & le miracle de fa grandeur : tantoft la pureté & inimitable poliffu-
re de fon langage, qui a furpaffé non feulement

tous

tous les historiens, comme dit Cicero, mais a mon aduis Cicero mesme, & toute la parlerie qui fust onques, auec tant de syncerité en ses iugemens, parlant de ses ennemis mesmes, & tant de verité, que sauf les fauces couleurs, de-quoy il veut courir sa mauuaise cause & l'ordu-re de sa pestilente ambition, ie pense qu'en cela seul on y puisse trouuer a redire, qu'il a esté trop espargnant a parler de soy. Car tant de grandes choses ne peuuent pas auoir esté executées par luy, qu'il n'y soit alé beaucoup plus du sien, qu'il n'y en met. I'ayme les historiés ou fort simples, ou excellens: les simples qui n'ót point dequoy y mesler rien du leur, & qui n'y apportent que le soin & la diligence de ramasser tout ce qui vient a leur notice, & d'enregistrer a la bonne foy toutes choses sans chois & sans triage, nous laissant le iugemét tout entier, pour la cognois-sance de la verité. Tel est entre autres pour exé-ple, le bon Froissard, qui a marché en son entre-prise d'vne si franche naifueté, qu'ayant faict vne faute, il ne craint nullement de la recon-noistre & corriger en l'endroit, ou il en a esté aduerty, & qui nous represente la diuersité mes-me des bruitz, qui couroint & les differés rap-portz qu'on luy faisoit. C'est la matiere de l'hi-stoire nue & informe: chacun en peut faire son profit autant qu'il a d'entendement. Les biens excellens ont la suffisance de choisir ce qui est digne d'estre sceu, sçauent trier de deux raports
celuy

celuy qui eſt plus vray ſemblable:de la condition des princes & de leurs humeurs,ilz en de-
uinent les conſeilz & leur attribuent les paroles de meſme.Ilz ont raiſon de prendre l'authorité de regler noſtre creance a la leur:mais certes cela n'appartient a guieres de gens. Ceux
d'entre-deux (qui eſt la plus commune façon)
ceux la nous gaſtent tout : ils veulent nous maſ-
cher les morceaux : ils ſe donnent loy de iuger
& par conſequēt d'incliner l'hiſtoire a leur fantaſie. Car dépuis que le iugement pend d'vn
coſté,on ne ſe peut garder de contourner & de
tordre la narration meſme a ce biais. Ilz entre-
prenent de choiſir les choſes dignes d'eſtre
ſçeuës,& nous cachent ſouuent telle parole,tel-
le action priuée,qui nous inſtruiroit autant que
le reſte:obmetent pour choſes incroyables celles qu'ilz n'entendent pas: & a l'auanture encore telle choſe pour ne la ſçauoir dire en bon Latin ou François.Qu'ilz eſtalent hardiment leur
eloquence & leurs diſcours:qu'ils iugent a leur
poſte, mais qu'ils nous laiſſent auſſi dequoy iuger apres eux.Et qu'ils n'alterent ny diſpenſent
par leurs racourcimens & par leurs chois rien
ſur le corps de la matiere, ains qu'ils nous la
r'enuoyent pure & entiere en toutes ſes dimēc-
tions. Ceux la ſont auſſi bien plus recomman-
dables hiſtoriens , qui connoiſſent les choſes,
dequoy ils eſcriuent, ou pour auoir eſté de la
partie a les faire , ou priuez auec ceux, qui les
ont

ont conduites. Car le plus souuent on trie pour
ceste charge, & notamment en ces siecles icy,
des personnes d'entre le vulgaire pour ceste
seule consideration de sçauoir bien parler , cõme si nous cherchions d'y apprendre la grammaire:& eux ont raison n'ayans esté gagez que
pour cela & n'ayans mis en vente que le babil,
de ne se soucier aussi principalement que de ceste partie. Ainsi a force beaux mots ils nous
vont patissant vne belle contexture des bruits,
qu'ils ramassent es carrefours des villes. Voyla
pourquoy les seules certaines histoires sõt celles, qui ont esté escrites par ceux mesmes, qui
cõmandoient aux affaires , ou qui estoient par-
ticipans a les conduire, comme sont quasi toutes
les Grecques & Romaines. Car plusieurs tesmoings oculaires ayant escrit de mesme suiect
(comme il aduenoit en ce temps la, que la grãdeur de la fortune estoit tousiours accõpagnée
du sçauoir) s'il y a de la faute , elle doit estre
merueilleusement legiere & sur vn accidẽt fort
doubteux. S'ils n'escriuoient de ce qu'ils auoient
veu, ils auoient au moins cela , que l'experience
au maniment de pareils affaires leur rendoit le
iugement plus sain. Car que peut on esperer
d'vn medecin escriuant de la guerre, ou d'vn escolier traictant les desseins des princes? Si nous
voulons remerquer la religiõ, que les Romains
auoient en cela , il n'en faut que cest exemple:
Asinius Pollio trouuoit és histoires mesme de
Cæsar

Cæfar quelque mefconte, en quoy il eſt oit tombé pour n'auoir peu auoir les yeux en tous les endroits de ſon armée, & en auoir creu les particuliers, qui luy raportoient ſouuant des choſes non aſſés verifiées, ou bien pour n'auoir eſté aſſez curieuſement auerty par ſes lieutenans des choſes, qu'ils auoient conduites en ſon abſence. On peut voir par ceſt exemple, ſi ceſte recherche de la verité eſt delicate, qu'on ne ſe puiſſe pas fier d'vn combat a la ſcience de celuy, qui y a commandé, ny aux ſoldatz de ce qui s'eſt paſſé pres d'eux, ſi a la mode d'vne information iudiciaire on ne confronte les teſmoins & reçoit les obiects ſur la preuue des pontilles de chaque accident. Vrayement la connoiſſance que nous auons de nos affaires eſt bien plus lâche. Mais cecy a eſté ſuffiſamment traicté par Bodin, & ſelon ma conception. Pour ſubuenir vn peu a la trahiſon de ma memoire & a ſon defſaut ſi extreme, qu'il m'eſt aduenu plus d'vne fois de reprendre en main des liures côme nouueaux du tout, & a moy inconus, que i'auoy leu curieuſement quelques années au parauant & barbouillé de mes notes; i'ay pris en couſtume dépuis quelque temps d'adiouſter au bout de chaſque liure (ie dis de ceux deſquelz ie ne me veux ſeruir qu'vne fois) le temps auquel i'ay acheué de le lire, & le iugement que i'en ay retiré en gros : affin que cela me repreſente au moins l'air & Idée generale que i'auois conceu
de l'au-

de l'autheur en le lisant. Ie veux icy transcrire
aucunes de ces annotations. Voy-cy ce que ie
mis il y a enuiron dix ans en mon Guichardin
(car quelque langue que parlent mes liures, ie
leur parle en la mienne.) Il est historiographe
diligent, & duquel a mon auis autát exactemét
que de nul autre on peut apprédre la verité des
affaires de son temps. Aussi en la plus part en a
il esté acteur luy mesme & en reng honnorable. Il n'y a nulle apparence que par haine , faueur, ou vanité il ayt déguisé les choses, dequoy
font foy les libres iugemens qu'il donne des
grands , & notamment de ceux, par lesquels il
auoit esté auancé & employé aux charges, comme du Pape Clement septiesme. Quát a la partie dequoy il séble se vouloir preualoir le plus,
qui sont ses digressions & discours , il y en a de
bons & enrichis de beaux traitz, mais il s'y est
trop pleu. Car pour ne vouloir rien laisser a dire, ayát vn suiect si plain & ample,& a peu pres
infiny, il en deuient lasche & enuieux & sentant
vn peu au caquet scolastique. I'ay aussi remerqué cecy, que de tant d'ames & effectz qu'il iuge , de tant de mouuemens & conseilz il n'en
rapporte iamais vn seul a la vertu, religion , &
conscience, comme si ces parties la estoient du
tout esteintes au monde: & de toutes les actiós,
pour belles par apparence qu'elles soient d'elles mesmes, il en reiete la cause a quelque occasion vitieuse, ou a quelque profit. Il est im-
                                        possible

possible d'imaginer que parmy c'est infiny nõbre d'actiõs, dequoy il iuge, il n'y en ait eu quelqu'vne produite par la voye de la raison: nulle corruption ne peut auoir saisi les hõmes si vniuerselement que quelcun n'eschappe de la contagiõ. Cela me faict craindre qu'il y aye vn peu du vice de son goust, & que cela soit aduenu de ce qu'il ait estimé d'autruy selon soy. En mon Philippe de Comines, il y a cecy : vous y trouueres le lãgage doux & aggreable, d'vne naïfue simplicité, la narration pure, & en laquelle la bonne foy de l'autheur reluit euidemment exẽpte de vanité parlant de soy, & d'affection & d'enuie parlant d'autruy: ses discours & enhortemẽs accompagnez plus de bon zele & de verité, que d'aucune exquise suffisance, & tout par tout de l'authorité & grauité representant son homme de bon lieu & éleué aux grans affaires. Sur les memoires de monsieur du Bellay : c'est tousiours plaisir de voir les choses escrites par ceux qui ont essayé, comme il les faut conduire. Mais il ne se peut nier qu'il ne se découure euidemment en ces deux seigneurs icy vn grand dechet de la franchise & liberté d'escrire, qui reluit és anciens de leur sorte : comme au Sire de Iouinuile domestique de sainct Loys, Eginard chancelier de Charlemaigne, & de plus fresche memoire en Philippe de Comines. C'est icy plustost vn plaidé pour le Roy François contre l'Empereur Charles v. qu'vne his-

Cc

toire. Ie ne veux pas croire, qu'ils ayent rien
changé quant au gros du faict, mais de côtour-
ner le iugement des euenemens souuent contre
raison a nostre auantage, & d'obmettre tout ce
qu'il y a de chatouilleux en la vie de leur maistre, ils en fôt mestier, tesmoing les recullemês
de messieurs de Montmorency & de Brion, qui
y sont oubliez, voire le seul nom de Madame
d'Estápes ne s'y trouue point. On peut couurir
les actiôs secretes, mais de taire ce q̃ tout le mô
de sçait, & choses qui ont tiré des effects publiques & de telle consequence, c'est vn defaut in-
excusable. Somme pour auoir l'entiere connoissance du Roy François & des choses aduenues
de son têps, qu'on s'adresse ailleurs, si on m'en
croit. Ce qu'on peut faire icy de profit c'est par
la deduction particuliere des batailles & exploits de guerre, ou ces gentilshommes se sont
trouuez, quelques paroles & actions priuées
d'aucuns princes de leur temps, & les pratiques
& negociations conduictes par le Seigneur de
Langeay, ou il y a tout plein de choses dignes
d'estre sceuës, & des discours non vulgaires.

CHAP. XI.

De la cruauté.

IL me semble que la vertu est chose autre &
plus noble que les natureles inclinations a
la bon-

la bonté, qui naiſſent en nous. Les ames reglées
d'elles meſmes & bien nées elles ſuiuent meſme train , & repreſentent en leurs actions meſme viſage que les vertueuſes. Mais la vertu ſonne, ie ne ſçay quoy , de plus grand & de plus actif, que de ſe laiſſer par vne heureuſe complexion doucement & paiſiblement conduire a la
ſuyte de la raiſon . Celuy qui d'vne douceur &
facilité naturelle meſpriſeroit les offences receuës, feroit ſans doubte choſe treſ-belle & digne de louänge: mais celuy qui picqué & outré
iuſques au vif d'vne offence, s'armeroit des armes de la raiſon contre ce furieux appetit de
vengeance, & apres vn grand conflict s'en rendroit en fin maiſtre , feroit ſans doubte beaucoup plus. Celuy-la feroit bié, & cetuy-cy ver-
tueuſement. L'vne action ſe pourroit dire bonté, l'autre vertu. Car il ſemble que le nom de la
vertu preſupoſe de la difficulté du combat &
du côtraſte: & qu'elle ne peut eſtre ſans partie.
C'eſt a l'auenture pourquoy nous nommons
Dieu bon, fort, & liberal , & iuſte , mais nous
ne le nommons pas vertueux: ſes operations ſôt
toutes naifues & ſans effort. Des Philoſophes
non ſeulement Stoiciens mais encore Epicuriens (& ceſte enchere ie l'emprunte de l'opinion commune, qui eſt fauce : car a la verité en
fermeté & rigueur d'opinions & de preceptes
la ſecte Epicurienne ne cede aucunement a la
Stoique, & vn Stoicien reconnoiſſant meilleu-

re foy, que ces diſputateurs, qui pour combatre Epicurus & ſe donner beau ieu luy font dire ce, aquoy il ne penſa iamais, contournans ſes
parolles a gauche, argumentans par la loy grã-
mairienne , autre ſens de ſa façon de parler, &
autre creance que celle qu'ils ſçauent , qu'il a-
uoit en l'ame, dit qu'il a laiſſé d'eſtre Epicurien
pour ceſte cõſideration entre autres, qu'il trouue leur route trop hautaine & inacceſſible) Or
des philoſophes Stoiciens & Epicuriens, diſ-ie,
il y en a pluſieurs qui ont iugé , que ce n'eſtoit
pas aſſez d'auoir l'ame en bonne aſſiete, bien
reglée & bien diſpoſée a la vertu : ce n'eſtoit pas
aſſez d'auoir nos reſolutions & nos diſcours au
deſſus de tous les efforts de fortune : mais qu'il
falloit encore rechercher les occaſiõs d'en venir a la preuue : ils veulent queſter de la douleur,
de la neceſſité, & du meſpris, pour les combattre, & pour tenir leur ame en haleine. C'eſt
l'vne des raiſons, pourquoy Epaminundas , qui
eſtoit encore d'vne tierce ſecte , refuſe des richeſſes que la fortune luy met en main par vne
voie tres-legitime, pour auoir, dict-il, a s'eſcri-
mer & a s'exercer contre la pauureté, en laquelle extreme il ſe maintint touſiours. Socrates
s'eſſayoit, ce me ſemble, encor plus rudement,
conſeruant pour ſon exercice la malignité de
la teſte de ſa femme , qui eſt vn eſſay a fer eſ-
moulu. Metellus ayant ſeul de tous les Sena-
teurs Romains entrepris par l'effort de ſa ver-

tu de soustenir la violence de Saturninus Tribun du peuple a Rome, qui vouloit a toute force faire passer vne loy iniuste en faueur de la
commune, & ayāt encouru par la les peines capitales que Saturninus auoit establies contre
les refusans, entretenoit ceux qui en ceste extremité le conduisoient de la place en sa maison de tels propos, Que c'estoit chose trop facile & trop lâche que de mal faire : & que de
faire bien, ou il n'y eust point de dangier, c'e-
stoit chose commune : mais de faire bien, ou il
y eust dangier, c'estoit le propre office d'vn
homme de bien & de vertu. Ces parolles de
Metellus nous representent bien clairement
ce que ie vouloy verifier , que la vertu refuse
la facilité pour compagne , & que ceste aisée, douce, & panchante voie, par ou se conduisent les pas reglez d'vne bonne inclination
de nature , n'est pas propre a la vraye vertu.
Elle demande vn chemin aspre & espineux,
elle veut auoir ou des difficultez estrangieres
a luiter, cōme celle de Metellus, par le moyen
desquelles fortune se plaist a luy rompre la
roideur de sa course , ou des difficultez internes, que luy apportent les appetits desordon-
nez de nostre condition. Ie suis venu iusques
icy bien a mon aise : mais au bout de ce discours
il me tombe en fantasie que l'ame de Socrates,
qui est la plus parfaicte qui soit venue a ma cō-
noissance , seroit a mon conte vne ame de peu

de recommendation : car ie ne puis conceuoir
en ce personnage la nul effort de viticufe con-
cupifcence. Au train de fa vertu ie n'y puis imaginer nulle difficulté & nulle contrainte: ie cônoy fa raifon fi puiffâte & fi maiftreffe ches luy,
qu'elle n'euft iamais donné moyen a nul appetit viticux, feulement de naiftre. A vne vertu fi
efleuée que la fiéne, ie ne puis rié mettre en teste: il me fêble la voir marcher d'vn victorieux
pas & triumphant , en pompe & a fon aife, fans
empefchement, ne deftourbier. Si la vertu ne
peut luire que par le côbat des appetits contraires, dirons nous donq qu'elle ne fe puiffe paffer
de l'affistence du vice , & qu'elle luy doiue cela
d'en eftre mife en credit & en hôneur? que de-
uiendroit auffi cefte braue & genereufe volupté
Epicurienne , qui faict eftat de nourrir mollement en fon giron & y faire follatrer la vertu,
luy dônant pour fes iouets la honte, les fieures,
la pauureté, la mort & les geénes? Si ie prefup-
pofe que la vertu parfaicte fe connoit a combatre & porter patiemmêt la douleur, a fouftenir
les efforts de la goute fans s'esbrâler de fon af-
fiete, fi ie luy donne pour fon obiect neceffaire
l'afpreté & la difficulté , que deuiendra la vertu
qui fe ra montée a tel exces , que de non feulement mefprifer la douleur, mais de s'en eiouïr,
& de fe faire chatouiller aux pointes d'vne forte colique, comme eft celle, que les Epicuriens
ont eftablie, & de laquelle plufieurs d'entre eux
                                                    nous

nous ont laiſſé par leurs actiós des preuues treſ-
certaines ? Comme ſi ont bien d'autres,que ie
trouue auoir ſurpaſſé par effect les regles meſmes de leur diſcipline. Teſmoing le ieune Ca-
tó,quád ie le voy mourir & ſe deſchirer les entrailles,ie ne me puis contéter de croire ſimplement qu'il euſt lors ſon ame exempte de tout
trouble & de tout effroy de la mort. Ie ne puis
pas croire qu'il ſe maintint ſeulement en ceſte
démarche que les regles de ſa ſecte Stoique luy
ordonnoient,raſſiſe,ſans emotió & impaſſible.
Il y auoit,ce me ſemble, en la vertu de ceſt hóme trop de gaillardiſe & de verdeur, pour s'en
arreſter la.Ie croi ſás doute qu'il ſentit du plaiſir & de la volupté en vne ſi noble actió,& qu'il
s'y aggrea plus qu'en nulle autre de celles de ſa
vie.Ie le croy ſi auant , que i'entre en doute s'il
euſt voulu que l'occaſion d'vn ſi bel exploit luy
ſuſt oſtée:& ſi la bóté qui luy faiſoit embraſſer
les cómoditez d'autruy, plus que les ſiennes,ne
me tenoit en bride, ie tóberois aiſement en ceſte opinió , qu'l ſçauoit bó gré a la fortune d'a-
uoir mis ſa vertu a vne ſi belle eſpreuue,& d'a-
uoir fauoriſé ce brigand a fouler aux piedz l'an
tienne liberté de ſa patrie. Il me ſemble lire en
ceſte action,ie ne ſçay qu'elle eſiouiſſance de
ſon ame , & vne émotion de plaiſir extraordi-
naire:lors qu'elle conſideroit la nobleſſe & grá-
deur de ſon entrepriſe : non pas eſguiſée par
quelque eſperance de gloire , comme les iuge-

Cc 4

mens populaires, vains,& effeminez d'aucuns
hommes ont iugé : car ceste consideration est
trop basse,trop foible, & trop molle pour toucher vn cœur si genereux, si hautain & si roide:
mais pour la beauté de la chose mesme en soy:
laquelle il voyoit bien plus a clair & en sa perfection,luy qui en manioit les ressors, que nous
ne pouuons faire.L'aisance donc de ceste mort
& ceste facilité qu'il auoit acquise par la force
de son ame , dirons nous qu'elle doiue rabattre
quelque chose du lustre de sa vertu ? Et qui de
ceux qui ont la ceruelle tãt soit peu touchée de
la vraye philosophie,peut se contenter d'imaginer Socrates seulement franc de crainte & de
passion en l'accident de sa prison, de ses fers &
de sa condemnation.Et qui ne reconnoit en luy
non seulement de la fermeté & de la constance (c'estoit son assiete ordinaire que celle la)
mais encore ie ne sçay quel contentement nouueau , & vne allegresse eniouée en ses propos &
façons dernieres? Caton me pardonra,s'il luy
plaist , sa mort est plus thragique & plus tendue : mais ceste cy est encore,ie ne sçay comment,plus belle. On voit aux ames de ces deux
personnages & de leurs imitateurs(car de semblables ie say grãd doubte qu'il y en ait eu)vne
si parfaicte habitude a la vertu, qu'elle leur est
passée en complexion. Ce n'est plus vertu penible , ny des ordonnances de la raison , pour
lesquelles maintenir il faille que leur ame se
roidisse.

roidiſſe. C'eſt l'eſſence meſme de leur ame,
c'eſt ſon train naturel & ordinaire. Ilz l'ont
rendue telle par vn long exercice des preceptes
de la philoſophie, aians rencontré vne belle &
riche nature. Les paſſions vitieuſes, qui naiſſent
en nous, ne trouuent plus par ou faire entrée en
leurs ames. La force & roideur de leur ame
eſtouffe & eſteint les paſſions corporelles auſſi
toſt qu'elles commencent a s'eſbranler pour
naiſtre. Or qu'il ne ſoit plus beau par vne haute & diuine reſolution d'empeſcher la naiſſance meſme des tentations, & de s'eſtre formé a
la vertu de maniere que les ſemences meſmes
des vices en ſoient deſracinées : que d'empeſcher a viue force leur progres , & s'eſtant laiſſé ſurprendre aux émotions premieres des paſſions s'armer & ſe bander pour arreſter leur
courſe & les vaincre : & que ce ſecond effect
ne ſoit encore plus beau, que d'eſtre ſimplement garny d'vne nature molle & debonnaire , & dégouſtée de ſoy meſme de la débauche
& du vice, ie ne penſe point qu'il y ait doubte.
Car ceſte tierce & derniere façon , il ſemble
bien qu'elle rende vn homme innocent , mais
non pas vertueux: exempt de mal faire, mais nõ
aſſez apte a bien faire. Ioint que ceſte condition eſt ſi voiſine a l'imperfection & a la foibleſſe, que ie ne ſçay pas bien comment en dé-
meler les confins & les diſtinguer. Les noms
meſmes de bonté & d'innocence ſont a ceſte

Cc 5

cause aucunement noms de mespris. Ie voy que
plusieurs vertus, comme la chasteté, sobrieté &
temperance peuuent arriuer a nous par defaillance
corporelle. La fermeté aux dãgiers (si fermeté
il la faut appeller) le mespris de la mort,
la patience aux infortunes, peut venir & se treuue
souuent aux hommes par faute de bien iuger
de tels accidens, & ne les conceuoir tels qu'ils
sont. La faute d'apprehension & la bétise contrefont
ainsi par fois les effectz vertueux, comme
i'ay veu souuent aduenir & louër les hõmes
de ce, de quoy ils meritoient du blasme. Vn seigneur
Italien tenoit vne fois ce propos en ma
presence au des-auantage de sa natiõ, que la subtilité
des Italiens & la viuacité de leurs conceptions
estoit si grande, qu'ils preuoioient les
dangiers & accidens, qui leur pouuoiẽt aduenir,
de si loin, qu'il ne falloit pas trouuer estrange
si on les voyoit souuent a la guerre prouuoir a
leur seurté, voire auant que d'auoir reconnu le
peril: que nous & les Espaignols, qui n'estions
pas si fins, allions plus outre, & qu'il nous falloit
faire voir a l'œil & toucher a la main le dãgier
auant que de nous en effrayer, & que lors
aussi nous n'auions plus de tenue : mais que les
Lansquenetz & les Souysses, plus grossiers &
plus lourds n'auoient le sens de se rauiser a peine
lors mesmes qu'ils estoiẽt accables soubs les
coups. Ce n'estoit a l'aduenture que pour rire.
Si est il bien vray qu'au mestier de la guerre les
apren-

aprentis se iettét bien souuét aux dangiers d'autre inconsideration, qu'ils ne font apres y auoir
esté échaudés. Voila pourquoy quand on iuge
d'vne actió particuliere, il faut considerer plusieurs circóstances, & l'homme tout entier qui
l'a produicte auant la baptizer. Pour dire vn
mot de moy-mesme, il s'en faut tant que ie sois
arriué a ce premier & plus parfaict degré d'excellence, ou de la vertu il se faict vne habitude, que du second mesme ie n'en ay faict guiere de preuue. Ie ne me suis mis en grand effort pour brider les desirs, dequoy ie me suis
trouué pressé. Ma vertu c'est vne vertu, ou innocence, pour mieux dire, accidentale & fortuite. Si ie fusse nay d'vne complexion plus
déreglée, ie crains qu'il fut allé piteusement
de mon faict : car ie n'ay essayé guiere de fermeté en mon ame pour soustenir des passions,
si elles eussent esté tant soit peu vehementes: ie
ne sçay point nourrir des querelles & du debat
chés moy. Ainsi ie ne me puis dire nul gran-
mercy, dequoy ie me trouue exépt de plusieurs
vices.

Si vitijs mediocribus & mea paucis
Mendosa est natura, alioqui recta, velut si
Egregio inspersos reprehendas corpore næuos,
ie le doy plus a ma fortune qu'a ma raison: elle
m'a faict naistre d'vne race fameuse en prend-
'homie & d'vn tres-bon pere : ie ne sçay s'il a
escoulé en moy partie de ses humeurs, ou bien
si les

ſi les exemples domeſtiques & la bonne inſtitution de mon enfance, y ont inſenſiblemēt aydé, ou ſi ie ſuis autrement ainſi nay. Mais tant y
a que la pluſpart des vices ie les ay de moy meſ
mes en horreur, d'vne opinion ſi naturelle & ſi
mienne, que ce meſme inſtinct & impreſſion,
que i'en ay apporté de la nourrice, ie l'ay con-
ſerué ſans que nulles occaſions me l'ayent ſçéu
faire alterer, voire non pas mes diſcours propres: qui pour s'eſtre débandés en aucunes choſes de la route commune me licentieroient aiſément a des actions, que ceſte naturelle inclination me fait haïr. Les debordemens, auſquels
ie me ſuis trouué engagé ne ſont pas Dieu mercy des pires. Ie les ay bien condânez chés moy,
ſelon que la raiſon les condamne. Mon iugement ne s'eſt pas trouué corrompu par le dé-
reglement de mes mœurs: ains au rebours, il iuge plus exactement & plus rigoureuſement de
moy, que de nul autre: mes debauches quant a
ceſte partie la m'ont dépleu comme elles deuoient, mais ça eſté tout. Car au demourant i'y
apporte trop peu de reſiſtāce & me laiſſe trop
aiſément pancher a l'autre part de la balance,
ſi non pour les regler, & empeſcher du meſlā-
ge d'autres vices, leſquels s'étretiennēt & s'en-
trenchaînēt pour la pluſpart les vns aux autres,
qui ne s'en prend garde Les miens ie les ay re-
tranchés & contrains les plus ſeuls & les plus
ſimples que i'ay peu. Car quant a l'opinion des
Stoi-

Stoiciens, qui difent, Quãd le fage œuure, qu'il
œuure par toutes les vertus enſéble, quoy qu'il
y en ait vne plus apparente ſelon la nature de
l'action, Et a cela leur pourroit ſeruir aucunement la ſimilitude du corps humain, car l'actiõ
de la colere ne ſe peut exercer que toutes les
humeurs ne nous y aydent, quoy que la colere
predomine : ſi de la ils veulẽt tirer pareille cõ-
ſequence, que quand le ſautier ſaut, il faut par
tous les vices enſemble, ie ne les en croy pas
ainſi ſimplement, ou ie ne les entens pas. Car
ie ſens par effect le cõtraire. Socrates aduoüoit
a ceux qui reconnoiſſoient en ſa phyſionomie
quelque inclination au vice, que c'eſtoit a la verité ſa propenſion naturelle, mais qu'il auoit
corrigée par la philoſophie. Ce peu que i'ay
de bien, ie l'ay au rebours, par le ſort de ma
naiſſance : ie ne le tiens ni de loy n'y de precepte ou autre aprentiſſage. Ie hay entre autres vices cruellement la cruauté, & par nature & par iugement, comme l'extreme de tous
les vices. Mais c'eſt iuſques a telle molleſſe que
ie ne voy pas égorger vn poulet ſans deſplaiſir,
& ois impatiemment gemir vn licure ſous les
dés des chiẽs: quoy que ce ſoit vn plaiſir violent
que la chaſſe. Ceux qui ont a combattre la volupté vſent volontiers de ceſt argument pour
mõſtrer qu'elle eſt toute vitieuſe & deſraiſon-
nable: que lors qu'elle eſt en ſon plus grand effort elle nous maiſtriſe de façon, que la raiſon
n'y

n'y peut auoir nul acces,& nous aleguēt l'experience que nous en sentons en l'acointance des
femmes,

Cum iam præsagit gaudia corpus
Atque in eo est venus, vt muliebria cōserat arua.

Ou il leur semble que le plaisir nous transporte
si fort hors de nous, que nostre discours ne sçau
roit lors ioüer son rolle,tout perclus& raui en la
volupté.Ie sçay qu'il en peut aller autrement,&
qu'on arriuera par fois, si on veut, à embesoigner l'ame sur ce mesme instant a autres pensemens,mais il la faut tēdre & roidir d'aguet.
Ie sçay qu'on peut aisément gourmender l'effort de ce plaisir,& encore que ie luy dōne plus
de credit sur moy, que ie ne deurois, si est-ce
que ie ne prens aucunement pour miracle,com
me saict la Royne de Nauarre Marguerite, en
l'vn des contes de son Heptameron (qui est vn
gentil liure pour son.estoffe)ny pour chose de
grande difficulté de passer plusieurs nuicts entieres en toute commodité & liberté auec vne
maistresse de long temps desirée , maintenant
la promesse qu'on luy aura faicte de se contenter des baisers & simples atouchemens.Ie croy
que la comparaison du plaisir de la chasse y seroit plus propre:auquel il semble qu'il y ait plus
de rauissement: nō pas a mon aduis que le plaisir soit si grād de soy ,mais par ce qu'il ne nous
donne pas tant de loisir de nous bander & preparer au contraire:& qu'il nous surprend , lors
qu'apres

qu'apres vne lôgue queste la beste vient a l'im-
prouiste a se presenter, au lieu ou a l'aduenture,
nous l'esperiôs le moins. Ceste secousse de plai
sir nous frappe si furieusemêt, qu'il seroit malaisé veritablement a ceux, qui ayment la chasse
de retirer en cest instant l'ame & la pensée de
ce rauissement. L'amour faict place au plaisir
de la chasse, disent les Poëtes. Voila pourquoy
ils font Diane victorieuse du brandon & des
fleches de Cupidon.

Quis non malarum quas amor curas habet
Hæc inter obliuiscitur.

C'est-icy vn fagotage de pieces descousues: ie
me suis detourné de ma voye, pour dire ce mot
de la chasse. Mais pour reuenir a mon propos,
ie me compassionne fort tendrement des affli-
ctiôs d'autruy, & pleurerois aisément par compagnie, si pour occasion que ce soit, ie sçauois
pleurer. Les morts ie ne les plains guiere, &
les enuierois plutost, mais ie plains bien fort
les mourans. Les sauuages ne m'offensent pas
tant de rostir & manger les corps des trespas-
séz, que ceux qui les tourmentent & persecu-
tent viuans. Les executions mesme de la iustice pour raisonnables qu'elles soyent, ie ne les
puis voir d'vne veuë ferme. Quelcun ayant a
tesmoigner la clemence de Iulius Cæsar, Il e-
stoit, dit-il, doux en ses vengeances: ayant forcé les Pyrates de se rendre a luy qu'ils, auoient
au parauant pris prisonnier & mis a râçon, d'autant

tant qu'il les auoit menaſſes de les faire mettre en croix, il les y condéna, mais ce fut apres
les auoir faict eſtrangler: Philomon ſon ſecre-
taire qui l'auoit voulu empoiſonner il ne le pu-
nit pas plus aigrement que d'vne mort ſimple,
ſans dire qui eſt ceſt autheur Latin, qui oſe aleguer pour teſmoignage de clemence, de ſeulement tuer ceux, deſquels on a eſté offencé. Il
eſt aiſé a deuiner qu'il n'eſtoit pas du temps de
la bonne Rome , & qu'il iuge ſelon les vilains
& horribles exemples de cruauté que les tyrans Romains mirent depuis en vſage. Quant
a moy en la iuſtice meſme tout ce qui eſt au de
la de la mort ſimple , me ſemble pure cruauté, & notamment a nous qui deurions auoir
reſpect d'en enuoyer les ames en bon eſtat, ce
qui ne ſe peut les ayant agitées & deſeſperées
par tourmens inſupportables. Ie conſeillerois
que ces exemples de rigueur, par le moyé deſquels on veut tenir le peuple en office, s'exer-
çaſſent contre les corps des criminels. Car de
les voir priuer de ſepulture , de les voir bouillir & mettre a quartiers, cela toucheroit quaſi
autât le vulgaire, que les peines, qu'on fait ſouffrir aux viuans , quoy que par effect ce ſoit peu
ou rien. Ie me rencontray vn iour a Rome ſur
le point qu'on défaiſoit Catena, vn vouleur fameux : on l'eſtrangla ſans aucune émotion de
l'aſſiſtâce, mais quâd on vint a le mettre a quartiers, le bourreau ne dônoit coup, que le peuple
ne ſui-

ne suiuit d'vne vois pleintiue, & d'vne exclamation, comme si chácun eut presté son sentimêt
a ceste charongne . Ie vis en vne saison en laquelle nous foisonnons en exemples incroyables de ce vice , pour la licence de nos guerres ciuiles. Et ne voit on rien aux histoires ancienes, de plus extreme , que ce que nous en es-
sayons tous les iours . Mais cela ne m'y a nullement apriuoisé . A peine me pouuoy-ie persuader, auât que ie l'euſſe veu, qu'il se fut trouué des ames si monſtrueuses, qui pour le seul
plaisir du meurtre le vouluſſent commettre,
hacher & détrencher les membres d'autruy,
esguiser leur esprit a inuenter des tourmens
inusitez , & des mortz nouuelles, sans inimitié, sans profit , & pour ceste seule fin de iouïr
du plaisant spectacle des gestes , & mouuemens pitoyables , des gemiſſemens & voix
lamentables d'vn homme mourant. Car voila
l'extreme point, ou la cruauté puisse atteindre.
De moy ie n'ay pas sçeu voir seulement sans
desplaisir poursuiure & tuer vne beste innocê-
te, qui est sans deffence,& de qui nous ne receuons nulle offence. Et comme il aduient communement que les cerfs se sentans hors d'alaine & de force, n'ayans plus d'autre remede se
reiettent & rédent a nous mesmes qui les poursuiuons , nous demandans mercy par leurs larmes, ce m'a tousiours semblé vn spectacle tres-
desplaisant.

Dd

Primóque a cęde ferarum
Incaluiſſe puto maculatum ſanguine ferrum.

Les naturels ſanguinaires a l'endroit des beſtes,
teſmoignent vne grande propéſion a la cruauté. Et affin qu'on ne ſe moque de ceſte ſympathie & amitié que ie confeſſe auoir auecques
elles, & qu'on ne l'outrage trop rudement: la
theologie meſme nous ordóne quelque humanité en leur endroit:& conſiderant que vn meſme maiſtre nous a logés en ce palais pour ſon
ſeruice,& qu'elles ſont, cóme nous,de ſa famil
le, elle a raiſon de nous ordonner quelque reſpect & affection enuers elles .Pythagoras em-
prunta la Metempſichoſe des AEgyptiés, mais
deſpuis elle a eſté receuë par pluſieurs,& notãment par nos Druides.

Morte carent animæ, ſempérque priore relicta
Sede, nouis domibus viuunt habitántque recepta.

La Religion de nos anciens Gaulois portoit
que les ames eſtant eternelles ne ceſſoient de
ſe remuer & changer de place d'vn corps a vn
autre:meſlant en outre a ceſte fantaſie quelque
conſideration de la iuſtice diuine: car ſelon les
déportemens de l'ame,pendant qu'elle auoit e-
ſté chéz Alexãdre, ils diſoiét que Dieu luy or-
dónoit vn autre corps a habiter plus ou moins
vile & raportant a ſa condition.Si elle auoit e-
ſté vaillante, la logeoient au corps d'vn Lyon,
ſi voluptueuſe,en celuy d'vn pourceau,ſi lâche,
en celuy d'vn cerf ou d'vn lieure, ſi malitieuſe,
en celuy d'vn renard, ainſi du reſte iuſques a ce
que

que purifiée par ce chatiement elle reprenoit
le corps de quelque autre homme.

Ipse ego, nam memini, Troiani tempore belli
Panthoides Euphorbus eram.

Quant a ce cousinage la d'entre nous & les bestes, ie n'en fay pas grand recepte: ni de ce aussi
que plusieurs nations & notamment des plus
anciennes & plus nobles ont non seulement receu des bestes a leurs societé & côpagnie, mais
leur ont dôné vn reng biê loing au dessus d'eux
les estimant tantost familieres & fauories de
leurs dieux, & les ayant en respect & reuerence
plus qu'humaine , & d'autres ne reconnoissant
autre Dieu, ni autre diuinité qu'elles. Et l'interpretation mesine que Plutarque dône a cest
erreur, qui est tres-bien prise, leur est encores
honorable. Car il dict que ce n'estoit le chat,
ou le bœuf (pour exemple) que les Egyptiês
adoroient , mais qu'ils adoroient en ces bestes
la quelque image des operatiôs diuines, en ceste cy la patience, en cest autre , la viuacité, ou
quelque autre effect, & ainsi des autres . Mais
quand ie rencontre par-mi les opinions plus
moderées les discours qui essayent a montrer la
prochaine resemblance de nous aux animaux:
& combiê ils ont de part a nos plus grans priuileges, & auec combien de vray semblance on
nous les apparie, certes i'en rabas beaucoup de
nostre presumption & me demets volôtiers de

Dd 2

ceste royauté vaine & imaginaire qu'on nous
donne ſur les autres creatures. Quand tout cela,
en ſeroit a dire, ſi y a il vn certain reſpect, qui
nous attache, & vn general deuoir d'humanité
non aux beſtes ſeulement, qui ont vie & ſentiment, mais aus arbres meſmes & aux plantes.
Nous deuons la iuſtice aux hommes, & la grace
& la benignité aus autres creatures, qui en peuuent eſtre capables. Il y a quelque cõmerce entre elles & nous, & quelque obligatiõ mutuelle.
Les Turcs ont des aumoſnes & des hoſpitaus
pour les beſtes. Les Romains auoient vn ſoing
public de la nourriture des oyes, par la vigilan
ce deſquelles leur Capitole auoit eſté ſauué.
Les Atheniens ordonnerent que les mules &
mulets qui auoient ſerui au baſtiment du temple appellé Hecatompedon fuſſent libres, &
qu'on les laiſlaſt paiſtre par tout ſans empeſchement. Cimon fit vne ſepulture honorable
aux iumans, auec leſquelles il auoit gaigné par
trois fois le pris de la courſe aux ieus Olympi-
ques. L'ancien Xantippus fit enterrer ſon chiẽ
ſur vn chef en la coſte de la mer, qui en a dépuis
retenu le nom. Et Plutarque faiſoit, dit-il, cõ-
ſcience de vẽdre & enuoier a la boucherie pour
vn legier profit vn bœuf, qui l'auoit long-tẽps
ſeruy.

CHAP.

CHAP. XII.

Apologie de Raimond Sebond.

C'Eſt a la verité vne tres-vtile & grãde partie que la ſcience : ceux qui la meſpriſent
teſmoignent aſſez leur beſtiſe. Mais ie n'eſtime
pas pourtãt ſa valeur iuſques a ceſte meſure extreme qu'aucuns luy attribuent. Comme He-
rillus le philoſophe, qui logeoit en elle le ſouuerain bien, & tenoit qu'il ſut en elle de nous
rendre ſages & contens. Ce que ie ne croy pas:
ni ce que d'autres ont dit, que la ſciẽce eſt mere de toute vertu, & que tout vice eſt produit
par l'ignorance. Si cela eſt vray, il eſt ſubiect
a vne longue interpretation. Ma maiſon a eſté
de long temps ouuerte aux gens de ſauoir, &
en eſt fort conneuë Car mõpere, qui l'a iouye
cinquante ans & plus, eſchauffé de ceſte ardeur nouuelle, dequoy le Roy François premier embraſſa les lettres & les mit en credit,
recherha auec grãd ſoing & deſpance l'acointance des hommes doctes, les receuant chés luy
comme perſonnes ſainctes, & ayans quelque
particuliere inſpiration de ſageſſe diuine : re-
cuillant leurs ſentences & leurs diſcours cõme
des oracles, & auec d'autant plus de reuerence
& de religion, qu'il auoit moins de loy d'en iuger: car il n'auoit nulle cõnoiſſance des lettres.

Moy ie les ayme bien, mais ie ne les adore pas. Entre autres, Pierre Bunel, homme de grande reputation de sçauoir en son temps, ayant arresté quelques iours en la compagnie de mon pere, auec d'autres hommes de sa sorte, luy fit present au despartir d'vn liure qui s'intitule la THEOLOGIE NATVRELLE DE RAIMOND SE-BOND. Et par ce que la lägue Italiëne & Espaignole estoient familieres a mon pere, & que ce liure est basti d'vn Espagnol barragoiné en terminaisons Latines, il esperoit qu'auec vn bié peu d'aide, il en pourroit faire son profit, & le luy recommanda, côme liure tres-vtile & propre a la saison, qu'il le luy donna. Ce fut lors que les nouuelletez de Luther commençoient d'entrer en credit, & esbransler en beaucoup de lieux nostre anciene creance. En quoy il auoit vn tres-bon aduis preuoyant bien par discours de raison, que ce commencement de maladie declineroit aysémét en vn execrable atheisme. Car le vulgaire (& tout le monde est quasi de ce genre) n'ayant pas de quoy iuger des choses par elles mesmes & par la raison, se laissant emporter a la fortune & aux apparences, apres qu'ô luy a mis en main la hardiesse de mespriser & côtreroller les opinions, qu'il auoit euës en extreme reuerence, comme sont celles ou il va de son salut, & qu'on a mis les articles de sa religion en doubte & a la baláce, il iette tátost apres aisémét en pareille incertitude toutes les

autres

autres pieces de sa creance, qui n'auoyent pas
chez luy plus d'authorité ni de fondement, que
celles qu'on luy a esbranslées : & secouë comme vn ioug tyrannique toutes les impressions,
qu'il auoit receuës par l'authorité des loix, ou
reuerence de l'ancien vsage : entreprenant deslors en auant, de ne receuoir rié, a quoy il n'ayt
interposé son decret & presté consentemét. Or
quelques iours auant sa mort mon pere ayāt de
fortune recontré ce liure sous vn tas d'autres
papiers abandonnez, me commanda de le luy
mettre en François . Il faict bon traduire les
autheurs, ou il n'y a guiere que la matiere a representer: mais ceux qui ont donné beaucoup a
la grace & a l'elegāce du langage ils sont mal-
aisez a entreprendre . C'estoit vne occupation
bien estrange & nouuelle pour moy: mais estāt
de fortune pour lors de loisir, & ne pouuāt rien
refuser au commandement du meilleur pere
qui fut onques, i'en vins a bout, comme ie peus:
a quoy il print vn singulier plaisir, & donna
charge qu'on le fit imprimer: ce qui fut executé
apres sa mort auec la nonchalance qu'on void,
par l'infini nóbre des fautes , que l'imprimeur
y laissa, qui en eust la códuite luy seul. Ie trouuay belles les imaginations de cest autheur, la
contexture de son ouurage bien tissue , & son
dessein plein de pieté . Par ce que beaucoup
de gens s'amusent a le lire , & notamment les
dames, a qui nous deuons plus de seruice, ie me

suis trouué souuét a mesme de les secourir, pour
descharger leur liure de deux principales obiections qu'on luy faict. Sa fin est hardie & cou-
rageuse, car il entreprend par raisons humaines
& naturelles, establir & verifier côtre les athei-
stes tous les articles de la religion Chrestiéne.
En quoy, a dire la verité, ie le trouue si ferme
& si heureux, que ie ne pése point qu'il soit possible de mieux faire en cest argumét la, & croy
ñ nul ne l'a esgalé. Cest ouurage me sêblât trop
riche & trop beau, pour vn autheur, duquel le
nom soit si peu conneu, & duquel tout ce que
nous sçauons, c'est qu'il estoit Espagnol faisant
professiô de la medecine a Thoulouse, il y a en-
uirô deux cês ans, ie m'équis autre-fois a Adriê
Tournebeuf, qui sçauoit toutes choses, que ce
pouuoit estre de ce liure: Il me respondit, qu'il
pensoit que ce fut quelque quinte essence tirée
de sainct Thomas d'Aquin. Car de vray cest e-
sprit la, plein d'vne eruditiô infinie & d'vne subtilité admirable estoit bien capable de telles
imaginations. Tant y a que quiconque en soit
l'autheur & inuenteur (& ce n'est pas raisô d'o-
ster sans plus grande occasion a Sebond ce titre) c'estoit vn tres-suffisant homme & ayant
plusieurs belles parties. La premiere reprehen-
sion qu'ô fait de son ouurage, c'est que les Chrestiés se font tort de vouloir appuyer leur créâ-
ce par des raisons humaines, qui ne se conçoit
que par foy & par vne inspiratiô particuliere de
la gra-

la grace diuine. A ceste obiection, il semble
qu'il y a quelque zele de pieté : & a ceste cause
nous faut il auec autant plus de douceur & de
respect essayer de satisfaire a ceux qui la mettêt
en auant. Ce seroit mieux la charge d'vn homme versé en la theologie que de moy, qui n'y
sçay rien. Toutesfois ie iuge ainsi, que a vne
chose si diuine & si hautaine & surpassant de si
loing l'humaine intelligence, comme est ceste
verité, de laquelle il a pleu a la sacrosaincte bôté de Dieu nous illuminer, il est bien besoin
qu'il nous preste encore son secours d'vne faueur extraordinaire & priuilegée, pour la pouuoir conceuoir & loger en nous. Et ne croy pas
que les moyens purement humains en soient
aucunement capables. Et s'ilz l'estoient, tant
d'ames rares & excellentes & si abondamment
garnies de forces naturelles es siecles anciens,
n'eussent pas failly par leur discours d'arriuer a
ceste cônoissance. C'est la foy seule qui embrasse viuement & certainemêt les hauts mysteres
de nostre Religion. Mais ce n'est pas a dire, que
ce ne soit vne tres-belle & tres-loüable entreprinse, d'accommoder encore au seruice de
nostre foy les vtilz naturelz & humains, que
Dieu nous a donnez. Il ne faut pas douter que
ce ne soit l'vsage le plus honorable, que nous
leur saurions donner : & qu'il n'est occupation
ny dessein plus digne d'vn homme Chrestien,
que de viser par tous ses estudes & pensemans

Dd 5

a embellir, eſtandre & amplifier la verité de
ſa creance. Nous ne nous contentons point de
ſeruir Dieu d'eſprit & d'ame : nous luy deuons
encore & rendons vne reuerance corporelle:
nous appliquons noz membres meſmes & noz
mouuemans & les choſes externes a l'honorer.
Il en faut faire de meſme & accōpagner noſtre
foy de toute la raiſon, qui eſt en nous : mais
touſiours auec ceſte reſeruation de n'eſtimer
pas que ce ſoit de nous qu'elle dépende, ny que
noz effortz & argumens puiſſent parfaire vne ſi
ſupernaturelle & diuine ſcience. Si elle n'entre
chez nous par vne infuſion extraordinaire: ſi elle y entre non ſeulement par diſcours, mais
encore par moyens humains, elle n'y eſt pas
en ſa dignité ny en ſa ſplendeur. Et certes ie
crain pourtant que nous ne la iouiſſons que par
ceſte voye. Si nous tenions a Dieu par l'entremiſe d'vne foy viue : ſi nous tenions a Dieu
par luy, non par nous: ſi nous auions vn pied
& vn fondement diuin, les occaſions humaines n'auroient pas le pouuoir de les esbranler, comme elles ont : noſtre fort ne ſeroit pas
pour ſe rendre a vne ſi foyble baterie : l'amour
de la nouuelleté, la contreinte des princes, la
bonne fortune d'vn party, le changement temeraire & fortuite de nos opinions n'auroint
pas la force de ſecouer & alterer noſtre croian-
ce:nous ne la lairrions pas troubler a la mercy
d'vn nouuel argument & a la perſuaſion, nō pas
de tou-

de toute la Rethorique qui fust onques: Nous
soutienderions ces flotz la d'vne fermeté inflexible & immobile.

Illisos fluctus rupes vi vasta refundit
Et varias circum latrantes dissipat vndas
Mole sua.

Si ce rayon de la diuinité nous touchoit aucunement, il y paroistroit par tout: non seulement
noz parolles, mais encore nos operations en
porteroint la lueur & le lustre. Tout ce qui partiroit de nous on le verroit illuminé de ceste
noble clarté. Nous deurions auoir honte de ce
qu'es sectes humaines il ne fust iamais partisan, quelque difficulté & estrangeté que meintint sa doctrine, qui n'y conformast aucunemēt
ses deportemens & sa vie: & toutesfois vne si diuine & celeste institution ne marque les Chrestiens que par la langue. Si nous auions vne seule goute de foy, nous remuerions les montagnes de leur place, dict la saincte parolle : nos
actions qui seroint guidées & accompaignées
de la diuinité, ne seroient pas simplement humaines, elles auroient quelque chose de miraculeux, comme nostre croyance. Et nous trouuons estrange si aux guerres, qui pressent a ceste heure nostre estat, nous voyons floter les
euenemens & diuersifier d'vne maniere commune & ordinaire. C'est que nous n'y apportons riē que le nostre. La iustice, qui est en l'vn
des partis, elle n'y est que pour ornement &
cou-

couuerture. Elle y est bien aleguée, mais elle
n'y est ny receuë, ny logée, ny espousée : elle y
est comme en la bouche de l'aduocat, non côme dans le cœur & affection de la partie. Dieu
doibt son secours extraordinaire a la foy & a la
religion, non pas aux hommes. Les hommes y
sont conducteurs & s'y seruent de la religion.
Ce deuroit estre tout le contraire. Dauantage,
confessons la verité, qui trieroit de nos armées
ceux, qui y marchent par le seul zele d'vne affection religieuse, & encore ceux qui regardent
seulement la protection des loix de leur païs,
ou seruice du prince, il n'en sauroit bastir vne
compagnie de gens-darmes complete. D'ou
vient cela, qu'il s'en trouue si peu, qui ayent
maintenu mesme volonté & mesme progrez en
noz mouuemens publiques, & que nous les voyons tantost n'aler que le pas, tantost y courir a
bride aualée ? & mesmes hommes tantost ga-
ster noz affaires par leur violence & aspreté,
tantost par leur froideur, mollesse & pesanteur,
si ce n'est qu'ils y sont poussez par des considerations particulieres, selon la diuersite desquelles ils se ren uent? Il ne faut point faire barbe
de foarre a Dieu (comme on dict). Si nous le
croyons, ie ne dy pas par foy, mais d'vne simple
croyance : voire (& ie le dis a nostre grande côfusion) si nous le croyons & cognoissions côme
vne autre histoire, comme l'vn de nos compaignons, nous l'aimerions au dessus de toutes au-

tres

tres choses, pour l'infinie bonté & beauté qui
reluit en luy. Au moins marcheroit il en mesme reng de nostre affection, que les richesses,
les plaisirs, la gloire & nos amis. Ces grandes
promesses de la beatitude eternelle si nous les
receuions de pareille authorité qu'vn discours
philosophique, nous n'aurions pas la mort en
telle horreur que nous auons: Ie veuil estre dis-
sout, diriós nous, & estre auecques Iesus-Christ.
La force du discours de Platon de l'immortali-
te de l'ame, poussa bien aucuns de ses disciples a
la mort pour iouïr plus promptement des espe-
ráces qu'il leur dônoit. Tout cela c'est vn signe
tres euidēt que nous ne receuôs nostre religiō
qu'a nostre façon & par nos mains, & nō autrement que côme les autres religions se recoyuēt.
Nous nous sommes rencontrez au païs, ou elle
estoit en vsage : ou nous regardons son ancienneté , ou l'authorité des hommes, qui l'ont
maintenue, ou creignons les menaces qu'ell'attache aux mescreans, ou suyuons ses promesses.
Ces considerations la doyuent bien estre em-
ployées a nostre creance, mais comme subsi-
diaires: ce sont liaisons humaines. Vne autre region, d'autres tesmoings, pareilles promesses
& menasses nous pourroiēt imprimer par mesme voye vne croyance contraire. Et ce que dit
Plato, qu'il est peu d'hommes si fermes en l'a-
theisme, qu'vn dangier pressant, vne extreme
douleur ou voisinage de la mort ne ramenent

par

par force a la recognoissance de la diuine puissance. Ce rolle ne touche point vn vray Chre-
stien:c'est a faire aux religions mortelles & humaines d'estre receuës par vne humaine conduite. Qu'elle foy doit ce estre que la lácheté & la foiblesse de cœur plantent en nous &
establissent? Vne vitieuse passion, comme celle de l'inconstance & de l'estonnement, peut
elle faire en nostre ame nulle production reglée? Le neud qui deuroit atacher nostre iugemēt & nostre volōté, qui deuroit estreindre nostre ame & ioindre a nostre createur,ce deuroit
estre vn neud prenāt ses repliz & ses forces,nō
pas de noz consideratiōs, de noz raisons & passions,mais d'vne estreinte diuine & supernaturelle, n'ayant qu'vne forme, vn visage & vn lustre, qui est l'authorité de Dieu & sa grace. Or
nostre cœur & nostre ame estant regie & com-
mandée par la foy , c'est raison qu'elle tire au
seruice de son dessain toutes noz autres pieces
selon leur portée. Aussi n'est-il pas croyable
que toute ceste machine n'ait quelques marques empreintes de la main de ce grand architecte,&qu'il n'y ait quelque image es choses du
monde raportant aucunement a l'ouurier, qui
les a basties & formées.Il a laissé en ces hautz
ouurages le caractere de sa diuinité, & ne tient
qu'a nostre imbecillité, que nous ne le puithōs
descouurir. C'est ce qu'il nous dit luy mesme,
que ses operations inuisibles il nous les mani-
                                                   feste

feſte par les viſibles. Sebond s'eſt trauaillé a ce
digne eſtude & nous monſtre comment il n'eſt
nulle piece du mõde, qui deſmante ſon facteur.
Ce ſeroit faire tort a la bonté diuine, ſi l'vniuers ne conſentoit a noſtre creance. Le ciel, la
terre, les elemans, noſtre corps & noſtre ame,
toutes choſes y conſpirent: il n'eſt que de trouuer le moyen de s'en ſeruir : elles nous inſtrui-
ſent, ſi nous ſommes capables d'entendre. Les
choſes inuiſibles de Dieu, dit ſainct Paul, apa-
roiſſent par la creation du monde, conſiderant
ſa ſapience eternelle & ſa diuinité par ſes œuures.

Atque adeo faciem cœli non inuidet orbi
Ipſe Deus, vultuſque ſuos corpuſque recludit
Semper voluendo: ſeque ipſum inculcat & offert:
Vt bene cognoſci poſſit, doceatque videndo
Qualis eat, doceátque ſuas attendere leges.

Si mon imprimeur eſtoit ſi amoureux de ces
prefaces queſtées & empruntées, dequoy par
l'humeur de ce ſiecle il n'eſt pas liure de bonne
maiſon, s'il n'en a le front garny, il ſe deuoit
ſeruir de telz vers, que ceux cy, qui ſont de meilleure & plus ancienne race, que ceux qu'il y eſt
allé planter. Or nos raiſons & nos diſcours humains c'eſt comme la matiere lourde & ſteri-
le : la grace de Dieu en eſt la forme : c'eſt elle
qui y donne la façon & le pris. Tout ainſi que
les actions vertueuſes de Socrates & de Caton
demeurent vaines & inutiles pour n'auoir eu
ce

leur fin,& n'auoir regardé l'amour & obeiſſance du vray createur de toutes choſes, & pour
auoir ignoré Dieu. Ainſi eſt il de nos imaginations & diſcours. Ils ont quelque corps, mais
c'eſt vne maſſe informe ſans façon & ſans iour,
ſi la foy & grace de Dieu n'y ſont ioinctes. La
foy venant a teindre & illuſtrer les argumens
de Sebon, elle les rend fermes & ſolides : ils
ſont capables de ſeruir d'acheminement, & de
premiere guyde a vn aprentis, pour le mettre a
la voye de ceſte connoiſſance : ils le façonnent
aucunement & rendent capable de la grace de
Dieu, par le moyen de laquelle ſe parfournit &
ſe perfet apres noſtre creance. Ie ſçay vn homme d'authorité nourry aux lettres, qui m'a con-
feſſé auoir eſté ramené des erreurs de la meſ-
creance par l'entremiſe des argumens de Sebond. Et quand on les deſpouillera de ceſt or-
nemant & du ſecours & approbation de la foy,
& qu'on les prēdra pour tantaſies pures humaines pour en combatre ceux qui ſont precipitez
aux eſpouuantables & horribles tenebres de
l'irreligion, ilz ſe trouueront encores lors auſſi
ſolides & autant fermes, que nuls autres de meſme codition, qu'on leur puiſſe oppoſer. De façon que nous ſerons ſur les termes de dire a noz
parties,

Si melius quid habes accerſe, vel imperium fer.

Qu'ilz ſouffrent la force de noz preuues, ou
qu'ilz nous en facent voir ailleurs, & ſur quelque

que autre ſuiect de mieux tiſſues,& mieux eſto-
fees.Ie me ſuis ſans y penſer a demy deſia engagé dans la ſeconde obiection,a laquelle i'auois
propoſé de reſpondre pour Sebond. Aucuns diſent que ſes argumens ſont foibles & ineptes a
verifier ce qu'il veut , & entreprennent de les
choquer ayſémết.Il faut ſecouer ceux cy vn peu
plus rudemết,car ilz ſont plus dangereux& plus
malitieux que les premiers. Celuy qui eſt d'ailleurs imbu d'vne creance,recoit bien plus ayſement les diſcours qui luy ſeruent , que ne faict
celuy, qui eſt abreuué d'vne opinion contraire,
comme ſont ces gens icy. Ceſte preoccupation
de iugement leur rend le gouſt fade aux raiſons
de Sebond. Au demeurant il leur ſemble qu'on
leur donne beau ieu,de les mettre en liberté de
combatre noſtre religion par les armes pures
humaines,laquelle ilz n'oſeroient ataquer en ſa
maieſté pleine d'authorité & de commandement. Le moyen que ie prens pour rabatre ceſte frenaiſie, & qui me ſemble le plus propre,
c'eſt de froiſſer & fouler aux piedz l'orgueil,
& humaine fierté, leur faire ſentir l'inanité,
la vanité,& deneantiſe de l'homme : leur arracher des points les chetiues armes de leur raiſon,leur faire baiſſer la teſte & mordre la terre
ſoubs l'authorité & reuerance de la maieſté diuine. C'eſt a elle ſeule qu'apartient la ſcience
& la ſapience , elle ſeule qui peut eſtimer de
ſoy quelque choſe, & a qui nous deſrobons ce

que nous nous contons, & ce que nous nous
prisons.

Ου γαρ έα Φρονέειν ὁ θεὸς μέγα ἄλλον ἤ ἑωυτον.

Or c'est cependant beaucoup de consolation
a l'homme Chrestien, de voir nos vtils mortels
& caduques si proprement assortis a nostre foy
saincte & diuine: que lors qu'on les emploie aux
suiects de leur nature mortels & caduques, ils
n'y soient pas appropriez plus vniement ny a-
uec plus de force. Voyons donq si l'homme a
en sa puissance d'autres raisons plus fortes que
celles de Sebond: voire s'il est en luy d'arriuer a
nulle certitude par argument & par discours.
Que nous presche la verité , quand elle nous
presche de fuir la mondaine philosophie: quand
elle nous inculque si souuant, que nostre sagee-
se n'est que folie deuant Dieu : que de toutes
les vanitez la plus vaine c'est l'homme : que
l'homme qui presume de son sçauoir, ne sçait
pas encores que c'est que sçauoir: & que l'homme, qui n'est rien, s'il pense estre quelque chose
se seduit soy mesmes & se trompe? Ces sentences du sainct esprit expriment si clairement & si
viuemant ce que ie veux maintenir, qu'il ne me
faudroit nulle autre preuue contre des gens
qui se rendroient auec toute submission & obeissance a son authorité. Mais ceux cy veulent estre foitez a leurs propres despans, & ne veulent
souffrir qu'on combatte leur raison que par elle

le mesme. Considerons donq pour ceste heure
l'homme seul, sans secours estrangier, armé
seulemant de ses armes, & desgarny de la grace
& cognoissance diuine, qui est tout son honneur, sa force, & le fondemant de son estre.
Voyons combien il a de tenue en ce bel equipage. Qu'il me face entendre par l'effort de son
discours, sur quels fondemens il a basty ces
grandz auantages, qu'il pense auoir sur les autres
creatures. Qui luy a persuadé que ce branle admirable de la voute celeste, la lumiere eternelle de ces flambeaux roulans si fieremant sur sa
teste, les mouuemans espouuantables de ceste
mer infinie soyent establis & se continuent tát
de siecles pour sa commodité & pour son seruice? Est il possible de rien imaginer de si ridicule, que ceste miserable & chetiue creature, qui
n'est pas seulement maistresse de soy, exposée
aux offences de toutes choses, se die maistresse
& emperiere de l'vniuers? duquel il n'est pas
en sa puissance de cognoistre la moindre partie, tant s'en faut de la commander. Et ce priuilege qu'il s'atribue d'estre seul en ce grand ba-
stimât, qui ayt la suffisance d'en recognoistre la
beauté & les pieces, seul qui en puisse rendre
graces a l'architecte, & tenir comte de la recepte & mise du monde, qui luy a scelé ce priuilege? qu'il nous monstre lettres de ceste belle
& grande charge. Mais pauuret qu'a il en soy
digne d'vn tel auantage? A considerer ceste vie

incorruptible des corps celestes, leur beauté,
leur grandeur, leur agitation continuée d'vne si
iuste regle.

Cum suspicimus magni cælestia mundi
Templa super, stellísque micantibus Æthera fi-
xum,
Et venit in mentem, Lunæ solísque viarum.

A considerer la domination & puissance que
ces corps la ont, non seulement sur nos vies &
conditions de nostre fortune,

Facta etenim & vitas hominũ suspendit ab astris:
mais sur nos inclinations mesmes, nos discours,
nos volontez: qu'ilz regissent, poussent & agitent a la mercy de leurs influances, selon que
nostre raison nous l'aprend & le trouue,

Speculatáque longé
Deprendit tacitis dominantia legibus astra,
Et totum alterna mundum ratione moueri,
Fatorúmque vices certis discernere signis:

A voir que non vn homme seul, non vn Roy,
mais les monarchies, les empires & tout ce bas
monde se meut au branle des moindres mouuemans celestes.

Quantáque quã parui faciant discrimina motus:
Tantum est hoc regnũ quod regibus imperat ipsis:
Si nostre vertu, nos vices, nostre suffisance &
science, & ce mesme discours que nous faisons
de la force des astres, & ceste cõparaison d'eux
a nous, elle vient comme iuge nostre raison, par
leur moyen & de leur faueur:

Furit

Furit alter amore,
Et pontum tranare potest & vertere Troiam:
Alterius sors est scribendis legibus apta:
Ecce patrem nati perimunt, natósque parentes
Mutuáque armati coeunt in vulnera fratres:
Non nostrum hoc bellum est: coguntur tanta mo-
uere,
Inque suas ferri pœnas, lacerandáque membra,
Hoc quoque fatale est sic ipsum expendere fatum:

Si nous tenons de la distribution du ciel ceste
part de raison que nous auons, commant nous
pourra elle esgaler a luy? commant soub-met-
tre a nostre science son essence & ses conditiōs?
Tout ce que nous voyons en ces corps la, nous
estonne & nous transit. Pourquoy les priuons
nous & d'ame, & de vie, & de discours? y auons
nous recogneu quelque stupidité immobile &
insensible, nous qui n'auons nul commerce a-
uecque eux que d'obeissance? Sont ce pas des
songes de l'humaine vanité, de faire de la Lune
vne terre celeste? y planter des habitations &
demeures humaines, & y dresser des colonies
pour nostre commodité, comme faict Platon
& Plutarque? & de nostre terre en faire vn a-
stre esclairant & lumineux? La presomption est
nostre maladie naturelle & originelle. La
plus calamiteuse & foible de toutes les creatures c'est l'homme, & quant & quant, dict Pline, la plus orgueilleuse. Elle se sent & se void
logée icy parmy la bourbe & le fient du mon-

de, attachée & clouée a la pire, plus morte &
croupie partie de l'vniuers, au dernier estage du
logis & le plus esloigné de la voute celeste, a-
uec les animaux de la pire condition des trois.
& se va plantant par imagination au dessus du
cercle de la Lune, & ramenant le ciel soubs
ses pieds. C'est par la vanité de ceste mesme
imagination qu'il s'égale a Dieu, qu'il s'atribue
les conditions diuines, qu'il se trie soy mesme
& se separe de la presse des autres creatures, taille les parts aux animaux ses confreres & compaignons, & leur distribue telle portion de facultez & de forces, que bon luy semble. Comment cognoit il par l'effort de son intelligēce,
les branles internes & secrets des animaux? par
quelle comparaison d'eux a nous conclut il la
bestise qu'il leur attribue? Ce mesme defaut
qui empesche la communication d'entre eux &
nous, pourquoy n'est il aussi bien a nous qu'a
eux? C'est a deuiner a qui est la faute de ne nous
entendre point, car nous ne les entendons non
plus qu'eux a nous. Par ceste mesme raison ils
nous peuuent estimer bestes, comme nous les
en estimons. Ce n'est pas grand merueille, si
nous ne les entendons pas, aussi ne faisons
nous les Basques & les Troglodites. Toutes-
fois aucuns se sont vantez de les entendre, comme Apollonius Thyaneus & autres. Il nous
faut remarquer la parité qui est entre nous: nous
auons quelque moienne intelligence de jeurs
ou-

mouuemans & de leurs sens, aussi ont les bestes
des nostres enuiron a mesme mesure. Elles nous
flatent, nous menassent, & nous requierent : &
nous a elles. Au demeurant nous decouurons
bien euidammant que entre elles il y a vne
pleine & entiere communication, & qu'elles
s'entrentendent, non seulement celles de mesme espece, mais aussi d'especes diuerses. En
certain abayer d'vn chien le cheual cognoist
qu'il y a de la menasse & de la colere: de certaine autre sienne vois il ne s'en effraye point. Les
bestes mesmes qui n'ont point de voix, par la
societé d'offices, que nous voyons entre elles,
nous argumentons aisemant qu'elles ont quelque autre moyen de communication. Pourquoy non tout aussi bien que nos muets dispu-
tent, argumentent, & narrent des histoires par
leurs gestes? I'en ay veu de si souples & formez
a cela, qu'a la verité, il ne leur manquoit rien a
la perfection de se sçauoir faire entendre. Les
amoureux se courroussent, se reconcilient, se
prient, se remercient, s'assignent, & disent en
fin toutes choses des yeux.

E'l silentio ancor suole
Hauer prieghi & parole.

Au reste quelle sorte de nostre suffizance ne
reconnoissons nous aux operations des animaux ? est il police reglée auec plus d'ordre,
diuersifiée a plus de charges & d'offices, & plus
constammant entretenue, que celle des mou-

ches a miel ? Ceſte diſpoſition d'actions &
de vacations ſi ordonnée , la pouuons nous
imaginer ſe conduire ſans diſcours & ſans prouidence?

His quidam ſignis atque hæc exempla ſequuti,
Eſſe apibus partem diuinæ mentis, & hauſtus
A Æthereos dixere.

Les arondeles que nouós vois au retour du printemps ſureter tous les coins de nos maiſons,
cerchent elles ſans iugement, & choiſiſſent elles ſans diſcretion de mille places celle qui leur
eſt la plus commode a ſe loger? Et en ceſte belle & admirable contexture de leurs baſtimans
les oyſeaux peuuent ils ſe ſeruir pluſtoſt d'vne
figure quarrée, que de la ronde; d'vn angle ob-
tus, que d'vn angle droit, ſans en ſçauoir les côditions & les effets? Prennĕt ils tantoſt de l'eau
tantoſt de l'argile, ſans iuger que la durté s'amolit en l'humectant? planchent ils de mouſſe leur
palais, ou de duuet, ſans preuoir que les mĕbres
tendres de leurs petits y ſeront plus molemĕt &
plus a l'aiſe? Se couurent ils du vent pluuieux &
plantent leur loge a l'orient, ſans connoiſtre les
conditions differentes de ces vents & conſiderer que l'vn leur eſt plus ſalutaire que l'autre?
Pourquoy eſpeſſit l'araignée ſa toile en vn endroit, & relaſche en vn autre? ſe ſert a cĕte heure
de cĕte ſorte de neud , tantoſt de celle la, ſi elle
n'a & deliberation & penſemant & concluſion?
Nous reconnoiſſons aſſez en la pluſpart de leurs

ouura-

ouurages combien les animaux ont d'excellēce
au deſſus de nous, & combiē noſtre art eſt ſoy-
ble a les imiter. Nous voyōs toutesfois aux noſtres plus groſſiers,les facultez que nous y employons, & que noſtre ame s'y ſert de toutes ſes
forces . Pourquoy n'en eſtimons nous autant
d'eux ? Pourquoy attribuons nous a ie ne ſçay
qu'elle inclination naturelle & ſeruile,les ouurages qui ſurpaſſent tout ce que nous pouuons
par nature & par art? Enquoy ſans y pēſer nous
leur donnōs vn treſ-grand auantage ſur nous,de
faire que nature par vne douceur maternelle
les accompaigne & guide,comme par la main
a toutes les actions & commoditez de leur vie,
& qu'a nous elle nous abandonne au hazard &
a la fortune,& a queſter par art,& par induſtrie
les choſes neceſſaires a noſtre conſeruation, &
nous refuſe quant & quant les moyens de pouuoir arriuer par nulle inſtitution & contention
d'eſprit a la ſuffiſance naturelle des beſtes: de
maniere que leur ſtupidité brutale ſurpaſſe en
toutes commodités tout ce que peut noſtre inuention & nos ars.Vrayment a ce compte nous
ariōs bien raiſon de l'appeller vne treſ-iniuſte
maratre.Mais il n'en eſt riē: noſtre police n'eſt
pas ſi difforme & ſi monſtreuſe. Nature a em-
braſſé vniuerſellement toutes ſes creatures, &
n'en eſt aucune , qu'elle n'ait bien plainement
fourni de tous moyens neceſſaires a la conſer-
uatiō de ſon eſtre. Car ces plainctes vulgaires,
que

que i'oy faire aux hommes (comme la licēce de
leurs opinions les esleue tantost au dessus des
nuées,&puis les rauale aux antipodes)que nous
sommes le seul animal abandonné, nud sur la
terre nue, lié, garroté, n'ayāt dequoy s'armer &
couurir que de la despouille d'autruy:la ou toutes les autres creatures nature les a garnies de
coquilles, de gousses, d'escorses, de poil, de laine, de pointes, de cuir, de bourre, de plume, d'és
caille, de toyson, & de soye, selon le besoin de
leur estre: les a armées de griffes, de dentz, de
cornes pour assaillir & pour defendre, & les a
elle mesmes instruites a ce qui leur est propre, a nager, a courir, a voler, a chanter. La
ou l'homme ne sçait ni cheminer, ni parler, ni
manger, ni rien que pleurer sans aprentissage.
Ces plaintes la sont fauces. Il y a en la police
du monde, vne esgalité plus grande, & vne relation plus vniforme. La foyblesse de nostre
naissance se trouue a peu pres en la naissance des autres creatures. Nostre peau est garnie aussi suffisamment, que la leur de fermeté pour les iniures du téps, tesmoing plusieurs
nations entieres, qui n'ont encores gouté nul
vsage de vestemens. Mais nous le iugeõs mieux
par nous mesmes. Car tous les endroitz de la
personne, qu'il nous plait descouurir au vent &
a l'air se trouuent propres a le souffrir. Le visage, les pieds, les mains, les iambes, les espaules,
la teste, selon que l'vsage nous y conuie. Car
                                              s'il y

s'il y a partie en nous foyble,& qui femble deuoir craindre la froidure , ce deuroit eftre l'e-
ftomac,ou fe fait la digeftió, nos peres le portoient defcouuert, & nos Dames, ainfi molles
& delicates qu'elles font, elles s'en vót tâtoft
entr'ouuertes iufques au nombril. Les liaifons
& emmaillotemés des enfans ne font non plus
neceffaires,tefmoing les meres Lacedemone-
nes,qui efleuoient les leurs en toute liberté de
mouuemés de mébres fans les atacher ne plier:
& plufieurs natiós le font encore.Noftre pleurer eft commun a la plus part des autres animaux,& n'en eft guiere qu'on ne voye fe plaindre & gemir long temps apres leur naiffance:
d'autant que c'eft vne contenance bié fortable
a la foybleffe,enquoy ils fe fentét. Quant a l'v-
fage du manger,il eft en nous, cóme en eux naturel & fans inftruction . Qui fait doute qu'vn
enfant arriué a la force de fe nourrir, ne fceut
quefter fa nourriture? & la terre en produit &
luy en offre affez pour fa neceffité , fans autre
culture & artifice. Et finon en tout temps,auffi
ne fait elle pas aus beftes: tefmoing les proui-
fions, que nous voyons faire aux fourmis & autres,pour les faifons fteriles de l'ânée . Ces natiós,que nous venós de defcouurir fi abondámét
garnies de viande & de breuuage naturel,fans
foing & fans façon , nous viennent d'apprendre que le pain n'eft pas noftre feule nourriture: & que fans labourage, fans aucune noftre
induftrie,

industrie, nostre mere nature nous auoit fournis a planté de tout ce qui nous falloit , voire,
comme il est vray semblable , plus pleinement
& plus richement qu'elle ne faict a present, que
nous y auons meslé nostre artifice.

Et tellus nitidas fruges vinetaque læta
Sponte sua primum mortalibus ipsa creauit,
Ipsa dedit dulces fœtus & pabula læta,
Quæ nunc vix nostro grandescunt aucta labore.
Conterimúsque boues & vires agricolarum,

le débordement & desreglement de nostre appetit deuançant toutes les inuentions, que nous
cherchons de l'assouurir. Quant aux armes, nous
en auons plus de naturelles que la plus part des
autres animaux , plus de diuers mouuemens de
membres, & en tirons plus de seruice naturellement & sans leçon. Ceux qui sont duictz a cō-
batre nudz, on les void se ietter aux hazards pareils aux nostres. Si quelques bestes nous surpas
sent en cet auātage, nous en surpassons plusieurs
autres. Et l'industrie de fortifier le corps & le
couurir par moyens estrangiers, nous l'auōs par
vn instinct & precepte naturel . Qu'il soit ainsi,
l'Elephāt esguise & esmoult ses dents, desquelles il se sert a la guerre (car il en a de particulieres pour cet vsage qu'il espargne & ne les employe aucunement a ses autres seruices) Quand
les Taureaux vont au combat, ils respandent &
iettent la poussiere a l'entour d'eux: les sangliers
affinent leurs deffences: & l'ichneaumon, quand
il doit

il doit venir aux prifes auec le crocodile, munit
fon corps, l'enduit & le croufte tout a l'entour
de limon bien ferré & bien peftry, comme d'vne
cuiraffe. Pourquoy ne dirons nous qu'il eft auffi
naturel de nous armer de bois & de fer? Quand
au parler il eft certain, que s'il n'eft pas naturel,
il n'eft pas neceffaire. Toutes-fois ie croy qu'vn
enfant, qu'on auroit nourri en pleine folitude,
efloigné de tout commerce (qui feroit vn effay
mal ayfé a faire) auroit quelque forte de parolle
pour exprimer fes conceptions: & n'eft pas croyable, que nature nous ayt refufé ce moyé qu'elle a dóné a plufieurs autres animaux. Car qu'eft
ce autre chofe que parler, cefte fuffifance, que
nous leur voyons de fe plaindre, de fe refiouir,
de s'étrapeller au fecours, fe cóuier a l'amour,
comme ils font par l'vfage de leur vois?

Cofi per entroloro fchiera bruna
S'ammufa l'vna con l'altra formica
Forfe a fpiar lor via, & lor fortuna.

Il me femble ǫ lactáce attribue aux beftes, non
le parler feulemét, mais le rire encore. Et la dif
feréce de langage, qui fe voit entre nous, felô la
differéce des cótrées, elle fe treuue auffi aux animaux de mefme efpece. Ariftote allegue a ce
propos le chant diuers des perdris, felon la fi-
tuation des lieux. Mais cela eft a fçauoir quel lá-
gage parleroit ceft enfant. Et ce qui s'en dit
par diuination n'a pas beaucoup d'aparence. Si
on m'alle-

on m'allegue côtre ceste opiniõ, que les sourdz
naturels ne parlēt point: ie respõds que ce n'est
pas seulement pour n'auoir peu receuoir l'in-
structiõ de la parolle par les oreilles: mais plutost pour ce que le sens de l'ouïe, duquel ils sont
priuez, se raporte a celuy du parler, & se tiennent ensemble d'vne cousture naturelle: en façon, que ce que nous parlons, il faut que nous le
parlons premierement a nous, & que nous le
facions sonner au dedans a noz oreilles auant
que de l'enuoyer aux estrangiers. I'ay dit tout
cecy pour maintenir ceste ressemblance, qu'il
y a aux choses humaines, & pour nous ramener
& ioindre au nombre. Nous ne sommes, ni au
dessus, ni au dessoubz du reste, tout ce qui est
sous le Ciel, dit le sage, court vne loy & fortune
pareille. Il y a quelque difference, il y a des ordres & des degrez: mais c'est soubz le visage
d'vne mesme nature. Il faut côtreindre l'hôme
& le renger dans les barrieres de ceste police.
Le miserable n'a garde d'eniamber par effect
au dela. Il est entraué & engagé: il est assuiecty
de pareille obligation que les autres creatures
de son ordre, & d'vne condition fort moyenne,
sans aucune prerogatiue & preexcellēce vraye
& essentiele. Celle qu'il se donne par opinion,
& par fantasie, n'a ni corps, ni goust. Et s'il est
ainsi, que luy seul de tous les animaux ait ceste
liberté de l'imagination, & ce desreglement
de pensées luy representans ce qui est, ce qui
                                              n'est

n'est pas,& ce qu'il veut,le faux & le veritable,
c'est vn aduantage qui luy est bien cher vẽdu,
& dequoy il a bien peu a se glorifier. Car de la
naist la source principale des maux qui le pres-
set,vices, maladies,irresolutiõ, trouble & desespoir. Ie dy donc, pour reuenir a mõ propos,
qu'il n'y a nulle apperence d'estimer, que les
bestes facent par inclination naturelle & forcée les mesines operatiõs,que nous faisons par
nostre chois & industrie . Nous deuons conclurre de pareils effectz pareilles facultez , &
côfesser par consequẽt,que ce mesme discours,
ceste mesme voye, que nous tenons a ouurer,
cest aussi celle des animaux. Pourquoy imagi-
nons nous en eux ceste contreinte naturelle,
nous qui n'en esprouuons nul pareil effect?
Ioint qu'il est plus honorable d'estre acheminé
& obligé a reglément agir par naturelle & ineuitable condition, & plus aprochant de la di-
uinité:que de agir desreglément par liberté temeraire & fortuite,& plus seur de laisser a nature qu'a nous les resnes de nostre conduicte.
La vanité de nostre presumption faict , que
nous aymons mieux deuoir a noz forces , qu'a
sa liberalité , nostre suffisance: & enrichissons
les autres animaux des biens naturels , & les
leur renonçons pour nous honorer & enno-
blir des biens acquis , par vne humeur bien
simple , ce me semble : car ie priseroy bien
autant des graces toutes miennes & naisues,
                                          que

que celles que i'arois esté médier & quest er de
l'apprentissage. Il n'est pas en nostre puissance
d'acquerir vne plus belle recommendation que
d'estre fauorise de Dieu & de nature. Par ainsi
le renard, dequoy se seruent les habitans de la
Thrace, quand ils veulent entreprendre de passer par destus la glace quelque riuiere gelee, &
Je láchent deuant eux pour cest effect, quand
nous le verrions au bord de l'eau aprocher son
oreille bié prez de la glace, pour sentir s'il orra
d'vne longue ou d'vne voisine distance bruyre
l'eau courant au dessoubs, & selon qu'il trouue
par la qu'il y a plus ou moins d'espesseur en la
glace, se reculer ou s'auancer, n'aurions nous
pas raison de iuger qu'il luy passe par la teste ce
mesme discours, qu'il seroit en la nostre: & que
c'est vne raciocination & consequence tirée du
sens naturel? Ce qui fait bruit se remue, ce qui
se remue n'est pas gelé, ce qui n'est pas gelé est
liquide, & ce qui est liquide plie soubz le faix.
Car d'attribuer cela seulement a vne viuacité du
sens de l'ouye, sans discours & sans consequéce,
cela c'est vne chimere, & ne peut entrer en nostre imagination. De mesme faut il estimer de
tant de sortes de ruses & d'inuctions, dequoy les
bestes se couurét des entreprinses, que nous faisons sur elles. Et si nous voulons prendre quelque aduantage de cela mesme qu'il est en nous
de les saisir, de nous en seruir, & d'en vser a nostre volonté, ce n'est que ce mesme aduantage,

que

que nous auons les vns ſur les autres.Nous auós
a ceſte conditió nos eſclaues:& la plus part des
perſonnes libres abandonnent pour bien legieres cómoditez leur vie , & leur eſtre a la puiſſance d'autruy. Les tyrans ont ils iamais failly
de trouuer aſſez d'hommes vouez a leur deuotion: aucuns d'eux adioutans dauantage ceſte
neceſſité de les accompagner a la mort,comme
en la vie . Ceux qui nous ſeruent , ils le font a
meilleur marché, & pour vn traitement moins
curieux beaucoup,& moins fauorable, que celuy que nous faiſós aux oyſeaux, aus cheuaux,&
aux chiens,pour le ſeruice,que nous en tirons.
Et ſi les beſtes ont cela de plus genereux , que
iamais Lyon ne s'aſſeruit a vn autre Lyon,ni vn
cheual a vn autre cheual par faute de cœur.
Comme nous alons a la chaſſe des beſtes, ainſi
vont les Tigres & les Lyons a la chaſſe des hómes:& ont vn pareil exercice leſvnes ſur les autres: les chiens ſur les lieures, les brochetz ſur
les tanches, les arondeles ſur les cigales, les e-
ſperuiers ſur les merles & ſur les alouéttes. Et
comme nous auons vne chaſſe, qui ſe conduiĉt
plus par ſubtilité , que par force , comme celle
de nos lignes & de l'hameçon,il s'en void auſſi
de pareilles entre les beſtes. Ariſtote dit,que
la ſeche iette de ſon col vn boyau long comme
vne ligne,qu'elle eſtand au loing en le láchant
& le retire a ſoy,quád elle veut:a meſure qu'elle aperçoit quelque petit poiſſon s'aprocher,

Ff

elle luy laiſſe mordre le bout de ce boyeau e-
ſtant elle cachée dans le ſable, ou dãs la vaſe, &
petit a petit elle le retire iuſques a ce que ce pe
tit poiſſon ſoit ſi prez d'elle, que d'vn ſaut elle
puiſſe l'atraper. Quant a la force il n'eſt animal
au monde en bute de tant d'offences, que l'hôme : il ne nous faut point vne balaine, vn elephant , & vn crocodile, ni tels autres animaux,
deſquels vn ſeul eſt capable de deffaire vn grãd
nombre d'hommes : les pous ſont ſuffiſans
pour faire vaquer la dictature de Sylla: c'eſt le
deſieuner d'vn petit ver, que le cœur & la vie
d'vn grand & triumphant Empereur. Pourquoy diſons nous, que c'eſt a l'homme ſcience & cônoiſſance baſtie par art & par diſcours,
de diſcerner les choſes vtiles a ſon viure, & au
ſecours de ſes maladies, de celles qui ne le
ſont pas, de connoiſtre la force de la rubarbe
& du polipode. Et quand nous voyons les cheures de Candie , ſi elles ont receu vn coup de
traict aller entre vn million d'herbes choiſir la
dictame pour leur gueriſon: & la tortue quand
elle a mãgé de la vipere, chercher incôtinêt de
l'origanum pour ſe purger, le dragon fourbir &
eſclairer ſes yeux aueecques du fenoil, les cigoi-
nes ſe donner elles meſmes des clyſteres a tout
de l'eau de marine , les elephans arracher non
ſeulement de leur corps & de leurs compagnons , mais des corps auſſi de leurs maiſtres,
teſmoing celuy du Roy Porus qu'Alexandre
deffit,

deffit, les iauelotz & les dardz qu'on leur a iettez au combat , & les arracher ſi dextrement,
qu'ils ne font mal ne douleur quelconque.
Pourquoy ne diſons nous de meſmes, que c'eſt
ſciéce & prudéce? Car d'alleguer pour les deprimer, que c'eſt par la ſeule inſtructió & maiſtriſe de nature , qu'elles le ſçauent, ce n'eſt pas
leur oſter le tiltre de ſciéce & de prudéce: voire c'eſt la leur attribuer a plus forte raiſó que a
nous, pour l'hóneur d'vne ſi certaine maiſtreſſe
d'eſcolle. Chryſippus, bien que en toutes autres
choſes, autant deſdaigneux iuge de la conditió
des animaux, que nul autre philoſophe , conſiderant les mouuements du chien, qui ſe récon-
trant en vn carrefour a trois chemins eſtant a la
ſuyte de ſon maiſtre (lequel il a eſgaré pour s'e-
ſtre endormy, & ne ſ'auoit veu partir du logis) ou a la queſte de quelque proye, qui fuit deuant luy, va eſſayát l'vn chemin apres l'autre, &
apres s'eſtre aſſeuré des deux, & n'y auoir trouué nulle trace de ce qu'il cherche, s'eſlance dans
le troiſieſme ſans marchander: il eſt contraint
de confeſſer , qu'en ce chien la vn tel diſcours
ſe paſſe.   I'ay ſuiuy iuſques a ce carre-four
mon maiſtre a la trace, il faut neceſſairement
qu'il paſſe par l'vn de ces trois chemins : ce
n'eſt ny par ceſtuy-cy, ni par celuylà : il faut
donc infalliblement , qu'il paſſe par ceſt autre : & que s'aſſeurant par ceſte concluſion
& diſcours , il ne ſe ſert plus de ſon ſenti-

ment au troisiesme chemin , ni ne le sonde
plus , ains s'y laisse emporter par la force de la
raison. Ce traict purement dialecticien, & cet
vsage de propositions diuisées & conioinctes,
& de la suffisante enumeration des parties,vaut
il pas autant que le chien l'aye apris de nature
que de Trapezonce ? Si ne sont pas les bestes
incapables d'estre encore instruites a nostre
mode. Les merles, les corbeaux, les pies, les
parroquetz. , nous leur aprenons a parler, &
ceste facilité , que nous reconnoissons a nous
fournir leur voix & haleine si souple& si maniable , pour la former & l'estreindre a certain nombre de lettres & de syllabes , tesmoigne , qu'ils ont vn discours au dedans,
qui les rend ainsi disciplinables & volontaires
a aprendre. Chacun est soul, ce croy-ie,de voir
tant de sortes de cingeries que les bateleurs a-
prennent a leurs chiens: les dances , ou ils ne
faillent vne seule cadence du son qu'ilz oyent,
plusieurs diuers mouuemens & sautz qu'ilz leur
font faire par le commandement de leur parolle . Mais ie remerque auec plus d'admiration cest effect,qui est toutes-fois assez vulgaire,des chiens,dequoy se seruent les aueugles,&
aux champs & villes. Ie me suis pris garde com
me ils s'arrestét a certaines portes, d'ou ils ont
accoustumé de tirer l'aumosne,comme ils eui-
tent le choc des coches & des charretes , lors
mesme q̃ pour leur regard ils ont assés de place

ce & de commodité pour leur paſſage . I'en ay
veu le long d'vn foſſé de ville laiſſer vn ſentier
plain & vni, & en prendre vn autre plus incommode pour eſloigner ſon maiſtre du foſſé. Cō-
mant pouuoit on auoir faiɔt cōceuoir a ce chiē,
que c'eſtoit ſa charge de regarder ſeulement a
la ſeurté de ſon maiſtre , & meſpriſer ſes propres commodités pour le ſeruir: & comment a-
uoit il la cognoiſſance que tel chemin luy eſtoit
bien aſſez large , qui ne le ſeroit pas pour vn
aueugle ? Tout cela ſe peut il comprendre ſans
ratiocination & ſans diſcours? Il ne faut pas oublier ce que Plutarque dit auoir veu a Rome
d'vn chien , auec l'Empereur Vaſpaſian le pere au Theatre de Marcellus. Ce chien ſeruoit
a vn bâteleur qui iouoit vne fiɔtion a pluſieurs
mines, & a pluſieurs perſonnages, & y auoit ſon
rolle : il falloit entre autres choſes qu'il contrefit pour vn temps le mort pour auoir mangé de certaine drogue . Apres auoir aualé le
pain qu'on feignoit eſtre ceſte drogue, il commença tantoſt a trembler & branler, comme
s'il eut eſté eſtourdi. Finalement s'eſtandant &
ſe roidiſſant, cōme s'il eut eſté mort, il ſe laiſſa tirer & traiſner d'vn lieu a autre , ainſi que
portoit le ſubieɔt du ieu, & puis quand il con-
gneut qu'il eſtoit temps, il commença premierement a ſe remuer tout bellement, comme s'il
ſe fut reuenu d'vn profond ſommeil, & leuant
la teſte regarda ça & la d'vne façon qui eſton-

noit tous les aſſiſtans. Les bœufs qui ſeruoient
aus iardins Royaus de Suſe pour les arrouſer
& tourner certaines grandes roues a puiſer de
l'eau, auſquelles il y a des baquets attachez(cōme il s'en voit pluſieurs en Lāguedoc) on leur
auoit ordonné d'en tirer par iour iuſques a cent
tours chacun, ils eſtoient ſi accouſtumez a ce
nombre, qu'il eſtoit impoſſible par nulle force
de leur en faire tirer vn tour dauantage, & a-
yant faiēt leur tâche ils s'arreſtoiēt tout court.
Nous ſommes en l'adoleſcence auant que nous
ſachions conter iuſques a cent: & venōs de deſcouurir des nations entieres qui n'ont nulle cō-
noiſſance des nombres. Il y a encore plus de
diſcours a inſtruire autruy qu'a eſtre inſtruit.
Or laiſſant a part ce que Democritus iugeoit
& prouuoit, Que la plus part des arts les beſtes nous les ont apriſes: comme l'araignée a
tiſtre & a coudre, l'arondelle a baſtir, le cigne
& le roſſignol la muſique, & pluſieurs animaux
par leur imitation a faire la medecine. Ariſtote tient que les roſſignolz aprennent leurs petitz a chanter & y employent du temps & du
ſoing. D'ou il aduient que les petitz que nous
nourriſſons en cage, qui n'ont point eu loiſir
d'aller a l'eſcolle ſoubs leurs parens, perdent
beaucoup de la grace de leur chant. Aux ſpectacles de Rome, il ſe voyoit ordinairement
des Elephans dreſſez a ſe mouuoir & dancer au
ſon de la voix des dances a pluſieurs entrelaſ-
ſeures

ſeures,coupeures & diuerſes cadances tres-dif-
ficiles a aprendre . Il s'en eſt veu , qui en leur
priué rememoroient leur leçon & s'exerçoiét
par ſoing & par eſtude pour n'eſtre tancez &
batus de leurs maiſtres.Mais ceſt'autre hiſtoire
de la pie,de laquelle nous auós Plutarque meſme pour reſpódát,eſt eſtráge. Elle eſtoit en la
boutique d'vn barbier a Rome & faiſoit merueilles de côtre-faire auec la vois tout ce qu'elle oyoit. Vn iour il aduint que certaines trompetes s'arreſtarent a ſonner long temps deuant
ceſte boutique : deſpuis cela tout le lendemain
voila ceſte pie penſiue,muete & melancolique,
dequoy tout le móde eſtoit eſmerueillé, & pé-
ſoit on que le ſó des trópetes l'eut ainſi eſtour-
die & eſtonnée, & qu'auec l'ouye la vois ſe fut
quant & quant eſteinte . Mais on trouua en fin
que c'eſtoit vne eſtude protóde & vne retraicte
en ſoy-meſmes:ſó eſprit s'exercitát & preparát
ſa voix a repreſenter le ſon de ces trópetes : de
maniere que ſa premiere vois ce fut celle la de
repreſenter perfectement leurs reprinſes,leurs
poſes & leurs nuáces,ayant quicté par ce nouuel aprentiſſage & pris a deſdein tout ce qu'elle ſçauoit dire au parauát.Ie ne veus pas obmettre a alleguer auſſi cet autre exemple d'vn chié,
que ce meſme Plutarque dit auoir veu(car quád
a l'ordre ie ſens bien que ie le trouble, mais ie
n'en obſerue non plus a renger ces exemples,
qu'au reſte de toute ma beſongne)luy eſtát dás

Ff 4

vn nauire, ce chien estant en peine pour auoir
l'huyle qui estoit dans le fons d'vne cruche, &
n'y pouuant arriuer de la langue, pour l'estroite
emboucheure du vaisseau, il vid qu'il alla querir des caillous qui estoient dãs la nauire & en
mit dans ceste cruche iusques a ce qu'il eut fait
hausser l'huile plus pres du bord, ou il le peut
atteindre . Cela qu'est-ce, si ce n'est l'effect
d'vn esprit bien subtil ? on dit que les corbeaux
de barbarie en font de mesme, quãd l'eau qu'ils
veulent boire est trop basse . Ceste action est
aucunement voisine de ce que recitoit des Elephans vn Roy de leur nation Iuba , que quand
par la finesse de ceux qui les chassent, l'vn d'être
eux se trouue pris dans certaines fosses profon-
des (qu'on leur prepare & les recouure l'on de
menues brossailles pour les tromper) ses compaignons y apportent en diligence force pierres, & pieces de bois, affin que cela l'ayde a
s'en mettre hors. Mais cest animal raporte en
tant d'autres effects a l'humaine suffisance , que
si ie vouloy suiure par le menu ce que l'experiēce en a apris , ie gaignerois aysément ce que ie
maintiens ordinairemēt, qu'il se trouue plus de
difference de tel hõme a tel homme, que de tel
animal a tel hõme. Le gouuerneur d'vn elephãt
en vne maison priuée de Syrie desroboit tous
les repas la moitié de la pésion qu'on luy auoit
ordónée. Vn iour le maistre voulut luy mesme
le péser & versa dans la manioire la iuste mesure
d'orge

d'orge, qu'il luy auoit preſcrite, pour ſa nourriture : l'elephant regardant de mauuais œuil ce
gouuerneur, ſepara auec la trompe & en mit a
part la moitié, declarant par la le tort qu'on luy
faiſoit. Et vn autre ayant vn gouuerneur qui
meſloit dans ſa mangeaille des pierres pour en
croiſtre la meſure, s'aprocha du pot ou il faiſoit
cuyre ſa chair pour ſon diſner & le luy remplit
de cẽdre. Cela ce ſont des effaictz particuliers:
mais ce que tout le monde a veu, & que tout le
monde ſçait, qu'en toutes les armées qui ſe conduiſoient du pays de leuant, l'vne des plus grãdes forces conſiſtoit aux elephás qu'on y meſloit, deſquelz on tiroit des effectz ſans comparaiſon plus grandz que nous ne faiſons a preſent de noſtre artillerie, qui tiẽt leur place (cela
eſt aiſé a iuger a ceux qui connoiſſent les hiſtoires anciennes). Il falloit bien qu'on ſe reſpondit a bon eſcient de la creance de ces beſtes &
de leur diſcours, de leur abandonner la teſte
d'vne bataille, la ou le moindre arreſt qu'elles
euſſent ſceu faire, pour la grandeur& peſanteur
de leur corps, le moindre effroy qui leur euſt
fait tourner la teſte ſur leurs gens, eſtoit ſuffiſant
pour tout perdre. Et a peine s'eſt il veu deux ou
trois exemples, ou cela ſoit aduenu qu'ilz ſe re-
iettaſſent ſur leurs troupes, ce qui aduient ordinairement a nous meſmes. On leur donnoit
charge nõ d'vn mouuemant ſimple, mais de pluſieurs diuerſes parties au cõbat. Nous admirõs

Ff 5

& poisons mieux les choses estrangieres que
les ordinaires : & sans cela ie ne me susse pas a-
musé a ce long registre: car selon mon opiniõ,
qui côtrerollera de prez ce que nous voyõs ordinairemēt des animaux, qui viuēt parmy nous,
il y a dequoy y remarquer des operations autant admirables, que celles qu'on va recueillant
és païs estrangiers. Nous viuons & eux & nous
sous mesme tect & humons vn mesme air:il y a,
sauf le plus & le moins , entre nous vne perpetuelle ressemblance.I'ay veu autres-fois parmy
nous des hommes amenez par mer de lointain
païs, desquels par ce que nous n'entendions aucunement le langage , & que leur façon au demeurant & leur contenance & leurs vestemens
estoient du tout esloignez des nostres , qui de
nous ne les estimoit & sauuages & barbares?
qui n'atribuoit a stupidité & a bestise, de les voir
muets,ignorants la langue Françoise, ignorans
nos baisemains, & nos inclinations serpentées,
nostre port & nostre maintien , sur lequel sans
faillir doit prendre son patron la nature humaine?Tout ce qui nous semble estrange,nous
le condamnons , & ce que nous n'entendons
pas , comme il nous aduient au iugement que
nous faisons des bestes.Elles ont plusieurs conditions, qui se raportent aux nostres. De celles la par comparaison nous pouuõs tirer quelque coniecture.Mais de ce qui est en elles particulier,nous n'en sçauons rien.Les cheuaux,les
chiens,

chiens, les bœufz, les brebis, les oyseaux & la
plus part des animaux, qui viuent auec nous reconnoissent nostre vois,& se laissent conduire
par elle:si faisoit bien encore la murene de Crassus,& venoit a luy quand il l'apelloit : & le font
aussi les anguilles,qui se trouuent en la fontaine
d'Arethuse & d'autres poissons,

N omen habent ,& ad magistri
V enit quisque sui vocem citatus.

Nous pouuons iuger de cela.Nous pouuons aussi dire, que les elephans ont quelque participation de religion , d'autant qu'apres plusieurs
ablutions & purifications , on les void haussant
leur trompe comme des bras, & tenant les yeux
fichés vers le soleil leuant, se planter long têps
en meditation & contemplation,a certaines
heures du iour,de leur propre inclination,sans
instruction & sans precepte. Mais pour ne voir
nulle telle apparence ez autres animaux,nous
ne pouuons pourtant establir qu'ilz soient sans
religion , & ne pouuons prendre en nulle part
ce qui nous est caché. Comme nous voyons
quelque chose en ceste action que le philosophe Cleantes remerqua , par ce qu'elle retire
aux nostres. Il vid, dit-il, des fourmis partir de
leur fourmiliere portans le corps d'vn fourmis
mort vers vne autre fourmilliere, de laquelle
plusieurs autres fourmis leur vindrent au deuât,
côme pour parler a eux, & apres auoir esté ensemble quelque piece, ceux cy s'en retournerét
pour

pour consulter, pésez auec leurs concitoiens, & firent ainsi deux ou trois voyages pour la difficulté de la capitulation : en fin ces derniers venus apporterent aux premiers vn ver de leur taniere comme pour la rançon du mort, lequel ver les premiers chargerent sur leur dos & emporterent chez eux , laissant aux autres le corps du trespassé. Voila l'interpretation que Cleanthes y donna : tesmoignant par la (encore qu'a son iugement les bestes soient incapables de raison) que celles qui n'ont point de voix, ne laissent pas d'auoir pratique & cõmunication mutuelle, de laquelle c'est nostre faute que nous ne soyons participás, & ne pouuons a ceste cause iuger de leurs operations. Or elles en produisent encores d'autres, qui surpassent de bien loin nostre capacité. Ausquelles il s'en faut tant que nous puissiós arriuer par imitation, que par imagination mesme nous ne les pouuons conceuoir. Plusieurs tiennent qu'en ceste grande & derniere bataille nauale qu'Antonius perdit contre Auguste , sa galere capitenesse fut arrestée au milieu de sa course par ce petit poisson, que les Latins nomment *remora* , a cause de ceste sienne propriété d'arrester toutes sortes de vaisseaux , ausquels il s'atache. Et l'Empereur Calligula vogât auec vne grande flote en la coste de la Romanie sa seule galere fut arrestée tout court par ce mesme poisson, lequel il fist prendre ataché comme il estoit au bas de son
vais-

vaiſſeau, tout deſpit dequoy vn ſi petit animal
pouuoit forcer & la mer & les vents, & la violence de tous ſes auirons, pour eſtre ſeulement
ataché par le bec a ſa galere (car c'eſt vn poiſſon
a coquille) & s'eſtonna encore, non ſans grande
raiſon, de ce que luy eſtant apporté dans le bateau il n'auoit plus ceſte force, qu'il auoit au dehors. Vn citoyen de Cyzique acquiſt iadis vne
reputation de bon mathematicien, pour auoir
apris de la condition de l'heriſſon, qu'il a ſa taniere ouuerte a diuers endroitz & a diuers vētz,
& preuoyāt le vēt aduenir il va boucher le trou
du coſté de ce vent la:ce que remerquant ce
citoien venoit touſiours apporter en ſa ville
certaines predictions du vent qui auoit a tirer.
Le cameleon prend la couleur du lieu, ou il eſt
aſſis: mais le poulpe ſe dōne luy meſme la couleur qu'il luy plaiſt, ſelon les occaſions pour ſe
cacher de ce qu'il creint, & attraper ce qu'il
cerche. Au cameleon c'eſt changement de paſſion: mais au poulpe c'eſt changement d'actiō.
Nous auons quelques mutations de couleur a
la fraieur, la colere, la honte & autres paſſions
qui alterent le teind de noſtre viſage, mais c'eſt
par l'effet de la ſouſtrance, comme au cameleon. Il eſt bien en la iauniſſe de nous faire iau-
nir: mais il n'eſt pas en la diſpoſition de noſtre
volonté. Or ces effets que nous reconnoiſſons
aux autres animaux plus grandz que les noſtres,
teſmoignēt y auoir en eux quelque faculté plus
excel-

excellente, qui nous est occulte, comme il est
vray semblable que sont plusieurs autres de leur
conditions & puissances. De toutes les predictions du temps passé les plus anciennes & plus
certaines estoient celles, qui se tiroient du vol
des oyseaux. Qu'auons nous en nous de pareil &
de si admirable? Ceste regle, cest ordre du brâ-
ler de leur aile, par lequel on tire des consequences des choses a venir, il faut bien qu'il soit
conduict par quelque excellent ressort a vne si
noble operatiõ. Car c'est prester a la lettre d'a-
ler atribuant ce grand effect a quelque ordonnance naturelle sans l'intelligence, consentemét
& discours de qui le produit: & est vne opinion
euidamment fause. Et qu'il soit ainsi, la torpille
a ceste condition non seulement d'endormir les
membres, qui la touchent, mais au trauers des
filetz & de la scene elle transmet vne pesanteur
endormie aux mains de ceux qui la remuent &
manient. voire dit on dauantage que si on verse
de l'eau dessus, on sent ceste passion qui gaigne
contremont iusques a la main, & endort l'atouchement au trauers de l'eau. Ceste force est
merueilleuse: mais elle n'est pas inutile a la torpille: elle la sent & s'ĕ sert, de maniere que pour
atraper la proye qu'elle queste, on la void se tapir soubz le limon, afin que les autres poissons
coulans par dessus, frapez & endormis de ceste
sienne froideur tombent en sa puissance. Les
grues, les arondeles & autres oyseaux passagiers
chan-

changeans de demeure selon les saisons de l'an,
monstrent assez la cognoissance qu'elles ont de
leur faculté diuinatrice, & la mettent en vsage.
Les chasseurs nous asseurent que pour choisir
d'vn nombre de petitz chiens, celluy qu'on a à
conseruer pour le meilleur, il ne faut que mettre la mere au propre de le choisir elle mesme,
comme si on les emporte hors de leur giste, le
premier qu'elle y raportera sera tousiours le
meilleur: ou bien si on faict semblant d'entour-
ner de feu leur giste de toutes parts, celuy des
petits, au secours duquel elle courra premierement. Par ou il apert qu'elles ont vn vsage de
prognostique que nous n'auons pas: ou qu'elles
ont quelque vertu a iuger de leurs petitz, autre
& plus viue que la nostre. Car a nos enfans il
est certain que bien auant en laage nous n'y dé-
couurons rien sauf la forme corporelle, par ou
nous en puissions faire triage. La maniere de
naistre, d'engendrer, nourrir, agir, mouuoir, viure & mourir des bestes, estant si voisine de la
nostre, tout ce que nous retranchons de leurs
causes motrices, & que nous adioustons a nostre
condition au dessus de la leur, cela ne peut aucunement partir du discours de nostre raison.
Pour reglement de nostre santé les medecins
nous proposent l'exemple du viure des bestes &
leur façon. Car ce mot est de tout temps en la
bouche du peuple.

Tenez chautz les pieds & la teste,

Au

Au demeurant viuez en beste.

La generation est la principale des actions naturelles. Nous auons quelque disposition de
membres, qui nous est plus propre a cela : toutesfois ilz nous ordonnent de nous ráger a l'assiete & disposition brutale, comme plus effe-
ctuelle & plus naturelle.

more ferarum:
Quadrupedumque magis ritu, plerumqĕ pu-
tantur
Concipere vxores:quia sic loca sumere possunt
Pectoribus positis sublatis semina lumbis.

Et reiettent comme nuisibles ces monuemans
indiscrets & insolás, que les femmes y ont mes-
lé de leur creu, les ramenant a l'exemple & vsa-
ge des bestes de leur sexe plus modeste & rassis.
Nã mulier prohibet se concipere atque repugnat,
Clunibus ipsa viri venerem si lata retractet
Atque exossato ciet omni pectore fluctus.
Eiicit enim sulci recta regione viáque
Vomerem, atque locis auertit seminis ictum.

Si c'est iustice de rendre a chacun ce qui luy est
deu, les bestes qui seruent, ayment & defandent
leurs bien-facteurs, & qui poursuyuent & ou-
tragent les estrangiers & ceux qui les offencét,
elles representent en cela quelque air de nostre
iustice, comme aussi en conseruant vne equalité
tres-equitable en la dispensation de leurs biens
a leurs petits. Quant a l'amitié elles l'ont sans
comparaison plus viue & plus constante, que
n'ont

n'ont pas les hômes. Hircanus le chien du Roy
Lyſimachus, ſon maiſtre mort, demeura obſti-
né ſus ſon lict ſans vouloir boire ne manger : &
le iour qu'on en bruſla le corps, il print ſa courſe & ſe ietta dans le feu, ou il fut bruſlé. Comme fiſt auſſi le chien d'vn nommé Pyrrhus, car
il ne bougea de deſſus le lict de ſon maiſtre, dépuis qu'il fuſt mort : & quand on l'emporta il ſe
laiſſa enleuer quant & luy, & finalement ſe lâ-
ça dans le buſchier ou on bruſloit le corps de
ſon maiſtre. Il y a certaines inclinations d'affection, qui naiſſent quelquefois en nous ſans le
conſeil de la raiſon, qui viennent d'vne temerité fortuite, que d'autres nomment ſympathie :
les beſtes en ſont capables comme nous. Nous
voyons les cheuaux prendre certeine acointance des vns aux autres, iuſques a nous mettre en
peine pour les faire viure ou voyager ſepare-
ment : on les void appliquer leur affection a certain poil de leurs compaignons, comme a certain viſage : & ou ilz le rencontrent s'y ioindre
incontinent auec feſte & demôſtration de biẽ-
veuillance, & prendre quelque autre forme a
contrecœur & en haine. Les animaux ont chois
comme nous, en leurs amours, & font quelque
triage de leurs femeles. Ils ne ſont pas exemptz
de nos ialouſies & d'enuies extremes & irrecõ-
ciliables. Les cupiditez ſont ou naturelles ou
neceſſaires, comme le boire & le manger, ou
naturelles & non neceſſaires, comme l'accoin-

Gg

tance des femelles: ou elles ne sont ny naturelles ny necessaires. De ceste derniere sorte sont
quasi toutes celles des hommes . elles sont toutes superflues & artificielles. Car c'est merueille combien peu il faut a nature pour se contéter, combien peu elle nous a laissé a desirer. Les
aprests de nos cuisines ne touchent pas son ordonnance. Les Stoiciens disent qu'vn homme
auroit dequoy se substéter d'vne oliue par iour.
La delicatesse de nos vins n'est pas de sa leçon,
ny la recharge que nous adioutons aux appetitz
amoureux.

neque illa
Magno prognatum deposcit consule cunnum.

Ces cupiditez estrangieres, que l'ignorance du
bien & vne fauce opinion ont coulées en nous,
elles sont en si grand nombre, qu'elles chassent
presque toutes les naturelles, ny plus ny moins
que si en vne cité il y auoit si grād nombre d'e-
strangiers , qu'ilz en missent hors les naturels
habitās, ou esteignissent leur authorité & puissance ancienne l'vsurpant entierement & s'en
saisissant. Les animaux sont a la verité beaucoup
plus reglez que nous ne sommes, & se contien-
nent auec plus de moderation soubs les limites
que nature nous a prescriptz: mais nō pas si exactement qu'ilz n'ayent encore quelque conuenance a nostre desbauche. Et tout ainsi comme il s'est trouué des desirs furieux , qui ont
poussé les hommes a l'amour des bestes, elles se
trou-

trouuēt auſſi par fois eſpriſes de noſtre amour,
& reçoiuent des affections monſtrueuſes d'vne
eſpece a autre : teſmoin l'elephant corriual d'A-
riſtophanes le grammairien en l'amour d'vne
ieune bouquetiere en la ville d'Alexandrie, qui
ne luy cedoit en rien aux offices d'vn pourſui-
uant bien paſſionné. Car ſe promenant par le
marché, ou lon vendoit des fruiȼtz, il en prenoit auec ſa trompe & les luy portoit. Il ne la
perdoit de veuë que le moins qu'il luy eſtoit
poſſible, & luy mettoit quelquefois la trompe
dans le ſein par deſſoubz ſon colet & luy taſtoit
les tetins. Itz recitent auſſi d'vn dragon amoureux d'vne fille, & d'vne oye eſpriſe de l'amour
d'vn enfant en la ville d'Aſope, & d'vn belier
ſeruiteur de la meneſtriere Glaucia. Et il ſe
void tous les iours des magotz furieuſemēt eſpris de l'amour des femmes. On void auſſi certains animaux s'adóner a l'amour des maſles de
leur ſexe. Oppianus & autres recitent quelques
exemples, pour monſtrer la reuerance que les
beſtes en leurs mariages portent a la parenté.
Mais l'experiance nous faiȼt bien ſouuent voir
le contraire :

Nec habetur turpe iuuenca
Ferre patrem tergo : fit equo ſua filia coniux :
Quáſque creauit init pecudes caper : ipſáque cuius
Semine concepta eſt, ex illo concipit ales.

De ſubtilité maliȼieuſe, en eſt il vne plus ex-
preſſe que celle du mulet du philoſophe Thales?

lequel paſſant au trauers d'vne riuiere chargé
de ſel, & de fortune y eſtant bronché, ſi que les
ſacs qu'il portoit en furent tous mouillez, s'e-
ſtant aperceu que le ſel s'eſtant fondu, par ce
moyen luy auoit rendu ſa charge plus legiere,
ne failloit iamais auſſi toſt qu'il rencontroit
quelque ruiſſeau de ſe plonger dedans auec ſa
charge, iuſques a ce que ſon maiſtre deſcouurât
ſa malice ordonna qu'on le chargeaſt de laine,
a quoy ſe trouuant meſcôté il ceſſa de plus vſer
de ceſte fineſſe. Il y en a pluſieurs qui repreſentent naifuement le viſage de noſtre auarice: car
on leur void vn ſoin extreme de ſurprendre
tout ce qu'elles peuuent & de le curieuſement
cacher, quoyqu'elles n'en tirent nul vſage. Quât
a la meſnagerie, elles nous ſurpaſſent non ſeulement en ceſte preuoyance d'amaſſer & eſpar-
gner pour le temps a venir, mais elles ont encore beaucoup de parties de la ſcience, qui y eſt
neceſſaire. Les fromis eſtandent au dehors de
l'aire leurs grains & ſeméces pour les eſuenter,
refreſchir & ſecher, quand ils voient qu'ils cô-
mencent a ſe moiſir & a ſentir le rance, de
peur qu'ilz ne ſe corrompent & pourriſſent.
Mais la caution & preuention, dont ils vſent
a ronger le grain de fromét, ſurpaſſe toute imagination de prudence humaine : par ce que le
froment ne demeure pas touſiours ſec ny ſain,
ains s'amolit, ſe reſout & deſtrempe comme en
laiàt s'acheminant a germer & produire. Parquoy

quoy de peur qu'il ne deuienne semance, & perde sa nature & proprieté de munition pour
leur nourriture , ilz rongent le bout, par ou le
germe a acoustumé de sortir. Quant a la guerre , qui est la plus grande & pompeuse des a-
ctions humaines , ie sçaurois volontiers, si nous
nous en voulons seruir pour argument de quelque prerogatiue, ou au rebours pour tesmoignage de nostre imbecillité & imperfection(comme de vray la science de nous entre-deffaire &
entretuer, de ruiner & perdre nostre propre espece, il semble qu'elle n'a pas beaucoup dequoy
se faire desirer aux bestes qui ne l'ont pas)mais
elles n'en sont pas vniuersellement exemptes:
tesmoin les furieuses rencontres des mouches
a miel, & les entreprinses des princes des deux
armées contraires.

Sæpe duobus
Regibus incessit magno discordia motu.
Continuóque animos vulgi & trepidantia bello
Corda licet longe præsciscere.

Ie ne voy iamais ceste diuine description qu'il
ne m'y semble lire peinte l'ineptie & vanité
humaine. Car ces mouuemens guerriers , qui
nous rauissent de leur horreur & espouuente-
ment,ceste tempeste de sons & de cris,ceste effroyable ordonnance de tant de milliers d'hômes armez,tant de fureur,d'ardeur & de courage, il est plaisant a considerer par combien vai-

nes occasions elle est agitée , & par combien
legieres occasions esteinte.

Paridis propter narratur amorem
Gracia Barbaria diro collisa duello.

Toute l'Asie se perdit & se consomma en guerres pour le maquerelage de Paris. L'enuie d'vn
seul homme, vn despit, vn plaisir, vne ialousie
domestique, causes qui ne deuroient pas esmouuoir deux harangeres a s'esgratigner, c'est l'a-
me & le mouuement de tout ce grand trouble.
Voulons nous en croire ceux mesme, qui en
sont les principaux autheurs & motifs? oyons le
plus grand, le plus victorieux Empereur & le
plus puissant, qui fust onques, se iouant & me-
tant en risée tresplaisamment & tres-ingenieu-
sement plusieurs batailles hazardées & par mer
& par terre, le sang & la vie de cinq cens mille
hommes qui suiuirent sa fortune, & les forces
& richesses des deux parties du mōde espuisées
pour le seruice de ses entreprinses,

Quod futuit Glaphyram Antonius, hanc mihi
poenam
Fuluia constituit, se quoque vti futuam.
Fuluiam ego vt futuam? quid si me Manius ores
Pedicem, faciam? non puto, si sapiam.
Aut futue, aut pugnemus ait. quid si mihi vita
Charior est ipsa mentula? signa canant.

(I'vse en liberté de conscience de mon Latin
auecq le cōgé, que vous m'en auez dōne) Or ce
grand corps a tant de visages & de mouuemās,
qui

qu'il femble menaffer le ciel & la terre :ce furieux monftre a tant de bras & a tant de teftes,
c'eft toufiours l'homme foyble, calamiteux, &
miferable. Ce n'eft qu'vne formilliere efmeuë
& efchaufée.

It nigrum campis agmen.

Vn foufle de vent contraire , le croaffement
d'vn vol de corbeaux,le faux pas d'vn cheual, le
paffage fortuite d'vne aigle,vn fonge,vne voix,
vn figne , vne brouée matiniere fuffifent a le
renuerfer & porter par terre. Donnez luy feu-
lemēt d'vn rayon de Soleil par le vifage,le voyla fondu & efuanouy : qu'on luy efuante feule-
mant vn peu de poufliere aux yeux, comme aux
mouches a miel de noftre poëte, voyla toutes
nos enfeignes,nos legions, & le grand Pompeius mefmes a leur tefte, rompu & fracaffé. Car
ce fut luy,ce me femble,que Sertorius battit en
Efpaigne a tout ces belles armes.

Hi motus animorum atque hæc certamina tanta
Pulueris exigui iactu compreffa quiefcent.

Les ames des Empereurs & des fauatiers font
iettées a mefme moule.Confiderant l'importā-
ce des actions des princes & leur pois , nous
nous perfuadons qu'elles foient produites , par
quelques caufes auffi poifantes & importantes.
Nous nous trompons : ils font poufiez & retirez en leurs mouuemās,par les mefmes reffors,
que nous fommes aux noftres.La mefme raifon
qui nous faict tanfer auec vn voifin,dreffe entre

les Princes vne guerre : la mesme raison, qui
nous faict forter vn lacquay, tumbât en vn Roy,
luy fait ruiner vne nation entiere. Pareils appetits agitent vn ciron & vn elephant. Quant a
la sidelité, il n'est animal au monde traistre au
pris de l'homme : nos histoires racontent la
poursuite que certains chiens ont faict de la
mort de leurs maistres. Le Roy Pyrrhus ayant
rencontré vn chien qui gardoit vn homme
mort, & ayant entendu qu'il y auoit trois iours
qu'il faisoit cest office, commanda qu'on en-
terrast ce corps & mena ce chien quant & luy.
Vn iour qu'il assistoit aux monstres generales
de son armée, ce chien apperceuant les meurtriers de son maistre leur courut sus auec grands
aboys & aspreté de courroux, & par ce premier
indice achemina la vengeance de ce meurtre,
qui en fut faicte bien tost aprez par la voye de
la iustice. Autant en fist le chien du sage He-
siode ayant conuaincu les enfans de Ganistor
Naupactien, du meurtre commis en la personne de son maistre. Vn autre chien estant a la
garde d'vn temple à Athenes, ayant aperceu vn
larron sacrilege qui en emportoit les plus beaux ioyaux, se mit a abayer contre luy tant qu'il
peut : mais les marguilliers ne s'estant point es-
ueillez pour cela, il se mist a le suiure, & le iour
estant venu se tint vn peu plus esloigné de luy,
sans le perdre iamais de veuë. S'il luy offroit a
manger il n'en vouloit pas, & aux autres passans
qu'il

qu'il rencontroit en son chemin, il leur faisoit
feste de la queuë : & prenoit de leurs mains ce
qu'ilz luy donnoient a manger. Si son larron
s'arrestoit pour dormir, il s'arrestoit quant &
quant au lieu mesmes. La nouuelle de ce chien
estant venue aux marguilliers de ceste Eglise,
ils se mirent a le suiure a la trace, s'enquerans
des nouuelles du poil de ce chien, & en fin le
rencontrerent en la ville de Cromyion, & le
larron aussi, qu'ilz ramenerent en la ville d'A-
thenes, ou il fut puny. Et les iuges en recōnois-
sance de ce bon office, ordonnerent du publiq
certaine mesure de bled pour nourrir le chien,
& aux prestres d'en auoir soing. Plutarque tesmoigne ceste histoire, comme chose tres-aue-
rée & aduenue en son siecle. Quant a la gratitude (car il me semble que nous auons besoing
de mettre ce mot en vsage) ce seul exemple y
suffira, que Apion recite comme en ayant esté
luy mesme spectateur. Vn iour, dit-il, qu'on
donnoit a Rome au peuple le plaisir du combat
de plusieurs bestes estranges, & principalemēt
de Lyons de grandeur inusitée, il y en auoit vn
entre autres qui par son port furieux, par la force & grosseur de ses mébres, & vn rugissement
hautain & espouuantable attiroit a soy la veuë
de toute l'assistance. Entre les autres esclaues,
qui furent presentez au peuple en ce cōbat des
bestes sut vn Androdus de Dace, qui estoit a vn
seigneur Romain, de qualité consulaire. Ce

Gg 5

lyon l'ayãt apperceu de loing, s'arresta premierement tout court, cõme estant entré en admiration, & puis s'aprocha tout doucement d'vne
façon molle & paisible, comme pour entrer en
reconnoissance auec luy. Cela faict & s'estant
asseuré de ce qu'il cherchoit, il cõmença a battre de la queuë a la mode des chiens qui fla-
tẽt leur maistre, & a baiser, & lescher les mains
& les cuisses de ce pauure miserable, tout transi
d'effroy, & hors de soy. Androdus ayant repris
ses espritz par la courtoisie de ce lyon & ras-
seuré sa veuë pour le considerer & recõnoistre:
c'estoit vn singulier plaisir de voir les caresses,
& les festes qu'ils s'entrefaisoyent l'vn a l'autre. Dequoy le peuple ayant esleué des cris de
ioye, l'Empereur fit appeller cest esclaue, pour
entendre de luy le moyen d'vn si estrange euenement. Il luy recita vne histoire nouuelle &
admirable, Mon maistre, dict-il, estãt procon-
sul en Aphrique, ie fus contraint par la cruauté & rigueur qu'il me tenoit, me faisãt iournel-
lement battre, me desrober de luy, & m'ẽ fuïr.
Et pour me cacher seurement d'vn personnage
ayant si grãde authorité en la prouince, ie trouuay mon plus court de gaigner les solitudes &
les contrées sablonneuses & inhabitables de ce
pays la, resolu, si le moyẽ de me nourrir venoit
a me faillir, de trouuer quelque façon de me
tuer moymesme. Le soleil estant extremement
aspre sur le midy du iour, & les chaleurs insup-
porta-

portables , ayant rencontré vne cauerne cachée
& inacessible ie me iettay dedans. Bien toſt a-
pres y ſuruint ce lyon , ayant vne patte ſanglan-
te & bleſſée, tout plaintif & gemiſſant des douleurs qu'il y ſouffroit. A ſon arriuée i'euxbeau-
coup de frayeur, mais luy me voyant muſſé dãs
vn coing de ſa loge s'approcha tout doucemẽt
de moy, me preſentant ſa patte offencée, & me
la monſtrant comme pour demander ſecours,
ie luy oſtay lors vn grand eſcot qu'il y auoit, &
m'eſtât vn peu apriuoiſe a luy, preſſant ſa playe
en fis ſortir l'ordure qui s'y amaſſoit , l'eſſuyay
& nettoyay le plus propremẽt que ie peux. Luy
ſe ſentant alegé de ſon mal , & ſoulagé de ceſte
douleur, ſe prit a repoſer, & a dormir, ayãt tousiours ſa patte entre mes mains . De la en hors
luy & moy veſquiſmes enſemble en ceſte cauer
ne trois ans entiers de meſmes viandes. Car des
beſtes qu'il tuoit a ſa chaſſe, il m'é aportoit les
meilleurs endroits, que ie faiſois cuyre au ſoleil
a faute de feu, & m'en nourriſſois. A la longue
m'eſtât ennuyé de ceſte vie brutale & ſauuage,
ce lyõ s'ẽ eſtât allé vn iour a ſa queſte accouſtu
mée, ie me partis de là, & a ma troiſiéme iournée fus ſurpris par les ſoldatz, qui me menerent
d'Affrique en céte ville a mõ maiſtre, lequel ſou
dain me cõdãna a mort, & a eſtre abãdõne aux
beſtes. Or a ce que ie voy ce lyon fut auſſi pris
biẽ toſt apres: qui m'a a ceſte heure voulu recõ-
penſer du biẽ-fait & gueriſon qu'il auoit receu
de

de moy. Voyla l'histoire qu'Androdus recita a
l'Empereur, laquelle il fit aussi entêdre de main
a main au peuple. Parquoy a la requeste de tous
il fut mis en liberté, & absouuz de ceste con-
damnation, & par ordonnance du peuple luy
fut faict present de ce Lyon. Nous voyons dépuis, dit Apion, Androdus conduisant ce lyon
a tout vne petite laisse, se promenant par les ta-
uernes a Rome, receuoir l'argent qu'on luy dônoit: le Lyon se laisser couurir des fleurs qu'on
luy iettoit, & chacun dire en les rencontrant,
Voyla le Lyô hoste de l'homme, voila l'homme medecin du Lyon. Quât a la societé & cô-
federation que les bestes dressent entre elles
pour se liguer ensemble, & s'entresecourir, il
se voit des bœufs, des porceaux, & autres animaux, qu'au cry de celuy quevous offécez, toute la troupe accourt a son aide, & se ralie pour
sa deffence. L'escare, quand il a aualé l'hameçô
du pescheur, ses côpagnons s'assemblêt en foule autour de luy, & rôgent la ligne. Et si d'auâ-
ture, il y en a vn qui ait dôné dedâs la nasse, les
autres luy baillent la queuë par dehors, & luy
la serre tant qu'il peut a belles dents, & eux le
tirent ainsi au dehors & l'entrainent. Les bar-
biers, quand l'vn de leurs compagnons est engagé mettent la ligne contre leur dos, dressant
vn espine qu'ils ont dentelée comme vne scie, a
tout laquelle ils la scient & coupêt. Quant aux
particuliers offices, que chacun de nous retire
                                    pour

pour le feruice de fa vie, de certains animaux ou
des hommes, il s'en void plufieurs pareils exÑ-
ples par mi les beftes. Ils tiennent, que la baleine ne marche iamais qu'elle n'ait au deuant
d'elle vn petit poiffÕ femblable au goyÕ de mer,
qui s'appelle pour cela la guide : la balaine le
fuit, fe laiffant mener & tourner auffi facilement, que le timon faiᵉt retourner la nauire:&
en recÕpenfe auffi, au lieu que toute autre chofe, foit befte ou vaiffeau, qui entre dans l'horrible chaos de la bouche de ce monftre, eft incÕ-
tinÃt perdu & englouti, ce petit poiffon s'y retire en toute feurté & y dort, & pendant fon fÕ-
meil la baleine ne bouge : mais auffi toft qu'il
fort, elle fe met a le fuiure fans ceffe . Et fi de
fortune elle l'efcarte, elle va errant ça & la, &
fouuant fe froiffant contre les rochiers, comme
vn vaiffeau qui n'a point de gouuernail. Ce que
Plutarque tefmoigne auoir veu en l'ifle d'An-
ticyre . Il y a vn pareil mariage entre le petit
oyfeau qu'on nÕme le roytelet, & le crocodile:
le roytelet fert de fentinelle a ce grÃd animal:
& fi l'ichneaumon fon ennemy aproche pour
le combatre, ce petit oyfeau, de peur qu'il ne le
furprenne endormy, va de fon chant & a coup
de bec l'efueillant, & l'aduertiffant de fon danger. Il vit des demeurans de ce monftre, qui le
reçoit familierement en fa bouche, & luy permet de becqueter dans fes machoueres, & entre fes dents , & y receuillir les morceaux de
cher

cher qui y font demeurez:& s'il veut fermer la
bouche, il l'aduertit premierement d'en fortir
en la ferrant peu a peu fans l'eftreindre & l'offencer. Cefte coquille qu'on nomme la nacre,
vit auffi ainfi auec le pinnothere, qui eft vn petit
animal de la forte d'vn câcre, luy feruant d'huif-
fier & de portier affis a l'ouuerture de cefte coquille, qu'il tient continuellement entrebaillée
& ouuerte, iufques a ce qu'il y voye entrer quelque petit poiffon propre a leur prifes: car lors
il entre dans la nacre, & luy va pinfant la chair
viue & la contreint de fermer fa coquille. Lors
eux deux enfemble mangent la proye enfermée
dans leur fort. En la maniere de viure des tuns
on y remerque vne finguliere fcience de trois
parties de la Mathematique. Quant a l'Aftro-
logie ils l'enfeignent a l'homme: car ils s'arref-
ftent au lieu ou le folftice d'hyuer les furprêd,
& n'en bougent iufques a l'equinoxe enfuiuant.
Voyla pourquoy Ariftote mefme leur concede
volontiers cefte fciéce. Quant a la Geometrie
& Arithmetique, ils font toufiours leur bande
de figure cubique, carrée en tout fens, & endref-
fent vn corps de bataillon, folide, clos, & enui-
ronné tout a l'entour a fix faces toutes égales.
Puis nagêt en cefte ordónance carrée, autát lar
ge derriere que deuát, de façon que qui en void
& conte vn vifage, il peut aifément nóbrer toute la troupe, d'autant que le nombre de la profondeur eft efgal a la largeur, & la largeur, a la
                                                lon-

longeur. Quant a la magnanimité, il eſt malaiſé de luy donner vn viſage plus apparent que en
ce faict du grand chien, qui fut enuoyé des Indes au Roy Alexãdre: on luy preſenta premierement vn cerf pour le cõbattre, & puis vn ſan-
glier, & puis vn ours, il n'en fit conte, & ne daigna ſe remuer de ſa place: mais quand il veid vn
lyon, qu'on luy preſenta, alors il ſe dreſſa incõ-
tinant ſur ſes piedz: monſtrant manifeſtement
qu'il declaroit celuy la ſeul, digne d'entrer en
combat auecques luy. Quant a la clemence, on
recite d'vn tygre, la plus inhumaine beſte de
toutes, que luy ayant eſté baillé vn cheureau, il
ſouffrit deux iours la faim auant que de le vouloir offenſer, & le troiſiéme il briſa la cage ou
il eſtoit enfermé, pour aller chercher autre pa-
ſture, ne ſe voulant prandre au cheureau ſon familier & cõpagnon. Et quant aux droitz de la
familiarité & conuenance, qui ſe dreſſe par la
conuerſation, il nous aduient ordinairemĕt d'a-
priuoiſer des chatz, des chiens, & des lieures
enſemble. Mais ce que l'experience aprend a
ceux, qui voyagent par mer, & notamment en
la mer de Sicile, de la condition des halcyons,
ſurpaſſe toute humaine cogitation. De quelle
eſpece d'animaux a iamais nature tant honoré les couches, la naiſſance, & l'enfantement?
car les Poëtes diſent bien qu'vne ſeule iſle
de Delos, eſtant au parauant vagante fut affermie pour le ſeruice de l'enfantement de La-
tone.

tone . Mais Dieu a voulu que toute la mer fut
arreſtée, affermie & applanie ſans vagues, ſans
vents & ſans pluye , cependant que l'alcyon
faict ſes petitz : qui eſt iuſtemĕt enuiron le ſol-
ſtice , le plus court iour de l'an : & par ſon priuilege nous auons ſept iours & ſept nuictz au
fin cœur de l'hyuer que nous pouuons nauiguer
ſans dãger. Leurs femeles ne reconnoiſſent autre maſle que le leur propre : l'aſſiſtĕt toute leur
vie ſans iamais l'abandonner : s'il vient a eſtre
debile & caſſé, elles le chargĕt ſur leurs eſpau-
les, le portent par tout, & le ſeruent iuſques a la
mort. Mais nulle ſuffiſance n'a encores peu attaindre a la connoiſſance de ceſte merueilleuſe fabrique, dequoy l'alcyon compoſe le nid
pour ſes petitz & en deuiner la matiere . Plutarque, qui en a veu & manié pluſieurs, pĕſe que
ce ſoit des areſtes de quelque poiſſon qu'elle
conioint & lie enſemble, les entrelaſſant les v-
nes de long, les autres de trauers , & adioutant
des courbes & des arrondiſſemens , tellement
qu'en fin elle en forme vn vaiſſeau rond preſt
a voguer, puis quãd elle a paracheué de le conſ-
truire, elle le porte au batement du flot marin,
la ou la mer le batant tout doucement luy enſeigne a radouber ce qui n'eſt pas bien lié, & a
mieux fortifier aux endroitz ou elle void que
ſa ſtructure ſe deſmĕt, & ſe lâche pour les coups
de mer : & au contraire ce qui eſt bien ioint , le
batement de la mer le vous eſtreint & vous le
                                                    ſerre

serre de sorte, qu'il ne se peut ny rôpre ny dis-
soudre, ou endomager a coups de pierre, ni de
fer, si ce n'est a toute peine. Et ce qui plus est a
admirer, c'est la proportion & figure de la cô-
cauité du dedans: car elle est composée & pro-
portiônée, de maniere qu'elle ne peut receuoir
ni admettre autre chose, que l'oyseau qui l'a bâ-
tié: car a toute autre chose elle est impenetrable, close, & fermée, tellement qu'il n'y peut
riê entrer nô pas l'eau de la mer seulemêt. Voila vne description bien claire de ce bastimêt &
empruntée de bon lieu. Toutes-fois il me semble qu'elle ne nous esclaircit pas encor suffisamment la difficulté de ceste architecture. Or
de quelle vanité nous peut il partir de loger au
dessoubz de nous, & d'interpreter desdaigneu-
sement les effectz, que nous ne pouuons imiter
ni comprendre? Pour suiure encore vn peu plus
loing ceste equalité & correspondance de nous
aux bestes, le priuilege dequoy nostre ame se
glorifie de ramener a sa conditiô, tout ce qu'elle côçoit, de despouiller de qualitez mortelles
& corporelles tout ce qui vient a elle, de réger
les choses qu'elle estime dignes de son accointance a desuestir & despouiller leurs conditiôs
corruptibles & leur faire laisser a part, comme vestemens superfluz & viles, l'espesseur, la
longueur, la profondeur, le poids, la couleur,
l'odeur, l'aspreté, la polisseure, la durté, la mollesse, & tous accidens sensibles, pour les accô-

Hh

moder a sa côdition immortelle & spirituelle:
de maniere que Rome & Paris, que i'ay en l'a-
me, Paris que i'imagine, ie l'imagine & le comprens, sans grâdeur & sans lieu, sans pierre, sans
plastre, & sans bois: ce mesme priuilege, dis-ie,
semble estre biē euidâment aux bestes. Car vn
cheual accoustumé aux trompettes, aux harquebousades, & aux combats, que nous voyons tre-
mousser & fremir en dormant, estendu sur sa li-
tiere, côme s'il estoit en la meslée, il est certain
qu'il conçoit en son ame vn son de taborin sans
bruit, & vne armée sans armes & sans corps.

Quippe videbis equos fortes, cum mēbra iacebunt
In somnis, sudare tamen, spiraréque sæpe,
Et quasi de palma summas contendere vires.

Ce lieure qu'vn leurier imagine en sôge, apres
lequel nous le voyons haleter en dormant, alô-
ger la queuē, secouer les iarretz, & representer
parfaictement les mouuemēs de sa course: c'est
vn lieure sans poil & sans os.

Venantúmque canes in molli sæpe quiete,
Iactant crura tamen subito, vocésque repente
Mittunt, & crebas reducunt naribus auras,
Vt vestigia si teneant inuenta ferarum.
Experge factíque, sequuntur inania sæpe
Ceruorum simulachra, fuga quasi dedita cernant:
Donec discussis redeant erroribus ad se.

Les chiens de garde, que nous voyons souuent
gronder en songeant, & puis iapper tout a faict
& s'esueiller en sursaut, côme s'ils aperceuoiēt
quelque

quelque eftrangier arriuer. C'eſt eſtrangier
que leur ame void, ceſt vn homme ſpirituel &
imperceptible,ſans dimenſion,ſans couleur, &
ſans eſtre.

Conſueta domi catulorum blanda propago
Degere ,ſape leuem ex oculis volucremque ſoporẽ,
Diſcutere, & corpus de terra corripere inſtant,
Proinde quaſi ignotas facies atque ora tueantur.

Quant à la beauté du corps auât paſſer outre,il
me faudroit ſçauoir ſi nous ſommes d'accord de
ſa deſcriptiõ: il eſt vray-ſemblable que nous ne
ſçauõs guiere que c'eſt que beauté en nature &
en general,puiſque a l'humaine & noſtre beauté nous donnons tât de formes diuerſes. Les Indes la peignent noire & baſannée, aux leures
groſſes & enflées,au nez plat & large. Noº tor-
merions ainſi la laideur. Les Italiens la façonnent groſſe & maſſiue: les Eſpagnols vuidée &
eſtrillée:& entre noº,l'vn la fait blâche,l'autre
brune:l'vn molle & delicate,l'autre forte & vi-
goreuſe:qui y demande de la mignardiſe,& de
la douceur, qui de la fierté & mageſté. Mais
quoy qu'il en ſoit,nature ne nous a nõ plus pri-
uilegez en cela que au demeurant , ſur ſes loix
communes.Et ſi nous nous iugeons bien, nous
trouuerõs que s'il eſt quelques animaux moins
fauoriſez en cela que nous, il y en a d'autres &
en grand nõbre,qui le ſont plus:car ceſte prerogatiue que les Poëtes font valoir de noſtre
ſtature droite,regardât vers le ciel ſon origine,

Pronáque cum spectent animalia cętera terram,
Os homini sublime dedit, cœliinque videre
Iussit, & erectos ad sydera tollere vultus.

elle est vrayemēt poëtique. Car il y a plusieurs
bestioles, qui ont la veuë renuersée tout a faict
vers le ciel : & l'ancoleure des chameaux, & des
austruches, ie la trouue encore plus releuée &
droite que la nostre. Les bestes, qui nous retirent le plus, ce sont les plus laides, & les plus viles de toute la bande : car pour l'aparence exterieure & forme du visage, ce sont les magotz
& les singes : pour le dedans & parties vitales &
plus nobles, c'est, a ce que disent les medecins,
le porceau. Certes quand i'imagine l'homme
tout nud, & notamment en ce sexe qui semble
auoir plus de part a la beauté, ses tares, & ses dé-
fauts, sa subiectiō naturelle & ses imperfectiōs,
ie trouue que nous auons eu plus de raison que
nul autre animal, de nous cacher & de nous
couurir, nous auōs esté excusables de despouiller ceux que nature auoit fauorisé en cela plus
qu'à nous, pour nous parer de leur beauté. Et
puis que l'homme n'auoit pas dequoy se presenter nud a la veuë du monde, il a eu raison de se
cacher soubz la despouille d'autruy, & se vestir
de laine, de plume, de poil, de soye & autres
commoditez empruntées. Remerquons au demeurāt, que nous sommes le seul animal, duquel
le defaut & les imperfectiōs offencēt nos propres cōpagnons, & seuls qui auōs a nous desrober

ber en nos actions naturelles, de nostre espece.
Vrayement c'est auſſi vn effect bien digne de
conſideration, que les maiſtres du meſtier or-
donnét pour remede aus paſſions amoureuſes,
l'entiere veüe & libre connoiſſance du corps
qu'on recherche: que pour refroidir l'amitié, il
ne faille que voir librement ce qu'on aime.

Ille quod obſcœnas in aperto corpore partes
  Viderat, in curſu qui fuit, hęſit amor.

Et encore que ceſte recepte puiſſe a l'auenture
partir d'vne humeur vn peu delicate & deſgou-
tée: ſi eſt-ce vn merueilleux ſigne de noſtre deffaillance, que l'vſage & la iouiſſance nous deſ-
goute les vns des autres.

Nec veneres noſtras hoc fallit, quo magis ipſæ
Omnia ſummopere hos vitæ poſt ſcenia celant
Quos retinere volunt adſtrictóque eſſe in amore.

La ou en pluſieurs animaux il n'eſt rien d'eus
que nous n'aimons, & qui ne plaiſe a nos ſens: de
façon que de leurs excremés meſmes & de leur
deſcharge nous tirós non ſeulement de la friã-
diſe au manger, mais nos plus riches ornemêts
& perfums. Ce diſcours ne touche que noſtre
commũ ordre, & n'eſt pas ſi temeraire d'y vouloir comprendre ces diuines, ſupernaturelles &
extraordinaires beautez, qu'õ void par fois reluire entre nous, côme des aſtres ſoubz vn voyle
corporel & terreſtre. Au demeurât la part meſme que nous faiſons aux animaux, des faueurs
de nature, par noſtre côfeſſion, elle leur eſt bié

Hh 3

auâtageuse. Nous nous attribuôs des biens imaginaires & fantastiques, des biés futurs & a venir, desquels l'humaine capacite ne se peut d'elle mesme respondre, ou des biés que nous nous
attribuons faucement, par la licence de nostre
opinion, côme la raison, la sciéce & l'hôneur:
& a eux nous leur laissons en partage des biés
essentiels maniables & palpables, la paix, le repos, la securité, l'innocence & la santé: la santé,
dis-ie, le plus beau & le plus riche present, que
nature nous sache faire. De façon que la Philosophie, voire la Stoique, ose bien dire que Heraclitus & Pherecides, s'ils eussent peu eschá-
ger leur sagesse, auecques la sáté, & se deliurer
par ce marché, l'vn de l'hydroposie, l'autre de la
maladie pediculaire, qui le pressoit, qu'ilz eussent bien faict. Par ou ils donnent encore plus
grád pris a la sagesse, l'accomparant & contre-
poisant a la santé, qu'ils ne font en ceste autre
propositiô, qui est aussi des leurs. Ils disent que
si Circé eust presenté a Vlysses deux breuuages,
l'vn pour faire deuenir vn homme de fol sage,
l'autre de sage fol, qu'Vlysses eust deu plustost
accepter celuy de la folie, que de consentir que
Circé eust changé sa figure humaine en celle
d'vne beste: & disent que la sagesse mesme eust
parle a luy en ceste maniere, Quitte moy, laisse
moy la plutost, que de me loger sous la figure
& corps d'vn asne. Côment? ceste grande & diuine sagesse, les Philosophes la quittent donc,
                                            pour

pour ce masque corporel & tertestre? Ce n'est
donc plus par la raison, par le discours, & par
l'ame que nous excellôs sur les bestes: c'est par
nostre beauté, nostre beau teint, & nostre belle disposition de mébres, pour laquelle il nous
faut mettre nostre intelligence, nostre prudéce,& tout le reste a l'abandon. Or i'accepte ceste naifue & franche confession. Certes ils ont
cognu que ces parties la, dequoy nous faisons
tant de teste , ce n'est que biffe & piperie.
Quand les bestes auroient donc toute la vertu, la science, la sagesse & suffisance Stoique,
elles ne seroient pas pourtant comparables a
vn hôme miserable, meschant, & insensé. C'est
donque toute nostre perfection que d'estre hôme. Voyla comment ce n'est pas par vray discours , mais par vne fierté vaine & opiniatreté,
que nous nous preferons aux autres animaux,
& nous sequestrons de leur condition & societé. Mais pour reuenir a mon propos, nous auôs
pour nostre part l'inconstance, l'irresolution,
l'incertitude, le deuil, la superstition, la solici-
tude des choses a-venir, voire apres nostre vie,
l'ambition, l'auarice, la ialousie, l'enuie, les appetitz desreglez , forcenez & indomtables , la
guerre, la mesonge , la desloyauté, la detractiô
& la curiosité. Certes nous auons estrangement
surpaié ce beau discours , dequoy nous
nous glorifiôs, & ceste capacité de iuger & cô-
noistre, si nous l'auôs achetée au pris de ce nô-

bre infini des paſsiós, auſquelles nous ſommes
inceſſammét en butte . Au demeurant de quel
fruict pouuons nous eſtimer auoir eſté a Varro
& Ariſtote ceſte intelligéce de tant de choſes?
Les a elle examptez des incommoditez humaines ? ont ilz eſté deſchargez des accidens qui
preſſét vn crocheteur? ont ils tiré de la Logique
quelque cóſolation a la goute? Pour auoir ſceu
cóme ceſte humeur ſe loge aux iointures , l'en
ont ilz moins ſentie? Sont ilz entrez en cópoſi-
tió de la mort, pour ſçauoir qu'aucunes natiós
s'en reſiouiſſent,& du cocuage pour ſçauoir les
fémes eſt re cómunes en quelques republiques?
Au rebours,ayát tenu le premier rég en ſçauoir
ſeló la reputatió,l'vn entre les Romains,l'autre
entre les Grecz,& en la ſaiſon ou la ſciéce fleu-
riſſoit le plus en leur païs,nous n'auós pas pour-
tát apris qu'ilz ayét eu nulle particuliere excellence en leur vie. Voire le Grec a aſſez afaire a
ſe deſcharger d'aucunes taſches notables en la
ſiéne. Qui cótera les hómes par leurs actiós &
deportemens,il s'en trouuera plus grand nombre d'excellens entre les ignorans,qu'entre les
ſçauans: ie dy en toute ſorte de vertu. La vieille
Rome me ſemble auoir bien porté des hómes
de plus grande valeur & pour la paix,& pour la
guerre que ceſte Rome ſçauante , ſe ruyna
ſoy-meſmes. Quand le demeurát ſeroit tout pareil,aumoins la preud'homie & l'innocéce de-
meureroit du coſté de l'ancienne:car elle loge
ſingu-

singulierement bien auec la simplicité. Mais ie
laisse ce discours, qui me tireroit plus loin, que
ie ne voudrois suiure. I'en diray seulement encore cela, que c'est la seule obeissance, qui peut
effectuer vn homme de bien. Il ne faut pas laisser au iugement de chacun la cognoissance de
son deuoir, il le luy faut prescrire, non pas le
laisser choisir a son discours : autrement selon
l'imbecillité & varieté infinie de nos raisons &
opinions, nous nous forgerions en fin des deuoirs, qui nous mettroient a nous manger les
vns les autres, comme dit Epicurus. La premiere loy, que Dieu donna iamais a l'homme ce
fut vne loy de pure obeissance, ce fut vn com-
mendement, ou l'homme n'eust rien a connoistre & a raisonner. La peste de l'homme c'est
l'opinion de science. Voila pourquoy la simplicité & l'ignorance nous sont tant recommã-
dées par nostre religion, comme pieces propres & conuenables a la subiection, a la creance & a l'obeissance. En cecy pour le moins y a
il vne generalle conuenance entre tous les philosophes de toutes sectes, Que le souuerain biẽ
consiste en la tranquillité de l'ame & du corps :
la science ne nous décharge point de douleur,
de crainte, de desir, & du reume.

Ad summum sapiens vno minor est Ioue, diues,
Liber, honoratus, pulcher, rex denique regum,
Precipue sanus, nisi cum pituita molesta est.

Il semble a la verité, que nature, pour la conso-

lation de nostre estat miserable & chetif, ne
nous ait donné en partage que la presumption
& la gloire. C'est ce que dit Epictete, que l'hôme n'a rien proprement sien, que l'vsage de ses
opinions. Nous n'auons que du vent & de l'i-
nanité en partage. Nous auons raison de faire
valoir les forces de nostre imaginatió: car tous
nos biens ne sont qu'en songe. Oyez brauer ce
pauure & calamiteux animal : il n'est rien, dict
Cicero, si doux que l'occupation des lettres, de
ces lettres, dis-ie, par le moyen desquelles l'infinité des choses, l'immense grandeur de nature, les cieux en ce monde mesme, & les terres,
& les mers nous sont descouuertes. Ce sont elles qui nous ont appris la religion, la moderation, la grandeur de courage: & qui ont arraché
nostre ame des tenebres, pour luy faire voir
toutes choses hautes, basses, premieres, dernieres, & moyennes. Ce sont elles qui nous fournissent dequoy bien & heureusement viure, &
nous guident a passer nostre aage sans desplaisir & sans offence. Cetuy cy ne semble il pas
parler de la condition de Dieu tout-viuant &
tout-puissant ? Et quant a l'effet, mille femme-
létes ont vescu au village vne vie plus equable,
plus douce, & plus constâte, que ne fust la siéne.

Deus ille fuit deus, inclute Memmi,
Qui princeps vitæ rationem inuenit eam, quæ
Nunc appellatur sapientia, quique per artem
Fluctibus è tantis vitam tantisque tenebris,

In tam tranquillo & tam clara luce locavit.

Voyla des parolles trefmagnifiques & belles:
mais vn bien legier accidant mift l'entende-
mant de cetuy-cy en pire eftat, que celuy du
moindre bergier nonobftât ce Dieu precepteur
& cefte diuine fapience. De mefme impudence eft ce iugement de Chrifippus, que Dion
eftoit auffi vertueux que Dieu. Et mon Seneca,
recognoit, dit-il, que Dieu luy a donné le vi-
ure:mais qu'il a de foy & aquis par fes eftudes
le bien viure. Il n'eft rien fi ordinaire que de
rencontrer des traictz de pareille façon: & toutesfois ie reconnoy qu'il n'y a nul de nous,qui
s'offence tant de fe voir aparier a Dieu, comme il faict de fe voir deprimer au reng des autres animaux: tant nous fommes pius ialous de
noftre intereft,que de celuy de noftre createur.
Mais il faut mettre aux pieds cefte fote vanité
& fecouer viuement & hardimêt les fondemens
ridicules,fur quoy ces fauffes opiniôs fe baftif-
fent. Tant qu'il penfera auoir quelque moyen &
quelque force de foy, iamais l'homme ne reco-
gnoiftra ce qu'il doit a fon maiftre. Il fera toufiours de fes œufs poules, côme on dit,il le faut
mettre du tout en chemife. Voyons quelque notable exêple de l'effet de fa fageffe. Poffidonius
le philofophe eftant preffé d'vne fi douloureufe
maladie, qu'elle luy faifoit tordre les bras &
grincer les dents, penfoit bié faire la figue a la
douleur pour s'efcrier contre elle, Tu as beau
faire

faire, si ne diray-ie pas que tu sois mal. Il sent
les mesmes passions que mon laquay, mais il se
gendarme sur ce qu'il contient au moins sa langue sous les loix de sa secte. Ce n'est que vent
& parolles. Mais quand la science feroit par effect ce qu'ilz disent, de émousser & rabatre
quelque chose des pointes de la douleur & de
l'aigreur des infortunes qui nous suyuent, que
fait elle, que ce que fait beaucoup plus purement l'ignorance & plus euidemment? Le philosophe Pyrrho courant en mer l'hazart d'vne
grande tourmente, ne presentoit a ceux qui e-
stoient auec luy a imiter que la resolution & securité d'vn porceau, qui voyageoit auecques
eux, regardât ceste tempeste sans effroy & sans
a l'arme. La philosophie au bout de ses preceptes nous renuoye aux exemples d'vn athlete &
d'vn muletier, ausquelz on void ordinairement
beaucoup moins de ressentiment de mort, de
douleurs & d'autres accidës, & plus de fermeté,
que la science n'en fournit onques a nul qui n'y
fust nay & preparé de soy mesmes par habitude
naturelle. Certes la cognoissance nous esguise
plustost au ressentimët des maux qu'elle ne les
alege. Qui faict qu'on incise & taille les tëdres
membres d'vn enfant plus aisément que les nostres, & encore plus ceux d'vn cheual, si ce
n'est l'ignorance? Combien en a rendu de malades la seule force de l'imagination? Nous en
voyons ordinairemenr se faire seigner, purger,
& me-

& medeciner , pour guerir des maux qu'ilz ne
ſentent qu'en leur diſcours. Lors que les vrais
maux nous faillent, la ſcience nous preſte les
ſiens. Ceſte couleur & ce teint vous preſagent
quelque de fluxion catarreuſe: ceſte ſaiſon chaude vous menaſſe d'vne émotion fieureuſe: ceſte
coupeure de la ligne vitale de voſtre main gauche vous aduertir de quelque notable & voiſine
indiſpoſition: & en fin elle s'en adreſſe tout de-
trouſſément a la ſanté meſme : ceſte allegreſſe
& vigueur de ieuneſſe ne peut arreſter en vne
aſſiete, il luy faut deſrober du ſang & de la force, de peur qu'elle ne ſe tourne contrevous meſmes. Comparez la vie d'vn homme aſſeruy a
telles imaginatiõs, a celle d'vn laboureur ſe laiſſant aller apres ſon appetit naturel , meſurant
les choſes au ſeul gouſt preſent, ſans ſcience &
ſans prognoſtique, qui n'a du mal que lors qu'il
l'a : la ou l'autre a ſouuent la pierre en l'ame a-
uant qu'il l'ait aux reins: côme s'il n'eſtoit point
aſſez a temps pour ſouffrir le mal lors qu'il y
ſera, il l'anticipe par imagination , & luy court
au deuât. Ce que ie dy de la medecine il ſe peut
tirer par exemple generalement a toute ſciêce:
d'ou eſt venue ceſte ancienne opinion des philoſophes , qui logeoient le ſouuerain bien a la
recognoiſſance de la foibleſſe de noſtre iugement. Mon ignorance me preſte autant d'occaſion d'eſperance que de crainte,& n'ayant autre
regle au diſcours de ma ſanté que celle des exêples

ples d'autruy, & des euenemens que ie vois ailleurs en pareille occasion, i'en trouue de toutes
sortes & m'arreste aux comparaisons, qui me
sont les plus fauorables. Ie reçois la santé les
bras ouuertz, libre, plaine & entiere : & esguise
mon goust a la iouir, d'autant plus qu'elle m'est
moins ordinaire & plus rare: tant s'en faut que
ie trouble son repos & sa douceur par l'amertume d'vne nouuelle & contrainte forme de viure. Les bestes nous monstrent assez combien
l'agitation de nostre esprit nous apporte de maladies & de foiblesse. Et d'ou vient ce qu'on
trouue par experience, que les plus grossiers &
plus lourds se trouuent plus fermes & plus de-
sirables aux executions amoureuses, & que l'a-
mour d'vn muletier se rend souuent plus acceptable, que celle d'vn galant homme: sinon que
en cetuy cy l'agitation de l'ame trouble sa force corporelle, la rompt, & la lasse? comme elle
lasse aussi & trouble ordinairemét soy mesmes.
Qui la desment? qui la iette plus coustumiere-
mant a la manie que sa promptitude? sa pointe?
son agilité? & en fin sa force propre? Aux actiós
des hommes insansés nous voyons combien
propremant s'auient la folie auecq les plus vigoureuses operations de nostre ame. Outre cela qui ne sçait combien est imperceptible le
voisinage d'entre la folie auecq les gaillardes
eleuations d'vne ame libre, & les effectz d'vne
vertu supreme & extraordinaire? Platon dict les
melancholiques plus disciplinables & excellás:

auſſi n'ē eſt il point qui aiēt tāt de propēciõ a
la folie. Infinis eſpris ſe tremuēt ruines par leur
propre force & ſoupplesse. Quel ſaut viēt de prēdre de ſa propre agitatiõ & allegreſſe le plus iudicieux, le plus delicat , le plus formé a l'air de
ceſte biē antique, naïfue & pure poiſie, qu'autre
poëte Italien aie iamais eſté? N'a il pas dequoy
ſçauoir gré a ceſte ſienne viuacité meurtriere? a
ceſte clarté qui la aueuglé? a ceſte exacte, & tendue apprehēciõ de la raiſon, qui l'a mis ſãs raiſõ?
a la curieuſe & labourieuſe queſte des ſciences,
qui la conduit a la beſtiſe? a ceſte rare aptitude
aux exercices de l'ame, qui la rādu ſans exercice
& ſans ame? I'euz plus de d'eſpit encore que de
compaſſiõ de le voir a *Ferrare* en ſi piteux eſtat
ſuruiuāt a ſoy-meſmes , meſcõnoiſſant & ſoy &
ſes ouurages, leſquels ſans ſõ ſceu, & toutesfois
a ſa veuë on a mis en lumiere incorrigés & informes. Voulez vo vn hõme ſain, le voulez vo reglé
& en ferme & ſure poſture, affublez le de tenebres
d'oiſiueté & de peſāteur. Et ſi on me dit q̃ la cõmodité d'auoir le gouſt froid & mouſſe aux douleurs & aux maux, tire apres ſoy cête incõmodi-
té de no rēdre auſſi par cõſeqūet moins delicatz
& friās a la iouiſſāce des biēs & des plaiſirs, cela
eſt vray: mais la miſere de noſtre cõdition porte
que nous n'auons pas tāt a deſirer qu'a craindre,
& que l'extreme volupté ne nous touche pas cõme vne legiere douleur. Nous ne ſentõs pas l'ē-
tiere ſanté comme la moindre des maladies.

pungit

In cute vix summa violatum plagula corpus,
Quando valere nihil quemquam mouet. Hoc in-
     uat vnum,
Quod me non torquet latus aut pes : cætera quis-
     quam
Vix queat aut sanum sese, aut sentire valentem.

Nostre bien estre ce n'est que la priuation d'e-
stre mal. Voyla pourquoy la secte de philosophie, qui a le plus faict valoir la volupté & l'a
montée a son plus haut pris, encore l'a elle ren-
gée a la seule indolence. Le n'auoir point de
mal c'est le plus heureux bien estre que l'homme puisse esperer. Car ce mesme chatouille-
ment & esguisement, qui se rencontre en certains plaisirs, & semble nous enleuer au dessus
de la santé simple & de l'indolence, ceste volupté actiue, mouuante, & ie sçay commét cui-
sante & mordante, celle la mesme ne vise qu'a
l'indolence, cóme a son but. L'appetit qui nous
rauit a l'accointance des femmes, il ne cherche
qu'a fuyr la peine que nous apporte le desir ardent & furieux, & ne demande qu'a l'assouuir &
se loger en repos, & en l'exemption de ceste
fieure. Ainsi des autres. Ie dy dóq, que si la simplesse nous achemine a point n'auoir de mal, elle nous achemine a vn tres-heureux estat selon
nostre condition. C'est vn tresgrand auantage
pour l'honneur de l'ignorance, que la science
mesme nous reiette entre ses bras, quand elle
se trouue empeschée a nous tendre & roidir
                                    contre

contre la pefanteur des maux: elle eft contrainte de venir a cefte compofition de nous lácher
la bride & donner congé de nous fauuer en fon
girõ & nous mettre foubz fa faueur a labri, des
coups & iniures de la fortune. Car que veut elle dire autre chofe, quand elle nous prefche de
nous feruir pour confolation des maux prefens,
de la fouuenance des biens paffez, & d'apeller
a noftre fecours vn contentement efuanouy &
paffé, pour l'oppofer a ce qui nous preffe & offence? fi ce n'eft que ou la force luy manque, elle veut vfer de rufe, & donner vn tour de fou-
pleffe & de iambe, ou la vigueur du corps & des
bras vient a luy faillir. Car non feulement a vn
philofophe, mais fimplement a vn homme raffis, quand il fent par effect l'alteration cuifante
d'vne fieure chaude, quelle monnoie eft-ce de
le payer de la fouuenance de la douceur du vin
Grec. De mefme condition eft ceft autre confeil, que la philofophie donne, de maintenir en
la memoire feulemẽt le bon-heur paffé, & d'en
effacer les defplaifirs que nous auons fouffertz,
comme fi nous auions en noftre puiffance la
fcience de l'oubly. Comment? la philofophie
qui me doit mettre les armes a la main, pour
combatre la fortune, qui me doit roidir le courage pour fouler aux pieds toutes les aduerfités
humaines, vient elle a cefte molleffe de me faire couniller par ces deftours vains & ridicules?
Car la memoire nous reprefente, nõ pas ce que

nous choisissons, mais ce qui luy plaist. Voire il
n'est rien qui imprime si viuemēt quelque chose en nostre souuenāce que le desir de l'oublier.
C'est vne bonne maniere de donner en garde
& d'empreindre en nostre ame quelque chose,
que de la solliciter de la perdre. Et de qui est ce
conseil pourtant? de celuy,

Qui genus humanum ingenio superauit , & omnes
Præstrinxit stellas , exortus vti ætherius sol.

De vuyder & desgarnir la memoire est-ce pas
le vray & propre chemin a l'ignorance? Nous
voyons plusieurs pareils preceptes, par lesquels
on nous permet d'emprūter du vulgaire des apparences friuoles, ou la raison viue & forte ne
peut assez: pourueu qu'elles nous seruēt de contentement & de consolation. Ou ils ne peuuent
guerir la playe, ilz sont contés de l'endormir &
plastrer. Ie croy qu'ils ne me nieront pas cecy,
que s'ils pouuoient adiouster de l'ordre & de la
constance en vn estat de vie, qui se maintint en
plaisir & en trāquillité par quelque foiblesse &
maladie de iugement, qu'ils ne l'acceptassent:

potare, & spargere flores
Incipiam, patiárque vel inconsultus haberi.

Il se trouueroit plusieurs philosophes de l'aduis de Lycas : cetuy-cy ayant au demeurant ses
meurs bien reglées, viuant doucement & paisi-
blement en sa famille, ne manquant a nul office
de son deuoir enuers les siens & les estrangiers,
se conseruant tres bien des choses nuisibles, s'e-
stoit

ſtoit par quelque alteration de ſens imprimé
en la fantaſie vne reſuerie: c'eſt qu'il penſoit e-
ſtre perpetuellement aux theatres a y voir des
paſſetéps, des ſpectacles, & des plus belles comedies du monde. Guery qu'il fuſt par les medecins, de ceſte humeur peccante, a peine qu'il
ne les mit en proces pour le reſtablir en la douceur de ces vaines imaginations.

pol me occidiſtis amici,
Non ſeruaſtis ait, cui ſic extorta voluptas,
Et demptus per vim mentis gratiſſimus error.

D'vne pareille reſuerie a celle de Thraſilaus,
fils de Pythodorus, qui ſe faiſoit a croire que
tous les nauires qui relaſchoint du port de Py-
rée & y abordoient, ne trauailloint que pour ſon
ſeruice : ſe reſiouiſſant de la bonne fortune de
leur nauigation, les recueilloit auec feſte & contentement. Son frere Crito l'ayant faict remettre en ſon meilleur ſens, il regretoit ceſte
ſorte de condition , en laquelle il auoit veſcu
plein de lieſſe & deſchargé de toute ſorte de
deſplaiſir. C'eſt ce que dit ce vers ancien Grec,
qu'il y a beaucoup de commodité a n'eſtre pas
ſi aduiſé

Ἐν τῷ φρονεῖν γὰρ μηδὲν ἥδιστος βίος:

Et l'Ecclaſiaſte, En beaucoup de ſageſſe beaucoup de deſplaiſir: & qui acquiert ſcience s'a-
quiert du trauail & tourment. Cela meſme , a
quoy toute la philoſophie côſet, ceſte derniere

Ii 2

recepte qu'elle ordonne a toutes sortes de necessitez, qui est de mettre fin a la vie, que nous
ne pouuons supporter,

Viuere si recte nescis, decede peritis.

Lusisti satis, edisti satis, atque bibisti:
Tempus abire tibi est.ne potum largius æquo
Rideat, & pulset lasciua decentius ætas.

qu'est ce autre chose qu'vne confession de son
impuissance, & vn renuoy non seulement a l'i-
gnorâce, pour y estre a couuert, mais a la stupidité mesme, au non sentir, & au non estre?

Democritum postquam matura vetustas
Admonuit memorem, motus languescere mentis:
Sponte sua læto caput obuius obtulit ipse.

C'est ce que disoit Antisthenes, Qu'il faloit
faire prouision ou de sens pour entendre, ou de
licol pour se pendre. Et ce que Chrysippus alleguoit sur ce propos du poëte Tyrtæus.

De la vertu, ou de mort approcher.

Comme la vie se rend par la simplicité plus
plaisante, elle s'en rend aussi plus innocente &
meilleure, comme ie commençois tantost a dire. Les simples, dit S. Paul, & les ignorans s'e-
leuent & se saisissent du ciel, & nous, a tout nostre sçauoir, nous plongeons aux abysmes infer-
naux. Ie ne m'arreste ny a Valentian ennemy
declairé de la science & des lettres, ny a Lici-
nius, tous deux Empereurs Romains, qui les nômoit le venin & la peste de tout estat politique,
ny a Mahumet, qui a interdit la science a ses
                                    hommes

hommes. Mais l'exemple de ce grand Lycurgus & son authorité doit certes auoir quelque
poids , & la reuerance de ceste diuine police
Lacedemoniene si grande, si admirable & si
long temps fleurissante en vertu & en bon heur
sans aucune institution ny exercice de lettres.
Ceux qui reuiennent de ce monde nouueau qui
a esté descouuert du temps de nos peres , ils
nous peuuent tesmoigner combien ces nations
sans magistrat & sans loy viuent plus legitimement & plus reglement que les nostres, ou il y
a plus d'officiers & de loix , qu'il n'y a d'autres
hommes, & qu'il n'y a d'actions.

Di cittatorie piene & di libelli,
D'esamine & di carte, di procure
Hanno le máni & il seno & gran fastelli
Di chiose, di consigli & di letture
Per cui le faculta de pouerelli
Non sono mai ne le citta sicure,
Hanno dietro & dinanzi & d'ambii lati
Notai procuratori & aduocati.

C'estoit ce que disoit vn senateur Romain des
derniers siecles, que leurs predecesseurs auoint
l'alaine puante a l'ail , & l'estomac musqué de
bonne conscience: & qu'au rebours ceux de son
temps ne sentoint au dehors que le parfum,
puans au dedans a toute sorte de vices. C'est a
dire, comme ie pense, qu'ilz auoient beaucoup
de sçauoir & de suffisance, & grãd faute de preu-
d'homie. L'inciuilité, l'ignorance, la simplesse,

la rudeſſe s'acompaignent volontiers de l'innocence. La curioſité, le ſçauoir, la ſubtilité, trainent la malice a leur ſuite. L'humilité, la crainte, l'obeiſſance, la debonnaireté (qui ſont les
pieces principales pour la conſeruation de la
ſocieté humaine) demandent vne ame vuyde,
docile & ne preſumant rien de ſoy. Les Chreſtiens ont vne particuliere cognoiſſance, combien la curioſité eſt vn mal naturel & originel
en l'homme. Le ſoin de s'augmenter en ſageſſe
& en ſcience, ce fut la premiere ruine du genre
humain, c'eſt la voye, par ou il s'eſt precipité a
la damnation eternelle. L'orgueil eſt ſa perte &
ſa corruption. C'eſt l'orgueil qui iette l'homme a quartier des voyes communes, qui luy
fait embraſſer les nouuelletez, & aymer mieux
eſtre chef d'vne troupe errante, & deſuoyée au
ſentier de perdition, aymer mieux eſtre regent
& precepteur d'erreur & de menſonge, que d'e-
ſtre diſciple en l'eſcole de verité, ſe laiſſant
mener & conduire par la main d'autruy a la
voye batue & droituriere. C'eſt a l'auanture ce
que dict ce mot Grec ancien, que la ſuperſtition ſuit l'orgueil, & luy obeit comme a ſon
pere : ἡ δεισιδαιμονία καθάπερ πατρὶ τῷ
τυφῷ πείθεται. La ſaincte parole declare miſerables ceux d'entre nous, qui s'eſtiment: Bourbe & cendre, leur dit-elle, qu'as tu a te glorifier? & ailleurs, Dieu a faict l'homme ſemblable

ble a l'ombre, de laquelle qui iugera,quand
par l'esloignement de la lumiere elle sera es-
uanouye? Ce n'est rien a la verité que de nous.
Il s'en faut tant que nos forces conçoiuent la
hauteur diuine,que des ouurages de nostre createur ceux la portent mieux sa marque , & sont
mieux siens,que nous entendons le moins: c'est
aux Chrestiens vne occasion de croire, que de
rencontrer vne chose incroiable. Elle est d'autant plus selon raison , qu'elle est contre l'humaine raison. Nous disons bien puissance,veri-
té,iustice : ce sont parolles qui signifient quelque chose de grand:mais ceste chose la nous ne
la voyons aucunement , ny ne la conceuons.
C'est a Dieu seul d'interpreter ses ouurages &
de se cognoistre. La participation que nous
auons a la cónoissance de la verité,quelle qu'elle soit, ce n'est pas par nos propres forces que
nous l'auôs acquise.Dieu nous a assez apris cela
par les tesmoins, qu'il a choisi du vulgaire,sim-
ples & ignorans , pour nous instruire de ses admirables secrets. Nostre foy ce n'est pas nostre
acquest,c'est vn pur present de la liberalité d'autruy. Ce n'est pas par discours ou par nostre entendemêt que nous auôs receu nostre religion,
c'est par authorité & par commandemêt estrã-
gier. La foiblesse de nostre iugemêt nous y aide plus que la force,& nostre aueuglemant plus
que nostre cler-voyãce.C'est par l'entremise de
nostre ignorance plus que de nostre sciêce, que

nous sommes sçauans de ce diuin sçauoir. Ce
n'est pas merueille, si nos moyens naturels &
terrestres ne peuuent conceuoir ceste connoissance supernaturelle & celeste: aportons y seulement du nostre, l'obeissance & la subiection:
car, comme il est escrit, Ie destruiray la sapience des sages, & abatray la prudence des prudēs.
Ou est le sage? ou est l'ecriuain? ou est le disputa-
teur de ce siecle? Dieu n'a il pas abesty la sapience de ce monde? Car puis que le monde
n'a point cogneu Dieu par sapiēce, il luy a pleu
par la vanité de la predicatiō sauuer les croyās.
Si me faut il voir en fin, s'il est en la puissance
de l'homme de trouuer ce qu'il cerche: & si ceste queste, qu'il y a employé depuis tant de siecles, l'a enrichi de quelque nouuelle force & de
quelque verité solide. Ie croy qu'il me confes-
sera, s'il parle en conscience, que tout l'acquest
qu'il a retiré d'vne si longue poursuite, c'est d'a-
uoir apris a reconnoistre sa vilité & sa foiblesse. L'ignorance qui estoit naturellement en
nous, nous l'auons par long estude confirmée
& auerée. Il est aduenu aux gens veritablemēt
sçauans ce qui aduient aux espics de bled: ils
vont s'esleuant & se haussant la teste droite &
fiere tant qu'ils sont vuides: mais quand ils
sont pleins & grossis de grain en leur maturité, ilz commencent a s'humilier & abaisser
les cornes. Pareillement les hommes ayant
tout essayé & tout sondé, n'ayant trouué en
                                                    tout

tout cest amas de sciéce & prouision de tant de
choses diuerses,rien de massif & de ferme,& riē
que vanité,ilz ont renoncé a leur presumption,
& reconneu leur condition naturelle. Le plus
sage homme qui fut onques (& qui a l'auanture n'eust nulle plus iuste occasiõ, d'estre appellé sage,que de ceste sienne sentence) quand on
luy demanda ce qu'il sçauoit , respondit Qu'il
sçauoit cela,qu'il ne sçauoit rien. Il verifioit ce
qu'on dit,que la plus grand part de ce que nous
sçauõs est la moindre de celles que nous igno-
rons : c'est a dire,que ce mesme que nous pensons sçauoir, c'est vne piece, & bien petite, de
nostre ignorance:& Cicero mesmes,qui deuoit
au sçauoir tout son vaillant, Valerius dict, que
sur sa vieillesse il commença a desestimer les
lettres.I'auroy trop beau ieu , si ie vouloy cõsi-
derer l'hôme en sa commune façon & en gros:
& le pourroy faire pourtãt par sa regle propre,
qui iuge a la verité non par le poids des voix,
mais par le nombre. Laissons la le peuple,

qui vigilans stertit,
Mortua cui vita est, prope iam viuo atque vidēti,
qui ne se sent point , qui ne se iuge point , qui
laisse la plus part de ses facultez naturelles oy-
siues.Ie veux prendre l'homme en sa plus haute
assiete.Cõsiderons le en ce petit nombre d'hômes excellens & triez,qui ayãt esté douez d'vne
belle & particuliere force naturelle,l'õt encore
roidie & esguisée par soin,par estude & par art,

& l'ont môtée au plus haut point, ou elle puiſſe
atteindre. Ils ont manié leur ame a tout ſens &
a tout biais, l'ôt appuyée & eſtançônée de tout
le ſecours eſtrangier, qui luy a eſté propre , &
enrichie & ornée de tout ce qu'ils ont peu emprunter pour ſa cômodité du dedans & dehors
du monde : c'eſt en eux que loge la hauteur ex-
reme de l'humaine nature. Ils ont reglé le môde de polices & de loix. Ils l'ôt inſtruit par arts
& ſciences, & inſtruit encore par l'exemple de
leurs meurs admirables en reglemēt & en droiture. Ie ne mettray en comte que ces gés la, leur
reſmoiguage, & leur experience. Voyons iuſques ou ils ſont allés, & a quoy ilz ſe ſont reſo-
lus. Les maladies & les defauts que nous trou-
uerôs en ce college la, le môde les pourra hardiment biē auouër pour ſiens. Quicôque cherche quelque choſe, il en viẽt a ce point, ou qu'il
dit, qu'il l'a trouuée, ou qu'elle ne ſe peut trouuer, ou qu'il en eſt encore en queſte. Toute la
Philoſophie eſt départie en ces trois gēres. Sô
deſſein eſt de chercher la verité, la ſciẽce & la
certitude. Ariſtoteles, Epicurus, les Stoiciẽs, &
autres ont penſé l'auoir trouuée. Ceux-cy ont e-
ſtably les arts & les ſciences, que nous auons, &
les ont traitées, comme notices certaines. Cli-
tomachus, Carneadés, & les Academiciens ont
deſeſperé de leur queſte, & iugé, que la verité
ne ſe pouuoit conceuoir par noz moyẽs. La fin
de ceux-cy, c'eſt la foibleſſe & humaine ignorance,

rance, ce party a eu la plus grande suyte, & les
sectateurs, les plus nobles. Pyrrho et autres
Sceptiques ou Epechistes disent, qu'ils sont encore en cherche de la verité: Ceux-cy iugēt que
ceux qui pensent l'auoir trouuée, se trōpent infiniement, & qu'il y a encore de la vanité trop
hardie en ce second degré, qui asseure que les
forces humaines ne sont pas capables d'y atteindre. Car cela d'establir la mesure de nostre
puissance, de cōnoistre & iuger la difficulté des
choses, c'est vne grande & extreme science, de
laquelle ils doubtent que l'hōme soit capable.
Nil sciri quisquis putat, id quoque nescit,
An sciri possit, quo se nil scire fatetur.
L'ignorance qui se sçait, qui se iuge & qui se cō-
damne, ce n'est pas vne entiere ignorance: pour
l'estre, il faut qu'elle s'ignore soy-mesme. De
façon que la profession des Phyrrhoniens est
de branler, douter, & enquerir, ne s'asseurer de
rien, ne se respondre de rien. Des trois actions
de l'ame, l'imaginatiue, l'appetitiue, et la con-
sentante, ils en reçoiuent les deux premieres: la
derniere ils la soustiennent et la maintiennent
ambigue, sans inclination, ni approbation d'v-
ne part ou d'autre, tant soit-elle legiere. Or ceste assiete de leur iugemēt droite et inflexible,
receuant tous obiectz sans application et consentement, les achemine a leur Ataraxie, qui est
vne condition de vie paisible, rassise, exempte
des agitations que nous receuons par l'impression

sion de l'opinion & scienee que nous pésons a-
uoir des choses. D'ou naissent la crainte, l'auarice, l'enuie, les desirs immoderés, l'ambition,
l'orgueil, la superstition, l'amour de nouuelleté,
la rebellion, la desobeissance, l'opiniatreté, & la
plus part des maux corporels . Voire ils s'exé-
ptét par la de la ialousie de leur discipline. Car
ils debattent d'vne bien molle façó. Ils ne craignent point la reuanche a leur dispute . Quand
ils disent que le poisant va contte bas, ils seroint
bien marris qu'on les en creut, & cerchent qu'ó
les contredie , pour engendrer leur dubitation
& surceance de iugement, qui est leur fin. Ils ne
mettent en auant leurs propositions , que pour
combatre celles qu'ils pensent, que nous ayons
en nostre creance. Si vous prenez la leur, il pré-
dront aussi volontiers la contraire a soustenir:
tout leur est vn: ils n'y ont nul chois. Si vous e-
stablissez que la nege soit noire, ils argumétent
au rebours, qu'elle est blanche . Si vous dites
qu'elle n'est ni l'vn, ni l'autre, c'est a eux a maintenir qu'elle est tous les deux. Si par certain iugement vous establissés, que vous n'en sçauez
rien, ils vous maintiendront que vous le sçauez.
Voire & si par vn axiome affirmatif vous asseurez que vous en doutez, ils vous iront debattant
que vous n'é doutés pas, ou que vous ne pouuez
iuger & establir que vous en doutez. Et par ceste extremité de doubte, qui se secoue soy-mesme, ils se separét & se diuisent de plusieurs opinions,

nions, de celles mefmes, qui ont maintenu en
plufieurs façons, le doubte et l'ignoráce.Leurs
façons de parler font,Ie n'eftablis rien: Il n'eft
non plus ainfi qu'ainfi,ou que ni l'vn ni l'autre:
Ie ne le comprens point. Les apparences font
égales par tout:la loy de parler,& pour & contre eft pareille . Leur mot facramental, c'eft
ἐπίχω,c'eft a dire ie foutiés,ie ne bouge.Voi-
la leurs refreins, & autres de pareille fubftáce.
Leur effeᵭ,c'eft vne pure, entiere & tres-par-
faiᵭte furceance de iugement. Ils fe feruent de
leur raifon pour enquerir & pour debatre:mais
non pas pour rien arrefter & choifir. Quiconque imaginera vne perpetuelle confeffion d'i-
gnorance, vn iugement fans pente & fans inclination,a quelque occafion que ce puiffe eftre,il
conçoit le Pyrronifme:i'exprime cefte fantafie
autant que ie puis,par ce que plufieurs la trouuent difficile a conceuoir,& les autheurs mefmes la reprefentent vn peu obfcurement & di-
uerfement.Quant aux aᵭtions de la vie, ils font
en cela de la commune façon.Ils fe preftent &
accōmodent aux inclinations naturelles,à l'im-
pulfion & contrainte des paffions,aux conftitu-
tions des loix & des couftumes,& a la traditiō
des arts.Ils laiffent guider a ces chofes la leurs
aᵭtions communes,fans aucune opiniō ou iugement. Qui fait que ie ne puis pas bien affortir a ce difcours, ce que Laertius diᵭt, de la vie
de Pyrro,& a quoy Lucianus,Aulus Gellius,&
autres

autres semblent s'incliner : car ils le peignent
stupide & immobile, prenant vn train de vie farouche & inassociable , attendant le hurt des
charretes, se presentant aux precipices, refusant
de s'accomoder aux loix . Cela est encherir sur
sa discipline. Il n'a pas voulu se faire pierre ou
souche : il a voulu se faire homme viuant, dis-
courant & raisonnant, ioüissant de tous plaisirs
& commoditez naturelles, embesoignant & se
seruant de toutes ses pieces corporelles & spi-
rituelles. Les priuileges fantastiques, imaginaires & faux que l'homme s'est vsurpé, de iuger,
de connoistre, de sçauoir, d'ordôner, d'establir,
il les a de bône foy renoncez & quittez. Il n'est
rien en l'humaine inuention, ou il y ayt tant de
verisimilitude & d'aparence. Ceste-cy presente l'homme nud & vuide, recognoissant sa foiblesse naturelle, propre a receuoir d'ê haut quelque force estrágere, desgarni d'humaine sciéce,
& d'autant plus apte a loger chez soy la diuine
instruction & creáce : n'establissant nul dogme,
& s'exéptant par consequant des vaines & irre-
ligieuses opinions introduites par les autres sectes. Accepte, dit l'Ecclesiaste, en bône part le
choses au visage & au goust, qu'elles se presentent a toy, du iour a la iournée : le demeurât est
hors de ta cónoissance. Voila cóment des trois
generales sectes de Philosophie, les deux font
expresse profession de dubitatió & d'ignoráce :
& en celle des dogmatistes, qui est trosiéme, il
est

est aysé a descouurir, que la plus part n'ôt pris
le visage de l'asseurance que par contenáce. Ils
n'ôt pas tât pensé nous establir quelque certitude, que nous monstrer iusques ou ilz estoient
allez en ceste chasse de la verité. Aristote nous
entasse ordinairement vn grand nóbre d'autres
opinions, & d'autres creáces, pour y comparer
la siéne, & nous faire voir de combien il est allé
plus outre, & combien il est approché de plus
pres de la verisimilitude. Car la verité ne se iuge point par authorité & tesmoignage d'autruy.
Cestuy-cy est le prince des dogmatistes, & si
nous aprenons de luy, que le beaucoup sçauoir
aporte l'occasion de plus doubter. On le void a
escient (comme pour exemple sur le propos de
l'immortalité de l'ame) se couurir souuát d'obscurité si espesse & inextricable, qu'on n'y peut
rien choisir de son opinion. C'est par effet vn
Pyrrhonisme qu'il represente sous la forme de
parler qu'il a entreprise. Chrisyppus disoit, que
ce que Platon & Aristote auoient escrit de la
Logique, ils l'auoiét escrit par ieu & par exercice : & ne pouuoit croire qu'ils eussent parlé a
certes d'vne si vaine matiere. Ce que Chrysipp°
disoit de la Logique, Epicur° l'eust encores dit
de la Rhetorique, & ce croy-ie, de la Grámaire:
& Socrates & Seneca, de toutes les autres sciéc-
ces, sauf celle qui traite des meurs & de la vie.
Car la plus part des arts ont esté ainsi mesprisées par le sçauoir mesmes & par la philosophie.
Mais

Mais ils n'ont pas pensé qu'il fut hors de propos d'exercer leur esprit es choses mesmes, ou il n'y auoit nulle solidité profitable. Au demeurant, les vns ont estimé Plato dogmatiste, les autres dubitateur & ne rien establissant, les autres en certaines choses l'vn, & en certaines choses l'autre. Il est ainsi de la pl⁹ part des autheurs de ce tiers genre. Ils ont vne forme d'escrire douteuse & irresolue, & vn stile enquerant plus tost qu'instruisant : encore qu'ils entresement souuét des traitz de la forme dogmatiste. Chez qui se peut voir cela plus clairement : que chez nostre Plutarque? cōbien diuersement discourt il de mesme chose? combien de fois nous presente il deux ou trois causes contraires de mesme subiect, & diuerses raisons, sans choisir celle que nous auons a suiure. Que signifie ce sien refrein: en vn lieu glissant & coulant suspendōs nostre creance: car, comme dit Euripides,

Les œuures de Dieu en diuerses
Façons nous donnent des trauerses.

Il ne faut pas trouuer estrange si gens desesperez de la prise n'ont pas laissé de prendre plaisir a la chasse. L'estude estant de soy, vne occupation plaisante & agreable, & si plaisante, que par my les voluptez les Stoiciens defendent, aussi celle qui se prend de l'exercitation de l'esprit, & y veulent de la moderation. Democritus ayant mangé a sa table des figues, qui sentoient au miel, commença soudain a chercher
en son

en son esprit , d'ou leur venoit ceste douceur
inusitée , & pour s'en esclaircir s'aloit leuer de
table, pour voir l'assiete du lieu ou ces figues a-
uoient esté cueillies. Sa chambriere, ayant enté
du de luy la cause de ce remuement , luy dit en
riant,qu'il ne se penast plus pour cela , car c'e-
stoit qu'elle les auoit mises en vn vaisseau, ou il
y auoit eu du miel. Il se despita & se mit en cho
lere, dequoy elle luy auoit osté l'occasió de ceste recherche & desrobé la matiere a sa curiosité. Va, luy dit-il, tu m'as fait desplaisir : ie ne
lairray pas pourtant d'en chercher la cause, cóme si elle estoit naturelle. Ceste histoire d'vn
fameus & grád Philosophe, nous represente bié
clairemét ceste passió studieuse, qui nous amuse a la poursuite des choses, de l'aquet desquelles nous sommes desesperez . Plutarque recite
vn pareil exemple de quelqu'vn, qui ne vouloit
pas estre esclaircy de ce , dequoy il estoit en
doute, pour ne perdre le plaisir de le chercher,
cóme l'autre qui ne vouloit pas que son mede-
decin luy ostat l'alteration de la fieure, pour ne
perdre le plaisir de l'assouuir en beuuant. Ie ne
me persuade pas aisement, qu'Epicurus, Platô,
& Pythagoras nous ayent donné pour argent
contét leurs Atomes, leurs Idées, & leurs Nom
bres. Ils estoient trop cler-voyás, pour establir
leurs articles de foy, de chose si incertaine, & si
debatable. Mais en ceste obscurité & ignoráce
du móde, chacû de ces grâds personnages s'est
Kk

trauaillé d'apporter vne telle quelle image
de lumiere:& ont esbatu leur ame a trouuer des
inuentions, qui eussent au moins vne plaisante
& subtile apparéce. Vn ancien, a qui on reprochoit,qu'il faisoit professió de la Philosophie,
de laquelle pourtãt en son iugement, il ne faisoit pas grãd compte, respõdit que cela c'estoit
vraymant philosopher. Ils ont voulu considerer
tout,balancer tout,& ont trouué ceste occupation propre a la naturelle curiosité qui est en-
no⁹:aucunes choses ilz les ont escrites pour l'v-
tilite publique, comme les religiõs: car il n'est
pas deffendu de faire nostre profit de la mensonge mesme, s'il est besoing, & a esté raisonnable pour ceste cõsideration, que plusieurs o-
piniõs, qui estoiét sans apparéce,ils n'ayét vou
lu les espelucher au vif,pour n'ẽgẽdrer du trouble en l'obeissãce des loix & coustumes de leur
pais. Il y a d'autres subiectz qu'ils ont belutez,
qui a gauche,qui a dextre,chacun se trauaillant
a y donner quelque visage a tort ou a droit. Car
n'ayans rié trouué de si occulte,dequoy ils n'a-
yent voulu parler , il leur est souuent force de
forger des coniectures vaines & foibles : non
qu'ils les prinsent eux mesmes pour fondemẽt,
ne pour establir quelque verité,mais pour l'exer
cice de leur estude. Et si on ne le prenoit ainsi,
cõment couuririons nous vne si grande incon-
stence , varieté, & vanité d'opinions, que nous
voyõs auoir esté produites par ces ames excellentes

lentes & admirables? Car pour exemple, qu'eſt
il plus vain , que de vouloir regler Dieu & le
monde a noſtre capacite & a nos loix? & nous
ſeruir aux deſpens de la diuinité, de ce petit eſ-
chantillon de ſuffiſance qu'il luy a pleu deſpartir a noſtre naturelle condition ? & par ce que
nous ne pouuons eſtendre noſtre veuë iuſques
en ſon glorieux ſiege, l'auoir ramené ça bas a
noſtre corruption & a nos miſeres? De toutes
les opinions humaines & anciennes touchant
la religion, celle la me ſemble auoir eu plus de
vray-ſemblance & plus d'excuſe, qui reconoiſ-
ſoit Dieu comme vne puiſſance incomprehen-
ſible, origine & cõſeruatrice de toutes choſes,
toute bonté, toute perfection, receuant & prenant en bonne part l'honneur & la reuerance,
que les humains luy rendoient ſoubz quelque
viſage , & en quelque maniere que ce fut. Car
les deitez , auſquelles l'homme de ſa prope inuention a voulu dõner vne forme, elles ſont in-
iurieuſes, pleines d'erreur & d'impieté . Voila
pourquoy de toutes les religiõs, que ſaint Paul
trouua en credit a Athenes, celle qu'ils auoient
deſdiée à vne diuinité cachée & inconnue, luy
ſembla la plus excuſable. De celles auſquelles
on a donné quelque corps, comme la neceſſité
l'a requis , pour la conception du peuple, par
my ceſte cecité vniuerſelle, ie me fuſſe, ce me
ſemble , plus volontiers ataché a ceux qui adoroient le Soleil,

La lumiere commune,
L'œil du monde: & si Dieu au chef porte des yeus,
Les rayons du Soleil sont ses yeux radieus.
Qui dõnent vie a tous, nous maintienẽt et gardẽt,
Et les faicts des humains en ce monde regardent:
Ce beau ce grand soleil, qui nous faict les saisons,
Selon qu'il entre ou sort de ses douze maisons.
Qui remplit l'vniuers de ses vertus connues:
Qui d'vn traict de ses yeux nous dissipe les nues:
L'esprit, l'ame du monde, ardent & flamboyant,
En la course d'vn iour tout le Ciel tournoyant,
Plein d'immẽse grãdeur, rond, vagabõd' & ferme:
Lequel tient dessous luy tout le moude pour terme:
En repos sans repos, oysif, & sans seiour,
Filz aisné de nature, & le pere du iour.

D'aurãt qu'outre ceste sicne grandeur & beauté, c'est la piece de ceste machine, que nous des-
couurons la plus esloignée de nous, & par ce
moyen si peu connue, qu'ils estoient excusables
d'en entrer en admiration & espouuantement.
Les choses les plus ignorées sont plus propres
a estre deifiées. Car d'adorer celles de nostre
sorte, maladiues, corruptibles & mortelles,
comme faisoit toute l'ancienneté des hommes,
qu'elle auoit veu viure & mourir, & agiter de
toutes nos passions, cela surpasse toute foiblesse-
se de discours. I'eusse encore plutost suyui ceus,
qui adoroient le serpent, le chien & le bœuf:
d'autant que leur nature & leur estre nous est
moins connu, & auons plus de loy d'imaginer
ce qu'il

ce qu'il nous plaist d'eux, et leur attribuer des
facultez extraordinaires. Mais d'auoir faict des
dieux de nostre condition, de laquelle nous deuons connoistre la foiblesse & l'imperfection:
leur auoir attribué le desir , la colere, la vengeance, les mariages, les generations, & les
parenteles, l'amour, et la ialousie, noz membres & nos os, nos fieures & nos plaisirs, il faut
que cela soit party d'vne merueilleuse yuresse
de l'entendement humain: comme d'auoir attribué la diuinité a la peur, a la fieure & a la
fortune, & autres accidens de nostre vie fresle
& caduque. Puis que l'homme desiroit tant de
s'apparier a Dieu, il eust mieux faict, dict Cicero, de ramener a soy les conditions diuines,
& les attirer ça bas, que d'euoyer la haut sa corruption & sa misere. Mais a le bien prendre, il
a faict en plusieurs façons, & l'vn, & l'autre de
pareille vanité d'opinion. Quand les Philosophes espeluchent la hierarchie de leurs dieux,
& sont les empressés a distinguer leurs alian-
ces, leurs charges, & leur puissance, ie ne puis
pas croire qu'ilz parlent a certes. Quand Platon nous deschifre le vergier de Pluton, & les
commoditez ou peines corporelles, qui nous
attendent encore apres la ruine & aneantissement de noz corps, & les accommode au sens
& ressentiment, que nous auons en ceste vie.

Secreti eelant colles & myrtea circum
Sylua tegit, cura non ipsa in morte relinquunt,

Quand Mahumet promet aux siens vn paradis tapissé, paré d'or & de pierrerie, garny de garses d'excellente beauté, de vins, & de viures singuliers, ie voy bien que ce sont des moqueurs qui s'accōmodét a nostre goust & a nostre bestise, pour nous emmieler & attirer par ces opinions & esperances, qui sont selō nostre portée & selon nostre sens corporel & terrestre. Croyons nous que Platon, luy qui a eu ses conceptions si celestes & hautaines, & si grande accointāce a la diuinité, que le surnom luy en est tres-iustement demeuré, ait estimé que l'homme, ceste vile creature, eut rien en luy accommodable & applicable a ceste incōprehēsible puissance? & qu'il ait creu que noz prises foybles & lâches sussent capables, ni la force de nostre goust assez ferme, pour participer a la beatitude, ou peine eternelle? Il faudroit luy dire de la part de la raison humaine, Si les plaisirs que tu nous prometz en l'autre vie, sont du goust de ceux, que i'ay senti ça bas, cela n'a rié de commun auec l'infinité. Quand tous mes cinq sens de nature seroient combles de liesse, & ceste ame saisie de tout le cōtentemēt qu'elle peut desirer & esperer, nous sçauōs ce qu'elle peut, nous sçauons la foyblesse & incapacité de ses forces. Cela ce ne seroit encores rien. S'il y a quelque chose du mien, il n'y a rien de diuin. Si cela n'est tout autre, que ce que ie sens, & ce qui peut apartenir a ceste nostre cō-
dition

dition presente, cela ne peut estre mis en compte. La reconnoissance de nos parens, de noz enfans & de nos amis, si elle nous peut toucher & chatouiller en l'autre monde, si nous sommes capables d'vne telle sorte de plaisirs, nous sommes encore dans les commoditez mortelles & finies. Nous ne pouuons dignement conceuoir la grandeur de ces hautes & diuines promesses, si nous les pouuos conceuoir: pour dignement les imaginer, il les faut imaginer inimaginables, indicibles & incomprehensibles a l'homme. Oeuil ne sçauroit voir, dit S. Paul, & ne peut monter en cœur d'homme l'heur que Dieu a preparé aux siens. Et si pour nous en rendre capables, on reforme & rechange nostre estre (comme tu dis Platon par tes purifications) ce doit estre d'vn si extreme changement & si vniuersel, que par la doctrine physique, ce ne sera plus nous, ce sera quelque autre chose qui receura ces recompenses. Car en la Metempsicose de Pythagoras & changement d'habitation, qu'il imaginoit aux ames, pensons nous que le lyon, dans lequel est l'ame de Cæsar, espouse les passions, qui touchoient Cælar, & qu'il souffre pour luy? & qu'es mutations qui se font des corps des animaux en autres de mesme espece, les nouueaux venus ne soient autres que leurs predecesseurs? des cendres d'vn phœnix s'engendre, dit on, vn ver, & puis vn autre

Klz 4

phœnix. Ce segond phœnix qui peut imaginer
qu'il ne soit autre que le premier? les vers qui
font nostre soye, on les void comme mourir &
assecher, & de ce mesme corps se produire vn
papillon, & de la vn autre ver, qu'il seroit ridicule estimer estre encores le premier. Ce qui
a cessé vne fois d'estre, n'est plus.

Nec si materiam nostram collegerit ætas
Post obitum, rursùmque redegerit, vt sit a nunc est,
Atque iterum nobis fuerint data lumina vitæ,
Pertineat quidquam tamẽ ad nos idquoque factũ,
Interrupta semel cum sit repetentia nostra.

Et quand tu dis ailleurs Platon, que ce sera la
partie spirituelle de l'homme, a qui il touchera
de iouïr des recompẽses de l'autre vie, tu nous
dis chose qui a encore aussi peu d'apparence.
Car a ce compte ce ne sera plus l'homme, ni
nous par consequẽt a qui touchera ceste iouïssance. Car nous sommes bastis de deux pieces
principales essentielles, desquelles la separatiõ,
c'est la mort & ruine de l'estre de l'homme.
Nous ne disons pas que l'homme souffre, quãd
les vers luy rongent ses membres, dequoy il viuoit, & que la terre les consomme:

Et nihil hoc ad nos, qui coitu coniugióque
Corporis atque anime consistimus vniter apti.

Dauantage sur quel fondement de leur iustice
peuuent les dieux reconnoistre & recompẽser
a l'homme apres sa mort ses operations bónes
& ver-

& vertueuſes: puis que ce ſont eux meſmes, qui
les ont acheminées & produites en luy? Et pourquoy s'offencent ilz & vengent ſur nous les a-
ctions vitieuſes , puis qu'ilz nous ont eux meſmes produictz en ceſte condition fautiere , &
que d'vn ſeul clin de leur volonté ilz nous peuuent empeſcher de faillir. Epicurus opoſeroit
il pas cela a Platon auec grand apparence de
l'humaine raiſon ? Elle ne faict que fouruoyer
par tout, mais ſpeciallement quand elle ſe meſle des choſes diuines. Qui le ſent plus euidamment que nous? Car encores que nous luy ayós
donné des principes certains & infaillibles, encore que nous eſclairions ſes pas par la ſaincte
lampe de la verité , qu'il a pleu a Dieu nous
communiquer: nous voyons pourtant iournelle-
ment , pour peu qu'elle ſe démente du ſentier
ordinaire, & qu'elle ſe deſtourne ou eſcarte de
la voye tracée & batue par l'Egliſe, cóme tout
auſſi toſt elle ſe perd, s'embarraſſe & s'entraue,
tournoyant & flotât dans ceſte mer vaſte, trouble , & ondoyante des opinions humaines, ſans
bride & ſans arreſt. Auſſi toſt qu'elle pert ce
grand & commun chemin, elle va ſe diuiſant &
ſe diſſipant en mille routes diuerſes. L'homme
ne peut eſtre que ce qu'il eſt, ny imaginer que
ſelon ſa portée. L'ancienneté penſa, ce croy-ie,
faire quelque choſe pour la grandeur diuine de
l'apparier a l'homme, la veſtir de ſon acouſtre-
ment, de ſes facultez , & eſtrener de ſes belles

Kk 5

humeurs, tesmoin ceste opinion si receüe des
sacrifices : & que Dieu eust quelque plaisir a la
vengeäce, au meurtre, & au tourment des choses
par luy faictes, conseruées & creées, & qu'il se
peut flater par le sang des ames innocentes: nõ
seulement des animaux qui n'en peuuent mez,
ains des hommes mesmes, comme plusieurs
nations, & entre autres la nostre, auoient en vsage
ordinaire. Et croy qu'il n'en est nulle exẽpte
d'en auoir faict quelque essay. C'estoit vne
estrange fantasie de vouloir contenter & plaire
a la iustice diuine, par nostre torment & nostre
peine, comme les Lacedemoniens qui caressoient
leur Diane par le torment des enfans,
qu'ilz faisoint foiter deuant son autel, souuent
iusques a la mort. C'estoit vne humeur farouche
de vouloir gratifier l'ouurier par la ruine
de son ouurage, & l'architecte par la subuersiõ
de son bastiment: & de vouloir garentir la peine
deuë aux coulpables par la punition des innocens,
& que la poure Iphigenia au port d'Aulide
par sa mort & par son sacrifice deschargeät
enuers Dieu l'arméeGrecque, des offeces qu'elle
auoit commises. Ioint que ce n'est pas au criminel
de se faire foiter a sa mesure & a son heure:
c'est au iuge. Et puis l'offance consiste en la
volonté, non aux espaules & au gosier. Ainsi
ramplissoint ils la religion mesme de plusieurs
mauuais effectz.

Sapiens olim

Relligion

Relligio peperit scelerata atque impia facta.

Or rien du noſtre ne ſe peut apparier ou raporter en quelque façon que ce ſoit a la nature diuine, qui ne la tache & marque d'autant d'imperfeᶜᵗiõ. Ceſte infinie beauté, puiſſace & bôté comment peut elle ſouffrir quelque correſpondance & ſimilitude a vne ſi vile choſe & ſi abiete que nous ſommes, ſans vn extreme intereſt & dechet de ſa diuine grandeur? Toutesfois nous luy preſcriuons des bornes, nous tenons ſa puiſſance aſſiegée par nos raiſons (i'appelle raiſon noz reſueries & noz ſonges, auec la diſpanſe de la philoſophie, qui dit le fol meſme & le meſchât forcener par raiſon, mais que c'eſt raiſon errante) nous le voulons aſſeruir aux apparences vaines & foibles de noſtre entendement a luy qui a fait & nous & noſtre cognoiſſance. Parce que riẽ ne ſe fait de riẽ, Dieu n'aura ſçeu baſtir le monde ſans matiere. Quoy, Dieu nous a il mis en main les clefs & les derniers reſſortz de ſa puiſſance? S'eſt il obligé a n'outrepaſſer les bornes de noſtre ſcience? Metz le cas ô hôme, que tu ayes peu remarquer icy quelques traces de ſes effets, penſes-tu qu'il y ait employé tout ce qu'il a peu & qu'il ait employé toutes ſes formes & toutes ſes idées en ceſt ouurage. Tu ne vois que l'ordre & la police de ce petit caueau, ou tu es logé: au moins ſi tu la vois. Sa diuinité a vne iuriſdiction infinie au dela. Ceſte piece n'eſt rien au pris du tout.

Omnia

Omnia cum cælo terráque marique
Nil sunt ad summam summai totius omnem.

c'est vne loy municipalle que tu allegues. Tu ne
sçays pas qu'elle est vniuerselle. Atache toy a ce
a quoy tu es subiect, mais non pas luy. Il n'est
pas ton contraire, ou concitoyen, ou compaignon. S'il s'est aucunement communiqué a toy,
ce n'est pas pour se raualer a ta petitesse, ny
pour te donner le contrerolle de son pouuoir.
Le corps humain ne peut voler aux nues : c'est
pour toy. Le soleil bransle sans seiour sa course
ordinaire. Les bornes des mers & de la terre ne
se peuuent confondre. L'eau est instable & sans
fermeté : vn mur est impenetrable a vn corps
humain : l'homme ne peut conseruer sa vie dans
les flammes : il ne peut estre & au ciel & en la
terre & en mille lieux ensemble corporelle-
mēt. C'est pour toy qu'il a faict ces regles : c'est
toy qu'elles attachent. Il a tesmoigné aux Chrestiens qu'il les a toutes franchies quand il luy
a pleu. De vray pourquoy tout puissant, comme
il est, auroit il restreint ses forces a certaine
mesure ? En faueur de qui auroit il renoncé son
priuilege ? Ta raison n'a en nulle autre chose
plus de verisimilitude & de fondement, qu'en
ce qu'elle te persuade la pluralité des mondes.
Les plus fameux & nobles esprits du tēps passé
l'ont creüe, & aucuns des nostres mesmes, forcés
par l'apparence de la raison humaine : d'autant
qu'en ce bastimēt, que nous voyons, il n'y a rien
seul

ſeul & vn , & que toutes les eſpeces ſont multi-
pliées en quelque nombre. Par ou il ſemble
n'eſtre pas vray-ſemblable que Dieu ait faiƈt
ce ſeul ouurage ſans compaignon: & que la matiere de ceſte forme euſt eſté toute employée
en ce ſeul indiuidu, notamment ſi c'eſt vn ani-
mant : comme ſes mouuemens & aƈtion le ren-
dēt fort croyable. Or s'il y a pluſieurs mondes,
comme Platon , Epicurus & preſque toute la
philoſophie a penſé,que ſçauōs nous ſi les principes & les regles de cetuy-cy touchent les autres ? Ilz ont a l'auanture autre viſage & autre
police. Nous voyons en ce monde vne infinie
diſſemblance & varieté pour la ſeule diſtance
des lieux Ny le bled ny le vin,ny nul de nos a-
nimaux n'eſt cogneu en ce nouueau coin du
monde,que nos peres ont deſcouuert:tout y eſt
autre.Et qui en voudra croire Pline & autres, il
y a des natures & formes d'hommes en certains
endroitz de la terre,qui ont fort peu de reſſemblance a la noſtre : comme ceux que Plutarque
dit eſtre en quelque endroit des Indes n'ayants
point de bouche & ſe nourriſſans de la ſenteur
de certaines odeurs.S'il eſt ainſi,combien y a il
de noz deſcriptions de l'homme fauces?il n'eſt
plus riſible ny a l'auanture capable de raiſon &
de ſocieté. L'ordonnance & la cauſe de noſtre
baſtiment interne ſeroint pour la plus part fauces. Dauantage, combiē y a il de choſes en noſtre cognoiſſance meſme, qui combatent ces
belles

belles regles que nous auons taillées & prescri-
tes a nature ? Et nous entreprandrons d'y attacher Dieu mesme? Combien de choses appellons nous miraculeuses, & contre nature? combien trouuons nous de proprietez ocultes & de
quint'essences? car a ce que ie puis comprédre,
aller selon nature pour nous, ce n'est autre chose qu'aller selon nostre intelligéce, autát qu'elle peut suyure & autát que nous y voyós. Ce qui
est audela est monstrueux & desordóné. Or a ce
conte aux plus auisez & aux plus habilles tout
sera donc móstrueux. Car a ceux la, la raison humaine a persuadé, qu'elle n'auoit ny force, ny
cognoissance, ny pied, ny fondement quelconque: non pas seulement pour asseurer si nous viuons, tesmoin Euripides, qui dit estre en doute,
si la vie que nous viuós est vie, ou si c'est ce que
nous appellons mort, qui soit vie.

Τίς δ'οἶδεν ει ζῆν τοῦθ ὁ κίκλη]αι θανεῖν
τὸ ζῆν δὲ θνέσκειν ἔςι,

Ie ne sçay si la doctrine en iuge autremét, & me
soubz-mets en tout & par tout a son ordonnance. Mais il m'a tousiours semblé qu'a vn homme Chrestien ceste sorte de parler est pleine
d'indiscretion & d'irreuerance. Dieu ne peut
mourir, Dieu ne se peut desdire, Dieu ne peut
faire cecy, ou cela. Ie ne trouue pas bó d'enfermer ainsi la puissance diuine sous les lois de nostre parolle. Et l'apparance qui s'offre a nous en
ces

ces propositions, il la faudroit repreſenter plus
reueráment & plus religieuſement. Noſtre parler a ſes foibleſſes & ſes defauts , côme tout le
reſte. La plus part des occaſions des troubles du
monde ſont Grammairiennes. Nos proces ne
naiſſēt que du debat de l'interpretatiõ des loix,
& la plus part des guerres de ceſte impuiſſance
d'auoir ſceu clairemēt exprimer les côuentions
& traictés d'accord des princes. Côbiē de querelles & combien importātes a produit au mõde le doubte du ſens de ceſte ſyllabe *Hoc.* Ie
voy les philoſophes Pyrrhoniens qui ne peuuēt
exprimer leur generale côception en nulle maniere de parler: car il leur faudroit vn nouueau
langage. Le noſtre eſt tout formé de propoſitions affirmatiues , qui leur ſont du tout ennemies. De façon que quand ils diſent, ie doubte,
on les tient incontinēt a la gorge, pour leur faire auouër qu'aumios ſçauēt ils cela, qu'ils doub-
tēt. Ainſi on les a côtraints de ſe ſauuer dãs cête
comparaiſon de la medecine, ſans laquelle leur
humeur ſeroit inexplicable. Mais quãd ils pro-
noncēt, i'ignore, ou ie doubte, ils diſent que ceſte propoſition s'emporte elle meſme quant &
quant le reſte: ny plus ne moins que la rubarbe
qui pouſſe hors les mauuaiſes humeurs & s'ç-
porte hors quant & quant elle meſmes. Voyés
comment on ſe preuaut de ceſte ſorte de parler pleine d'irreuerence. Aux diſputes qui ſont
a preſent en noſtre religion, ſi vous preſſes trop
les

les aduersaires, ils vous diront tout destrousséement qu'il n'est pas en la puissance de Dieu de faire que son corps soit en paradis & en la terre & en plusieurs lieux ensemble. Et ce moqueur de Pline cõment il en fait son profit, Au moins dit-il, est ce vne non legiere consolation a l'hõme de ce qu'il voit Dieu mesme ne pouuoir pas toutes choses. Car il ne se peut tuer, quand il voudroit, qui est la plus grande faueur que nous auons en nostre condition, il ne peut faire les mortelz immortels, ny reuiure les trespassés, ny que celuy qui a vescu n'ait point vescu, celuy qui a eu des hõneurs ne les ait point eus, n'aiãt autre droit sur le passé que de l'oubliaãce. Et affin que ceste societé de l'homme a Dieu s'acouple encore par des exemples plaisans, il ne peut faire que deux fois dix ne soient vingt. Voila ce qu'il dict, & qu'il me semble qu'vn Chrestié deuroit euiter de passer par sa bouche. La ou au rebours il semble que les hommes recerchent ceste fole fierté de langage pour ramener Dieu a leur mesure.

     cras vel atra

N ube polum pater occupato,
V el sole puro, non tamen irritum
Quidcumque retro efficiet, neque
Diffinget infectúmque reddet
Quod fugiens semel hora vexit.

Quand nous disons que l'infinité des siecles tãt passez qu'auenir n'est a Dieu qu'vn instant: que
           sa bon-

sa bonté, sapience, puissance sont mesme chose
auecques son essence, nostre parole le dict, mais
nostre intelligence ne l'apprehende point. Et
toutes-fois nostre outrecuidance veut faire passer la diuinité par nostre estamine: & de la s'en-
gendrent toutes les resueries & erreurs, desquelles le monde se trouue saisi, ramenât & poisant a sa balance chose si esloignée de sa suffisance. Les Stoiciens par la ont attaché Dieu a
la destinée (a la mienne volonté qu'aucuns du
surnom de Chrestiens ne le facent pas encore)
& Thales, Platon, & Pythagoras l'ont asseruy a
la necessité. Ceste fierté de vouloir descouurir
Dieu par nos yeux & mesurer a nostre mesure, a
faict qu'vn grand personnage des nostres a attribué a la diuinité vne forme corporelle. Les
hommes, dict saint Paul, sont deuenus fols cui-
dans estre sages, & ont mué la gloire de Dieu
incorruptible en l'image de l'homme corrupti-
ble. Voyons si nous auons quelque peu plus de
clarté en la cognoissance des choses humaines
& naturelles. N'est-ce pas vne ridicule entreprinse, a celles ausquelles par nostre propre cô-
fession nostre science ne peut ateindre, leur aller forgeant vn autre corps & prestant vne forme fauce de nostre inuention: comme il se void
au mouuement des planettes, auquel d'autant
que nostre esprit ne peut atteindre, ny imaginer
sa naturelle conduite, nous leur prestons du nostre des ressortz materielz, lourds, & corporels:

temo aureus, aurea summa
Curuatura rotæ, radiorum argenteus ordo.

Vous diriez que nous auons eu des cochiers &
des charpentiers, qui sont allez dresser la haut
des engins a diuers mouuemens. Tout ainsi que
les femmes employent des dentz d'iuoire, ou
les leurs naturelles leur manquent, & au lieu de
leur vray teint en forgent vn de quelque matiere
estrangere : côme elles font des cuisses de drap
& de feutre, & de l'embonpoint de coton : & au
veu & sçeu d'vn chacun s'êbellissent d'vne beauté fauce & empruntée : ainsi fait la philosophie.
Elle nous donne en payement & en presuppofi-
tion les choses qu'elle mesmes nous aprend e-
stre inuentées : car ces epicycles, excentriques,
concêtriques, dequoy l'Astrologie s'aide a conduire le branle de ses estoiles, elle nous les dône pour le mieux qu'elle ait sçeu inuenter en ce
suiet, côme aussi en la pluspart du reste : la philosophie nous presente, non pas ce qui est, ou ce
qu'elle croit, mais ce qu'elle forge ayant plus
d'apparence & de lustre. Ce n'est pas au ciel
seulement qu'elle enuoye ses cordages, ses engins & ses rouës : considerons vn peu ce qu'elle
dit de nous mesmes & de nostre contexture. Il
n'y a pas plus de retrogradatiô, trepidation, accession, reculement, rauissement, aux astres &
corps celestes, qu'ils en ont forgé en ce pauure
petit corps humain. Vrayemêt ils ont eu par la,
raison de l'appeller le petit monde, tant ils ont
em-

employé de pieces, de reſſortz & de viſages a le
maſſonner & baſtir. Pour accõmoder les mouuemens qu'ils voyent en l'homme, les diuerſes
operatiõs & facultez que nous ſentons en nous,
en combiẽ de parties ont ils diuiſé noſtre ame?
en combien de ſieges logée ? a combien d'ordres & d'eſtages ont ils deſparty ce pauure hõme outre les naturels & perceptibles? & a combien d'offices & de vacations ? Ils en font vne
choſe publique imaginaire. C'eſt vn ſuiect
qu'ils tiennent & qu'ils manient : on leur laiſſe
toute puiſſance de le deſcoudre, renger, raſſem-
bler & eſtoſer chacun a ſa fantaſie , & ſi ne le
poſſedent pas encore. Non ſeulement en verité , mais en ſonge meſmes ils ne le peuuent regler qu'il ne s'y trouue quelque cadence ou
quelque ſon , qui eſchape a leur architecture
toute monſtrueuſe qu'elle eſt , & rapiecée de
mille lopins faux & fantaſtiques. Ie ſçay bon
gré a la garſe Mileſienne, qui voyant le philoſophe Thales s'amuſer continuellement a la
contemplation de la voute celeſte , & tenir
touſiours les yeux eſleuez contremont , luy mit
en ſon paſſage quelque choſe a le faire broncher , pour l'aduertir qu'il ſeroit temps d'amuſer ſon penſement aux choſes qui eſtoient dans
les nues, quand il auroit prouueu a celles qui e-
ſtoient a ſes pieds. Elle luy conſeilloit certes
bien de regarder pluſtoſt a ſoy qu'au ciel : mais
noſtre condition porte que la cognoiſſance

de ce que nous auons entre mains , est aussi es-
lóignée de nous & aussi bien au dessus des nues,
que celle des astres. Ces gens icy , qui trouuent les raisons de Sebond trop foibles,qui n'i-
gnorent rien,qui gouuernent le monde,qui sçauent tout,

Quæ mare côpescant causa,quid temperet annum,
Stellæ sponte sua,iussæue vagentur & errent:
Quid premat obscurū Luna,quid proferat orbem,
Quid velit & possit rerum concordia discors,

n'ont ilz pas quelques fois sondé parmy leurs
liures,les difficultez, qui se presentēt, a cognoistre leur estre propre? Nous voions bien que le
doigt se meut,& que le pied se meut , qu'aucunes parties se branlent d'elles mesmes sans nostre congé, & que d'autres nous les agitons par
nostre ordonnance,que certaine apprehention
engendre la rougeur, certaine autre la palleur,
telle imagination agit en la rate seulement,tel-
le autre au cerueau,l'vne nous cause le rire,l'autre le pleurer,telle autre transit & estonne tous
nos sens,& arreste le mouuement de noz membres. Mais comme vne impression spirituelle
face vne telle faucée dans vn suiect massif , &
solide, & la nature de la liaison & cousture de
ces admirables ressorts , iamais homme ne l'a
sçeu, comme dict Salomon. Et si ne le met on
pas pourtant en doute : car la plus part des opinions des hommes, sont receuës a la suitte des
creances anciennes par authorité & a credit,
                                              com-

comme ſi c'eſtoit religion & loy. On reçoit
comme vn iargon ce qui en eſt cómunemét tenu. On reçoit ceſte verité auec tout ſon baſtiment & atelage d'argumens & de preuues, cóme vn corps ferme & ſolide, qu'on n'esbranle
plus, qu'on ne iuge plus. Au contraire chacun a
qui mieux mieux va plaſtrant & confortát ceſte
creáce receuë, de tout ce que peut ſa raiſon: qui
eſt vn vtil ſouple contournable, & accómodable
a toute figure. Ainſi ſe remplit le monde & ſe
confit en fadeſſe & en menſonge. Ce qui faict
qu'on ne doute de guiere de choſes, c'eſt que
les communes opinions on ne les eſſaye iamais,
on n'en ſonde point le pied, ou giſt la faute & la
foibleſſe: on ne ſe debat que ſur les bráches, on
ne demande pas ſi cela eſt vray, mais s'il a eſté
ainſi ou ainſi entendu. On ne demande pas ſi
Galen a rien dit qui vaille: mais s'il a dit ainſin
ou autrement. Vraymant c'eſtoit bien raiſon
que ceſte bride & contrainte de la liberté de
nos iugements, & ceſte tyrannie de nos creances s'eſtandit iuſques aux eſcoles & aux artz. Le
Dieu de la ſcience ſcholaſtique c'eſt Ariſtote:
c'eſt religion de debatre de ſes ordonnances,
comme de celles de Lycurgus a Sparte. Sa doctrine nous ſert de loy magiſtrale: qui eſt a l'a-
uanture autant vaine qu'vne autre. Ie ne ſçay pas
pourquoy ie n'acceptaſſe autát volontiers ou les
idées de Platon, ou les atomes d'Epicurus, ou le
plain & le vuide de Leucippus & Democritus,

ou l'eau de Thales, ou l'infinité de nature d'A-
naximander, ou l'air de Diogenés, ou les nombres & symmetrie de Pythagoras, ou l'infini de
Parmenides, ou l'vn de Musæus, ou l'eau & le
feu d'Apollodorus, ou les parties similaires d'A
naxagoras, ou la discorde & amitié d'Empedocles, ou le feu de Heraclitus, ou toute autre opinion de ceste confusion infinie d'aduis & de
sentences, que produit ceste belle raison humaine par sa certitude & clair-voyance en tout.
ce dequoy elle se mesle, comme ie feroy l'opinion d'Aristote sur ce subiet des principes des
choses naturelles: lesquelz principes il bastit de
trois pieces, matiere, forme & priuation. Car
qu'est-il plus vain que de faire la vanité & inanité mesme cause de la production des choses?
La priuation c'est vne negatiue : de quelle humeur en a il peu faire la cause & origine des
choses qui sont ? Cela toutesfois ne s'auseroit
esbranler aux escoles que pour l'exercice de la
Logique. On n'y debat rien pour le mettre en
doute, mais pour defendre Aristote des obiections estrangeres : Son authorité c'est le
but, au de la duquel il n'est pas permis de s'enquerir. Il est bien aysé sur des fondemēs auouez
de bastir ce qu'on veut. Car selon la loy & ordonnance de ce commancemēt, le reste des pieces du bastiment se conduit aysement, sans se
démentir. Par ceste voye nous trouuons nostre
raison bien fondée & discourons a boule veüe:
car

car nos maiſtres preoccupent & gaignent auāt
main autant de lieu en noſtre creance, qu'il leur
en faut pour conclurre apres ce qu'ilz veulent: a
la mode des Geometriens par leurs demandes
auouées, le conſentement & approbation que
nous leur preſtons leur donnant dequoy nous
trainer a gauche & a dextre, & nous pyroueter
a leur volonté. Quiconque eſt creu de ſes pre-
ſuppoſitions, il eſt noſtre maiſtre & noſtre
Dieu. Il prendra le plant de ſes fondemens ſi
ample & ſi aiſé, que par iceux il nous pourra
monter, s'il veut, iuſques aux nues. En ceſte pratique & negotiation de ſciance nous auons pris
pour argēt content le mot de Pythagoras, Que
chaque expert doit eſtre creu en ſon art. Le
dialecticien ſe rapporte au grammairien de la
ſignification des motz: le rhetoricien emprunte du dialecticien les lieux des arguments: le
poëte du muſicien les meſures: le geometrien
de l'arithmeticien les proportions: les metaphy
ſiciens prenent pour fondement les coniectures de la phyſique. Car chaſque ſcience a ſes
principes preſuppoſez, par ou le iugement humain eſt bridé de toutes pars. Si vous venez a
choquer ceſte barriere, en laquelle giſt la prin
cipale foibleſſe & fauceté, ilz ont incontin-
nent ceſte ſentence en la bouche, Qu'il ne faut
pas debattre contre ceux qui nient les prin-
cipez. Or n'y peut il auoir des principes aux
hommes, ſi la diuinité ne les leur a reuelez.

De tout le demeurant, & le commencement
& le milieu & la fin ce n'est que songe & fumée. A ceux qui combatent par presuppofi-
tion, il leur faut presuppofer au côtraire le mefme axiome, dequoy on debat. Car toute prefup-
pofition humaine & toute enunciation a autant
d'authorité l'vne que l'autre, si la raison n'en
faict la differêce. Ainsi il les faut toutes mettre
a la balance: & premierement les generalles &
celles qui nous tyrannifent. Il faut sçauoir si le
feu est chaut, si la nege est blanche, s'il y a rien
de dur ou de mol en nostre cognoissance. Et
quand a ces responces, dequoy il se faict des
contes anciens : comme a celuy qui metoit en
doute la chaleur, qu'on respondoit qu'il se ietast
dans le feu : a celuy qui nioit la froideur de la
glace, qu'il s'en mit dans le sein : elles sont tres-
indignes de la profession philosophique. S'ils
nous euffent laiffé en nostre estat naturel, rece-
uâts les apparences estrágieres felon qu'elles se
presentêt a nous par nos sens, & nous euffêt lais-
fez aller apres nos appetitz simples & reglez
par la condition de nostre naissance, ilz auroiêt
raison de parler ainsi. Mais c'est d'eux que nous
auons apris de nous rendre iuges du monde.
C'est d'eux que nous tenons ceste creâce, que la
raison humaine est contrerolleuse generalle de
tout ce qui est au dehors & au dedãs de la voute celeste, qui embrasse tout, qui peut tout. Sans
laquelle riê ne se sçait, rien ne se connoit, riê ne
se void.

se vold. Ceste response seroit bonne par my les
Cannibales, qui goutêt l'heur d'vne longue vie,
tranquille & paisible sans les preceptes d'Aristote, & sans la connoissance du nom de la physique. Ceste response vaudroit mieux a l'aduê-
ture & auroit plus de fermeté, que toutes celles
qu'ilz emprunteront de leur raison & de leur
inuention. De ceste-cy seroient capables auec
nous tous les animaux, & tout ce, ou le commâ-
dement est encor pur & simple de la loy naturelle. Mais eux ils y ont renoncé. Il ne faut pas
qu'ilz me dient, il est vray, car vous le voyez &
sentez ainsi. Il faut qu'ils me dient, si ce que ie
pense sentir, ie le sens pourtant en effect : & si
ie le sens, qu'ils me dient apres, pourquoy ie le
sens, & cômêt, & quoy : qu'ilz me diêt le nom,
l'origine, les tenâs, & aboutissans de la chaleur,
du froid, les qualitez de celuy qui agit, & de celuy qui souffre : ou qu'ilz me quittent leur professiô, qui est de ne receuoir ny aprouuer rien,
que par la voye de la raison. C'est leur touche a
toutes sortes d'essays : mais certes c'est vne touche pleine de fauceté, d'erreur, de foyblesse, &
de deffaillance. Par ou la voulons nous premierement essayer ? sera ce pas par elle mesme ?
s'il ne la faut croire parlant de soy, a peine sera elle propre a iuger des choses estrangeres.
Si elle connoit quelque chose, aumoins sera
ce son estre & son domicille. Elle est en l'a-
me & partie, ou effect d'icelle. Car la vraye

raiſon & eſſentielle, de qui nous deſrobons le
nom a fauces enſeignes, elle loge dans le ſein
de Dieu, c'eſt la ſon giſte & ſa retraite, c'eſt de
la ou elle part, quand il plaiſt a Dieu nous en
faire voir quelques rayôs: comme Pallas ſaillit
de la teſte de ſon pere, pour ſe communiquer
au monde. Or voyons ce que l'humaine raiſon
nous a apris de ſoy & de l'ame. A Crates & Di-
çearchus, qu'il n'y en auoit du tout point, mais
que le corps s'es branſloit ainſi d'vn mouuemêt
naturel, a Platon que c'eſtoit vne ſubſtance ſe
mouuant de ſoy-meſme, a Thales vne nature
ſans repos, a Aſclepiades vne exercitation des
ſens, a Heſiodus & Anaximander, choſe côpo-
ſée de terre & d'eau, a Parmenides, de terre &
de feu, a Empedocles de ſang.

Sanguineam vomit ille animam

a Poſſidonius, Cleantez & Galen vne chaleur
ou complexion chaloureuſe,

Igneus eſt ollis vigor & cæleſtis origo,

a Hypocrates vn eſprit eſpandu par le corps, a
Varro vn air receu par la bouche eſchauffé au
poulmô, attrempé au cœur, & eſpandu par tout
le corps, a Zeno la quinte-eſſence des quatre e-
lemens, a Heraclides Ponticus la lumiere, a
Xenocrates, & aux Aegyptiês vn nôbre mobile, aux Chaldées vne vertu ſans forme determi-
née: n'oublions pas Ariſtote, ce qui naturellement fait mouuoir le corps, qu'il nomme ente-
lechie, d'vne autât froide inuêtion que null'autre: car

tre:car il ne parle ny de l'essence,ny de l'origine,ny de la nature de l'ame, mais en remerque
seulement l'effect. Plusieurs autres plus sages
parmy les dogmatistes, côme Cicero, Seneca,
Lactâce , ont confessé que c'estoit chose qu'ils
n'etêdoiêt pas.Ie cônoy par moy,dit saint Bernard,côbien Dieu est incôprehêsible, puis que
les pieces de mon estre propre ie ne les puis cô-
prendre.Il n'y a pas moins de dissention, ny de
debat a le loger. Hipocrates & Hierophilus la
mettent au ventricule du cerueau : Democritus
& Aristote,par tout le corps:Epicur⁹ en l'estomac,les Stoiciens au tour & dedans le cœur:
Erasistratus, ioignât la mêbrane de l'epicrane:
Empedoclez au sang:côme aussi Moyse,qui fut
la cause pourquoy il defendit de mâger le sang
des bestes,auquel leur ame est iointe. Galen a
pensé que chaque partie du corps ait son ame.
Strato l'a logée entre les deux sourcils.Mais la
raison pourquoy Chrysippus la met au tour du
cœur côme les autres de sa secte n'est pas pour
estre oubliée:C'est par ce,dit-il,que quâd nous
voulons asseurer quelque chose,nous mettôs la
main sur l'estomac:& quâd nous voulôs pronô-
cer, ἔγω, qui signifie en Grec,moy,nous bais-
sons vers l'estomac la machouere d'embas.Ce
lieu ne se doit pas passer sans remerquer la vanité d'vn si grand personnage : car outre ce que
ces considerations, sont d'elles mesmes infini-
mant legieres, la derniere ne preuue que aux
Grecz

Grecz qu'ils ayent l'ame en cest endroit là. Il n'est iugement humain, si tendu, qui ne sommeille par fois. Voila Platõ qui definit l'homme, vn animal a deux pieds, sans plume: fournissant a ceux qui auoient enuie de se moquer de luy vne plaisante occasion de ce faire. Car ayãs plumé vn chapon vif, ils l'aloint nõmant l'hõme de Platõ. Et quoy Epicurus, de quelle simplicité estoit il allé premierement imaginer que ses atomes, qu'il disoit estre des corps a-yantz quelque pesanteur & vn mouuement na-turel contre bas, eussent basti le mõde: iusques a ce qu'il fut auisé par ses aduersaires, que par ceste description, il n'estoit pas possible qu'el-les se ioignissent & se prinsent l'vne a l'autre, leur cheute estãt ainsi droite & perpendiculai-re, & engédrant par tout des lignes parallelles? Parquoy pour couurir ceste faute, il fut force qu'il y adioutast despuis vn mouuement de co-sté, fortuite: & qu'il fournit encore a ses ato-mes, des formes courbes & crochues pour les rendre aptes a s'atacher & se coudre. Il se void plusieurs pareils exéples, non d'argumens faux seulement, mais ineptes, ne se tenans point & accusans leurs autheurs, non tant d'ignorance que d'imprudence, és reproches que les philo-sophes se font les vns aux autres sur les dissen-tions de leurs opinions, & de leurs sectes, com-me il s'en void infinis chez Plutarque, contre les Epicuriẽs & Stoiciẽs: & en Seneque contre les

Peripa-

Peripateticiens. Iugeons par la ce que nous a-
uons a estimer de l'homme, de son sens & de sa
raison, puis qu'en ces grands personnages & qui
ont porté si haut l'humaine suffizâce, il s'y trouue des deffautz si apparens & si grossiers. Moy
i'ayme mieux croire qu'ilz ont trãité la science
comme vn iouet a toutes mains, & se sont esba-
tus de la raison, comme d'vn instrument vain &
friuole, mettant en auant toutes sortes d'inuentions & de fantasies tantost plus tendues, tantost plus lâches. Combien de fois leur voyons
nous dire des chóses diuerses & contraires? Car
ce mesme Platon, qui definit l'homme comme
vne poule, il dit ailleurs apres Socrates, qu'il ne
sçait a la verité que c'est que l'homme, & que
c'est l'vne des pieces du monde d'autant difficile intelligence. Par ceste varieté & instabilité
d'opinions, il nous menent comme par la main
tacitement a ceste resolution de leur irresolution. Ils font profession de ne presenter pas
tousiours la verité en visage descouuert & apparent. Ils l'ont cachée tãtost soubz des vmbra-
ges fabuleus de la Poësie, tãtost soubz quelque
autre masque. Car nostre imperfection porte
encores cela, que la viande crue & naifue n'est
pas tousiours propre a nostre estomac. Il la faut
assecher, alterer & abastardir: ilz font de mesmes, ilz obscurcissêt par fois leurs naifues opinions & iugemens pour s'accommoder a l'vsage publique. Ils ne veulent pas faire profession

ex-

expresse d'ignorāce, & de l'imbecilité de la raison humaine:mais ils nous la descouurēt assez
soubz l'apparence d'vne science trouble & in-
constante. Pour reuenir a nostre ame (car i'ay
choisi ce seul exēple pour le plus cōmode a tesmoigner nostre foiblesse & vanité)ce que Platon a mis la raison au cerueau,l'ire au cœur, &
la cupidité au foye , il est vray-semblable que
ça esté plutost vne interpretation des mouuemens de l'ame , qu'vne diuision , & separation
qu'il en ayt voulu faire,cōme d'vn corps en plu
sieurs mēbres.Et la plus vray-sēblable de leurs
opiniōs est,que c'est tousiours vne ame,qui par
sa faculté ratiocine, se souuiēt,cōprēd,iuge,de-
sire & exerce toutes ses autres operatiōs par diuers instrumens du corps,cōme le nocher gou-
uerne son nauire selon l'experiance qu'il en a,
ores tendant ou lāchāt vne corde,ores haussant
l'antēne,ou remuant l'auirō,par vne seule puissance cōduisant diuers effetz:& qu'elle loge au
cerueau.Ce qui apert de ce que les blessures &
accidēs qui touchēt ceste partie,offencēt incō-
tinēt les facultez de l'ame.De la il n'est pas in-
cōueniēt qu'elle s'écoule par le reste du corps,
cōme le soleil espand du ciel en hors sa lumiere
& ses puissāces,& en rēplit le mōde.Aucūs ont
dit, qu'il y auoit vne ame generale , comme vn
grād corps, duquel toutes les ames particulieres estoient extraictes & s'y en retournoient,se
remeslāt tousiours a ceste matiere vniuerselle.

Deum

Deum namque ire per omnes
Terrásque tractúsque maris cœlumque profundũ:
Hinc pecudes, armēta, viros, genus omne ferarũ,
Quemque sibi tenues nascentem arcessere vitas:
Scilicet huc reddi deinde, ac resoluta referri
Omnia: nec morti esse locum:

d'autres, qu'elles ne faisoient que s'y resioindre
& ratacher: d'autres qu'elles estoient produites
de la substance diuine: d'autres par les anges de
feu & d'air: aucuns de toute ancienneté: aucuns
sur l'heure mesme du besoin. Aucuns les font
descendre du rond de la Lune & y retourner.
Le commun des anciens, qu'elles sont engen-
drées de pere en fils d'vne pareille maniere &
production que toutes autres choses naturelles,
argumentantz par la ressemblance des enfans
aux peres,

Instillata patris virtus tibi:
Fortes creantur fortibus & bonis,

& qu'on void escouler des peres aus enfans nõ
seulement les merques du corps, mais encores
vne ressemblance d'humeurs, de complexions,
& inclinations de l'ame.

Denique cur acris violentia triste leonum
Seminium sequitur, dolus vulpibus, & fuga ceruis
A patribus datur, & patrius pauor incitat artus,
Si non certa suo quia semine seminióque,
Vis animi pariter crescit cum corpore toto:

que sur ce fondemẽt s'establit la iustice diuine,
punissant aus enfans la faute des peres: d'autant
que

que la contagion des vices paternelz eſt aucunement empreinte en l'ame des enfans, & que
le deſreglement de leur volonté les touche.
Dauantage que ſi les ames venoient d'ailleurs,
que d'vne ſuite naturelle, & qu'elles euſſent e-
ſté quelque autre choſe hors du corps, elles auroient quelque recordation de leur eſtre premier, atendu les naturelles facultez, qui luy
ſont propres, de diſcourir, raiſonner & ſe ſouue-
nir. Car pour faire valoir la condition de nos a-
mes, comme nous voulons, il les faut preſup-
poſer toutes ſçauantes & pleines de ſuffiſance,
lors qu'elles ſont en leur ſimplicité & pureté
naturelle. Par ainſi elles euſſent eſté telles eſtât
exéptes de la priſon corporelle, auſſi bien auant
que d'y entrer, comme nous eſperons qu'elles
ſeront apres qu'elles en ſeront ſorties. Et de ce
ſçauoir, de ceſte prudence & ſapiéce il faudroit
qu'elles ſe reſſouuinſſét encore eſtâtz au corps,
côme diſoit Platon, que ce que nous apreniôs,
ce n'eſtoit qu'vn reſſouuenir de ce que noſtre
ame ſçauoit au parauant . Ce que chacun par
experience peut maintenir eſtre faux. En premier lieu d'autant qu'il ne nous reſſouuient iuſtement que de ce qu'on nous apprend: & que
ſi la memoire iouoit ſon rolle ſimple, aumoins
nous fourniroit elle quelque traict outre l'a-
prentiſſage. Secondement ce qu'elle ſçauoit e-
ſtant en ſa pureté , c'eſtoit vne vraye ſcience,
connoiſſant les choſes comme elles ſont par ſa
                                          diui-

diuine intelligence: la ou icy on luy faict receuoir la mésonge, la fauceté & le vice, si on l'en
instruit, enquoy elle ne peut emploier sa remi-
niscence, ceste image & conception n'ayāt iamais logé en elle. Et de dire que la prison corporelle estouffe, de maniere ses facultez naifu-
ues, qu'elles y sont toutes esteintes: cela est premierement contraire a ceste autre creance philosophique, de reconnoistre ses forces si grandes, & les operations que les hômes en sentent
en ceste vie si admirables, que d'en auoir con-
clud ceste diuinité & çternité passée, & l'immor
talité a-venir. Dauantage, c'est icy chez nous, &
non ailleurs, que doiuent estre considerées les
forces & les effectz de l'ame: tout le reste de
ses perfections, luy est vain & inutile: c'est de
l'estat present que doit estre payée & recônue
toute son immortalité, & de la vie de l'homme
qu'elle est comtable seulemēt: ce seroit iniustice de luy auoir retranché ses moyēs & ses puissances, de l'auoir desarmée pour du tēps de sa
captiuité & de sa prison, de sa foiblesse & maladie, du temps ou elle auroit esté forcée & contrainte, tirer le iugement & condemnation d'v-
ne durée infinie & perpetuelle: & de s'arrester
a la consideratiō d'vn tēps si court, qui est a l'a-
uāture d'vne ou de deux heures, ou au pis aller,
de cent ans, qui n'ont non plus de proportion a
l'infinité qu'vn instant, pour de ce momēt d'interualle ordonner & establir definitiuement de

tout son estre. Ce seroit vne disproportion inique de tirer vne recompense eternelle en consequéce d'vne si courte vie. Par ainsi ils iugeoiét
que sa generation suiuoit la commune conditió
des choses humaines : comme aussi sa vie & sa
durée par l'opinió d'Epicurus & de Democritus, qui a esté la plus receuë aux siecles anciens,
suiuant ces belles apparences : que on la voioit
naistre a mesme que le corps en estoit capable,
on voyoit esleuer ses forces comme les corporelles, on y reconnoissoit la foiblesse de son enfance, & auec le temps sa viguer & sa maturité:
& puis sa declination & sa vieillesse, & enfin sa
decrepitude. Ils l'apperceuoient capable de diuerses passiós & agitée de plusieurs mouuemés
penibles, d'ou elle tôboit en lassitude & en douleur, capable d'alteration & de changement,
d'alegresse, d'assopissement & de la langueur,
subiecte a ses maladies & aux offences, cóme
l'estomac ou le pied, esblouye & troublée par
la force du vin: desmue de son assiete par les va-
peurs d'vne fieure chaude : endormie par l'application d'aucuns medicamés & reueillée par
d'autres. On luy voioit estôner & rcuerser toutes ses facultez par la seule morsure d'vn chien
malade, & n'y auoir nulle si grande fermeté de
discours, nulle suffisance, nulle vertu, nulle reso-
lutió philosophique, nulle contentió de ses forces qui la peut exempter de la subiectió de ces
accidens. La saliue d'vn chétif mastin versée sur
la main

la main de Socrates fecouër toute fa fageffe &
toutes fes grâdes & fi reglées imaginations, les
aneantir de maniere qu'il ne reftat nulle trace
de fa cónoiffance premiere:& ce venin ne trouuer non plus de refiftâce en cefte ame qu'ê celle d'vn enfant de quatre ans , venin capable de
faire deuenir toute la philofophie,fi elle eftoit
incarnée,furieufe & infenfée: fi que Catô , qui
tordoit le col a la mort mefme & a la fortune,
ne peut fouffrir la veuë d'vn miroir ou de leau,
d'efpouuantement & d'effroy , quand il feroit
tombé par la contagió d'vn chien enragé en la
maladie que les medecins nommêt Hydrofor-
bie. Or quant a ce point, la philofophie a bien
armé l'hôme pour la fouffrance de tous autres
accidens , ou de patience , ou fi elle coufte trop
a trouuer,d'vne deffaite infallible, en fe defro-
bant tout a fait de la vie : mais ce font moyens,
qui feruêt a vne ame eftât a foy & en fes forces,
capable de difcours & de deliberation : nô pas
a ceft accidêt, ou chez vn philofophe vne ame
deuient l'ame d'vn fol,troublée rêuerfée & per-
due.Ce que plufieurs occafions produifent:cô-
me vne agitation trop vehemête que par quelque forte paffion l'ame peut engendrer en foy
mefme:ou vne bleffure en certain endroit de la
perfone : ou vne exhalation de leftomac , nous
iettant a vn esblouiffement & tournoiemêt de
tefte.Les philofophes n'ont, ce me feble,guie-
re touché cefte corde. Cefte ame pert le gouft

Mm 2

du souuerain bié Stoique si constât & si ferme.
Il faut que nostre belle sagesse se rende en cest
endroit & quitte les armes . Au demeurant ils
consideroient , aussi par la vanité de l'humaine
raison, que le meslange & societé de deux pieces si diuerses, côme est le mortel & l'immor-
tel, est inimaginable:

Quippe etenim mortale aterno iungere, & vna
Consentire putare, & fungi mutua posse,
Desipere est. Quid enim diuersius esse putãdũ est,
Aut magis inter se disiunctum discrepánsque,
Quam mortale quod est immortali atque perenni
Iunctum in concilio seuas tolerare procellas?

Dauantage ils sentoient l'ame s'engager en la
mort, comme le corps:& ce qu'ô aperceuoit en
aucuns, sa force & sa vigueur se maintenir en la
fin de la vie , ils le raportoiét a la diuersité des
maladies, comme on void les hommes en ceste
extremité maintenir, qui vn sens, qui vn autre,
qui l'ouir, qui le fleurer sans alteration:& ne se
voit point d'affoiblissemét si vniuersel, qu'il n'y
reste quelques parties entieres & vigoureuses.
Quand à l'opinion contraire de l'immortalité
de l'ame, c'est la partie de l'humaine sciêce trai
ctée auec plus de reseruation & de doubte. Les
dogmatistes les plus fermes sont contrainctz
en cest endroit de se reietter a l'abry des ombrages de l'Academie. Nul ne sçait encore ce
qu'Aristote a establly de ce subiect. Il s'est caché soubs le nuage des parolles & sens difficiles,
                         & nou

& non intelligibles , & a laiſſé a ſes ſectateurs
autant a diſputer & a debatre ſur ſon iugement
que ſur la choſe meſme. Deux choſes leur rendoient ceſte opinion plauſible : l'vne que ſans
l'immortalité des ames il n'y auroit pl⁹ dequoy
aſſeoir les vaines eſperances de la gloire & de
la reputation, qui eſt vne conſideration de merueilleux credit au monde:l'autre, que c'eſt vne
tres-vtile impreſſion, que les vices quand ils ſe
deſ-robcrôt de la veuë & cônoiſſance de l'humaine iuſtice demeurêt touſiours en butte a la
diuine, qui les pourſuiura, voire apres la mort
des coupables.Mais les pl⁹ ahurtez a ceſte perſuaſion,c'eſt merueille comme ilz ſe ſont trouuez courtz & impuiſſans a l'eſtablir par leurs
humaines forces. L'homme peut reconnoiſtre
par ce teſmoignage,qu'il doit a la fortune & au
rêcontre la verité,qu'il deſcouure luy ſeul,puis
que lors meſme,qu'elle luy eſt tôbée en main,il
n'a pas dequoy la ſaiſir & la maintenir , & que
ſa raiſon n'a pas la force de s'en preualoir. Toutes choſes produites par noſtre propre diſcours
& ſuffiſance,autant vrayes que ſauces, ſont ſubiectes a agitation & debat. C'eſt pour le cha-
tiemêt de noſtre fierté,& inſtruction de noſtre
miſere & incapacité que Dieu produiſit le trouble & la confuſion de l'anciêne tour de Babel.
Tout ce que nous entreprenons ſans ſon aſſiſtâce,tout ce que nous voyons ſans la lampe de ſa
grace, ce n'eſt que vanité & folie:l'eſſéce meſ-

me de la verité, qui est vniforme & constante, quand la fortune nous en donne la possession, nous la corrompons & abastardissons par nostre foiblesse. Quelque train que l'homme preigne de soy, Dieu permet qu'il arriue tousiours a ceste mesme confusion, dequoy il nous represente si viuement l'image par le iuste chatiement, dequoy il batit l'outrecuidance de Nembrot, & aneantit les vaines entreprinses du bastimēt de sa Pyramide. La diuersite d'ydiomes & de langues, dequoy il troubla cest ouurage, qu'est-ce autre chose, que ceste infinie & perpetuelle altercation & discordāce d'opiniōs & de raisons, qui accompaigne & embrouille le vain bastiment de l'humaine science? Mais pour reuenir a mon propos c'estoit vrayement bien raison, que nous fussiōs tenus a Dieu seul, & au benefice de sa grace, de la verité d'vne si noble creáce, puis que de sa seule liberalité nous receuós le fruit de l'immortalité, lequel consiste en la iouissance de la beatitude eternelle. Or la foiblesse des argumēs humains sur ce subiect, elle se connoit euidamment par les fabuleuses circonstāces, qu'ils ont adioustées a la suite de ceste opiniō pour trouuer de quelle cōditiō estoit ceste nostre immortallité. La plus vniuerselle & plus receuë opiniō, & qui dure iusques a no, ça esté celle, de laquelle on fait autheur Pythagoras, nō qu'il en fut le premier inuēteur, mais d'autant qu'elle receut beaucoup de poix, & de credit

credit par l'authorité de son approbatiõ. C'est
que les ames au partir des corps ne faisoiẽt que
rouler de l'vn corps a vn autre, d'vn lyon a vn
cheual, d'vn cheual a vn roy, se promenants ainsi sanscesse, de maison en maison. Socrates, Platon & quasi tous ceux qui ont voulu croire l'im
mortalité des ames, se sont laissez emporter a
cette inuention, & plusieurs nations comme
entre autres la nostre & nos Druides. Mais ie
ne veus oublier l'obiection qu'y font les Epicu
riens, car elle est plaisante. Ils demandent quel
ordre il y auroit si la presse des mourans venoit
a estre plus grande que des naissans, car il aduiendroit que les ames deslogées de leur giste
seroient a se presser a qui prendroit place la pre
miere dans ce nouueau corps & demandent
aussi a quoy elles passeroient leur temps ce pẽdant qu'elles atendroient qu'vn logis leur fut,
apresté : Ou au rebours s'il naissoit plus d'animaux, qu'il n'ẽ mourroit, ils disent que les corps
seroient en mauuais party attẽdant l'infusiõ de
leur ame, & en aduiendroit qu'aucuns corps se
mourroient auant que d'auoir esté viuans.
Denique connubia ad veneris, partusque ferarum,
Esse animas præsto deridiculum esse videtur.
Et spectare immortales mortalia membra
Innumero numero, certareque præproperanter
Interse, quæ prima potissimaque insinuetur.
D'autres on attaché l'ame aux corps des tres-
passez, pour en animer les serpẽs, les vers, & au-

tres bestes, qu'on dit s'engendrer de la corruption de nos membres, voire & de nos cendres.
D'autres la diuisent en vne partie mortelle, &
l'autre immortelle: autres la font corporelle &
ce neantmoins immortelle: aucuns la font immortelle sans science & sans cognoissance. Il y
en a aussi, qui ont estimé, que des ames des cō-
damnez, il s'en faisoit des diables: comme Plu
tarque pēse, qu'il se face des dieux de celles qui
sont sauuées. Car il est peu de choses que cest
autheur la establisse d'vne façon de parler si resolue, qu'il faict ceste-cy, maintenant par tout
ailleurs vne maniere dubitatrice & ambigue.
Il faut estimer (dit-il) & croire fermement,
que les ames des hommes vertueux selon nature & selon iustice diuine, deuiennent d'hōmes
sainñs, & de saincts den-y-dieux, & de demy-
dieux, apres qu'ils sont parfaictement, comme
es sacrifices de purgation, nettoyez & puri-
fiez, estans deliurez de toute passibilité & de
toute mortalité, ils deuiennent, non par aucune ordonnance ciuile, mais a la verité, & selon
raisō vray-semblable dieux entiers & parfaits,
en receuant vne fin tres-heureuse & tres-glo-
rieuse. Mais qui voudra voir cest autheur, qui est
des plus retenus pourtāt & moderez de la bande, s'escarmoucher auec plus de hardiesse &
nous côter ses miracles sur ce propos, ie le ré-
uoye a son discours de la Lune & du Dæmō de
Socrates, la ou aussi euidément qu'en nul autre
lieu,

lieu, il se peut aduerer les mysteres de la philo-
phie auoir beaucoup d'estrangetez communes
auec celles de la poësie, l'entendement humain
se troublant & se mettant au rouet, voulant sonder & contreroller toutes choses: tout ainsi côme lassez & trauaillez de la longue course de
nostre vie nous retombons en enfantillage.
Voyla les belles & certaines instructions, que
nous tirons de la science humaine sur le subiect
de nostre ame. Il n'y a point moins de temerité
en ce qu'elle nous aprend des parties corporelles. Choisissons en vn ou deux exemples, car autrement nous nous perdrions dans ceste mer
trouble & vaste des erreurs medecinales. Sca-
chôs, si on s'accorde au moins en cecy, De quelle matiere les hommes se produisent les vns des
autres. Pithagoras dict nostre semêce estre l'escume de nostre meilleur sang: Platon l'escoule-
ment de la moelle de l'espine du dos : ce qu'il
argumente de ce, que cest endroit se sent le premier de la lasseté de la besongne: Alcmeon,
partie de la substance du cerueau, & qu'il soit
ainsi dit il, les yeux troublent a ceux qui se tra-
uaillent outre mesure a ceste occupation: Democritus vne substâce extraite de toute la masse corporelle : Epicurus extraite de l'ame & du
corps: Aristote, vn excrement tiré de l'aliment
du sang le dernier qui s'espád en nos membres:
Autres du sang cuit & digeré par la chaleur des
genitoires: ce qu'ilz iugent de ce qu'aux extre-

mes effortz on réd des goutes de pur sang. Enquoy il semble qu'il y ayt plus d'apparence, si
on peut tirer quelque apparence d'vne confusion si infinie. Or pour mener a effect ceste se-
mence, côbien en font ilz d'opinions contraires? Aristote & Democritus tiennent que les
femmes n'ont point de sperme, & que ce n'est
qu'vne sueur qu'elles eslancent par la chaleur du
plaisir & du mouuement, qui ne sert de rien a la
generation. Galen au contraire & ses suyuans,
que sans la rencontre des semences la generation ne se peut faire. Voyla les medecins, les
philosophes, les iurisconsultes & les theologiés
aux prises pesle mesle auecques noz femmes sur
la dispute a quelz termes les femmes portent
leur fruict. Et moy ie secours par l'exemple de
moy mesme, ceux d'entre eux qui maintiennent
la grossesse d'onze moys. Le monde est basty
de ceste experiance, il n'est si simple femmelette qui ne puisse dire son aduis sur toutes ces
contestations, & si nous n'en sçaurions estre
d'accord. En voyla assez pour verifier que l'hôme n'est non plus instruit de la connoissance
de soy en la partie corporelle qu'en la spirituelle. Nous l'auons proposé luy mesmes a soy,
& sa raison a sa raison, pour voir ce qu'elle nous
en diroit. Il me semble assez auoir monstré côbien peu elle s'entend elle mesme. Vous, pour
qui i'ay pris la peine d'estendre vn si long corps
côtre ma coustume, ne refuyrez point de maintenir

tenir voftre Sebond par la forme ordinaire
d'argumenter, dequoy vous eftes tous les iours
inftruite, & exercerez en cela voftre efprit &
voftre eftude. Car ce dernier tour d'efcrime icy
il ne le faut employer que comme vn extreme
remede. C'eft vn coup defefperé, auquel il faut
abandonner voz armes, pour faire perdre a voftre aduerfaire les fiennes. C'eft vn tour fecret,
duquel il fe faut feruir rarement & referué-
ment : c'eft vne grande temerité que de vous
vouloir perdre vous mefmes pour perdre quant
& quant autruy. Nous fecouons icy les limites & dernieres clotures des fciences, aufquelles l'extremité eft vitieufe, comme en la vertu.
Tenez vous dans la route commune, il ne faict
mie bon eftre fi fubtil & fi fin. Souuienne vous
de ce que dict le prouerbe Thofcan,

Chi troppo s'affottiglia fi fcauezza.

Ie vous confeille en voz opinions & en voz difcours, autant qu'en voz mœurs & en toute autre chofe, la moderation & l'attrempance &
la fuite de la nouuelleté & de l'eftrangeté. Toutes les voyes extrauagantes me fachent. Vous
qui par l'authorité que voftre grandeur vous
apporte, & encores plus par les auantages que
vous donnent les qualitez plus voftres, pouuez d'vn clin d'œil commander a qui il vous
plaift, deuiez donner cefte charge a quelqu'vn,
qui fift profeffion des lettres, qui vous euft bien
autrement appuyé & enrichy cefte fantafie,

& qui

& qui se fut seruy a faire son amas d'autres que
de nostre Plutarque. Toutesfois en voycy assez,
pour ce que vous en auez afaire. Epicurus disoit
des lois, que les pires nous estoint si necessaires, que sans elles les hommes s'entremange-
roint les vns les autres. Nostre esprit est vn vtil
desreglé, dangereux & temeraire: il est malaisé
d'y ioindre l'ordre & la mesure: & de mon téps
tous les esprits, qui ont quelque rare excellance au dessus des autres, & quelque viuacité extraordinaire nous les voyons quasi tous desreglez, & desbordez en licence d'opinions, & de
mœurs: c'est miracle s'il s'en rencontre vn rassis
& sociable. On a raison de donner a l'esprit humain les barrieres les plus contraintes qu'on
peut. En l'estude, comme au reste, il luy faut
comter & regler ses pas. Il luy faut tailler par
industrie & par art les limites de sa chasse. On
la bride & garrote de religiós, de loix, de coustumes, de sciance, de preceptes, de peines, & re-
companses mortelles & immortelles: encores
voit on que par sa volubilité & sa desbauche, il
eschappe a toutes ces liaisós. C'est vn corps vain
qui n'a par ou estre saisi & assené, vn corps monstrueux, diuers & difforme, auquel on ne peut
assoir neud ny prise. Parquoy il vous siera mieux
de vous retirrer dans le train accoustumé, quel
qu'il soit, que de ietter vostre iugement a ceste
liberté desreglée. Mais si quelqu'vn de ces nouueaux docteurs entreprend de faire l'ingenieux
en vostre

en voſtre preſence aux deſpens de ſon ſalut &
du voſtre , pour vous deffaire de ceſte dangereuſe peſte, qui ſe reſpand tous les iours en voz
cours , ce preſeruatif a l'extreme neceſſité em-
peſchera que la contagion de ce venin n'offen-
cera , ny vous , ny voſtre aſſiſtance. La liberté
donq & viuacité des eſprits anciens produiſoit
en la philoſophie & ſciéces humaines, pluſieurs
ſectes & pars d'opinions differentes, chacun entreprenant de iuger & de choiſir pour prendre
party. Mais a preſent que nous receuons les ars
par authorité & ordonnance, & que noſtre inſtitution eſt preſcrite & bridée , on ne regarde
plus ce que les monnoyes poiſent & valent,
mais chacun a ſon tour les reçoit ſelon le pris,
que l'approbation commune & le cours leur
donne: on ne plaide pas de l'alloy , mais de l'v-
ſage. Ainſi ſe mettent eſgallement toutes choſes. On reçoit la medecine, comme la geometrie. Et les batelages, les enchantemens, les liaiſons, le cómerce des eſpritz treſpaſſez, les pro-
gnoſtications, les domifications, & iuſques a ceſte ridicule pourſuyte de la pierre philoſophale, tout ſe met ſans cótredit. Il ne faut que ſçauoir que le lieu de Mars loge au milieu du triá-
gle de la main , celuy de Venus au pouce, & de
Mercure au petit doigt: & que quand la menſa-
le coupe le tubercle de l'enſeigneur, c'eſt ſigne
de cruauté : quand elle faut ſoubs le mitoyen &
que la moyenne naturelle fait vn angle auec la
vitale

vitale soubs mesme endroit, que c'est signe d'v-
ne mort miserable: que si a vne femme la naturelle est ouuerte, & ne ferme point l'âgle auec
la vitale, cela denote qu'elle sera mal chaste. Ie
vous appelle vous mesmes a tesmoin, si auec ceste science vn homme ne peut passer auec reputation & faueur parmy toutes compaignies.
Theophrastus disoit que l'humaine cognoissance acheminée par les sens pouuoit iuger des
causes des choses iusques a certaine mesure,
mais que estant arriuée aux causes extremes &
premieres, il falloit qu'elle s'arrestat, & qu'elle rebouchat: a cause ou de sa foyblesse, ou de
la difficulté des choses. C'est vne opinion moyenne & douce, que nostre suffisance nous peut
conduire iusques a la cognoissance d'aucunes
choses, & qu'elle a certaines mesures de puissance, outre lesquelles c'est temerité de l'employer. Ceste opinion est plausible & introdui-
te par gens de composition, mais il est malaisé
de donner bornes a nostre esprit: il est curieux
& auide, & n'a nulle occasion de s'arrester plus
tost a mille pas qu'a cinquante. Ayant essayé
par experience que ce a quoy l'vn s'estoit failly, l'autre y est arriué: & que ce qui estoit inco-
gneu a vn siecle, le siecle suyuant la esclaircy: &
que les sciences & les arts ne se iettent pas en
moule, ains se forment & figurent peu a peu en
les maniant & polissant a plusieurs fois, comme les ours façonnent leurs petitz en les le-
chant

chant & formant a loyſir : ce que ma force ne
peut deſcouurir, ie ne laiſſe pas de le ſonder &
eſſayer : & en retaſtant & pétriſſant ceſte nouuelle matiere, la remuant & l'eſchauſant i'ouure a celuy qui me ſuit, quelque facilité pour en
iouir plus a ſon ayſe, & la luy rendz plus ſouple,
& plus maniable.

Vt hymett ia ſole
Cera remolleſcit, tractat aáque pollice, multas
Vertitur in facies, ipſoque fit vtilis vſu.

Autant en fera le ſegond au tiers : qui faict que
la difficulté ne me doit pas deſeſperer ny auſſi
peu mon impuiſſance, car ce n'eſt que la mienne. L'homme eſt capable de toutes choſes cōme d'aucunes : & s'il aduoüe, comme dit Theo-
phraſtus, l'ignorance des cauſes premieres &
des principes, qu'il me quitte hardiment tout
le reſte de ſa ſcience : ſi le fondement luy faut,
ſon diſcours eſt par terre : le diſputer & l'enquerir n'a autre but & arreſt que les principes. Si
ceſte fin n'arreſte ſō cours, il ſe iette a vne irreſolution infinie. Or il eſt vray-ſemblable que ſi
l'ame ſçauoit quelque choſe, elle ſe ſçauroit
premierement elle meſme, & ſi elle ſçauoit
quelque choſe hors d'elle ce ſeroit ſon corps &
ſon eſtuy, auāt toute autre choſe. Si on void iuſques au iourd'huy les dieux de la medecine ſe
debatre de noſtre anatomie,
Mulciber in Troiam, pro Troia ſtabat Apollo:
Quand

Quand atēdons nous qu'ils en soient d'accord, s'ilz ne le sõt meshuy apres tāt de siecles? Nous nous sõmes plus voisins, que ne nous est la blācheur de la nege, ou la pesanteur de la pierre. Si l'homme ne se connoit, comment connoit il ses operations & ses forces ? Il n'est pas alauanture que quelque notice veritable ne loge chez nous, mais c'est par hazard. Et d'autant que par mesme voye, mesme façon & conduite les erreurs se reçoiuent en nostre ame, elle n'a pas dequoy les distinguer, ny dequoy choisir la verité de la mensonge. Les Academiciens receuoint quelque inclination de iugement, & trouuoint trop crud de dire, qu'il n'estoit pas plus vray-semblable que la nege fust blanche, que noire, & que nous ne fussions non plus asseurez du mouuement d'vne pierre, qui part de nostre main, que de celuy de la huictiesme sphere. Et pour éuiter ceste difficulté & estrangeté, qui ne peut a la verité loger en nostre imagination, que malaiséement, quoy qu'ilz establissent que nous n'estions capables de rien sçauoir, & que la verité est engoufrée dans des profonds abysmes, ou la veuë humaine ne peut penetrer: si auoint ilz les vnes choses plus vray-semblables, que les autres, & receuoint en leur iugemēt ceste faculté de se pouuoir incliner plustost a vne apparēce, qu'a vn autre. Ilz luy permetoient ceste propension, luy defandant toute resolution. L'aduis des Pyrrhoniens est plus hardy & quāt

& quant

& quant beaucoup plus veritable & plus ferme:
car ceſte inclination Academique,& ceſte propenſion a vne propoſition pluſtoſt qu'a vne autre,qu'eſt-ce autre choſe que la recognoiſſance
de quelque plus apparente verité en ceſte cy
qu'en celle la ? Si noſtre entendement eſt capable de la forme,des lineamens,du port & du viſage de la verité, il la verroit entiere auſſi bien
que demie, naiſſante & imperfecte. Ceſte apparence de veriſimilitude, qui les faict pendre
pluſtoſt a gauche qu'a droite , multipliez la,
augmentez la, ceſte once de veriſimilitude,qui
incline la balance augmentez la de cent,de mi-
le onces, il en aduiendra en fin que la balance
prendra party tout a faict, & arreſtera vn chois
& vne verité entiere.Mais comment ſe laiſſent
ilz plier a la vray-ſemblance, s'ilz ne cognoiſſent point le vray?Comment cognoiſſent ilz la
ſeblance de ce,dequoy ilz ne connoiſſent pas le
corps & l'eſſence ? Ou nous pouuons iuger tout
a faict,ou tout a faict nous ne le pouuons pas.Si
noz facultez intellectuelles & ſenſibles ſont
ſans fondement & ſans pied,ſi elles ne font que
floter & vanter , pour neant nous laiſſons nous
emporter noſtre iugement a nulle partie de leur
operation , quelque apparence qu'elle ſemble
nous preſenter:& la plus ſeure aſſiete de noſtre
entendement & la plus heureuſe ce ſeroit celle
la,ou il ſe maintiendroit raſſis,droit,inflexible,
ſans branſle & ſans agitation. Que les choſes

ne logent pas chez nous en leur forme & en
leur essence, & n'y facent leur entrée de leur
force propre & authorité, nous le voyons assez.
Par ce que s'il estoit ainsi, nous les receurions de
mesme façon : le goust du vin seroit tel en la
bouche du malade qu'en la bouche du sain. Celuy qui a des creuasses aux doits, ou qui les a
gourdes trouueroit vne pareille durté au bois
ou au fer, qu'il manie, que fait vn autre. Les subietz estrãgiers se rendent donc a nostre mercy,
ilz logent chez nous, comme il nous plaist. Or si
de nostre part nous receurions quelque chose
sans alteration, si les prises humaines estoint assez capables & fermes pour saisir la verité par
noz propres moyens, ces moyens estans communs a tous les autres hommes, ceste verité se
reiecteroit de main en main de l'vn a l'autre, car
la verité n'est iamais qu'vne. Et au moins se trou
ueroit il vne chose au mõde de tant qu'il y en a,
qui se croiroit par les hommes d'vn consentement vniuersel. Mais ce qu'il ne se void nulle
proposition, qui ne soit debatue & cõtrouerse
entre nous, ou qui ne le puisse estre, mõstre bien
que nostre iugement naturel ne saisit pas bien
clairement ce qu'il saisit : car mon iugement ne
le peut pas faire receuoir au iugement de mon
compaignon : qui est signe que ie l'ay saisi par
quelque autre moyé que par vne naturelle puissance qui soit en moy & en tous les hommes.
Laissons a part ceste infinie confusion d'opinions,

nions,qui ſe void entre les philoſophes meſmes
& ce debat perpetuel & vniuerſel en la connoiſſance des choſes.Car cela eſt preſupoſé treſ-ve-
ritablement,que de nulle choſe les hommes,ie
dy les ſçauans, les mieux nais, les plus ſuffiſans
ne ſont d'accord,non pas que le ciel ſoit ſur noſtre teſte:car ceux qui doutent de tout, doutent
auſſi de cela:& ceux qui nient que nous puiſſions
rien comprendre,diſent que nous n'auons pas
compris que le ciel ſoit ſur noſtre teſte. Et ces
deux opinions ſont en nombre , ſans comparaiſon les plus fortes , outre ceſte diuerſité & diui-
ſion infinie:par le trouble que noſtre iugement
nous donne a nous meſmes,& l'incertitude,que
chacun ſent en ſoy , il eſt ayſé a voir qu'il a ſon
aſſietevn peu bien mal aſſurée.Combien diuer-
ſement iugeons nous des choſes ? combien de
fois changeôs nous nos fantaſies?Ce que ie tiés
auiourd'huy & ce que ie croy , ie le tiens & le
croy de toute ma croyance, tous mes vtilz &
tous mes reſſortz ſaiſiſſent ceſte opiniõ & m'en
reſpondent ſur tout ce qu'ils peuuent.ie ne ſçau-
rois ambraſſer nulle verité ny conſeruer auec
plus de force, que ie ſay ceſte cy. I'y ſuis tout
entier , i'y ſuis voirement : mais ne m'eſt il pas
aduenu nõ vne fois,mais cēt, mais mille & tous
les iours d'auoir ambraſſé quelque autre choſe a
tout ces meſmes inſtrumẽs,en ceſte meſme cõdition,que deſpuis i'aye iugée fauce? Au moins
faut il deuenir ſage a ſes propres deſpãs.Si ie me

suis trouué souuent trahy sous ceste mesme couleur, si ma touche se trouue ordinairement fauce & ma balance inegale & iniuste, qu'elle asseuráce en puis-ie prédre a céte fois plus qu'aux
autres? N'est ce pas sotise de me laisser tant de
fois piper a vn mesme guide? Toutesfois, que la
fortune nous remue cinq cens fois de place:
qu'elle ne face que vuyder & remplir sans cesse,
comme dans vn vaisseau, dans nostre croiance,
autres & autres opinions, tousiours la presente
& la derniere c'est la certaine, & l'infallible.
Pour ceste cy il faut abandonner les biens, hôneur, la vie,& le salut, & tout,

Posterior res illa reperta
Perdit & immutat sensus ad pristina quæque.

Au moins deuroit nostre côdition fautiere nous
faire porter plus moderémant & retenuement
en noz changemens. Il nous deuroit souuenir,
quoy que nous receussions en l'entendement,
que nous receuons souuent des choses fauces,&
que c'est par ces mesmes vtilz qui se démentent
& qui se trompent souuent. Or n'est il pas merueille,s'ilz se démentent, estans si aysez a incliner & a tordre par bien legeres occurrences.Il
est certain que nostre aprehension, nostre iugement & les facultez de nostre ame en general elles souffrent selon les mouuemens & alterations du corps. Lesquelles alterations sont
continuelles. N'auons nous pas l'esprit plus esueillé,

ueillé, la memoire plus prompte, le discours
plus vif en la santé qu'en la maladie ? La ioye
& la gayeté ne nous font elles pas receuoir les
subietz qui se presentent a nostre ame d'vn tout
autre visage, que le chagrin & la melancolie?
Pensez vous que les vers de Catulle ou de Sa-
pho, riét a vn vieilart auariticus & rechigné cōme a vn ieune homme vigoreus & ardent? En la
chicane de nos palais ce mot est en visage, qui
se dit des criminels qui rencontrent les iuges
en quelque bonne trampe douce & debonnaire, *gaudeat de bona fortuna*, qu'il iouisse de ce
bon heur: car il est certain que les iugemens se
rencontrent par fois plus tendus a la condāna-
tion, plus espineus & plus aspres, tantost plus fa-
ciles, aysez, & enclins a l'excuse. Tel qui raporte de sa maison la douleur de la goute, la ialousie, ou le larcin de ses valetz ayant toute l'ame
teinte & abreuuée de colere, il ne faut pas douter que son iugement ne s'en altere vers ceste
part la. L'air mesme & la serenité du ciel nous
apporte quelque mutation, comme dit ce vers
Grec en Cicero,

Tales sunt hominum mentes, quali pater ipse
Iuppiter auctifera lustrauit lampade terras.

Ce ne sont pas seulemēt les fieures, les breuuages & les grandz accidēs qui renuersent nostre
iugement: les moindres choses du monde agis-
sent contre luy. Et ne faut pas douter, encores
que nous ne le sentions pas, que si la fieure con-

tinue peut renuerſer noſtre ame, que la tierce
n'y apporte quelque alteration ſelon ſa meſure
& proportion. Si l'apoplexie aſſoupit & eſteint
tout a fait la veuë de noſtre intelligence, il ne
faut pas doubter que le morfondement ne l'eſ-
blouiſſe. Et par conſequent a peine ſe peut il
rencontrer vne ſeule heure en la vie, ou noſtre
iugement ſe trouue en ſa deuë aſſiete, noſtre
corps eſtant ſubiect a tant de continuelles alterations & eſtofé de tant de ſortes de reſſorts,
que (i'en croy les medecins) côbien il eſt mal-
aiſé, qu'il n'y en ait touſiours quelqu'vn qui clo
che. Au demeurant ceſte maladie ne ſe deſcouure pas ſi aiſément, ſi elle n'eſt du tout extreme
& irremediable: d'autant que la raiſon va touſiours & torte, & boiteuſe, & deshanchée. Elle
y a & de tort & de trauers, & auec le menſonge
comme auec la verité. Par ainſi il eſt malaiſé
de deſcouurir ſon meſconte & deſreglement.
I'appelle touſiours raiſon ceſte apparence de
diſcours que chacun ſorge en ſoy. Ceſte raiſon,
de la condition de laquelle il y en peut auoir
cent contraires autour d'vn meſme ſubiect, c'eſt
vn inſtrument de plomb & de cire alongeable,
ployable & accommodable a tout biais & a toutes meſures: il ne reſte que la ſuffiſance de le
ſçauoir contourner. Quelque bon deſſein qu'-
ait vn iuge, s'il ne s'eſcoute de prez, a quoy peu
de gens s'amuſent, l'inclination a l'amitie, a la
parenté, a la beauté, & a la vengeance, & nô pas
ſeule-

seulement choſes ſi poiſantes, mais cet inſtint
fortuite, qui nous faict fauoriſer vne choſe plus
qu'vne autre, & qui nous donne ſans le congé de
la raiſon le chois en deux pareilz ſubiectz , ou
quelque vmbrage de pareille vanité , peuuēt in-
ſinuer inſenſiblement en ſon iugement, la recommandation ou deffaueur d'vne cauſe, & dôner pente a la balance. Moy qui m'eſpie de
plus prez, qui ay les yeus inceſſamment tendus
ſur moy, comme celuy qui n'ay pas fort a-faire
ailleurs,

quis ſub arcto

Rex gelidæ metuatur ora
Quid Tyridatem terreat, vnicé
Securus,

a peyne oſeroy-ie dire la vanité & la foibleſſe
que ie trouue chez moy : i'ay le pied ſi inſtable
& ſi mal aſſis, ie le trouue ſi ayſé a croler & ſi
preſt au mouuement & au branle , & ma veuē ſi
deſreglée, que a ieun ie me trouue autre, qu'a-
pres le repas. Si ma ſanté me rid & la clarté
d'vn beau iour, me voila honneſte homme. Si
i'ay vn cor qui me preſſe l'orteil, me voila refroigné, mal plaiſant & inacceſſible. Tantoſt ie
ſuis a tout faire, tantoſt a rien faire. Ce qui m'eſt
plaiſir a ceſte heure, me ſera tantoſt peine . Il
ſe faict mille agitations contre moy, ſans le cô-
gé du iugement, tantoſt l'humeur melancholique me ſeſit, tantoſt la cholerique: & de ſon

Nn 4

authorité priuée acet heure le chagrin predomine en moy, acet heure l'alegresse. Quand ie prens des liures, i'aray apperceu en tel passage des graces excellentes, & qui auront feru mon ame : qu'vn autre fois i'y retombe, i'ay beau le tourner & virer en cent visages, i'ay beau le plier & le manier, c'est vne masse inconnue & informe pour moy. Les secousses & esbranlemens que nostre ame reçoit par les passions corporelles peuuent beaucoup en elle: mais encore plus les siennes propres: ausquelles elle est si fort en bute, qu'il est a l'aduanture soustenable, qu'elle n'a nulle autre alleure & mouuement que du soufle de ces ventz, & que sans leur agitation elle resteroit sans action, comme vn nauire en pleine mer, que les ventz abandonnent de leur secours. Et qui maintiendroit cela, ne nous feroit pas beaucoup de tort, puis qu'il est auoué par la philosophie, Que la plus part des plus reglées actions de l'ame & plus nobles procedent & ont besoin de ceste impulsion des passions. La vaillance, disent-ilz, ne se peut parfaire sans l'assistance de la colere, la compassion sert d'aiguillon a la liberalité & a la iustice: & nulle eminente & gaillarde vertu en fin n'est sans quelque agitation desreglée. Seroitce pas l'vne des raisons qui auroit meu les Epicuriens a descharger Dieu de tout soin & sollicitude de nos affaires: d'autant que les effectz mesmes de sa bonté ne se pouuoient exercer

enuers

enuers nous sans esbranler son repos & sa tranquillité, par le moyen des passions, qui sont côme des piqueures & sollicitations, qui acheminent l'ame aus operations vertueuses? Au moins
cecy ne sçauons nous que que trop, que les passions produisent infinies & perpetuelles mutations en nostre ame, & la tyrannisent merueilleusement. Le iugement d'vn homme courroucé, ou de celuy qui est en crainte, est ce le iugement qu'il aura tantost, quand il sera rassis?
Quelles differences de sens & de raison, quelle
contrarieté d'imaginations nous presente la di
uersité de nos passions? Quelle asseurance pouuons nous donq prendre de chose si instable &
si mobile, subiecte par sa condition a la maistri
se du desreglement & de la cecité? Si nostre iu-
gemèt est en main a la fauceté mesmes, & a l'er
reur: si c'est de la folie & de la mensonge, qu'il
est tenu de receuoir l'impression des choses,
qu'elle seurté pouuons nous atendre de luy? Ie
n'ay point grande experience de ces agitatiôs
vehementes, estant d'vne complexion molle &
poisante, desquelles la plus part surprennent subitement nostre ame sans luy donner loisir de
se connoistre. Mais ceste passion, qu'on dict e-
stre produite par l'oysiueté au cœur des ieunes
hommes, quoy qu'elle s'achemine auec loysir
& d'vn progrés mesuré, elle represente bien e-
uidemment a ceux, qui ont quelque fois essayé
de s'opposer a son effort, la force de ceste con-

Nn 5

uersion & alteration, que noſtre iugement ſouffre. I'ay autresfois entrepris de me tenir bandé
pour la ſouſtenir & rabatre: car il s'en faut tant
que ie ſois de ceux, qui conuient les vices, que
ie ne les ſuis pas ſeulemēt, s'ils ne m'entrainēt:
ie la ſentois naiſtre, croiſtre, & s'augmenter en
deſpit de ma reſiſtance: & en fin tout voyant &
viuant me ſaiſir & poſſeder, de façon que cōme
d'vne yureſſe l'image des choſes me cōmēçoit
a paroiſtre autre que de couſtume. Ie voyois e-
uidemment groſſir & croiſtre les auantages du
ſubieƈt que i'alois deſirant, & agrandir & enſler
par le vent de mon imagination : les difficultez
de mon entreprinſe s'aiſer & ſe planir , mon
diſcours & ma conſcience ſe tirer arriere: mais
ce feu eſtant euaporé , tout a vn inſtant , comme de la clarté d'vne eloiſe , mon ame reprēdre
vne autre ſorte de véuë , autre eſtat & autre
iugement: les difficultez de la retraite me ſem-
bler grādes & inuincibles, & les meſmes choſes de bien autre gouſt & viſage, que la chaleur
du deſir ne me les auoit preſentées . Lequel
plus veritablemēt, Pyrro n'en ſçait rien. Nous
ne ſommes iamais ſans maladie . Les ſieures
ont leur chaut & leur froid : des effeƈtz d'vne
paſſion ardente nous retombōs aux effeƈtz d'v-
ne paſſion frilleuſe . Or de la cognoiſſance de
ceſte mienne volubilité & imperfection i'ay
par accident engendré en moy quelque conſtance & fermeté d'opinions, & n'ay guiere al-
                                    teré

teré les miennes premieres & naturelles. Car
quelque apparence qu'il y ait en la nouelleté, ie
ne change pas aiſemẽt, de peur que i'ay de perdre au change : & puis que ie ne ſuis pas capable de choiſir, ie pren le chois d'autruy, & me
tiens en l'aſſiete ou Dieu m'a mis.   Autrement
ie ne me ſçauroy pas garder de rouler ſans ceſſe. Ainſi me ſuis ie, par la grace de Dieu, cõſer-
ué pur & entier, ſans agitatiõ & trouble de cõ-
ſcience, aux anciennes creances de noſtre religiõ, au trauers de tant de ſectes & de diuiſions,
que noſtre ſiecle a produites. Les eſcritz des an
ciens, ie dis les bõs eſcritz, pleins & ſolides, ils
me tẽtent, & me remuent quaſi ou ils veulent.
celuy que i'oy, me ſemble touſiours le plus roide. Ie les trouue auoir raiſon chacũ a ſon tour,
quoy qu'ils ſe cõtrarient. Ceſte ayſance que les
bons eſpritz ont de rẽdre ce qu'ils veulent vray-
ſemblable, & qu'il n'eſt rien ſi eſtrange, a quoy
ils n'entreprenẽt de dõner aſſez de couleur pour
tromper vne ſimplicité pareille a la miéne, cela monſtre euidemment la foybleſſe de leur
preuue. Le ciel & les eſtoiles ont branlé trois
mill' ans, tout le monde l'auoit ainſi creu, iuſques a ce qu'il y a enuiron quinze cents ans, que
quelqu'vn s'auiſa de maintenir que c'eſtoit la
terre qui ſe mouuoit. Et de noſtre tẽps Coper-
nicus a ſi bien fondé ceſte doctrine, qu'il s'en
ſert treſ-regléement a toutes les conſequences
Aſtrologiennes. Que prendrons nous de la,
                                        ſinon

sinon qu'il n'y a guiere d'asseurance ny en l'vn,
ny en l'autre. Car qui sçait qu'vne tierce opiniõ
d'icy a mille ans, ne renuerse les deux prece-
dentes .

Sic voluenda atas commutat tempora rerum,
Quod fuit in pretio, fit nullo denique honore,
Porro aliud succedit, & e contemptibus exit,
Inque dies magis appetitur, florétque repertum
Laudibus, & miro est mortales inter honore.

Ainsi quand il se presente a nous quelque doctrine nouuelle, nous auons grande occasion de
nous en deffier, & de considerer qu'auant qu'elle fut produicte sa contraire estoit en credit &
authorité, & comme elle a esté renuersée par
ceste-cy, il pourra a l'aduenir naistre vne tierce inuention, qui choquera de mesme la seconde. Auãt que les Principes qu'Aristote a intro-
duitz de matiere, forme, & priuatiõ, fussent en
credit, d'autres Principes contentoient la raison humaine, comme ceux-cy nous contentent
a ceste heure. Quelles lettres ont ceux-cy, quel
priuilege particulier que le cours de nostre inuention s'arreste a eux, & qu'a eux appartient
pour tout le temps aduenir la possessiõ de nostre creance? ils ne sont non plus exempts du
boute-hors, qu'estoient leurs deuanciers. Quãd
on me presse d'vn nouuel argumẽt, c'est a moy
a estimer que ce, a quoy ie ne puis satis-faire,
vn autre y satis-faira. Car de croire toutes les
apparences, desquelles nous ne pouuons nous

deffaire

défaire, c'eſt vne grãde ſimpleſſe: il en aduiẽ-
droit par la que tout le vulgaire & le commun
aroint leur creance contournable, comme vne
girouete: car ſon ame eſtant molle & ſans reſi-
ſtãce ſeroit forcée de receuoir ſans ceſſe autres
& autres impreſſions, la derniere effaçant touſiours la trace de la precedẽte. Celuy qui ſe trou
ue foible, il doit reſpondre ſuyuant la pratique,
qu'il en parlera a ſon conſeil, ou s'en raporter
aux plus ſages, deſquels ils a receu ſon aprentiſſage. Combien y a il que la medecine eſt au
monde? On dit qu'vn nouueau venu, qu'on nomme Paracelſe, change & renuerſe tout l'ordre
des regles anciennes, & maintient que iuſques
a ceſte heure, elle n'a ſerui qu'a faire mourir les
hommes. Ie croy qu'il verifiera aiſément cela:
mais de mettre ma vie a la mercy de ſa nouuelle experiéce, ie trouue que ce ne ſeroit pas grãd
ſageſſe . Il ne faut pas croire a chacun, dict le
precepte, par ce que chacũ peut dire toutes choſes. Vn homme de ceſte profeſſion de nouuelletez , & de reformations me diſoit, il n'y a pas
long temps, que tous les anciens s'eſtoient euidemment meſcontez en la nature & mouuemẽs
des ventz, ce qu'il me feroit tres-euidemment
toucher a la main, ſi ie voulois entẽdre ſon diſ-
ceurs . Apres que i'eus eu vn peu de patience a
ouïr ſes argumens, qui auoient tout plein de veriſimilitude: comment donc, luy fis-ie, ceux qui
nauigeoient ſoubs les loix de Theophraſte, a-
loient

loint ils en occident, quãd ils tiroient en leuãt?
aloint ils a costé, ou a reculõs? C'est la fortune,
me respondit-il: tant y a, qu'ilz se mescontoiét.
Ie luy repliquay lors, que i'aimoy mieus suyure
les effetz, que la raison. Or ce sont choses, qui
se choquent souuent. Et m'a lon dit qu'en la
Geometrie (qui pése auoir gaigné le haut point
de certitude parmy les sciences) il se trouue des
demonstrations ineuitables subuertissans la verité de l'experiéce: comme Iaques Peletier me
disoit chez moy, qu'il auoit trouué deux lignes
s'acheminans l'vne vers l'autre pour se ioindre,
qu'il verifioit toutesfois ne pouuoir iamais iuf-
que a l'infinité arriuer a se toucher. Et les Pyrrhoniens ne se seruent de leurs argumens & de
leur raison que pour combattre & ruiner l'apparence de l'experience. Et c'est merueille iufques ou la souplesse de nostre raison les a suy-
uis a ce dessein de combatre l'euidence des effectz. Car ils verifient que nous ne nous mou-
uons pas, que nous ne parlons pas, qu'il n'y a
point de pesant ou de chaut, auecques vne pareille force & subtilité d'argumentations, que
nous veritions les choses les plus vray-semblables. Ptolemeus, qui a este vn grand personnage, auoit estably les bornes de nostre monde.
Tous les philosophes anciés ont pensé en tenir
la mesure, sauf quelques Isles escartées, qui pouuoient eschaper a leur cognoissance. C'eust esté
Phyrrhoniser, il y a mille ans, que de mettre en
doute

doubte la sciéce de la Cosmographie,& les o-
pinions qui en estoint receues d'vn chacū.Voi-
la de nostre siecle vne grandeur infinie de terre
ferme, non pas vne isle ou vne contrée particuliere,mais vne partie esgale a peu prez en grādeur a celle que nous cognoissiōs,qui vient d'e-
stre descouuerte.Les Geographes d'a ceste-heu
re ne faillent pas d'asseurer que meshuy tout
est trouué & que tout est veu:

Nam quod adest presto,placet,et pollere videtur.

Sçauoir mon si Ptolomée s'y est trompé autres
fois sur les fondemés de sa raison,si ce ne seroit
pas sottise de me fier maintenant a ce que ceux
cy en disent.Aristote dict , que toutes les opinions humaines,ont esté par le passé,& seront a
l'aduenir infinies autres-fois: Platon , qu'elles
ont a renouueller & reuenir en estre apres trēte
six mill' ans . Si nature enserre dans les termes
de son progrés ordinaire,comme toutes autres
choses,aussi les creances, les iugemens,& opinions des hommes,si elles ont leur reuolution,
leur saison,leur naissance, leur mort , côme les
chous:si le ciel les agite , & les roule a sa poste,
quelle magistrale authorité & permanāte, leur
allons nous attribuant? Il me semble entre autres tesmoignages de nostre imbecillité,que ce
luy-cy ne merite pas d'estre oublié : que par
desir mesmes l'homme ne sçache trouuer ce
qu'il luy faut : que non par iouissance , mais
par imagination & par souhet nous ne puissions

ſions eſtre d'accord de ce dequoy nous auons
beſoing pour nous contenter. Laiſſons a noſtre
péſée tailler & coudre a ſa poſte, elle ne pourra
pas ſeulemēt deſirer ce qui luy eſt propre. C'eſt
pourquoy le Chreſtien plus humble, & plus ſage, & mieux recognoiſſant que c'eſt que de luy
ſe raporte a ſon createur de choiſir & ordoner
ce qu'il luy faut. Il ne le ſupplie d'autre choſe,
ſinon que ſa volonté ſoit faite: autremēt il luy
aduiendroit a l'auanture ce que les poëtes ſei-
gnent du Roy Midas. Il requiſt les dieux, que
tout ce qu'il toucheroit ſe conuertit en or, ſa
priere fut exaucée: ſon vin fut or, ſon pain or, &
la plume de ſa couche: & d'or ſa chemiſe & ſon
veſtement : de façon qu'il ſe trouua accablé
ſoubs la iouiſſance de ſon deſir, & eſt rené d'vne
commodité inſuportable : il luy falut deſprier
ſes prieres.

Attonitus nouitate mali, diueſque miſerque,
Effugere optat opes, & qua modo vouerat odit.

Dieu pourroit nous ottroyer les richeſſes, les
honneurs, la vie & la ſanté meſme quelque fois
a noſtre dommage: car tout ce qui nous eſt
plaiſant, ne nous eſt pas touſiours ſalutaire. Si
au lieu de la gueriſon, il nous enuoye la mort,
ou l'empirement de nos maux, il le fait par les
raiſons de ſa prouidence, qui regarde bien plus
certainement ce qui nous eſt deu, que nous ne
pouuons faire. Et le deuons prendre en bonne
part, comme d'vne main tres-ſage & treſ-amie.
                              Il n'eſt

Il n'eſt point de côbat ſi violent entre les philoſophes, & ſi aſpre, que celuy qui ſe dreſſe ſur la
queſtion du ſouuerain bien de l'homme.

Tres mihi conuiuæ prope diſſentire videntur
Poſcentes vario multum diuerſa palato.
Quid dē? quid nō dem? renuis tu quod iubet alter,
Quod petis, id ſane eſt inuiſum acidúmque duobus.

Nature deuroit ainſi reſpódre a leurs conteſta-
tions, & a leurs debatz. Les vns diſent noſtre
bien eſtre, loger en la vertu: d'autres en la volupté : d'autres au conſentir a nature : qui en la
ſcience: qui a ne ſe laiſſer emporter aux apparéces. Et a ceſte fantaſie ſemble retirer cét'autre,
Nil admirari prope res eſt vna, Numaci,
Solaque quæ poſſit facere & ſeruare beatum,
qui eſt la fin de la ſecte Pyrrhoniene. Et diſoit Archeſilas les ſoutenemens & l'eſtat droit
& inflexible du iugement eſtre les biens: mais
les conſentements & applications eſtre les vices
& les maux. Il eſt vray qu'ē ce qu'il l'eſtabliſſoit
par axiome certain, il ſe départoit du Pyrroniſ-
me. Les Pyrrhoniēs, quand ils diſent que le ſouuerain bien c'eſt l'Ataraxie, qui eſt l'immobi-
lité du iugemēt, ils ne l'entendent pas dire d'v-
ne façon affirmatiue, mais le meſme branſle de
leur ame, qui leur faict fuir les precipices & ſe
mettre a couuert du ſerein, celuy la meſme leur
preſente ceſte fantaſie & leur en faict refuſer

Oo

vn autre. Au demeurât, si c'est de nous que nous
tirons le reglement de nos meurs, a quelle côfusion nous reiettons nous ? Car ce que nostre
raison nous y conseille de plus vray-semblable,
c'est generalement a chácun d'obeir aux loix
de son pais . Et par la que veut elle dire, sinon
que nostre deuoir n'a autre regle que fortuite?
La verité doit auoir vn visage pareil & vniuersel. La droiture & la iustice, si l'homme en con-
noisoit, qui eust corps & veritable essence, il ne
l'atacheroit pas a la côdition des coustumes de
ceste contrée, ou de celle la. Ce ne seroit pas de
la fantasie des Perses ou des Indes que la vertu prêdroit sa forme. Il n'est rien subiect a plus
continuelle agitation que les loix. Despuis que
ie suis nay, i'ay veu trois & quatre fois rechan-
ger celles des Anglois noz voisins, non seulement en subiect politique, qui est celuy qu'on
veut dispenser de constance, mais au plus important subiect qui puisse estre, a sçauoir de la
religion. Dequoy i'ay honte & despit, d'autant
plus que c'est vne nation, a laquelle ceux de
mon quartier ont eu autresfois vne si priuée accointance, qu'il me reste encore aucunes traces
de nostre ancien cousinage. Que nous dira dôc
en ceste necessité la philosophie? que nous suiuons les loix de nostre pays ? c'est a dire ceste
mer flotante des opinions d'vn peuple ou d'vn
prince, qui me peindront la iustice d'autant de
couleurs& la reformerôt en autant de visages,

qu'il

qu'il y aura en eux de changemens d'humeurs: ie ne puis pas auoir le iugemẽt ſi flexible. Quelle bonté eſt ce, & quelle droiture que ie voyois hyer en credit, qui en l'eſpace d'vn iour a peu receuoir vn ſi eſtrange changement, d'eſtre deuenu vice. Mais ils ſont plaiſans, quand pour donner quelque certitude aux loix, ils diſent qu'il y en a aucunes fermes, perpetuelles & immuables, qu'ilz nomment naturelles, qui ſont empreintes en l'humain genre par la conditiõ de leur propre eſſence : & de celles la, qui en fait le nombre de trois, qui de quatre, qui plus, qui moins, ſigne que c'eſt vne merque auſſi douteuſe que le reſte. Or ilz ſont ſi defortunez (car comment puis i'autrement nommer cela que deffortune ? que d'vn nombre de loix ſi infiny, il ne s'en rẽcontre aumoins vne que la fortune ait permis eſtre vniuerſellement receuë par le conſentement de toutes les nations) ils ſont, diſ-ie, ſi mal'heureux que de ces trois ou quatre loix choiſies, il n'en y a vne ſeule, qui ne ſoit contredite & deſauoëe, non par vne nation, mais par pluſieurs. Or c'eſt la ſeule enſeigne vray-ſemblable, par laquelle ils puiſſent argumenter aucunes loix naturelles, que l'vniuerſité de l'approbation. Car ce que nature nous auroit veritablement ordonné, nous l'enſuiurions ſans doubte d'vn cõmun cõſentemẽt, & non ſeulement toute nation, mais tout hõme particulier reſſentiroit la force & la violence,

que luy feroit celuy qui le voudroit pouſſer au
contraire de ceſte loy . Qu'ils m'en monſtrent
pour voir vne de ceſte condition. Protagoras &
Ariſton ne donnoient autre eſſence a la iuſtice
des loix que l'authorité & opinion du legiſlateur,& que cela mis a part,le bon & l'honneſte
perdoient leurs qualitez, & demeuroient des
noms vains de choſes indifferentes. Thraſima-
cus en Platon eſtime qu'il n'y a point d'autre
droit que la commodité du ſuperieur . Il n'eſt
nulle choſe,en quoy le môde ſoit ſi diuers qu'ē
couſtumes & loix. Telle choſe eſt icy abominable, qui apporte recommandation ailleurs:
côme en Lacedemone la ſubtilité de deſrober.
Les mariages entre les proches ſont capitale-
ment defendus entre nous , ils ſont ailleurs en
honneur,   *gentes eſſe feruntur,*
In quibus & nato genitrix, & nata parenti
Iungitur,& pietas geminato creſcit amore.
Le meurtre des enfans,meurtre de peres,com-
munication de femmes,trafique de voleries,li-
céce a toutes ſortes de voluptés : il n'eſt rien en
ſomme ſi extreme , qui ne ſe trouue receu par
l'vſage de quelque nation. Toutes les choſes du
monde,tous les ſubiets ils ont diuers luſtres &
diuerſes conſiderations:c'eſt de la que s'engēdre principalement ceſte diuerſité d'opinions.
Vne nation regarde vn ſubiect par vn viſage, &
s'arreſte a celuy la : l'autre par vn autre.Il n'eſt
rien ſi horrible a imaginer, que de manger ſon
                                                    pere.

pere.Les peuples qui auoient anciennemēt ceſte couſtume,la prenoient toutesfois pour teſmoignage de pieté & de bōne affectiō,cerchāt
par la à donner a leurs progeniteurs la plus digne & honorable ſepulture,logeāt en eux meſmes & comme en leurs moelles les corps de
leurs peres & leurs reliques,les viuifiant aucunement & regenerant par la tranſmutation en
leur chair viue par le moyen de la digeſtion &
du nourriſſement.Il eſt aiſé a conſiderer quelle
cruauté & abomination c'euſt eſté a des hōmes
abreuuez & imbus de ceſte ſuperſtition,de
ietter la deſpouille des parens a la corruption
de la terre & nourriture des beſtes & des vers.
Licurgus conſidera au larrecin la viuacité,dili-
gence,hardieſſe,& adreſſe,qu'il y a a ſurprēdre
quelque choſe de ſon voiſin,& l'vtilité qui reuient au public,que chacun en regarde plus curieuſement a la conſeruation de ce qui eſt ſien.
Et eſtima que de ceſte double inſtitution a aſ-
ſaillir & a defendre il s'en tiroit du fruit a la diſcipline militaire (qui eſtoit la principale ſciē-
ce & vertu,a quoy il vouloit duire ceſte nation)
de plus grāde conſideratiō,que n'eſtoit le deſ-
ordre & l'iniuſtice de ſe preualoir de la choſe
d'autruy. Dionyſius le tyran offrit a Platon vne
robe a la mode de Perſe,lōgue,damaſquinée,&
parfumée:Platon la refuſa diſant,Qu'eſtāt nay
homme il ne ſe veſtiroit pas volontiers de robe de femme. Mais Ariſtippus l'accepta auec

Oo 3

ceste responce, que nul accoutrement ne pouuoit corrompre vn chaste courage. Voila comment ils auoint tous deus raison de diuers effects. Il aduient de ceste diuersité de visages,
que les iugemens s'appliquent diuersement au
chois des choses. Nous portons les oreilles per
cées, les Grecs tenoient cela pour vne merque
de seruitude. Nous nous cachons pour iouir de
nos femmes, les Indiens le font en public. Les
Scytes immoloient les estrangiers en leurs té-
ples, ailleurs les temples seruent de franchise.
I'ay ouy parler d'vn iuge, lequel ou il rencontroit quelque aspre conflit entre Bartolus &
Baldus & quelque matiere agitée de plusieurs
côtrarietez, mettoit au marge de son liure (question pour l'amy) c'est a dire que la verité estoit
si embrouillée & debatue, qu'en pareille cause
il pourroit fauoriser a celle des parties, que bô
luy sembleroit. Il ne tenoit qu'a faute d'esprit &
de suffisance qu'il ne peut mettre quasi par tout,
question pour l'amy. Les aduocats & les iuges
corrompus de nostre temps trouuent a toutes
causes assez de biais pour les accommoder ou
bon leur semble. A vne science si infinie, dépâ-
dant de l'authorité de tant d'opinions & d'vn
subiect si arbitraire, il ne peut estre qu'il n'en
naisse vne confusiô extreme de iugemens. Au-
si n'est il guiere si cler proces, auquel les aduis
ne se trouuent diuers. Ce qu'vne compaignie
a iugé, l'autre le iuge au contraire, & elle mesme

mes a l'aduenture , encores au contraire vn'autre fois . Dequoy nous voyons des exemples
ordinaires par ceſte licēce qui taſche merueilleuſement la cerimonieuſe authorité & luſtre
de noſtre iuſtice, de ne s'arreſter aux arreſtz &
courir des vns aux autres iuges , pour decider
d'vne meſme cauſe. Quant a la liberté des o-
pinions philoſophiques touchant le vice & la
vertu, c'eſt choſe ou il n'eſt beſoing de s'eſtendre,& ou il ſe trouue pluſieurs diſcours,quivalēt
mieux teus que publiez. Les loix prennent leur
authorité de la poſſeſſion & de l'vſage:il eſt dā-
gereux de les ramener a leur naiſſance : elles
groſſiſſent & s'ennobliſſent en roulant comme
noz riuieres . Suyuez les contremont iuſques a
leur ſource , ce n'eſt qu'vn petit ſurion d'eau a
peine reconnoiſſable , qui s'enorgueillit ainſi,
& ſe fortifie en vieilliſſant. Voyés les anciennes
conſideratiós,qui ontdonné le premier branle
a ce fameux torrēt, plein de dignité , d'horreur
& de reuerance:vous les trouuerés ſi legeres &
ſi delicates,que ces gens icy qui poiſent tout &
le ramenent a la raiſon,& qui ne reçoiuent rien
par authorité & a credit , il n'eſt pas merueille
s'ils ont leurs iugemens ſouuent tres-eſloignés
des iugemens publiques . Gens qui prennent
pour patron l'image premiere de nature , il
n'eſt pas merueille ſi en la plus part de leurs o-
pinions ils gauchiſſent a la voye commune &
ordinaire. Comme pour exemple, peu d'entre

eus euſſent approuué les conditions & formes
de nos mariages. Ils refuſoient & deſdaignoiét
la plus part de nos ceremonies. Chacun a ouy
parler de la deſ-hontée façon de viure des philoſophes Cynicques. Chryſippus diſoit, qu'vn
philoſophe fera vne douzaine de culebuttes en
public, voire sãs haut de chauſſes, pour vne douzaine d'oliues. Et ceſte honeſt été & reuerance,
que nous appellons de couurir & cacher aucunes de nos actions naturelles & legitimes, de
n'oſer nómer les choſes par leur nom, de craindre a dire ce qu'il noˀeſt permis de faire, n'euſſent ils pas peu dire auecq raiſon, que c'eſt plu-
toſtvne affeterie & molleſſe inuentée aux cabi-
nets meſmes de Venus , pour donner pris &
& pointe a ces ieux? N'eſt ce pas vn alechemét,
vne amorce & vn aiguillon a la volupté. Car
l'vſage nous faict ſentir euidemmét que la ceremonie, la vergoigne, & la difficulté ce ſon eſ-
guiſemens & alumetes a ces fieures la. C'eſt ce
que diſent aucũs, que d'oſter les bordels publiques , c'eſt non ſeulement eſpandre par tout la
paillardiſe, qui eſtoit aſſignée a ce lieu la, mais
encore aiſguilloner les hommes vagabonds &
oyſis a ce vice par la malaiſance.

Mœchus es Anfidiæ qui vir Coruine fuiſti,
  Riualis fuerat qui tuus, ille vir eſt.
Cur aliena placet tibi, quę tua non placet vxor?
  Nunquid ſecurus non potes arrigere?

                                        Ceſte

Ceste experience se diuersifie en mille exemples

Nullus in vrbe fuit tota, qui tangere vellet
   Vxorem gratis Caeciliane tuam,
Dum licuit: sed nunc positis custodibus, ingens
   Turba fututorum est. Ingeniosus homo es.

On demenda a vn philosophe qu'on surprit a mesme, ce qu'il faisoit, il respondit tout froidement, Ie plante vn homme : ne rougissant non plus d'estre rencontré en ceste action, que si on l'eust trouué plantant des chous. Solon fut a ce qu'on trouue, le premier qui donna par ses loix liberté aux femmes de faire profit publique de leurs corps. Et celle de toutes les sectes de philosophie, qui a le plus honoré la vertu, elle n'a en somme posé autre bride a l'vsage des voluptez de toutes sortes, que la moderation & la conseruation de la liberté d'autruy. Et plusieurs ses sectateurs se sont licentiez d'en escrire & publier des liures hardis outre mesure. Heraclitus & Protagoras, de ce que le vin semble amer au malade, & gratieux au sain, l'auiron tortu dâs l'eau, & droit a ceux qui le voient hors de la, & de pareilles apparences contraires qui se trouuent aux subiectz, argumenterent que tous subiectz auoient en eux les causes de ces apparences : & qu'il y auoit au vin quelque amertume qui se rapportoit au goust du malade, l'auiron certaine qualité courbe se rapportant a celuy qui le regarde dans l'eau. Et ainsi de tout le re-

ſte. Qui eſt dire que tout eſt en toutes choſes, &
par conſequent rien en nulle: car rien n'eſt, ou
tout eſt. Ceſte opinion me ramentoit l'experiẽce que nous auons, qu'il n'eſt nul ſens ny viſage
ou droit ou amer, ou doux, ou courbe, que l'eſprit humain ne trouue aux eſcrits, qu'il entre-
prẽd de fouiller. En la parolle la plus nette, pure & parfaite, qui puiſſe eſtre, combien de fauceté & de menſonge a lon faict naiſtre? Quelle
hereſie n'y a trouue des fondemens aſſez & teſmoignages pour entreprendre & pour ſe maintenir? c'eſt pour cela que les autheurs de telles
erreurs ne ſe veulent iamais deſpartir de ceſte
preuue du teſmoignage de l'interpretation des
motz. Vn perſonnage de grãde dignité me voulant approuuer par authorité ceſte queſte de la
pierre philoſophale, ou il eſt tout plongé, m'al-
legua dernierement cinq ou ſis paſſages de la
Bible, ſur leſquelz il diſoit s'eſtre premieremẽt
fondé pour la deſcharge de ſa conſcience. Car
il eſt de profeſſion eccleſiaſtique: & a la verité
l'inuention n'en eſtoit pas ſeulement plaiſante,
mais encore bien proprement accommodée a
la deffance de ceſte belle ſciéce. Par ceſte voye
ſe gaigne le credit des fables diuinatrices, d'autant que nous propoſant par fineſſe vn ſtile am-
bigu & difficile, il n'eſt prognoſtiqueur, s'il a
céte authorité, qu'on le daigne feuilleter, & re-
cercher curieuſement tous les plis & luſtre de
ſes parolles, a qui on ne face dire tout ce qu'on
                    voudra,

voudra, comme aux Sybilles. Car il y a tant de
moyens d'interpretation, qu'il eſt malaiſé que
de biais, ou de droit fil vn eſprit ingenieux ne
rencontre en tout ſubiect quelque air, qui luy
ſerue a ce qu'il voudra. C'eſt ce qui a faict valoir pluſieurs choſes de neant, qui a ennobly &
mis en credit pluſieurs eſcrits, & enrichy de
toute ſorte de matiere qu'on a voulu vne meſme
choſe receuât mille & mille & autant qu'il nous
plaiſt d'interpretations diuerſes. Homere eſt
auſſi grand qu'on voudra, mais il n'eſt pas poſſible, qu'il ait penſé a repreſenter tant de formes, qu'on luy donne. Les legiſlateurs y ont di-
uiné des inſtructions infinies, pour leur faict,
autant les gens de guerre, & autant ceux qui
ont traité des arts. Quiconque a eu beſoin d'o-
racles & de predictions en y a trouué pour ſon
ſeruice. Vn fort gentil perſonnage ſçauant & de
mes amis c'eſt merueille quelz rencontres &
côbien admirables il y trouue en faueur de noſtre religion: & ne ſe peut ayſemēt deſpartir de
ceſte opiniō, que ce ne ſoit le deſſein d'Homere
(ſi luy eſt ceſt autheur auſſi familier qu'a hôme
de noſtre ſiecle) D'autres religions y ont trouué auſſi autrefois leur appuy. Sur ce meſme fondement qu'auoit Heraclitus & ceſte ſienne
ſentence, que toutes choſes auoint en elles les
viſages qu'on y trouuoit, Democritus en tiroit
vne toute contraire côcluſion, c'eſt que les ſub-
jects n'auoint du tout riē de ce que nous y trouuions

uions. Et de ce que le miel estoit dous a luy
& amer a l'autre, il argumentoit qu'il n'estoit
ny dous ny amer. Les Pyrrhoniés diroint qu'ilz
ne sçauent s'il est dous, ou amer, ou ny l'vn ny
l'autre , ou tous les deux : car ceux-cy gaignent
tousiours le haut point de la dubitation. Ce
propos m'a porté sur la consideration des sens,
ausquels gist le plus grand fondement & preuue de nostre ignorance. Tout ce qui se connoist,
il se connoist sans doubte par la faculté du co-
gnoissant. Car puis que le iugement vient de
l'operation de celuy qui iuge, c'est raison que
ceste operation il la parface par ses moyens &
volonté, non par la contreinte d'autruy, comme
il aduiendroit , si nous connoissions les choses
par la force & selon la loy de leur essence. Or
toute cognoissance s'achemine en nous par les
sens, ce sont nos maistres. La science commence par eux & se resout en eux. Apres tout , nous
ne sçaurions non plus qu'vne pierre, si nous ne
sçauiõs, qu'il y a sõ, odeur, lumiere, saueur, mesure, pois, molesse, durté, apreté, couleur, polisseure, largeur, profondeur. Voyla le plant & les
principes de tout le bastiment de nostre science. Quiconque me peut pousser a contredire les
sens, il me tiét a la gorge, il ne me sçauroit faire reculer plus arriere. Les sens sont le commencement & la fin de l'humaine cognoissance.

Inuenies primis ab sensibus esse creatam

Noti-

Notitiam veri, neque sensus posse refelli.
Quid maiore fide porro quam sensus haberi
Debet?

Qu'on leur atribue le moins, qu'on pourra, tousiours faudra il leur donner cela, que par leur voye & entremise s'achemine toute nostre instruction. Cicero dict que Chrisippus ayant essayé de rabatre de la force des sés & de leurs vertus, se representa a soy mesmes des argumens au contraire & des oppositions si vehemetes qu'il n'y peut satis-faire. Surquoy Carneades, qui maintenoit le contraire party, se vantoit de se seruir des armes mesmes & parolles de Chrisippus, pour le combatre, & s'escrioit a ceste cause contre luy, O miserable, ta force t'a perdu. Il n'est nul absurde selon nous plus extreme, que de maintenir que le feu n'eschaufe point, que la lumiere n'esclaire point, qu'il n'y a point de pesanteur au fer ny de fermeté, qui sont notices que nous apportent les sens, ny nulle creance ou science en l'homme qui se puisse comparer a celle la en certitude. La premiere consideration que i'ay sur le subiet des sens c'est que ie metz en doubte, que l'hôme soit prouueu de tous sens naturelz. Ie voy plusieurs animaus, qui viuent vne vie entiere & parfaicte, les vns sans la veuë, autres sans l'ouye. Qui sçait si en nous aussi il ne manque pas encore vn, deux, trois & plusieurs autres sens. Car s'il en manque quelqu'vn nul discours n'en peut decouurir le defaut. C'est

le priui-

le priuilege des sens d'estre l'extreme borne de
de nostre science : il n'y a rien au dela d'eux qui
nous puisse seruir a les descouurir , voire ny l'vn
sens n'en peut descouurir l'autre. Ilz sont tre-
stous la ligne extreme de nostre faculté,

Seorsum cuique potestas
Diuisa est. sua vis cuique est.

Il est impossible de faire conceuoir a vn homme naturellemēt aueugle, qu'il n'y void pas, impossible de luy faire desirer la veuë & regreter
son defaut. Parquoy nous ne deuons prēdre nulle asseurance de ce, que nostre ame est contente
& satisfaicte de ceux que nous auons : veu qu'elle n'a pas dequoy sentir en cela sa maladie & son
imperfection , si elle y est. Il est impossible de
dire chose a cest aueugle par discours, argumēt,
ny similitude, qui loge en son imagination, nulle apprehension de lumiere , de couleur , & de
veuë. Il n'y a rien plus arriere qui puisse pousser
le sens en euidence. Les aueugles nais qu'on
void desirer a y voir, ce n'est pas pour entendre
ce qu'ilz demandent : ilz ont apris de nous qu'ils
ont adire quelque chose , qu'ilz ont quelque
chose a desirer, qui est en nous : mais ilz ne sçauent pourtant pas que c'est , ny ne l'aprehen-
dent ny prez ny loin. I'ay veu vn gentil'homme de bonne maison, aueugle naturel, aumoins
aueugle de tel aage, qu'il ne sçait que c'est que
de veuë. Il entend si peu ce qui luy manque,
qu'il vse & se sert cōme nous des parolles propres

pres au voir , & les applique d'vne mode toute
sienne & particuliere. On luy presentoit vn enfant, duquel il estoit parrain, l'ayant pris entre
ses bras, mon Dieu, dict-il, le bel enfant , qu'il
le faict beau voir, qu'il a le visage guay. Il dira
comme l'vn d'entre nous ceste sale a vne belle
veuë, il faict beau voir cecy ou cela. Il fait plus,
car par ce que ce sont noz exercices que la chasse, la paume, la bute, & qu'il l'a ouy dire , il s'y
affectionne & s'y embesoigne : & croid sans
doute y auoir la mesme part, que nous y auons:
il s'y picque & s'y plaist , & ne les goute pourtant que par les oreilles. On luy crie, que voyla
vn lieure, quand on void quelque belle splana-
de, ou il puisse picquer : & puis on luy d:ct encore, que voyla vn lieure pris: le voyla aussi fier
de sa prise, comme il oyt dire aux autres , qu'ilz
le sont. L'esteuf il le prend a la main gauche &
le pousse de la droite a tout sa raquette. De la
harquebouse, il en tire a l'aduanture, & se paye,
de ce que ses gens luy disent, qu'il est ou haut
ou costié. Que sçait on si le genre humain faict
quelque sottise pareille, a faute de quelque sés,
& que par ce defaut, la plus part du visage des
choses nous soit caché? Que sçait on, si les difficultez que nous trouuons en plusieurs ouurages de nature viennent de la? & si plusieurs effectz des animaux qui excedent nostre capacité
sont produitz par la faculté de quelque sens,
que nous ayons a dire ? & si aucuns d'entre eux
ont

ont vne vie plus pleine par ce moyen & entiere
que la nostre? Nous saisissons la pomme quasi
par tous nos sens: nous y trouuōs de la rougeur,
de la polisseure, de l'odeur & de la douceur. Outre cela elle peut auoir d'autres vertus comme
d'assecher ou resteindre, ausqnelles nous n'auōs
point de sens, qui se puisse rapporter. Les proprietez que nous appellōs occultes en plusieurs
choses, comme a l'aimant d'atirer le fer, n'est-il
pas vray-semblable qu'il y a des facultez sensi-
tiues en nature propres a les iuger & a les apperceuoir, & que le defaut de telles facultez
nous apporte l'ignorance de la vraye essence de
telles choses? C'est a l'aduanture quelque sens
particulier, qui descouure aux coqs l'heure du
matin & de la minuict, & les esmeut a chanter,
& qui achemine le cerf ou le chié a la cognoissance de certaine herbe propre a leur guerison.
Il n'y a nul sens, qui n'ayt vne grand'dominatiō
& qui n'aporte par son moyen vn nombre infiny de cognoissances. Si nous auions a dire l'intelligence des sons de l'harmonie & de la voix,
cela apporteroit vne confusion inimaginable a
tout le reste de nostre science. Car outre ce, qui
est ataché au propre effect de chaque sens, cōbien d'argumens, de consequences, & de conclusions tirons nous aux autres choses par la cō-
paraison de l'vn sens a l'autre? Qu'vn homme
sçauant imagine l'humaine nature produite ori-
ginellement sans la veuë, & discoure combien
d'igno-

d'ignorāce & de trouble luy apporteroit vn tel
defaut, combien de tenebres de cecité & d'a-
ueuglement en noſtre ame:on verra par la combien nous importe a la cognoiſſance de la verité la priuation d'vn autre tel ſens, ou de deux,
ou de trois,ſi elle eſt en nous. Nous auons formé vne verité par la conſultation & concurren-
ce de nos cinq cens : mais a l'aduāture falloit il
l'accord de huit ou de dix ſens& leur contributiō
pour l'apperceuoir certainemēt & en ſon eſſen-
ce.Les ſectes qui combatent la ſcience de l'hōme elles la combatent principalement par l'incertitude & foibleſſe de noz ſens. Car puis que
toute cognoiſſance vient en nous par leur entremiſe & moien,s'ilz faillent au rapport qu'ilz
nous font, s'ils corrōpent ou alterent ce,qu'ilz
nous charrient du dehors, ſi la lumiere qui par
eux s'écoule en noſtre ame eſt obſcurcie au paſſage, nous n'auons plus que tenir. De ceſte extreme difficulté ſont nées toutes ces fantaſies:
que chaque ſubiet a en ſoy tout ce que nous y
trouuons:qu'il n'a rien de ce que nous y penſons
trouuer : & celle des Epicuriens que le Soleil
n'eſt non plus grand que ce que noſtre veuë le
iuge:que les apparēces,qui repreſētēt vn corps
grād a celuy qui en eſt voiſin, & plus petit a celuy qui en eſt eſloigné,ſont toutes deux vrayes,
& reſolument qu'il n'y a nulle tromperie aux
ſens : qu'il faut paſſer a leur mercy, & cercher
ailleurs des raiſons pour excuſer la differēce &

contradiction que nous y trouuons. Voire inuenter toute autre mensonge & resuerie (car ilz
en viennent iusques la) plustost que d'accuser
les sens. Car de toutes les absurditez, la plus absurde c'est, disent-ilz, de les desauoüer

Proinde quod in quoque est his visum tempore ve-
rum est.
Et si non potuit ratio dissoluere causam,
Cur ea quæ fuerint iuxtim quadrata, procul sint
Visa rotunda: tamen præstat rationis egentem
Reddere mendose causas vtriusque figuræ,
Quam manibus manifesta suis emittere quoquā,
Et vialare fidem primam, & conuellere tota
Fundamenta, quibus nixatur vita salúsque.
Nõ modo enim ratio ruat omnis, vita quoque ipsa
Concidat extemplo, nisi credere sensibus ausis,
Præcipitésque locos vitare, & cætera quæ sint
In genere hoc fugienda.

Quant a l'erreur & incertitude de l'operation
des sens, chacun s'en peut fournir autant d'exē-
ples qu'il luy plaira. Car la faute & tromperie,
qu'ilz nous font, elle est quasi ordinaire. Au ra-
bat d'vn valõ le son d'vne trompete semble venir deuant nous, qui vient d'vne lieue derriere.
A manier vne balle d'arquebouse soubz le secõd doigt, celuy du milieu estant entrelassé par
dessus, il faut extremement se contraindre pour
auoüer, qu'il n'y en ait qu'vne: tant le sens nous
en represēte deux. Car que les sens soint main-
tes-

tesfois maiſtres du diſcours, & le contreignent
de receuoir des impreſſions qu'il ſçait & iuge
eſtre fauces, il ſe void a tous les coups. Ie laiſſe
a part celuy de l'atouchement, qui a ſes operations plus voiſines, plus viues & ſubſtantielles,
qui reuerſe tant de fois par l'effet de la douleur
qu'il apporte au corps, toutes ces belles reſolutions Stoiques, & contraint de crier au vêtre celuy, qui a eſtably en ſõ ame ce dogme auec toute reſolution: que la colique, comme toute autre maladie & douleur, eſt choſe indifferête,
n'ayât la force de rien rabatre du ſouuerain bõheur & felicité, en laquelle le ſage eſt logé par
ſa vertu. Il n'eſt cœur ſi mol, que le ſon de nos
tabourins & de nos trompetes n'eſchaufe, ny ſi
dur que la douceur de la muſique n'eſueille &
ne chatouille, ny ame ſi reueſche, qui ne ſe ſente
touchée de quelque religieuſe reuerence a conſiderer céte vaſtité ſombre de nos Egliſes, la diuerſité d'ornemẽs, & ordre de nos ceremonies,
& ouyr le ſõ deuotieux de nos orgues, & ia harmonie ſi douce, poſée, & religieuſe de nos voix.
Ceux meſmes qui y entrent auec meſpris, ilz
ſentent quelque friſſon dãs le cœur, & quelque
horreur qui les met en deffiance de leur opiniõ.
A quoy faire, ceux meſmes qui ſe ſont dõnez la
mort d'vne certaine reſolution, deſtournoient
ilz le viſage, ou couuroient leurs yeux pour ne
voir le coup qu'ilz ſe faiſoint donner? & ceux
qui pour leur ſanté deſirent & commendent

qu'õ les incise & cauterise, cachent leur visage,
& ne peuuent soustenir la veuë des aprets, vtils
& operation du chirurgien? atendu que la veuë
ne doit auoir nulle participatiõ a ceste douleur?
Cela ne sont'ce pas propres exemples a verifier
l'authorité que le sens a sur le discours? Nous a-
uons beau sçauoir que ces tresses sont empruntées d'vn page ou d'vn laquay: que ceste rougeur
est venue d'Espaigne, & ceste blancheur & polisseure, de la mer Oceane: encore faut il que la
veuë nous force d'en trouuer le subiect plus
aimable & plus agreable, contre toute raison.
Car en cela il n'y a rien du sien.

Auferimur cultu, gemmis, auróque teguntur
Crimina, pars minima est ipsa puella sui.

Sæpe vbi sit quod ames inter tam multa requiras:
Decipit hac oculos Ægide diues amor.

Combien donnēt a la force des sens les poetes,
qui font Narcisse esperdu de l'amour de son
ombre

Cunctáque miratur, quibus est mirabilis ipse:
Se cupit imprudens, & qui probat, ipse probatur.
Dūque petit, petitur: pariterque accēdit & ardet,

& l'entendement de Pygmalion si trouble par
l'impressiõ de la veüe de sa statue d'iuoire, qu'il
l'aime & la serue pour viue.

Oscula dat reddíque putat, sequiturque tenetque,
Et credit tactis digitos insidere membris,
Et metuit pressos veniat ne liuor in artus.

Qu'on loge vn philosophe dans vne cage de menus

nus filetz de fer fort cler-femez, qui foit fufpé-
due au haut des tours noftre Dame de Paris , il
verra par raifon euidente , qu'il eft impoffible
qu'il en tombe, & fi ne fe fçauroit garder (s'il
n'a accouftumé le meftier des recouureurs) que
la veuë de cefte hauteur extreme ne l'efpouuan-
te & ne le tranfiffe. Car nous auons affez affaire de nous affeurer aux galeries, qui font aux ci-
mes de nos clochiers, fi elles font façonnées a
iour, encores qu'elles foint de pierre. Il y en a
qui n'en peuuent pas feulement porter la pefée.
Qu'on iette vne poutre entre ces deux tours d'v-
ne groffeur telle qu'il nous la faut a nous promener deffus, il n'y a fageffe philofophique de fi
grande fermeté, qui puiffe nous dôner courage
d'y marcher comme nous ferions fi elle eftoit
a terre. I'ay fouuent effayé cela en noz montaignes de deça, & fi fuis de ceux qui s'effrayêt auffi peu de telles chofes, que ie ne pouuoy foufrir
la veuë de céte profondeur infinie, fans horreur
& tramblement de iarretz & de cuiffes, encores
qu'il s'en fallut bien ma lôgueur, que ie ne fuffe
du tout au bort , & n'euffe fçeu choir , fi ie me
fuffe porté a efcient au dangier. I'y remerquay
auffi quelque hauteur qu'il y euft, pourueu qu'ê
cefte pente il s'y prefentaft quelque arbre , ou
quelque boffe de rochier, pour fouftenir vn peu
la veuë & la diuifer, que cela nous amufe & dône affeurance,comme fi c'eftoit chofe dequoy a
la cheute nous peuffions receuoir quelque fe-

cours: mais que les precipices coupez & vnis
nous ne les pouuons pas seulemēt regarder sans
tournoyement de teste. Qui est vne euidente
piperie & imposture de la veuë. Ce fut pourquoy ce beau philosophe se creua les yeux, pour
descharger l'ame de la desbauche & impressiō
qu'elle en receuoit, & pouuoir philosopher plus
en liberté. Mais a ce comte il se deuoit aussi faire estouper les oreilles , & se priuer en fin de
tous les autres sens, c'est a dire de son estre & de
sa vie. Car ilz ont tous ceste puissance de commander nostre discours & nostre ame. Les medecins tiennent, qu'il y a certaines complexiós,
qui s'agitent par aucuns sons & instrumens iusques a la fureur. I'en ay veu , qui ne pouuoint
ouir ronger vn os soubz leur table sans perdre
patience. Et n'est guiere hôme´, qui ne se trouble a ce bruit aigre & poignant, que font les li-
mes en raclant le fer : comme a ouyr mascher
prez de nous, ou ouyr parler quelqu'vn, qui ait le
passage du gosier ou du nez empesché, plusieurs
s'en esmeuuent iusques a la colere & la haine.
Ce fleuteur protocole de Gracchus, qui amolis-
soit, roidissoit, & cōtournoit la vois de son maistre lors qu'il haranguoit a Rome , a quoy seruoit il , si le mouuement & qualité du son n'a-
uoit quelque force a esmouuoir & alterer le iugement des auditeurs ? Vrayement il y a bien
dequoy faire si grande feste de la fermeté de
ceste belle piece, qui se laisse manier & chāger
au

au branle & accidens d'vn si legier vent. Ceste
mesme piperie, que les sens apportent a nostre
entendement, ilz la reçoiuent a leur tour. Nostre ame par fois s'en reuenche de mesme. Ce
que nous voyós & oyons agitez de colere, nous
ne l'oions pas tel qu'il est.

Et solem geminum, & duplices se ostendere
Thebas.

L'obiet que nous aimós nous semble plus beau
qu'il n'est, & plus laid celuy que nous auons a
contre cœur. A vn homme ennuyé & affligé la
clarté du iour semble obscurcie & tenebreuse.
Nos sens sont non seulement alterez, mais souuent hebetez du tout par les passions de l'ame.
Combien de choses voyós nous, que nous n'ap-
perceuons pas, si nous auons nostre esprit empesché ailleurs?

In rebus quoque apertis noscere possis,
Si non aduertas animum, proinde esse quasi omni
Tempore semota fuerint, longéque remota.

Il semble que l'ame retire au dedans, & amuse
les operations des sens. Par ainsi & le dedans &
le dehors de l'homme est plein de fauceté, de
foiblesse & de mésonge. Si les sés sont noz premiers iuges, ce ne sont pas les nostres qu'il faut
seuls appeller au cóseil : car en céte faculté les
animaux ont autant ou plus de droit que nous.
Il est certain qu'aucuns ont l'ouye plus aigue
que l'homme, d'autres la veue, d'autres le sentiment, d'autres l'atouchement ou le goust.

Democritus diſoit que les dieus & les beſtes a-
uoint les facultez ſenſitiues beaucoup plus parfaictes que l'homme. Or entre les effectz de
leurs ſens & noſtres la difference eſt extreme.
Noſtre ſaliue nettoye & aſſeche nos playes, elle tue le ſerpent.

Tantáque in his rebus diſtantia differitáſque eſt,
Vt quod alijs cibus eſt, alijs fuat acre venenum.
Sæpe etenim ſerpens hominis contacta ſaliua
Diſperit, ac ſeſe mandendo conficit ipſa.

Quelle qualité donrōs nous a la ſaliue? ou ſelon
nous ou ſelon le ſerpent? Par quel des deux ſens
verifierons nous ſa veritable eſſence que nous
cerchons. Pline dit qu'il y a aux Indes certains
lieures marins, qui nous ſont poiſon & nous a
eux: de maniere que du ſeul atouchement nous
les tuons. Qui ſera veritablement poiſon, ou
l'homme ou le poiſſon? a qui en croirons nous?
ou au poiſſon de l'homme, ou a l'hôme du poiſſon. Ceux qui ont la iauniſſe ilz voyent toutes
choſes iaunatres & plus paſſes que nous. Ceux
qui ont ceſte maladie que les medecins nomment Hypoſphragma, qui eſt vne ſuffuſion de
ſang ſous la peau, voyent toutes choſes rouges
& ſanglantes. Ces humeurs, qui changent ainſi
les operations de noſtre veuë, que ſçauons nous
ſi elles predominent aux beſtes & leur ſont ordinaires ? Car nous en voyons les vnes, qui
ont les yeux iaunes comme noz malades de
iauniſſe, d'autres qui les ont ſanglans de rougeur.

geur. A celles la , il eſt vray-ſemblable , que
la couleur des obiectz paroit autre qu'a nous:
laquelle couleur ſera la vraye ? Car il n'eſt pas
dict,que l'eſſence des choſes,ſe raporte a l'hôme ſeul. La durté,la blancheur,la profondeur,
& l'aigreur , touchent le ſeruice & ſcience des
animaux,comme la noſtre: nature leur en a dôné l'vſage comme a nous:Quand nous preſſons
l'œil,les corps que nous regardons nous les a-
perceuons plus longs & eſtendus. Pluſieurs beſtes ont l'œil ainſi preſſé. Ceſte longueur eſt
donc a l'auãture la veritable forme de ce corps
non pas celle que noz yeux luy donnent en leur
aſſiete ordinaire. Si nous auons les oreilles em-
peſchées de ɋlque choſe , ou le paſſage de l'ouye reſſerré,nous receuons le ſon autre que nous
ne faiſons ordinairement. Les animaux qui ont
les oreilles velues, ou qui n'ont qu'vn bien petit trou au lieu de l'oreille,ils n'oyent par conſequent pas ce que nous oyons, & reçoiuent le
ſon autre. Nous voyons aus feſtes & aux theatres , que oppoſant a la lumiere des flambeaux
vne vitre teinte de quelque couleur, tout ce qui
eſt en ce lieu, nous appert ou vert,ou iaune,ou
violet. Il eſt vray-ſéblable que les yeux des ani
maux,que nous voyons eſtre de diuerſe couleur
leur produiſent les apparéces des corps de meſmes leurs yeux.Pour le iugement de l'operatiõ
des ſens , il faudroit donc que nous en fuſſions
premierement d'accord auec les animaux : ſe-

condement entre nous mesmes. Ce que nous ne
sommes aucunement: & entrons en debat tous
les coups de ce que l'vn oit, void, ou goute quelque chose autrement qu'vn autre: & debatons
autant que de nulle autre chose de la diuersité
des images, que les sens nous raportent. Autrement oit, & voit par la regle ordinaire de natu-
re, & autrement gouste vn enfant qu'vn h omme de trente ans: & cestuy-cy autrement qu'vn
sexagenaire. Les sens sont aux vns plus obscurs
& plus sombres, aux autres plus ouuerts & plus
aiguz. Les malades prestent de l'amertume aux
choses douces. Par où il nous appert, que nous
ne receuons pas les choses, comme elles sont,
mais autres & autres selon que nous sommes, &
qu'il nous semble. Or nostre sembler estant si
incertain & controuerse, ce n'est plus miracle,
si on nous dict, que nous pouuons auouër que la
nege nous apparoit blanche, mais que d'establir, si de son essence elle est telle, & a la verité,
nous ne nous en sçaurions respondre: & ce cô-
mencement esbranlé, toute la science du monde s'en va necessairement a vau l'eau. Quoy que
nos sens mesmes s'entrempeschent l'vn l'autre.
Vne peinture elle semble esleuée a la veüe, au
manimêt elle semble plate. Dirons nous que le
muse soit agreable ou non, qui resiouit nostre
sentiment & offence nostre goust? Il y a des
herbes & des vnguens propres a vne partie du
corps, qui en offencent vn'autre. Le miel est
                    plaisant

plaifant au gouſt, mal plaiſant a la veuë . Ces
bagues qui ſont entaillées en forme de plumes
qu'on appelle en deuiſe pennes ſans fin, il n'y a
œil qui en puiſſe diſcerner la largeur, & qui ſe
ſceut deffendre de ceſte piperie, que d'vn coſté
elle n'aille en eſlargiſſant & s'apointant & eſ-
treſſiſſant par l'autre, meſmes quãd on la roule
autour du doigt: toutesfois au maniment elle
vous ſemble equable en largeur & partout pareille. Sont ce noz ſens qui preſtent au ſubiect
ces diuerſes conditions,& que les ſubiects n'en
ayent pourtant qu'vne? comme nous voyons du
pain, que nous mangeons, ce n'eſt que pain,
mais noſtre vſage en faict des os,du ſang, de la
chair, des poils, & des ongles : l'humeur que
ſucce la racine d'vn arbre, elle ſe faict tronc,
feuille & fruit,& l'air n'eſtant qu'vn, il ſe faict
par l'application a vne trompete,diuers en mille ſortes de ſons : Sont ce, diſ-ie, nos ſens qui
façonnent de meſme de diuerſes qualitez ces
ſubiects,ou s'ils les ont telles? Et ſur ce doubte
que pouuõs nous reſoudre de leur veritable eſſence ? D'auantage puis que les accidens des
maladies, de la reſuerie, ou du ſommeil nous
font paroiſtre les choſes autres, qu'elles ne paroiſſent aux ſains , aux ſages,& a ceux qui veil-
lent:puis que ceſt eſtat la a force de donner aux
choſes vn autre eſtre, que celuy qu'elles ont:
puis qu'vne humeur iaunátre nous change toutes choſes en iaune:n'eſt-il pas vray-ſemblable
que

que nostre assiete ordinaire,& nos humeurs naturelles sont aussi capables de donner vn estre
aux choses,se rapportant a leur condition,& de
les accommoder a soy, cóme sont les humeurs
desreglées:& nostre santé aussi capable de leur
donner quelque visage comme nostre maladie?
Or nostre estat accommodant les choses a soy
& les transformant selon soy , nous ne sçauons
plus quelles sont les choses en verité, ni quelle
est leur nature.Car rien ne vient a nous que sal-
sifié & alteré par noz sens . Ou le compas,l'es-
quarre,& la regle sont gauches, toutes les proportions,qui s'en tirent, tous les bastimés qui
se dressent a leur mesure , sont aussi necessairement manques & desaillans. L'incertitude de
nos sens rĕd incertain,tout ce qu'ils produisent.

Denique vt in fabrica , si praua est regula prima,
Normaque si fallax rectis regionibus exit,
Et libella aliqua si ex parte claudicat hilum,
Omnia mendose fieri,atque obstipa necessum est,
Praua,cubátia.prona,supina,atque absona tecta,
Jam ruere vt quædam videantur velle, ruantque
Prodita iudiciis fallacibus omnia primis.
Hic igitur ratio tibi rerum praua necesse est,
Falsaque sit falsis quecumque a sensibus orta est.

Au demeurant qui sera propre a iuger de ces
differences?Comme nous disons aux debatz de
la religion,qu'il nous faut vn iuge non attaché
a l'vn ny a l'autre party,exempt de chois & d'affection,ce qui ne se peut parmy les Chrestiés.
                                         Il aduient

Il aduient de mefme en cecy:car s'il eſt vieil,il
ne peut iuger du fentiment de la vieilleſſe eſtât
luy mefme partie en ce debat: s'il eſt ieune, de
mefme:fain de mefme:de mefme malade,dor-
mant , & veillant. Il nous faudroit quelqu'vn
exêpt de toutes ces qualitez,afin que fans preo-
cupation de iugement , & fans inclination ou
chois , il iugeaſt de ces propoſitions,comme a
luy indifferentes,& a ce conte il nous faudroit
vn iuge qui ne fut pas.Pour iuger des apparences que nous receuôs des fubiects,il nous faudroit vn inſtrumêt iudicatoire:pour verifier ceſt
inſtrument,il nous y faut de la demonſtration:
pour verifier la demonſtration , vn inſtrument, nous voila au rouet. Puis que les fens ne
peuuent arreſter noſtre diſpute , eſtans pleins
eux mefmes d'incertitude, il faut que ce ſoit la
raiſon:nulle raiſon ne s'eſtablira fans vne autre
raiſon , nous voyla a reculons iuſques a l'infini.
Noſtre fantaſie ne s'applique pas aux choſes e-
ſtrangieres, ains elle eſt côceuë par l'entremife des fens,& les fens ne comprenêt pas le fubiect eſtrangier , ains feulement leurs propres
paſſiôs: & par ainſi la fantaſie & apparêce n'eſt
pas du fubiect, ains feulement de la paſſion &
fouffrance du fens, laquelle paſſion,& fubiect,
ſont choſes diuerſes. Parquoy qui iuge par les
apparences iuge par choſe autre que le fubiect.
Et de dire que les paſſions des fens rapportent
a l'ame la qualité des fubiectz eſtrangiers par
reſſem-

reſſemblance, comment ſe peut l'ame & l'entē-
dement aſſeurer de ceſte reſſemblance, n'ayant
de ſoy nul commerce auec les ſubiects eſtrangiers ? Tout ainſi comme qui ne cognoit pas
Socrates, voyât ſon portraict, ne peut dire qu'il
luy reſſemble. Or qui voudroit toutes-fois iuger par les apparences : ſi c'eſt par toutes il eſt
impoſſible : car elles s'entr'empeſchēt par leurs
contrarietez & diſcrepances, comme nous voyons par experiance. Sera ce qu'aucunes apparences choiſies reglent les autres ? il faudra verifier ceſte choiſie par vne autre choſie, la ſe-
gōde par la tierce : & par ainſi ce ne ſera iamais
faict. Finalement, il n'y a nulle conſtante exiſtence, ny de noſtre eſtre, ny de celuy des obiects. Et nous & noſtre iugemēt & toutes choſes mortelles vont coulant & roulant ſans ceſſe :
ainſi il ne ſe peut eſtablir riē de certain de l'vn
a l'autre, & le iugeant & le iugé eſtans en cōtinuelle mutation & branle. Nous n'auōs aucune
communication a l'eſtre, par ce que toute humaine nature eſt touſiours au milieu entre le
naiſtre & le mourir, ne baillant de ſoy qu'vne
obſcure apparence & ombre, & vne incertaine
& debile opinion. Et ſi de fortune vous fichez
voſtre penſée a vouloir prendre ſon eſtre, ce ſera ne plus ne moins que qui voudroit empoigner l'eau. Car tant plus il ſerrera & preſſera ce
qui de ſa nature coule par tout, tant plus il per-
dra ce qu'il vouloit tenir & empoigner. Ainſi
                                         eſtans

eſtans toutes choſes ſubiectes a paſſer d'vn chá-
gemēt en autre, la raiſon y cherchât vne reelle
ſubſiſtance, ſe trouue deceuë, ne pouuant riē ap-
prehender de ſubſiſtant & permanant : par ce
que tout ou vient en eſtre, & n'eſt pas encore du
tout, ou cōmence a mourir auant qu'il ſoit nay.
Platon diſoit que les corps n'auoient iamais
exiſtence, ouy bien naiſſance : Pythagoras que
toute matiere eſtoit fluide : les Stoiciens, qu'il
n'y auoit point de temps preſent, & que ce que
nous appelions preſent, n'eſtoit que la iointure
& aſſemblage du futur & du paſſé : Heraclitus
que iamais homme n'eſtoit deux fois entré en
meſme riuiere : & qu'il ne ſe pouuoit trouuer
vne ſubſtance mortelle deux foix en meſme e-
ſtat. Car par ſoudaineté & legiereté de cháge-
ment , tantoſt elle diſſipe , tantoſt elle raſſem-
ble : elle vient & puis s'en va, de maniere que ce
qui commence a naiſtre ne paruient iamais iuſques a perfection d'eſtre : pourautāt que ce naiſtre n'acheue iamais, & iamais n'arreſte, comme
eſtant a bout, ains deſpuis la ſemence va tousiours ſe changeant & muant d'vn a autre, comme de ſemence humaine ſe fait premierement
dans le ventre de la mere vn fruict ſans forme,
puis vn enfant formé, puis eſtant hors du vētre,
vn enfant de mamelle, apres il deuient garſon,
puis conſequemment vn iouuenceau , apres vn
hōme faict, puis vn hōme d'aage, a la fin decre-
pité vieillard. De maniere que l'aage & generation

ration subsequête va tousiours deffaisant & ga-
stant la precedente. Et puis nous autres sottement craignons vne sorte de mort, la ou nous en
auons des-ia passé & en passons tant d'autres.
Car non seulement, comme disoit Heraclitus, la
mort du feu est generation de l'air, & la mort
de l'air generation de l'eau: mais encor plus ma
nifestement le pouuons nous voir en nous mesmes. La fleur d'aage se meurt & passe quand la
vieillesse suruient : & la ieunesse se termine en
fleur d'aage d'homme faict: l'enfance en la ieunesse: & le premier aage meurt en l'enfance: &
le iour de hyer meurt en celuy du iourd'huy, &
le iourd'huy mourra en celuy de demain: & n'y
a rien qui demeure , ne qui soit tousiours vn.
Car qu'il soit ainsi , si nous demeurons tousiours mesmes & vns, comment est ce que nous
nous esiouïssôs maintenât d'vne chose & maintenant d'vne autre ? comment est ce que nous
aymons choses contraires ou les haïssons, nous
les louons ou nous les blasmons ? comment
auons nous differentes affections, ne retenant
plus le mesme sentiment en la mesme pensée? Car il n'est pas vray-semblable que sans
mutation nous preniôs autres passions: &ce qui
souffre mutation ne demeure pas vn mesme:&
s'il n'est pas vn mesme , il n'est donc pas aussi:
ains quant & l'estre tout vn, change aussi l'estre
simplement , deuenant tousiours autre d'vn autre:& par consequent se trompent & mentent
les sens

les sens de nature prenans ce qui apparoit, pour
ce qui est, a faute de bien sçauoir que c'est qui
est. Mais qu'est-ce donc qui est veritablement?
ce qui est eternel: c'est a dire qui n'a iamais eu
de naissance, ny n'aura iamais fin, a qui le téps
n'apporte iamais aucune mutation . Car c'est
chose mobile que le temps, & qui apparoit côme en ombre auec la matiere coulante & fluâ-
te tousiours, sans iamais demeurer stable ny
permanente: a qui appartiennent ces motz, deuant & apres, & a esté, ou sera. Lesquels tout de
prime face monstrent euidammét, que ce n'est
pas chose qui soit: car ce seroit grande sottise &
fauceté toute apparéte de dire que cela soit, qui
n'est pas encore en estre, ou qui desia a cessé
d'estre . Et quand a ces motz present, instant,
maintenant, par lesquelz il semble que principalement nous soustenions & fondôs l'intelligence du temps, la raison la descouurant le de-
struit tout sur le champ: car elle le fend incôti-
nant , & le part en futur & en passé: comme le
voulant voir necessairement me sparty en deux.
Autant en aduient-il a la nature, qui est mesu-
rée comme au temps qui la mesure: car il n'y a
non plus en elle rien qui demeure , ne qui soit
subsistant, ains y sont toutes choses ou nées, ou
naissantes , ou mourantes . Au moyen dequoy
ce seroit peché de dire de Dieu, qui est seul qui
est, que il fut ou il sera: car ces termes la sont declinaisons, passages, ou vicissitudes de ce, qui ne

Q q

peut durer, ny demeurer en eſtre . Parquoy il
faut conclure que Dieu ſeul eſt, non point ſelõ
aucune meſure de temps, mais ſelon vne eternité immuable & immobile, nõ meſurée par tẽps,
ny ſubiecte a aucune declinaiſon: deuãt lequel
rien n'eſt, ny ne ſera apres, ny plus nouueau ou
plus recent, ains vn realemẽt eſtant, qui par vn
ſeul maintenant emplit le touſiours, & n'y a riẽ
qui veritablement ſoit, que luy ſeul: ſans qu'on
puiſſe dire, il a eſté, ou il ſera, ſans commencement & ſans fin. A ceſte concluſion ſi religieuſe d'vn homme payen, ie veux ioindre ſeulemẽt
ce mot d'vn teſmoing de meſme cõditiõ, pour
la fin de ce long & ennuyeux diſcours , qui me
fourniroit de la matiere ſans fin, O la vile choſe, dit-il, & abiecte, que l'homme, s'il ne s'eſleue au deſſus de l'humanité . Il n'eſt nul mot en
toute ſa ſecte Stoique plus veritable, que celuy
la: mais de faire la poignée plus grande que le
poing, la braſſée plus grãde que le bras, & d'eſperer eniamber plus que de l'eſtandue de noz
iambes, cela eſt impoſſible & monſtrueus: ny
que l'homme ſe monte au deſſus de ſoy & de
l'humanité : car il ne peut voir que de ſes yeux,
ny ſaiſir que de ſes priſes. Il s'eſleuera, ſi Dieu
luy preſte la main: il s'eſleuera abandonnant &
renonçant a ſes propres moyens & ſe laiſſant
hauſſer & ſoubſleuer par la grace diuine , mais
non autrement.

CHAP.

CHAP. XIII.

De iuger de la mort d'autruy.

Qvand nous iugeons de l'asseuráce d'autruy
en la mort, qui est sans doubte la plus remercable action de la vie humaine, il se faut
prédre garde d'vne chose, que mal aisément on
croit estre arriué a ce point. Peu de gens meu-
rent resolus, que ce soit leur heure derniere : &
n'est nul endroit ou la piperie de l'esperance
nous amuse plus. Elle ne cesse de corner aux o-
reilles : d'autres ont bié esté plus malades sans
mourir, l'affaire n'est pas si desesperé qu'on pê-
se : & au pis aller, Dieu a bien fait d'autres miracles. Et aduient cela (a mon aduis) de ce que
ayant raporté tout a nous, il semble que l'vni-
uersité des choses souffre aucunement interest
a nostre aneantissement, & qu'elle soit compas-
sionnée a nostre estat. D'autát que nostre veuë
alterée se represente les choses de mesmes, &
nous est aduis qu'elles luy faillent a mesure
qu'elle leur faut : comme ceux qui voyagent en
mer, ausquels ils semble que les môtaignes, les
cápaignes, les villes, le ciel & la terre aille mesme bransle, & quant & quát eux. Dou il s'ensuit
que nous estimons grande chose nostre mort,
& qui ne passe pas si aisément, ny sans solenne
cósultation des astres : & le pensons d'autát plus

que plus nous auons les espris enleués, & courages hautains. De la vient ces mots de Cæsar a son Pilote plus enflés, que la mer qui le menassoit,

> *Italiam si cœlo authore recusas,*
> *Me pete: sola tibi causa hac est iusta timoris,*
> *Vectorem non nosse tuum, perrumpe procellas*
> *Tutela secure mei:*

Et ceux cy

> *Credit iam digna pericula Cæsar*
> *Fatis esse suis: tantusque euertere dixit*
> *Me superis labor est, parua quem puppe sedem-*
> *tem,*
> *Tam magno petiere mari.*

Or de iuger la resolutiõ & la constance en celuy, qui ne croit pas encore certainement estre au dangier, quoy qu'il y soit, ce n'est pas raison: & ne suffit pas qu'il soit mort en ceste desmarche, s'il ne s'y estoit mis iustement pour cet effect. Il aduient a la pluspart, de roidir leur cõtenance & leurs parolles, pour en acquerir reputation, qu'ils esperét encore iouir vivans. Et de ceux mesmes qui se sont anciénemét dõnez la mort, il y a bien a choisir, si c'est vne mort soudaine, ou mort qui ait du temps. Ce cruel Empereur Romain disoit de ses prisonniers, qu'il leur vouloit faire sentir la mort, & si quelcũ se deffaisoit en prison, celuy la m'est eschapé (disoit il.) Il vouloit estendre la mort, & la faire gouster par les tourmés. De vray ce n'est

pas si

pas si grande chose, d'establir tout sain & tout
rassis de se tuer, il est bien aisé de faire le mauuais auant que de venir aux prises: de maniere
que le plus efféminé homme du monde Helio-
gabalus, parmy ses plus lâches voluptes, desseignoit bien de se faire mourir, ou l'occasion l'en
forceroit : & affin que sa mort ne dementist
point le reste de sa vie, auoit fait bastir expres
vne tour somptueuse, le bas & le deuant de laquelle estoit planché d'ais enrichis d'or & de
pierrerie pour se precipiter : & aussi fait faire
des cordes d'or & de soye cramoisie pour s'es-
trâgler : & battre vne espée d'or massif pour
s'écerrer: & gardoit du venin dans des vaisseaux
d'emeraude & de topaze, pour s'enpoisonner,
selon que l'enuie luy prendroit de choisir de
toutes ces façons de mourir. Toute-fois quant
a cestuy cy la mollesse de ses aprets rend plus
vray-semblable que le nez luy eut seigné, qui
l'en eut mis au propre. Mais de ceux mesmes,
qui plus vigoreux se sont resolus a l'execution,
il faut voir (dis-ie) si ça esté d'vn coup, qui ostat
le loisir d'en sentir l'effaict : car c'est a deuiner
a voir escouler la vie peu a peu, le sentiment du
corps se meslant a celuy de l'ame, s'offrant le
moyen de se repêtir, si la constâce s'y fut trouuée & l'obstinatiô en vne si dangereuse volôté.
Aux guerres ciuiles de Cęsar, Lucius Domitius
pris en la Prusse s'estant empoisonné s'en repâ-
tit apres . Il est aduenu de nostre temps que tel

resolu de mourir,& de son premier essay n'ayāt
donné assez auant , la demangeison de la chair
luy repoussât le bras, se reblessa biē fort a deux
ou trois fois apres,mais ne peut iamais gaigner
sur luy d'enfoncer le coup . C'est vne viande a
la verité qu'il faut aualler sans taster, qui n'a le
gosier serré a glace:& pourtant l'Empereur A-
drianus feit que son medecin mercat & circon-
script en son tetin iustement l'endroit mortel,
ou celuy eut a viser, a qui il donna la charge de
le tuer.Voila pourquoy Cæsar,quād on luy demandoit quelle mort il trouuoit la plus souhai-
table:La moins premeditée , respondit-il,& la
plus courte. Vne mort courte, dit Pline, est le
souuerain heur de la vie humaine. Il leur fache
de la reconnoistre.Nul ne se peut dire estre resolu a la mort, qui craint a la marchander, qui
ne peut la soustenir les yeux ouuers.Ceux qu'on
voit aux suplices courir a leur fin, & haster l'execution,& la presser, ils ne le font pas de vraye
resolution , ils se veulent oster le temps de la
considerer:l'estre mort ne les fache pas , mais
ouy bien le mourir,

Emori nolo, sed me esse mortuum nihili æstimo.

C'est vn degré de fermeté , auquel i'ay experimenté que ie pourrois arriuer , comme ceux
qui se iettent dans les dangiers , comme dans
la mer a yeux clos. Ce Pomponius Atticus, à
qui Cicero escrit,estant malade fit appeller A-
grippa son gēdre, & deux ou trois autres de ses
amys,

amis, & leur dit qu'ayant essayé, qu'il ne gai-
gnoit rien a se vouloir guerir, & que tout ce
qu'il faisoit pour alóger sa vie, allongeoit aussi
& augmentoit sa douleur: il estoit deliberé de
mettre fin a l'vn & a l'autre, les priát de trouuer
bóne sa deliberatió, & au pis aller de ne perdre
point leur peine a l'en détourner. Or ayát choisi de se tuer par abstinéce, voila sa maladie guerie par accidant: ce remede qu'il auoit employé
pour se deffaire le remet en santé. Les medecins & ses amis faisants feste, de vn si heureux
euenement, & s'en resiouissans auec luy, se trou-
uarent bien trompés: Car il ne leur fut possible
pour cela de luy faire changer d'opinion, disant
qu'ainsi comme ainsi luy failloit il vn iour frá-
chir ce pas, & qu'en estant si auant, il se vouloit
oster la peine de recommancer vn'autre fois.
Cestuy-cy ayát recónu la mort tout a loisir, nó
seulemét ne se descourage pas au ioindre, mais
il s'y acharne. Car estant satis-fait en ce pourquoy il estoit entré en combat, il se picque par
brauerie d'en voir la fin. C'est bien loing au de
la dene craindre point la mort, que de la vouloir
gouster & sauourer. Tullius Marcellinus ieune
hóme Romain voulant anticiper l'heure de sa
destinée pour se deffaire d'vne maladie, qui le
gourmádoit, plus qu'il ne vouloit souffrir: quoy
que les medecins luy en promissent guerison
certaine, sinó si soudaine, appella ses amis pour
en deliberer: les vns, dit Seneca, luy dónoiét le

côſeil que par lâcheté ils euſſent prins pour eus
meſmes, les autres par flaterie, celuy qu'ils pen-
ſoient luy deuoir eſtre plus agreable: mais vn
Stoicien luy dit ainſi, Ne te trauaille pas Marcellinus, comme ſi tu deliberois de choſe d'importance: ce n'eſt pas grand choſe que viure, tes
valets & les beſtes viuct: mais c'eſt grand choſe de mourir honeſtement, ſagement, & conſtâ-
ment: Songe combien il y a que tu fais meſme
choſe, manger, boire, dormir: boire, dormir, &
manger. Nous roüons ſans ceſſe en ce cercle:
non ſeulement les mauuais accidans & inſupportables, mais la ſatieté meſme de viure donne
enuie de la mort. Marcellinus n'auoit beſoing
d'homme qui le conſeillat, mais d'homme qui
le ſecourut : les ſeruiteurs craignoient de s'en
meſler: mais ce Stoicien leur fit entendre que
les domeſtiques ſont ſoupçonnés lors ſeulemét
qu'il eſt en doubte, ſi la mort du maiſtre a eſté
volontere : autrement qu'il ſeroit d'auſſi mauuais exemple de l'empeſcher, que de le tuer,
d'autant que

Inuitum qui ſeruat, idem facit occidenti.

apres il aduertit Marcellinus qu'il ne ſeroit pas
meſſeant, comme le deſſert des tables ſe don-
neaux aſſiſtans, nos repas faicts, auſſi la vie fi-
nie, de diſtribuer quelque choſe a ceux qui en
ont eſté les miniſtres. Or eſtoit Marcellinus de courage franc & liberal: il fit départir
quelque ſomme a ſes ſeruiteurs, & les conſola.

Au reſte

Au reste il n'y euſt beſoing de fer, ny de ſang. Il
entreprit de s'en aller de ceſte vie , non de s'en
fuir, nõ d'eſchapper a la mort, mais de l'eſſayer.
Et pour ſe donner loiſir de la marchander ayãt
quitté toute nourriture, le troiſieſme iour apres
s'eſtant faict arroſer d'eau tiede, il defaillit peu
a peu & non ſans quelque volupté a ce qu'il diſoit. De vray ceux qui ont eſſayé ces defaillan-
ces de cœur, qui prennent par foibleſſe , diſent
n'y ſentir aucune doleur, voire pluſtoſt quelque
plaiſir comme d'vn paſſage au ſommeil & au
repos. Voila des morts eſtudiées & digerées.
Mais affin que le ſeul Caton peut fournir de
tout exemple de vertu , il ſemble que ſon bon
deſtin luy fit auoir mal en la main, dequoy il ſe
donna le coup : affin qu'il euſt loiſir d'affronter
la mort & de la coleter, renforceant le courage
au dangier, au lieu de l'amollir. Et ſi c'euſt eſté
a moy a le repreſenter en ſa plus ſuperbe aſſiec-
te , c'euſt eſté deſchirant tout enſanglanté ſes
entrailles , pluſtoſt que l'eſpée au poing, comme firent les ſtatueres de ſon temps. Car ce ſecond meurtre fut bien plus furieux, que le premier.

CHAP. XIIII.

Comme noſtre eſprit s'empeſche ſoy meſmes.

C'Eſt vne plaiſante imagination de conceuoir vn eſprit balancé iuſtemét entre deux

pareilles enuyes. Car il est indubitable qu'il ne
prendra iamais party, d'autât que l'inclination
& le chois porte inequalité de pris, & qui nous
logeroit entre la bouteille & le iambon auec
pareille enuie de boire & de menger, il n'y auroit sans doute remede que de mourir de soif &
de faim. Pour pouruoir a cest inconuenient, les
Stoiciens quand on leur demande d'ou vient en
nostre ame le chois de deux choses indifferentes, & qui faict que d'vn grand nombre d'escus
nous en prenions plustost l'vn que l'autre, estans
tous pareilz & n'y ayans nulle raison qui nous
pousse au chois. Ils respondent que ce mouuement de l'ame est extraordinaire & déreglé venant en nous d'vne impulsion estrangiere, accidentale, & fortuite. Il se pourroit dire, ce me
semble, plustost, que nulle chose ne se presente
a nous, ou il n'y ait quelque difference, pour legiere qu'elle soit, & que ou a la veuë, ou a l'atou-
chemēt, il y a tousiours quelque chois, qui nous
touche & attire, quoy que ce soit impercepti-
blement. Pareillemēt qui presupposera vne fi-
selle egalement forte par tout, il est impossible
de toute impossibilité qu'elle rompe. Car par
ou voulez vous, que la faucée commence: & de
rompre par tout ensemble, il n'est pas possible.
Qui ioindroit encore a cecy les propositions
Geometriques, qui concluēt par la certitude de
leurs demonstrations, le contenu plus grād que
le contenant, le contre aussi grand que sa circō-
ference,

ference, & qui trouuẽt deux lignes s'approchãt
sans cesse l'vne de l'autre & ne se pouuant iamais ioindre, & la pierre philosophale,& qua-
drature du cercle, ou la raison & l'effect sont si
opposites, en tireroit a l'aduenture quelque argument pour secourir ce mot hardy de Pline,
*solum certum nihil esse certi,& homine nihil mise-
rius aut superbius.* il n'y a riẽ de certain que l'incertitude,& rien plus miserable & plus fier que
l'homme.

CHAP. XV.

Que nostre desir s'accroit par la malaisance

IL n'y a nulle raison qui n'en aye vne contraire, dict le plus sage party des philosophes.
Ie remachois tantost ce tresbeau mot & tres-
veritable qu'vn anciẽ alleguepour le mespris de
la vie, Nul bien ne nous peut apporter plaisir, si
ce n'est celuy a la perte duquel nous sommes
preparez. Voulãt gaigner par la, que la fruition
de la vie ne nous peut estre vrayemẽt plaisante
si nous sõmes en crainte de la perdre. Il se pourroit toutes-fois dire au rebours,que nous serrõs
& embrassons ce bien d'autant plus ferme,& a-
uecques plus d'affection que nous le voyons
nous estre moins seur, & que nous le craignons
nous estre osté. Car il se sent euidemment,
comme le feu se picque a l'assistance du froid,
que nostre volonté s'esguise aussi par le cõtraste,
				& qu'il

& qu'il n'est rien naturellement si conrraire a
nostre goust que la satieté, qui vient de l'aisance, ny rien qui l'éguise tant que la rarité & difficulté.

Omnium rerum voluptas ipso quo debet fugare,
periculo crescit.

Galla nega (dict le bon compaignon) *satia-*
tur amor nisi gaudia torquent.

Pour tenir l'amour en haleine Licurgue ordonna que les mariez de Lacedemone ne se pourroient pratttiquer qu'a la desrobée, & que ce
seroit pareille honte de les rencontrer cou-
chés ensemble qu'auecques d'autres. La difficulté des assignations, le dangier des surprises,
la honte du lendemain,

& languor, & silentium,
Et latere petitus imo spiritus,

c'est ce qui donne pointe a la sauce. La volupté
mesme cerche a s'irriter par la douleur. Elle est
bien plus sucrée quand elle cuit, & quand elle
escorche. La Courtisane Flora disoit n'auoir iamais couché auecques Pompeius, qu'elle ne luy
fit porter les merques de ses morsures.

Quod petiere premunt arcté, faciúntque dolorem
Corporis, & dentes inlidunt sæpe labellis:
Et stimuli subsunt, qui instigant lædere idipsum
Quodcumque est, rabies vnde illa germina sur-
gunt.

Il en va ainsi par tout. la difficulté donne pris
aux choses: nostre appetit mesprise & outrepas-
se ce

ſe ce qui luy eſt en main, pour courir apres ce
qu'il n'a pas.

Tranſuolat in medio poſita, & fugientia ca-
ptat.

Nous deſendre quelque choſe c'eſt nous en dôner enuie : nous l'abandonner tout a ſaict c'eſt
nous en engendrer meſpris : la faute & l'abondance tombent en meſme inconuenient:

Tibi quod ſupereſt, mihi quod deſit, dolet:

Le deſir & la iouiſſance nous mettent en peine
parcille. La rigueur des maiſtreſſes eſt ennuieu-
ſe, mais l'aiſance & la facilité l'eſt, a dire verité,
encores plus. D'autant que le meſcontentement
& la cholere naiſſent de l'eſtimation, en quoy
nous auons la choſe deſirée : éguiſent l'amour,
le picquent & le rechauffent: mais la ſatieté engendre le dégouſt: c'eſt vne paſſion mouſſe, hebetée, laſſe, & endormie. Pourquoy a lon voilé
iuſques au deſſous des talons ces beautez, que
chacun deſire monſtrer, que chacun deſire voir?
Pourquoy couurent elles de tant d'empeſche-
mans les vns ſur les autres, les parties, ou loge
principallement noſtre deſir & le leur ? Et a
quoy ſeruent ces gros baſtions, dequoy les noſtres viennent d'armer leurs flancs, qu'a lurrer
noſtre appetit par la difficulté, & nous attirer a
elles en nous en eſloignant?

Et fugis ad ſalices, & ſe cupit ante videri.

A quoy ſert l'art de ceſte honte virginalle? ceſte
froideur raſſiſe? ceſte contenance pleine de ſe-
uerité?

uerité?ceste profession d'ignorance des choses,
qu'elles sçauent mille fois mieux que nous qui
les en instruisons, qu'a nous accroistre le desir
de vaincre, gourmander, & soulera nostre appetit toute cete cerimonie,& tous ces respects?
Car il y a non seulement du plaisir, mais de la
gloire encore, d'affolir & desbaucher ceste
molle douceur & ceste pudeur enfantine,& de
ranger a la mercy de nostre ardeur vne seueri-
té fiere & magistrale? C'est gloire (disent ils)
de triompher de la rigueur, de la modestie, de
la chasteté,& de la temperance: & qui descon-
seille aux Dames, ces parties la, il les trahit &
soy-mesmes. Il faut croire que le cœur leur
fremit d'effroy,que le son de nos motz blesse la
pureté de leurs oreilles, qu'elles nous en hais-
sent mortellemant,& s'accordent a nostre importunité d'vne force forcée. La beauté, toute
puissante qu'elle est, n'a pas dequoy se faire sa-
vourer & gouter, sans ceste entremise. Voyez
en Italie, ou il y a plus de beauté a vandre, & de
la plus parfaite qu'en nulle autre nation, commant il faut qu'elle cherche d'autres moyens
estrangiers, & d'autres ars pour se randre a-
greable:& si a la verité,quoy qu'elle face, est àt
venale & publique,elle demeure foible & languissante. Tout ainsi que mesme en la vertu de
deux effaicts pareils nous tenós ce neautmoins
celuy le plus beau & plus digne, auquel il y a
plus d'empeschemant & de hazard proposé.

C'est

C'eſt vn effect de la prouidance diuine de permettre ſa ſaincte Egliſe eſtre agitée, comme
nous la voyons de tant de troubles & d'orages,
pour eſueiller par ce contraſte les ames pies &
les rauoir de loyſiueté & du ſommeil, ou les a-
uoit plongez vne ſi longue tranquillité. Si nous
contrepoiſons la perte que nous auôs faicte par
le nombre de ceux qui ſe ſont deſuoyez, au
gain qui nous vient pour nous eſtre remis en
haleine, reſuſcité noſtre zele & nos forces a
l'occaſion de ce combat, ie ne ſçay ſi l'vtilité ne
ſurmonte point le dommage. Nous auons penſé attacher plus ferme le neud de noz mariages
pour auoir oſté tout moyen de les diſſoudre,
mais d'autant s'eſt dépris & relâche le neud de
la volonté & de l'affection, que celuy de la contrainte s'eſt eſtroicy. Et au rebours ce qui tint
les mariages a Rome ſi long temps en honneur
& en ſeurté fut la liberté de les rompre, qui voudroit. Ilz aymoient mieux leurs femmes, d'autant qu'ilz les pouuoient perdre: & en pleine licence de diuorces il ſe paſſa cinq cens ans &
plus auant que nul s'en ſeruit.

Quod licet, ingratum eſt, quod non licet, acrius
vrit.

A ce propos ſe pourroit ioindre l'opinion d'vn
ancié, Que les ſupplices aiguiſent les vices, plus
toſt qu'ilz ne les amortiſſent. Ie ne ſçay pas
qu'elle ſoit vraye, mais cecy ſçay ie par experiēce, que iamais police ne ſe trouua reformée par
la.

la. L'ordre & le reglement des meurs dépand
de quelque autre moyen.

CHAP. XVI.

De la gloire.

ILy a le nom & la chose. Le nom c'est vne
voix qui remerque & signifie la chose. Le nõ
ce n'est pas vne partie de la chose, ny de sa substance, c'est vne piece estrangiere iointe a la
chose, & hors d'elle. Dieu qui est en soy toute
plenitude & le comble de toute perfection, il
ne peut s'augmenter & accroistre au dedans:
mais son nom se peut augmenter & accroistre,
par la benediction & louange, que nous dõnons
a ses ouurages exterieurs. Laquelle louãge, puis
que nous he la pouuons incorporer en luy mesme, d'autant qu'il n'y peut auoir nulle accession
de bien en luy, nous l'attribuons a son nom, qui
est la piece hors de luy, qui luy est la plus voisine. Voila comment c'est a Dieu seul a qui gloire & honneur appartient. Et il n'est rien si vain,
ne si esloigné de raison que de nous en mettre
en queste pour nous. Car estans indigens & ne-
cessiteus au dedans, nostre essence estant imparfaicte, & ayant continuellement besoing
d'amelioration, c'est la a quoy nous nous deuõs
trauailler. Nous sommes tous creus & vuidez au
dedans: ce n'est pas de vent & de voix que nous
auons

auons a nous remplir. Il nous faut de la sub-
ſtance plus ſolide a nous reparer. Vn homme
affamé ſeroit bien ſimple de cercher a ſe garnir pluſtoſt d'vn beau veſtement que d'vn bon
repas. Il faut courir au plus preſſé , comme diſent nos ordinaires prieres , *Gloria in excelſis
Deo, & in terra pax hominibus.* Nous ſommes
en diſette de beauté, ſanté, ſageſſe, vertu, & telles parties eſſentiales. Les ornemens externes
ſe cercheront apres que nous aurons proueu
aux choſes plus neceſſaires. La theologie traicte plus amplement & plus pertinemment ce
ſubiect, mais ie n'y ſuis guiere verſé. Chriſippus & Diogenes ont eſté les premiers autheurs
& les plus fermes du meſpris de la gloire: & entre toutes les voluptez., ilz diſoient qu'il n'y en
auoit point de plus dangereuſe , ny plus a ſuir
que celle qui nous vient de l'approbation d'autruy. De vray l'experience nous en faict ſentir
pluſieurs trahiſons bien dommageables. Il n'eſt
rien qui empoiſonne tant les princes que la flat-
terie , ny rien par ou les meſchans gaignent
plus ayſéement credit autour d'eux: ny maquerelage ſi propre & ſi ordinaire a corrompre la
chaſteté des femmes, que de les paitre & entretenir de leurs louanges. Ces philoſophes la, diſoient, Que toute la gloire du monde ne meritoit pas qu'vn homme d'entendement eſtandit
ſeulement le doigt pour l'acquerir : ie dis pour
elle ſeule , car elle tire ſouuent a ſa ſuite plu-

sieurs commoditez, pour lesquelles elle se peut
rendre desirable. Elle nous acquiert de la bienueillance: el'e nous rend moins en bute aux iniures & offeces d'autruy, & choses semblables.
C'estoit aussi des principaux dogmes d'Epicurus: car ce precepte de sa secte, C A C H E T A
V I E, qui deffend aux hommes de s'empescher
des charges & negotiations publiques, presup-
pose aussi necessairement qu'on mesprise la
gloire: qui est vne approbatiõ que le mõde fait
des actions que nous mettons en euidence. Celuy qui nous ordonne de nous cacher, & de n'a-
uoir soing que de nous, & qui ne veut pas que
nous soions connus d'autruy, il veut encores
moins que nous en soions honorez & glorifiés.
Aussi conseille il luy mesmes a Idomeneus de
ne regler nullement ses actions par l'opinion
ou reputation commune, si ce n'est pour éuiter
les autres incommoditez accidentales, que le
mespris des hommes luy pourroit apporter.
Ces discours la sont infiniment vrais a mon aduis, & raisonnables : mais nous sommes, ie ne
sçay comment, doubles en nous mesmes, qui
faict que ce mesme que nous croyons, nous ne
le croyons pas. Et ne nous poūuons deffaire de
ce que nous condamnons. Voyons les dernieres parolles d'Epicurus & qu'il dict en mourãt:
elles sont grandes & dignes d'vn tel philosophe, mais si ont elles quelque goust de la re-
commédation de son nom, & de ceste humeur
qu'il

qu'il auoit décrieé par ſes preceptes. Voicy
vne lettre qu'il dicta vn peu auant ſon dernier
ſouſpir

EPICVRVS A HERMACHVS SALVT.

Ce pendant que ie paſſois l'heureux, & celuy la meſmes le dernier tour de ma vie, i'eſcri-
uois cecy, accompagné toutefois de telle douleur en la veſſie & aux inteſtins, qu'il ne peut
rien eſtre adiouſté a la grandeur. Mais elle e-
ſtoit recompenſée par le plaiſir qu'apportoit
a mon ame la ſouuenance de mes inuentions &
de mes diſcours. Or toy comme requiert l'affectiõ que tu as eu des ton enfance enuers moy
& la philoſophie, embraſſe la protection des
enfans de Metrodorus. Voila ſa lettre. Et ce qui
me faict interpreter que ce plaiſir qu'il dit ſentir en ſon ame de ſes inuentions regarde aucunement la reputation qu'il en eſperoit acquerir
apres ſa mort, c'eſt l'ordonnance de ſon teſtament, par lequel il veut que Aminomachus &
Thimocrates ſes heritiers fourniſſent pour la
celebration de ſon iour natal tous les mois de
Ianuier les frais que Hermachus ordonneroit,&
auſſi pour la deſpéce qui ſe feroit le vingtieſme
iour de chaſque lune au traitemẽt des philoſophes ſes familiers,qui s'aſſembleroient a l'honneur de la memoire de luy & de Metrodorus.
Carneades a eſté chef de l'opinion cõtraire, &
a maintenu que la gloire eſtoit pour elle meſine
deſirable,tout ainſi que no°ambraſſõs nos poſt-

humes pour eux mesmes, n'en ayans nulle connoissance ny iouissance. Ceste opinion n'a pas
failli d'estre plus communement suiuie, comme sont volontiers les pires & qui s'accommo-
dent le plus a nos vicieuses inclinations. Ie croy
que si nous auions les liures que Cicero auoit
escrit de la gloire, il nous en conteroit de belles. Car cest homme la fut si pipé de ce forcené
desir de gloire, que s'il eust osé, il fut, ce crois-
ie, volontiers tumbé en l'exces ou tombarent
d'autres, Que la vertu mesmé n'estoit desirable
que pour l'honneur qui se tenoit tousiours a sa
suite.

Paulum sepulta distat inertia
Celata virtus

Qui est vn'opinion si fause & si vaine, que ie suis
dépit qu'elle ait iamais peu entrer en l'entendement d'homme qui eust cest hôneur de porter le nom de philosophe. Si cela estoit vray, il
ne faudroit estre vertueux qu'en public : & les
operations de l'ame, ou est le vray siege de la
vertu, nous n'aurions que faire de les tenir en
regle & en ordre, sinon autant qu'elles deb-
uroient venir a la connoissance d'autruy. La vertu est chose bien vaine & friuole, si elle tire sa
recommandation de la gloire. Pour neant en-
treprendrions nous de luy faire tenir son reng
a part, & la déioindrions de la fortune. Car
qu'est il plus fortuite que la reputation? De faire que les actions soient connues & veuës, c'est
le pur

le pur ouurage de la fortune. Ceux qui apprennent a nos gens de guerre d'auoir l'honneur pour leur but, & de ne cercher en la vaillance que la reputation, que gaignent ilz par là, que de les inftruire de ne fe hazarder iamais, qu'ilz ne foient a la veuë de leurs compaignons, & de prendre bien garde s'il y a des tefmoins auec eux, qui puiffent raporter nouuelles de leur vaillance? la ou il fe prefente mille occafions de bien faire fans qu'on puiffe eftre remarqué. Combien de belles actions particulieres s'enfeueliffent dans la foule d'vne bataille? Quiconque s'amufe a contreroller autruy pendant vne telle meflée, il n'y eft guiere embefoigné: & produit contre foy mefmes le tefmoignage qu'il rend des deportemens de fes compaignons. A qui doiuent Cæfar & Alexandre cette grandeur infinie de leur renommée qu'a la fortune? Combien d'hommes a elle efteint fur le commencement de leur progrés, defquelz nous n'auôs nulle connoiffance, qui y apportoient mefme courage que le leur, fi le mal'-heur de leur fort ne les eut arreftez tout court, fur la naiffance mefme de leurs entreprinfes? Au trauers de tant & fi extremes dangiers il ne me fouuient point auoir leu que Cæfar ait efté iamais bleffé: mille & mille font mortz de moindres perilz que ceux qu'il a franchis. Infinies belles actions fe doiuent perdre fans tefmoignage, auant qu'il en viêne vne a profit. On

n'est pas tousiours sur le haut d'vne bresche, ou
a la teste d'vne armée a la veuë de son general,
comme sur vn eschaffaut On est surpris entre
la haye & le fossé. Il faut tenter fortune contre
vn poullailler : il faut dénicher quatre chetifs
harquebousiers d'vne grange : il faut seul s'es-
carter de la troupe & entreprendre seul, selon
la necessité qui s'offre. Et si on prend garde, on
trouuera a mon aduis, qu'il aduient par experience , que les moins esclattantes occasions
sont les plus dangereuses, & qu'aux guerres, qui
se sont passées de nostre temps , il s'est perdu
plus de gens de bien aux occasions legieres &
peu importantes, & a la contestation de quelque bicoque, qu'es lieux dignes & honnorables.
Qui n'est homme de bien que par ce qu'on le
sçaura, & par ce qu'on l'é estimera mieux, apres
l'auoir sceu, qui ne veut bien faire qu'en condition que sa vertu vienne a la connoissance des
hommes, celuy la n'est pas homme de qui on
puisse tirer beaucoup de seruice.

> *Credo ch'el resto di quel verno, cose*
> *Facesse degne di tenerne conto,*
> *Ma fur fin'a quel tempo si nascose*
> *Che non e colpa mia s'hor'non le conto,*
> *Perche Orlando a far'opre virtuose*
> *Piu ch'a narrarle poi sempre era pronto,*
> *Ne mai fu alcun'de li suoi fatti espresso*
> *Senon quando hebbe i testimonij apresso.*

Il faut aller a la guerre pour son deuoir , & en
attendre

attendre cette recompense, qui ne peut faillir a
toutes belles actions, pour occultes qu'elles
soient, non pas mesmes aux vertueuses pensées.
C'est le contentement qu'vne conscience bien
reglée reçoit en soy, de bien faire. Il faut estre
vaillant pour soy mesmes, & pour l'auantage
que c'est d'auoir son courage logé en vne assiete ferme & asseurée, contre les assaus de la fortune. Ce n'est pas pour la monstre que nostre
ame doit iouer son rolle. C'est chez nous au dedans, ou nulz yeux ne donnent que les nostres:
la elle nous couure de la crainte de la mort, des
douleurs & de la honte mesme: elle nous asseure la, de la perte de nos enfans, de nos amis, &
de nos fortunes. Et quand l'oportunité s'y presente elle nous conduit aussi aux hazards de la
guerre. Ce profit est bien plus grand & bien
plus digne d'estre souhaité & esperé, que l'honneur & la gloire, qui n'est autre chose qu'vn fauorable iugement que les autres font de nous.
Ie ne me soucie pas tãt, quel ie sois chez autruy,
comme ie me soucie quel ie sois en moy mesme. Ie veux estre riche de mes propres richesses, nõ des richesses empruntées. Les estrãgiers
ne voient que les euenemens & apparences externes: chacun peut faire bonne mine par le dehors, plein au dedans de fiebure & d'effroy. Ilz
ne voyent pas mon cœur, ilz ne voient que mes
contenances: On a raison de décrier l'hipo-
crisie, qui se trouue en la guerre. Car qu'est

il plus aifé a vn homme vn peu pratic, que de
fçauoir gauchir aux dangiers, & de contrefaire
le mauuais, ayant le cœur plein de molleffe? Il y
a tât de moyés déuiter les occafions de fe hazarder, que nous aurons trompé mille fois le monde , auant que de nous engager a vn dangereux
pas : & lors mefme nous y trouuant empétres,
nous fçauriôs bien pour ce coup couurir noftre
ieu d'vn bon vifage, & d'vne parolle affeurée,
quoy que l'ame nous tremble au dedans:

Falfus honor iuuat, & mendax infamia terret
Quem nifi mendofum & mendacem?

Voila comment tous ces iugemens qui fe font
des apparences externes font merueilleufement
incertains & douteux : & n'eft nul affeuré tefmoing, que chacun a foy mefme.   En celles la
combien auons nous de gouiats, compaignons
de noftre gloire ? celuy qui fe tient fermie dans
vne tranchée defcouuerte, que faict il en cela
que ne facent deuât luy cinquante pauures pio-
niers qui luy ouurêt le pas, & le couurêt de leurs
corps, pour cinq fous de paye par iour. Nous appellôs agrandir noftre nom l'eftandre & femer
en plufieurs bouches: nous voulons qu'il y foit
receu en bonne part , & que cefte fienne ac-
croiffance luy vienne a profit. Voyla ce qu'il
y peut auoir de plus excufable en ce deffein:
mais l'exces de cefte maladie en va iufques la,
que plufieurs cerchent de faire parler d'eux
en

en quelque façon que ce soit. Trogus Pompeius dict de Herostratus , & Titus Liuius de
Manlius Capitolinus, qu'ils estoient plus desi-
reux de grande que de bonne reputation. Ce
vice est fort ordinaire. Nous nous soignons
plus qu'on parle de nous, que comment on en
parle , & nous est assez que nostre nom coure
par la bouche des hômes de quelque goust qu'il
y soit receu. Il semble que l'estre côneu, ce soit
aucunement auoir sa vie & sa durée en la garde
d'autruy . Moy ie sçay bien que ie ne suis que
chez moy, & de ceste autre mienne vie qui loge en la connoissance de més amis , ie sçay biê
que ie n'en sens nul fruict ny iouïssance, que par
la vanité d'vne opinion fantastique . Et quand
ie seray mort ie m'en resentiray encores beaucoup moins. Ie n'auray plus de prise par ou saisir la reputation: ie ne vois pas par ou elle puisse me toucher ny arriuer a moy. Et de m'attendre que mon nom la reçoiue, premierement ie
n'ay point de nô qui soit assez mien: car de deus
que i'en ay , l'vn est commun a toute ma race,
voire encore a d'autres. Il y a vne famille a Paris & a Montpelier, qui se surnomme Montaigne, vne autre en Bretaigne, & en Xaintôge, de
la Montaigne. Le remuement d'vne seule sylla-
be meslera nos fusées, de façô que i'auray part
a leur gloire, & eux a l'aduenture a ma hôte, &
si les miens se sont autres-fois surnommez Eyquem. Quant a mon autre nom, il est, a quicon-

Rr 5

que aura enuie de le prendre . Ainſi i'honnore-
ray peut eſtre vn crocheteur a ma place. Et puis
quand i'aurois vne merque particuliere pour
moy , que peut elle merquer quand ie n'y ſuis
plus , peut elle deſigner l'inanité? mais de cecy
i'en ay parlé ailleurs . Au demeurant en toute
vne bataille ou dix mill'hommes ſont eſtropiés
ou tués, il n'en eſt pas quinze dequoy on parle.
Il faut que ce ſoit quelque grandeur bien eminente, ou quelque conſequéce d'importáce que
la fortune y ait iointe, qui faſſe valoir vn'actió
priuée, non d'vn harquebouſier ſeulemét , mais
d'vn capitaine:car de tuer vn hôme, ou deux, ou
dis, de le preſenter courageuſement a la mort,
c'eſt bien beaucoup pour chacun de nous:car il
y va de tout, mais pour le monde, ce ſont choſes
ſi ordinaires, il s'en voit tát tous les iours, & en
faut tát de pareilles pour produire vn effect notable, que nous n'en pouuons attédre nulle particuliere recommandation. De tant de miliaſ-
ſes de vaillans hommes qui ſont mortz deſpuis
quinze cens ans en Fráce, les armes en la main,
il n'y en a pas cent qui ſoient venus en noſtre
cognoiſſance. La memoire non des chefs ſeulement : mais des batailles & victoires eſt enſeuelie. Quoy que des Romains meſmes, & des
Grecs, parmy tát d'eſcriuains & de teſmoins, &
tant de rares & nobles exploitz, il en eſt venu
ſi peu iuſques a nous? Ce ſera beaucoup ſi d'yci
a cent ans on ſe ſouuiét en gros, que de noſtre
temps

temps, il y a eu des guerres ciuiles en France.
Penſons nous qu'a chaque harquebouſade qui
nous touche, & a chaque hazard que nous cou-
rôs qu'il y ait quant & quât vn greffier qui l'é-
rolle:& cêt greffiers outre cela le pourront eſcrire,deſquelz les regiſtres ne dureront ǧ trois
iours,& ne viendront a la cognoiſſance de perſonne . Nous n'auons pas la millieme partie
des eſcrits anciens , c'eſt la fortune qui leur
donne vie , ou plus courte, ou plus longue, ſelon ſa faueur.   On ne faiᵫ pas des hiſtoires de
choſes de ſi peu , il faut auoir eſté chef a con-
querir vn Empire,ou vn Royaume,il faut auoir
gaigne cinquante deux batailles aſſignées touſiours plus foible en nombre d'hommes comme Cæſar.   Dix mille bons hommes & pluſieurs grands capitaines moururent a ſa ſuite,
vaillamment & courageuſement, deſquels les
noms n'ont duré qu'autant que leurs femmes
& leurs enfans veſquirent . De ceux meſme
que nous voyons bien faire,trois mois ou trois
ans, apres qu'ilz y ſont demeurez,il ne s'é parle non plus que s'ils n'euſſent iamais eſté.Qui-
conque conſiderera auec iuſte meſure & proportion,de quelles gês & de quelz faits la gloire ſe maintient en la memoire des hommes,
il trouuera qu'il y a de noſtre ſiecle fort peu
d'actiôs,& fort peu de perſonnes,qui y puiſſent
pretendre nulle part . Combien auons nous
veu d'hommes vertueux ſuruiure a leur propre
reputa-

reputation, qui ont veu & souffert esteindre en leur presance l'honneur & la gloire tres-iustement acquise en leurs ieunes ans. Et pour trois ans de ceste vie fantastique & imaginere, allôs nous perdant nostre vraye vie & essentielle, & nous engager a vne mort perpetuelle? Les sages se proposent vne plus belle & pl' iuste fin, a vne si importante entreprise. Il seroit a l'aduanture exculable a vn peintre ou autre artisan, ou encores a vn Rhetoricien ou Grammairien de se trauailler pour acquerir nom par ses ouurages: mais les actions de la vertu, elles sont trop nobles d'elles mesmes, pour rechercher autre loyer ou recompense que de leur propre valeur, & notamment pour la chercher en la vanité des iugemens humains. Si toute-fois ceste fauce opinion sert au public a côtenir les hommes en leur deuoir, qu'elle accroisse hardimêt, & qu'on la nourrisse entre nous le plus qu'ô pourra. Puis que les hommes par leur insuffisance ne se peuuent assez payer d'vne bonne monnoye, qu'on y employe encore la fauce. Ce moyen a esté pratique par tous les Legislateurs qui furent onques : & n'est nulle police, ou il n'y ait quelque meslange ou de vanité cerimonieuse, ou d'opinion mensongere, qui serue de bride a tenir le peuple en office. C'est pour cela que la pluspart ont leurs origines & commencemens tabuleus & enrichis de mysteres supernaturels. C'est cela qui a donné credit aux religions bastardes &

les

les a faites fauorir aux gens d'entendement : &
pour cela que Numa & Sertorius pour rendre
leurs hômes de meilleure creance, les paiſſoiēt
de ceſte ſottiſe, l'vn que la nymphe Egeria, l'autre que ſa biche blāche luy apportoit de la part
des dieux tous les cōſeilſ qu'ils prenoiēt. La re
ligiō des Bedoins, cōme dit le ſire de Iuinuille,
portoit entre autres choſes ꝗ l'ame de celuy d'ē-
tre eus qui mouroit pour ſō Prince, s'ē alloit en
vn autre corps plus heureux, plꝰ beau & plus fort
que le premier : au moyen dequoy ils en hazar-
doient beaucoup plus volontiers leur vie. Voila
vne creāce treſſalutaire, toute vaine qu'elle ſoit.
Chaque nation a pluſieurs tels exemples chez
ſoy : mais ce ſubiet meriteroit vn diſcours a part.
Pour dire encore vn mot ſur mon premier propos, ie ne conſeille non plus aux Dames d'appeller honneur leur deuoir, ny de nous donner
ceſte excuſe en payement de leur refus : car ie
preſuppoſe que leurs intentions, leur deſir, &
leur volonté, qui ſont pieces ou l'honneur n'a
que voir, d'autant qu'il n'en paroit rien au dehors, ſoient encore plus reglées que les effects.
Quꝛ quia non liceat, non facit, illa facit.
L'offence & enuers Dieu, & en la conſciēce ſeroit auſſi grāde de le deſirer que de l'effectuer :
& puis ce ſont actions d'elles meſmes cachées
& occultes. Il ſeroit bien-ayſé qu'elles en deſ-
robaſſent quelcune a la connoiſſance d'autruy,
d'ou l'honneur depend, ſi elles n'auoient autre
                                        reſpect

respect a leur deuoir , & a l'affection qu'elles
portent a la chasteté pour elle mesme.

CHAP. XVII.

De la præsumption.

IL y a vne autre sorte de gloire, qui est vne
trop bonne opinion, que nous conceuons de
nostre valeur. C'est vn'affection inconsiderée,
dequoy nous no°cherissons, qui nous represente a nous mesmes, autres que nous ne sommes.
Côme la passiô amoureuse preste des beautez,
& des graces au subiet qu'elle embrasse, & fait
que ceux qui en sont espris, trouuêt d'vn iugemêt trouble & alteré, ce qu'ils ayment, autre &
plus parfaict qu'il n'est: ie ne veux pas , que de
peur de faillir de ce costé la , vn hôme se mes-
connoisse pourtant , ny qu'il pense estre moins
que ce qu'il est. Le iugement doit tout par tout
maintenir son auantage. C'est raison qu'il voye
en ce subiect comme ailleurs ce que la verité
luy presente. Si c'est Cæsar, qu'il se treuue hardiment le plus grand Capitaine du monde.
Nous ne sommes que ceremonie, la ceremonie nous emporte , & laissons la substance des
choses. Nous nous tenôs aux branches & abandonnons le tronc & le corps. Nous auons a-
pris aux Dames de rougir oyans seulement nô-
mer ce qu'elles ne craignent nullement a faire.

Nous

Nous n'ofons appeller a droiƈt nos propres
parties & nos membres, & ne craignons pas de
les employer a toute forte de desbauche. La
ceremonie nous defend d'exprimer par parolles les chofes licites & naturelles, & nous l'en
croyons. La raifon nous defend de n'en faire point d'illicites & illegitimes, & perfonne
ne l'en croit. Ie me trouue icy enpeftré es loix
de la ceremonie. Car elle ne permet, ny qu'on
parle bien de foy, ny qu'on en parle mal. Nous
la lairrons là pour ce coup Ceux que la fortune (bonne ou mauuaife qu'on la doiue appeller) a faiƈt paffer leur vie en quelque eminent
degré, ils peuuent par leurs aƈtions publiques
tefmoigner quels ils font. Mais ceux qu'elle
n'a employez qu'en foule, ils font excufables,
s'ils prennent la hardieffe de parler d'eux mefmes, a ceux qui ont intereft de les connoiftre, a
l'exemple de Lucilius.

Ille velut fidis arcana fodalibus olim
Credebat libris, neque fi male cefferat, vfquam
Decurrens alio, neque fi bene: quo fit, vt omnis
Votiua pateat veluti defcripta tabella
Vita fenis.

Celuy la commettoit a fes papiers fes aƈtions
& fes penfées par efcrit, & s'y peignoit tel
qu'il fe fentoit eftre. Il me fouuient donc, que
des ma plus tendre enfance on remerquoit en
moy

moy, ie ne sçay quel port de corps, & des gestes
tesmoignants quelque vaine & sotte fierté. I'en
veux dire premierement cecy, qu'il n'est pas inconuenient d'auoir des conditions & des propensions, si propres & si incorporées en nous,
que nous n'ayons pas moyen de les sentir & reconnoistre. Et de telles inclinatiôs naturelles,
le corps en retient volontiers quelque pli sans
nostre sçeu & consentement. C'estoit vne certaine molesse affetée, qui faisoit vn peu pâcher
la teste d'Alexandre sur vn costé, & qui rendoit le parler d'Alcibiades mol & gras: Estans
doués d'vne extreme beauté, ils s'y aidoient vn
pen sans y penser, par mignardise. Iulius Cæsar
se gratoit la teste d'vn doigt, qui est la contenâ-
ce d'vn homme remply de pensemens penibles:
& Cicero, ce me semble, auoit accoustumé de
rincer le nez, qui signifie vn naturel moqueur.
Ces mouuemens la arriuent imperceptiblemét
en nous. Il y en a d'autres artificiels, dequoy ie
ne parle point, comme les bonettades, les inclinations, & reuerences, par ou on acquiert le
plus souuét a tort l'honneur d'estre bien humble & courtois: & la morgue de Constantius
l'Empereur, qui en publicq tenoit tousiours la
teste droite, sans la contourner ou flechir, ny çà
ny la, non pas seulemét pour regarder ceux qui
le saluoient a costé, ayât le corps planté & immobile, sans se laisser aller au branle de son coche, sans oser ny cracher, ny se moucher, ny es-
suyer

ſuyer le viſage deuant les gens. Ie ne ſçay ſi ces
geſtes qu'õ remerquoit en moy, eſtoient de ceſte premiere condition , & ſi a la verité i'auoy
quelque occulte propenſion a ce vice, comme il
peut bien eſtre . Et ne puis pas reſpondre des
branſles du corps , mais quant a ceux de l'ame,
ieveux icy cõfeſſer ce que i'en ſens. Il y a ce me
ſemble deux partie s en ceſte gloire: de s'eſtimer
trop , & n'eſtimer pas aſſez ou deſdaigner autruy. Quant au premier, i'ay en general ceſt humeur, que de toutes les opinions que l'ancieneté a eues de l'homme , celles que i'embraſſe le
plus volõtiers, & auſquelles ie m'atache le plus,
ſont celles qui nous meſpriſent, auiliſſent, & a-
neantiſſent le plus. La philoſophie ne me ſemble iamais auoir ſi beau ieu, que quand elle cõbat noſtre preſumption & vanité, quand elle reconnoit de bonne foy ſon irreſolution, ſa foybleſſe, & ſon ignoráce. Il me ſemble que la mere nourriſſe des plus fauces opinions que nous
ayõs, & publiques & particulieres, c'eſt la trop
bonne opinion que nous auons de nous. Ces
gens, qui ſe logent a cheuauchons ſus l'epicy-
cle de Mercure, il me ſemble qu'ils m'arrachẽt
les dens . Car en l'eſtude que ie fay, duquel le
ſubiect c'eſt l'homme, trouuant vne ſi extreme
varieté de iugemens, vn ſi profond labyrinthe
de difficultez les vnes ſur les autres, tant de diuerſité & incertitude en l'eſcole meſme de la
ſapience: vous pouuez penſer, puis que ces gẽs

Ss

là n'ont peu se resoudre de la cónoissance d'eus mesmes & de leur propre condition, qui est cótinuellement presente a leurs y eux, qui est dans eux, puis qu'ils ne sçauent comment branle ce qu'eux mesmes font branler, ny comment nous peindre & deschiffrer les ressors qu'ils tiennét & manient eux mesmes , comment ie les croirois de la cause du mouuement de la huitiesme sphere,& du flux & reflux de la riuiere du Nile. La curiosité de cónoistre leschoses a esté dónée aux hómes pour fleau, dit la Sacrosainte parolle.Mais pour venir a mon particulier,il est bié difficile , ce me semble, que nul autre s'estime moins , voire que nul autre m'estime moins que ce que ie m'estime. Car a la verité, quand aux effects de l'esprit, en quelque façon que ce soit, il n'est iamais party de moy chose qui me contentast: & l'approbatió d'autruy ne m'a pas payé. I'ay le goust tendre & difficile,& notamment en mon endroit: ie me sens flotter & flechir de foiblesse. Ie me connoytant , que s'il estoit party de moy chose qui me pleut, ie le deuroy sans doubte a la fortune. Ie n'ay rié du mien, dequoy contenter mon iugement: i'ay la veüe assez claire & reglée , mais a l'ouuret elle se trouble: comme i'essaye plus euidamment en la Poësie.Ie l'ayme infiniment,i'y voy assez cler aux ouurages d'autruy : mais ie fay a la verité l'enfant,quand i'y veux mettre la main, ie ne me puis souffrir . On peut faire le sot par tout

tout ailleurs, mais non en la Poëſie.

Mediocribus eſſe Poëtis
Non dij, non homines, non conceſſére columnæ.

Pleut a Dieu, que ceſte ſentence ſe trouuat au
front des boutiques de tous noz imprimeurs,
pour en deffendre l'entrée a tant de verſifica-
teurs,

Verum
Nil ſecurius malo Poëta.

Ce que ie treuue paſſable du mien, ce n'eſt pas
de ſoy, & a la verité: mais c'eſt a la comparaiſon d'autres choſes pires, auſquelles ie voy qu'õ
donne credit. Ie ſuis enuieux du bon-heur de
ceux, qui ſe ſçauent reſiouïr & gratifier en leurs
ouurages. Car c'eſt vn moyen aiſé de ſe donner du plaiſir: les miens il s'en faut tant qu'ils
me plaiſent, qu'autant de fois, que ie les retaſ-
te, autant de fois i'en reçois vn nouueau meſcontentement. I'ay touſiours vne idée en l'ame,
qui me preſente vne meilleure forme, que celle que i'ay mis en beſongne, mais ie ne la puis
exploiter. Et en mon imagination meſmes, ie
ne conçoy pas les choſes en leur plus grande perfection: ce que ie connoy par la, que
ce que ie voy produit par ces riches & grandes ames du temps paſſé, ie le treuue bien
loing au dela de l'extreme eſtendue de mon
imagination. Leurs ouurages ne me ſatis-
font pas ſeulement & me rempliſſent, mais
ils m'eſtonnent & tranſiſſent d'admiration:

ie iuger tres-bien leur beauté, ie la voy, mais il
m'est impossible de la representer. Quoy que
i'entrepréne, ie doy vn sacrifice aux graces, cóme dit Plutarque de quelcun, pour pratiquer
leur faueur.

> *Si quid enim placet,*
> *Si quid dulce hominum sensibus influit,*
> *Debentur lepidis omnia gratijs.*

Or elles m'abandónent par tout : tout est grossier chez moy : il y a faute de garbe & de polis-
sure : ie ne sçay faire valoir les choses pour le
plus que ce qu'elles valent : ma façon n'ayde de
rien a la matiere. Voyla pourquoy il me la faut
forte, qui aye beaucoup de prise, & qui luise
d'elle mesme. Ie ne sçay ny plaire, ny reiouir,
ny chatouiller : le meilleur conte du monde se
seche entre mes mains, & se ternit. Ie ne sçay
parler qu'en bon esciét, & suis du tout abandó-
ne de ceste facilité, que ie voy en plusieurs de
de mes compaignons, d'entretenir les premiers
venus, & tenir en haleine toute vne compagnie,
ou amuser sans se lasser l'oreille d'vn Prince de
toute sorte de propos, la matiere ne leur faillât
iamais, pour ceste grace qu'ils ont de sçauoir
employer la premiere qui leur tombe en main,
& de l'accommoder a l'humeur & portée de
ceux a qui ils ont affaire. Ce que i'ay a dire, ie le
dis tousiours de toute ma force : les raisons premieres & plus aysées qui sont communement
les mieux receües, ie ne sçay pas les employer.

Si faut

Si faut il sçauoir relácher la corde a toute sorte de sons:& le plus aigu c'est celuy qui vient le
moins souuét enviage.Il y a pour le moins autát
de perfection a releuer vne chose vu de,qu'a en
soustenir vne poisante. Tantost il faut superfi-
ciellement manier les choses , tantost les pro-
fonder.Ie sçay bien que la pluspart des hómes
se tiennent en ce bas estage, pour ne conceuoir
les choses que par ceste premiere escorse.Mais
si est-ce,que les plus gráds maistres, & surtout
Platon,on les void souuét, ou l'occasion se presente , se relascher a ceste mole & basse façon,
& populaire de dire & traiter les choses,la sou-
stenáts des graces qui ne leur máquent iamais.
Au demeurant mon langage n'a rien de facile
& fluide : il est aspre, ayant ses dispositions libres & desreglées:& me plait ainsi. Mais ie sés
bien que par fois ie m'y laisse trop aller & qu'a
force de vouloir euiter l'art & l'affectation i'y
retumbe d'vn autre part,

Breuis esse laboro,

Obscurus fió.

Quand ie voudroy suyure cest autre stile equable vni & ordóné,ie n'y sçaurois aduenir:& encore que les coupures & cadéces de Saluste reuiennent plus a mon humeur, si est-ce que ie
treuue Cęsar & plus admirable & moins aysé a
imiter:& si mon inclinatió me porte plus a l'i-
mitation du parler de Seneca , ie ne laisse pas
d'estimer autát pour le moins,celuy de Plutar-

que. Ie ſuis la forme de dire, qui eſt née auecques
moy, ſimple & naïfue autant que ie puis : d'ou
c'eſt a l'aduenture que i'ay plus d'aduantage a
parler qu'a eſcrire. Mais ce peut auſſi eſtre que
le mouuemēt & actiõ animēt les parolles, meſmes a ceux qui ſe remuent touſiours auec vehe-
mēce, cõme ie fay, & qui s'eſchauffēt ayſemēt.
Le port, le viſage, la vois, la robe, l'aſſiete pou-
uēt donner quelque pris aux choſes, qui d'elles
meſmes n'é ont guiere, cõme le babil. Meſſala-
ſe pleint en Tacitus de quelques acouſtremens
eſtroits de ſon tēps, & de la façon des bancs : ou
les orateurs auoient a parler, qui affoibliſſoient
leur eloquence. Mon langage François eſt alteré, & en la prononciation & ailleurs par la
barbarie de mon creu : car ie ne vis iamais homme de contrées de deça, qui ne ſentit bien euidemment a ſon ramage, & qui ne bleſſaſt les
oreilles qui ſont pures Françoiſes. Si n'eſt-ce
pas pour eſtre tort entendu en mon Perigordin : car ie n'en ay non plus d'vſage que de l'A-
lemand, & ne le pleins guiere. Il y a bien au
deſſus de nous, vers les montaignes, vn Gaſcon
pur, que ie treuue ſingulierement beau, & deſi-
rerois .e ſçauoir : car c'eſt vn langage bref, ſi-
gnifiant & preſſé : & a la verité vn langage maſle & militaire, plus que nul autre, que i'enten-
de. Quand au Latin, qui m'a eſté dõné pour ma-
ternel, i'ay perdu par deſ-acouſtumance la prõ-
ptitude de m'en pouuoir ſeruir a parler. Voyla
combien

combien peu ie vaux de ce coſté là . La beauté eſt vne piece de grande recommandation
au commerce des hommes : c'eſt le premier
moyen de conciliation des vns aux autres , &
n'eſt homme ſi barbare & ſi rechigné, qui ne ſe
ſente aucunement frappé de ſa douceur. Le
corps a vne grãd'part a noſtre eſtre,il y tiẽt biẽ
vn grand rang . Ainſi ſa ſtructure & compoſition ſont de bien iuſte conſideration. Ceux
qui veulẽt deſprẽdre nos deux pieces principales,& les ſequeſtrer l'vne de l'autre,ils ont tort.
Au rebours ils les faut reioindre & ratacher.
Il faut ordonner a l'ame, non de ſe tirer a quartier , de s'entretenir a part, de meſpriſer & a-
bandonner le corps (auſſi ne le ſçauroit elle
faire que par quelque ſingerie contrefaicte.)
Mais de ſe rallier a luy , de l'embraſſer, le cherir,luy aſſiſter, le contreroller, le conſeiller, le
redreſſer,& ramener quand il ſe fouruoye,l'eſ-
pouſer en ſomme , & luy ſeruir de vray mary:a
ce que leurs effects ne paroiſſent pas diuers
& contraires , ains accordans & vniformes.
Les Chreſtiens ont vne particuliere inſtruction de ceſte liaiſon: car ils ſçaut que la iuſtice diuine embraſſe ceſte ſocieté & ioinuture
du corps & de l'ame , iuſques a rendre le corps
capable des recõpenſes eternelles:& que Dieu
regarde agir tout l'homme , & veut que l'homme entier reçoiue le chatiement,ou le loyer ſelon ſes demerites. La premiere diſtinction,qui

Ss 4

aye esté entre les hommes, & la premiere consideration, qui donna les preeminences aux vns
sur les autres , il est vray-semblable que ce fut
l'aduantage de la beauté. Or ie suis d'vne taille
au dessous de la moyéne. Ce defaut n'a pas seulement de la laideur, mais encore de l'incómo-
dité, a ceux mesmement, qui ont des comman-
deméts & des charges: car l'authorité que donne vne belle presece & maiesté corporelle en est
a dire. Les AEthiopes & les Indiés, dit Aristote, elisants leurs Roys & magistratz, auoient esgard a la beauté & procerité des personnes. Et
auoient raison : car il y a du respect pour ceux
qui le suiuent, & pour l'ennemi, de l'effroy de
voir a la teste d'vne troupe marcher vn chef de
belle & riche taille.

Collóque tenus supereminet omnes.

C'est vn grád despit qu'on s'adresse a vous parmy voz gens , pour vous demander ou est monsieur: & que vous n'ayez que le reste de la bon-
netade, qu'ó fait a vostre barbier ou secretaire.
Cóme il aduint au pauure Philopémé, estát arriué le premier de sa troupe en vn logis, ou on
l'attédoit, son hostesse, qui ne le cónoissoit pas
& le voioit d'assez mauuaise mine, l'éploya d'a-
ler vn peu aider a ses femmes a puiser de l'eau
ou attiser du feu pour le seruice de Philopéme,
qu'elle attendoit. Les gétilshommes de la suite
estans arriuez apres, & l'ayát surpris enbeson-
gné a ceste belle vacatió, car il n'auoit pas failli
d'obeir

d'obeir au commandement qu'on luy auoit fait
luy demanderent ce qu'il faisoit la , le paie, leur
respondit-il , la penitence de ma laideur. Les
autres beautez sont pour les femmes : la beauté
de la taille est la seule beauté des hommes. Ou
est la petitesse, ny la largeur du front, ny la blã-
cheur des yeux , ny la mediocre forme du nez,
ny la petitesse de l'oreille & de la bouche , ny
l'ordre & blancheur des dēts, ny l'épesseur bien
vnie d'vne barbe brune a escorce de chataigne,
ny la iuste proportion de teste inclinant vn peu
sur la grossesse, ny la frécheur du teint , ny l'air
du visage agreable , ou legitime proportion de
membres , peuuent rendre vn homme auenant.
I'ay au demeurant la taille forte & massiue , le
visage non pas gras mais plein, la complexion
sanguine & chaude,

Vnde rigent setis mihi crura & pectora villis.

la santé forte & constante, iusques bien auant en
mon aage , quoy que ie m'en sois seruy assez li-
centieusement. l'estois tel, car ie ne me considere pas a cest heure , que ie suis engagé dans
les auenues de la vieillesse ayant frāchi les quarante ans. Ce que ie seray doresenauãt ce ne sera plus qu'vn demy estre : ce ne sera plus moy, ie
m'eschape tous les iours, & me desrobe a moy-
mesme.

Singula de nobis anni prædantur euntes,

D'adresse & de disposition ie n'en ay point eu,
& si suis fils d'vn pere le plus dispost qui se vid

de son temps , & d'vne allegresse qui luy dura
iusques a só extreme vieillesse, il ne trouua guiere homme de sa condition, qui s'egalat a luy en
tout exercice de corps:comme ie n'en ay trouué
guiere nul, qui ne me surmontat, sauf qu'au courir,en quoy i'estoy des mediocres. De la musique,ny pour la voix que i'y ay tresinepte , ny
pour les instrumés,on ne m'y a iamais sceu rien
aprendre. A la danse, a la paume, a la luite ie n'y
ay peu acquerir qu'vne bien fort legiere & vulgaire suffisace:a nager,a escrimer, a voltiger,&
a sauter nulle du tout. Les mains ie les ay si
gourdes,que ie ne sçay pas escrire seulemétpour
moy,de saçó que ce que i'ay barbouillé, i'ayme
mieux le retaire que de me donner la peine de
le démesler&relire.Ie ne sçay pas clorre a droit
vne lettre, ny ne sceuz iamais tailler de plume.
Mes conditions corporelles sont en sóme tres-
bien accordantes a celles de l'ame , il n'y a rien
d'allegre & de souple. Il y a seulement vne vigueur pleine,ferme & rassise. Ie dure bien a la
peine,mais i'y dure,si ie m'yporte moy-mesme,
& autant que mon desir m'y conduit.

Molliter austerum studio fallente laborem.

Autrement si ie n'y suis alleché par quelque
plaisir, & si i'ay autre guide que ma pure&li-
bre volonté , ie n'y vaux rien.   Car i'en suis là,
que sauf la santé & la vie , il n'est rien que ie
veuille acheter au pris du tourment d'esprit, &
de la cótrainte.I'ay vne ame libre & toute sienne,

ne,accouſtumée a ſe conduire a ſa poſte.Ie n'ay
eu iuſques a ceſt' heure ny commãdant ny maiſtre forcé. l'ay marché auſſi auant & le pas
qu'il m'a pleu. Cela m'a amolli & rendu inutile au ſeruice d'autruy : & ne m'a faict bon qu'a
moy:cſtant d'ailleurs d'vn naturel poiſant , pa-
reſſeux & fay-neant : car m'eſtant trouué en
tel degré de fortune dés ma naiſſance , que i'ay
eu occaſion de m'y arreſter, ie n'ay rien cerché
& n'ay auſſi rien pris:

> *Non agimur tumidis ventis Aquilone ſe-*
> *cundo.*

> *Non tamen aduerſis ætatem ducimus auſtris:*
> *Viribus,ingenio ſpecie,virtute,loco,re,*
> *Extremi primorum,extremis vſque priores.*

Eſtant né tel qu'il ne m'a fallu mettre en nulle
penible queſte d'autres commoditez , & que ie
n'ay eu beſoin que de là ſuffiſance de me contéter, & ſçauoir iouir doucement des biens que
Dieu par ſa liberalité m'auoit mis entre mains:
ie n'ay gouſté nulle ſorte de trauail: & ſuis treſ-
mal inſtruit a me ſçauoir contraindre & forcer:
incommode a toute ſorte d'affaires & negotiations penibles:n'ayant iamais eu en maniement
que moy meſmes: eſleué en mon enfance d'vne
façon molle & libre & n'ayât lors meſme ſouffert nulle ſubiectiõ forcée:ie ſuis deuenu par la
incapable de ſollicitude , iuſques la,que i'ayme
mieux qu'on me cache mes pertes & les deſordres,qui me touchẽt.Au chapitre de mes miſeres ie
loge

loge ce qu'il me couste a nourrir & entretenir
ma nonchalance.

Hac nempe supersunt,
Quæ dominum fallant,quæ prosint furibus.

I'ayme a ne sçauoir pas le conte de ce que i'ay,
pour sentir moins exactement ma perte:a faute
d'auoir assez de fermeté,pour soufrir l'importunité des accidens contraires , ausquelz nous
sommes subiectz,& pour ne me pouuoir tenir
tédu a regler & ordonner les affaires,ie nourris
autant que ie puis en moy cest'opinion, de les
laisser aller a l'abandon , & de prendre toutes
choses au pis , & ce pis la me resoudre a le porter doucement & patiemment. C'est a cela seul
que ie trauaille,& le but auquel i'achemine tous
mes discours. Quant a l'ambition,qui est voisine de la presumption ou fille plustost,il eut fallu pour m'aduancer que la fortune me fut venue
querir par le poing.Car de me mettre en peine
pour vn'esperance incertaine , & me soubmettre a toutes les difficultez, qui accompaignent
ceux, qui cerchent a se pousser en credit sur le
commencement de leur progrés , ie ne l'eusse
sceu faire.I'ay bien trouué le chemin plus court
& plus aisé auec le conseil de mes bons amis du
temps passé, de me défaire de ce desir & de me
tenir coy,

Cui sit conditio dulcis,sine puluere palma,

iugeant aussi bien sainement de mes forces,
qu'elles n'estoient pas capables de grandes choses,&

ſes, & me ſouuenant de ce mot de feu monſieur
le Chancelier Oliuier, Que les François ſem-
bloient des guenons, qui vont grimpant contremont vn arbre, de branche en bráche, & ne ceſ-
ſent d'aller iuſques a ce qu'elles ſont arriuées a
la plus haute branche, & y móſtrent le cul, quád
elles y ſont. Les qualitez meſmes qui ſont en
moy non reprochables, ie les trouuois inutiles
en ce ſiecle. La facilité de mes meurs, on l'eut
nommée lácheté & foibleſſe : la foy & la conſcience s'y feuſſent trouuées ſcrupuleuſes & ſu-
perſtitieuſes : la franchiſe & la liberté, importune inconſiderée & temeraire. A quelque choſe ſert le mal'heur. Il fait bon naiſtre en vn ſiecle fort depraué. Car par cóparaiſon d'autruy,
vous eſtez eſtimé vertueux a fort bon marché.
Qui n'eſt que parricide en mon temps & ſacri-
lege, il eſt homme de bien & d'honneur. Par ceſte proportion i'euſſe eſté moderé en mes vengeances, mol au reſentiment des offences, treſ-
conſtant & religieux en l'obſeruance de ma parolle : ny double ny ſoupple, ny accommodant
ma foy a la volonté d'autruy & aux occaſions:
i'euſſe pluſtoſt laiſſé rompre le col aux affaires,
que de plier ma foy & ma conſcience a leur ſeruice. Car quant a ceſte nouuelle vertu de fain-
tiſe & de diſſimulation, qui eſt a ceſt heure ſi
fort en credit, ie la hay capitallemét : & de tous
les vices ie n'en trouue nul qui teſmoigne tant
de lácheté & baſſeſſe de cœur. C'eſt vn' humeur
coüarde

couarde & seruile de s'aller desguiser & cacher
sous vn masque, de n'oser se faire veoir tel qu'é
est , & de n'oser monstrer en publicq son visage. Vn cœur genereux & noble ne doit point
desmentir ses pensées : il se veut faire voir iusques au dedans tel qu'il est, car il n'y a rien qui
ne soit digne d'estre veu. Apollonius disoit que
c'estoit aux serfs de mantir, & aux libres de dire verité. Il ne faut pas tousiours dire tout, car
ce seroit sottise : mais ce qu'on dit, il faut qu'il
soit tel qu'on le pense, autrement c'est meschâ-
ceté. Ie ne sçay quelle commodité ilz attendent
de se faindre & contrefaire sans cesse: cela
peut tromper vne fois ou deux les hommes:
mais de faire profession de se tenir couuert , &
se vanter, comme ont faict aucuns de nos princes, Qu'ilz ietteroiêt leur chemise au feu, si elle estoit participâte de leurs vrayes intantions,
qui est vn mot de l'ancien Metellus Macedo-
nicus, & Que qui ne sçait se faindre, ne sçait pas
regner , c'est tenir aduertis ceux qui ont a les
praticquer, que ce n'est que piperie & mensonge qu'ilz disent. Ce seroit vne grande simplesse
a qui se lairroit amuser ny an visage ny aux parolles de celuy, qui faict estat d'estre tousiours
autre au dehors, qu'il n'est au dedans:& ne sçay
quelle part telles gens peuuent auoir au cómerce des hommes, ne produisans rien qui soit receu pour argent contant. Or de ma part i'ayme
mieux estre importun & indiscret , que flateur
                                        & dissi-

& diffimulé. C'eft vn vtil de merueilleux feruice,que la memoire, & fans lequel le iugement
faiƈt bien a peine fon office:elle me manque du
tout. Ce qu'on me voudroit propofer il faudroit
que ce fuft a parcelles , car de refpondre a vn
propos,ou il y eut plufieurs diuers chefs,il n'eft
pas en ma puiffance.Ie ne fçaurois receuoir vne
charge fans tablettes : & quand i'ay vn propos
de confequence a tenir , s'il eft de longue haleine, ie fuis reduit a cefte vile neceffité d'apprendre par cœur ce que i'ay a dire : autrement
ie n'auroy ny façon , ny affeurance , eftant en
crainte que ma memoire vint a me faire vn
mauuais tour.Or plus ie m'en defie,plus elle fe
trouble:elle me fert mieux par récontre, il faut
que ie la folicite nonchalamment : car fi ie la
preffe elle s'eftonne , & depuis qu'ell'a commencé a chanceler , plus ie la preffe plus elle
s'empeftre & embarraffe:elle me fert a fon heure,non pas a la mienne. Ce que ie fans en la memoire,ie le fans en plufieurs autres parties. Ie
fuis le commandement,l'obligation,& la contrainte. Ce que ie fais ayféement & naturellement, fi ie m'ordône de le faire par vne expreffe & prefcrite ordonnance , ie ne le fçay plus
faire. Au corps mefme les membres qui ont-
quelque liberté & iurifdiction plus particuliere
fur eux , me refufent leur obeiffance quand ie
les deftine & attache a certain point & heure de feruice neceffaire. Cefte preordonnan-
ce

ce contrainte & tyrannique les rebute : ils fe
croupiffent d'effroy ou de defpit, & fe tranfif-
fent. Ceft effaict eft plus apparent en ceux
qui ont l'imagination plus vehemante & puif-
fante : mais il eft pourtant naturel & n'eft nul
qui ne s'en reffante aucunemant. ·On offroit a
vn excellant archier condamné a la mort, de
luy fauuer la vie s'il vouloit faire voir quelque
notable preuue de fon art: il refufa de s'en effayer, craignant que la trop grande contention
de fa volonté luy fit fouruoier la main,& qu'au
lieu de fauuer fa vie il perdit encore la reputation qu'il auoit acquife en fon art. Vn homme
qui panfe ailleurs ne faudra point a vn pouffe
pres de refaire toufiours vn mefme nombre &
mefure de pas au lieu ou il fe promene:mais s'il
y eft auec attantion de les mefurer & conter, il
trouuera que ce qu'il faifoit par nature & par
hazard, il ne le faira pas fi exactemant par deffein. Ma librerie, qui eft des belles entre les libreries de village,eft affife a vn coin de ma mai
fon:s'il me tõbe en fantafie chofe que i'y veuille aller cercher ou efcrire, de peur qu'elle ne
m'efchappe en trauerfant feulement ma court,
il faut que ie la donne en garde a quelqu'autre.
Si ie m'enhardis en parlant a me deftourner tãt
foit peu de mon fil, ie ne faux iamais de le perdre , qui faict que ie me tiens en mes difcours
contraint,fec,& referré. Les gens,qui me feruét
il faut que ie les appelle par le nom de leurs
charges

charges ou de leur pais. Car il m'eſt treſ-ma-
laiſé de retenir des noms. Et ſi ie durois a viure
long temps, ie ne croy pas que ie n'obliaſſe le
mien propre comme ſit l'autre,

Plenus rimarum ſum, hac atque illac effluo.

Il m'eſt aduenu plus d'vne fois d'oblier le mot
que i'auois donné ou receu d'vn autre. C'eſt le
receptacle & l'eſtuy de la ſcience que la memoire : l'ayant ſi deffaillante ie n'ay pas fort a
me plaindre, ſi ie ne ſçay guiere. Ie ſçay en general le nom des artz, & ce dequoy elles traictent, mais rien au dela. Ie feuillete les liures,
ie ne les eſtudie pas. Ce qui m'en demeure, c'eſt
cela ſeulement, dequoy mon iugement a faict
ſon profict. Les diſcours & les imaginations,
dequoy il s'eſt imbu: l'autheur, le lieu, & autres
circonſtances ie les oblie incontinent. Outre
le deffaut de la memoire i'en ay d'autres qui
aident beaucoup a mon ignorance. I'ay l'eſprit
tardif, & mouſſe, le moindre nuage luy arreſte
ſa pointe, en façon que (pour exemple) ie ne luy
propoſay iamais nul enigme ſi aiſé qu'il ſceut
deſuelopper. Il n'eſt ſi vaine ſubtilité qui ne
m'empeſche. Aux ieux, ou l'eſprit a ſa part, des
echetz, des cartes, des dames, & autres, ie n'y
comprens que les plus groſſiers traictz. L'ap-
prehenſion ie l'ay lente & embrouillée : mais ce
qu'elle tient vne fois, elle le tient bien & l'embraſſe bien vniuerſellemēt & eſtroitemēt pour
le tēps qu'elle le tient. I'ay la veuë longue, ſaine

Tt

& entiere, mais qui ſe laſſe aiſéement au trauail,
& ſe charge. A ceſte occaſion ie ne puis auoir
commerce auec les liures, que par le moyen du
ſeruice d'autruy. Le ieune Pline inſtruira ceux
qui ne l'ont eſſayé, combien ce retardement eſt
important a ceux qui s'adonnent a ceſte occupation. Il n'eſt point d'ame ſi chetiſue & brutale, en laquelle on ne voye reluire quelque faculté particuliere. Il n'y en a point de ſi enſeuelie, qui ne face vne ſaillie par quelque coin. Et
comment cela aduienne qu'vne ame eueugle &
endormie a toutes autres choſes, ſe trouue viſue, claire, & excellente a certain particulier eſ-
feƈt, il s'en faut enquerir aux maiſtres. Mais les
belles ames ce ſont les ames vniuerſelles, ouuertes & preſtes a tout. Ce que ie dv pour accuſer la mienne. Car ſoit par foibleſſe ou nonchalance (& de mettre a nonchaloir ce qui eſt a
nos piedz, ce que nous auons entre-mains, ce
qui regarde de plus pres le ſeruice de noſtre
vie, c'eſt a mon aduis vne bien lourde faute) il
n'en eſt point vne ſi inepte & ſi ignorante que
la mienne de pluſieurs telles choſes vulgaires,
& qui ne ſe peuuent ſans honte ignorer. Il faut
que i'en conte quelques exemples. Ie ſuis né &
nourrv aux champs & parmy le labourage. I'ay
des affaires, & du meſnage en main depuis que
ceux qui me deuançoient en la poſeſſion des
biens que ie iouis m'ont quité leur place. Or ie
ne ſçay conter ny a get, ny a plume. La pluſpart
de nos

de nos monnoyes ie ne les connoy pas , ny ne
sçay la differance de l'vn grain a l'autre,ny en la
terre ny au grenier , si elle n'est par trop apparente: ny a peine celle d'entre les choux & les
laittues de mon iardin. Ie n'entens pas seulemēt
les noms des premiers vtilz du mesnage, ny les
plus grossiers principes de l'agriculture , & que
les enfans sçauent. Et puis qu'il me faut faire la
honte toute entiere,il n'y a pas vn mois quō me
surprint ignorant dequoy le leuein seruoit a faire du pain. On coniectura anciennemēt a Athenes vn' inclination a la mathematique en celuy
a qui on voioit ingenieusement agencer & fa-
gotter vne charge de brossailles. Vrayement on
tireroit de moy vne bien contraire conclusion.
Car qu'on me dōne tout l'apprest d'vne cuisine,
me voila a la faim. Par ces traitz de ma confession , on en peut imaginer d'autres a mes despens. Mais quel que ie me face cōnoistre pourueu que ie me face connoistre tel que ie suis , ie
say mon effect. Et si ne m'excuse pas d'oser mettre par escrit des propos si ineptes & friuoles
que ceux icy. La bassesse du suiect,qui est moy,
n'en peut souffrir de plus pleins & solides. Et au
demeurāt c'est vn'humeur nouuelle & fantastique qui me presse,il la faut laisser courir. Tant y
a que sans l'aduertissement d'autruy ie voy assez ce peu que tout cecy vaut & poise , & la
hardiesse & temerité de mon dessein. C'est
assez que mon iugement ne se defferre point,

duquel ce sont icy les essais.

Nasutus sis vsque licet, sis denique nasus,
    Quantum noluerit ferre rogatus Athlas.
Et possis ipsum tu deridere Latinum,
    Non potes in nugas dicere plura meas,
Ipse ego quam dixi:quid dentem dente iunabit
    Rodere?carne opus est, si satur esse velis.
Ne perdas operam,qui se mirantur,in illos
    Virus habe,nos hæc nouimus esse nihil.

Ie ne me suis pas obligé a ne dire point de sot-
tises , pourueu que ie ne me trompe pas a les
mesconnoistre. Et de faillir a mon esciant, cela
m'est si ordinaire, que ie ne faux guiere d'autre
façon,ie ne faux guiere fortuitement. C'est peu
de chose de prester a la temerité de mes humeurs les actions ineptes , puis que ie ne me
puis pas defendre d'y prester ordinairement les
vitieuses. Ie vis vn iour a Bar le Duc,qu'on presentoit au Roy François second pour la recommendation de la memoire de René Roy de Sicile vn pourtraict qu'il auoit luy mesmes faict
de soy. Pourquoy n'est il loisible de mesme a
vn chacun de se peindre de la plume, comme il
se peignoit d'vn creon? Et ne puis-ie representer ce que ie trouue de moy,quel qu'il soit ? Ie
ne veux donc pas oublier encore ceste cicatri-
ce bien mal propre a produire en public. C'est
l'irresolution, qui est vn vice tresincommode a
la negociation des affaires du mõde:ie ne sçay
pas prendre party es entreprinses doubteuses:
                   Ne si

Ne si ne no nel cor mi suona intero,
par ce que es choses humaines, a quelque bande
qu'on pâche, il me semble qu'il se presente force apparences, qui nous y confirment : de quelque costé que ie me tourne ie me fournis tousiours asses de raisons & de vray-semblâce pour
m'y maintenir. Ainsi i'arreste ches moy le doute, & la liberté de choisir, iusques a ce que l'occasion me presse : & lors a confesser la verité ie
iette le plus souuent la plume au vent, comme
on dit : c'est a dire, ie m'abandonne a la mercy
de la fortune : vne bien legiere inclination &
circonstance m'emporte.

Dum in dubio est animus paulo momento huc at-
que illuc impellitur.

L'incertitude de mon iugement est si également balancée en la pluspart des occurrences,
que ie compromettrois volontiers a la decision
du sort & des dets. Et remarque auec vne
grande consideration de nostre foiblesse humaine, les exemples que l'histoire diuine mesme nous a laissez de cet'vsage, de remettre a la
fortune & a l'hazard la determination des ele-
ctions es choses doubteuses. *Sors cecidit super*
Mathiam. Ainsi ie ne suis propre qu'a suiure &
me laisse ayséement emporter a la foulle. Ie ne
me fie pas assez en mes forces pour entreprendre de cômander, ny guider, ny mesme conseiller : ie suis biê aise de trouuer mes pas trasses par
autruy. S'il faut courre le hazard d'vn chois in-

certain, i'ayme mieux que ce soit soubs vn autre qui s'asseure plus de ses opinions, & les espouse plus que ie ne fay les miennes. Notamment aux affaires politiques il me semble qu'il y a vn beau champ ouuert au bransle & a la contestation.

Iusta pari premitur veluti cum pondere libra,
Prona nec hac plus parte sedet, nec surgit ab illa.

Les discours de Machiauel, pour exemple, estoient assez solides pour le subiet, si y a il eu grand aisance a les combattre : & ceux qui les ont combattus n'ont pas laissé moins de facillité a combattre les leurs. Il s'y trouueroit tousiours a vn tel argument dequoy y fournir respôses, dupliques, repliques, tripliques, quadrupliques, & cest' infinie contexture de debats, que nostre chicane a alongé tât qu'elle a peu en faueur des procez,

Cædimur & totidem plagis consumimus hostem.

Les raisons n'y ayant guiere autre fondement que l'experience, & la diuersité des euenemens humains nous fournislât infinis exêples a toute sorte de visages, vn sçauant personnage de nostre temps dit qu'en nos almanacs, ou ils disent chaud, qui vouldra dire froid, & au lieu de sec, humide, & mettre tousiours le rebours de ce qu'ils pronostiquêt : s'il deuoit entrer en gageure de l'euenement de l'vn ou de l'autre, qu'il ne se soucieroit pas quel party il print, sauf es choses ou il n'y peut eschoir incertitude, comme de promettre a Noel des chaleurs extremes, & a la

S. Iean

S. Iean des rigueurs de l'hiuer. I'en pense de
mesmes de ces discours politiques. A quelque
rolle qu'on vous mette, vous auez aussi beau icu
que vostre compaignon , pourueu que vous ne
venez a choquer les principes trop grossiers &
apparens. Et pourtant selon mon humeur es affaires publiques il n'est nul si mauuais train,
pourueu qu'il aie de l'aage & de la constance,
qui ne vaille mieuz que le changement & le re-
muëment. Noz meurs sont extremement cor-
rompues, & panchent d'vne merueilleuse inclination vers l'empirement. De noz loix & vsances il y en a plusieurs barbares & monstrueuses:
toutesfois pour la difficulté de nous mettre en
meilleur estat, & le dangier de ce crollement, si
ie pouuoy mettre vne cheuille a nostre rouë , &
l'arrester en ce point, ie le ferois de bon cœur.
Le pis que ie trouue en nostre estat c'est l'instabilité, & que noz lois non plus que nos vestemens ne peuuent prendre nulle forme arrestée.
Il est bien aysé d'accuser d'imperfection vne
police : car toutes choses mortelles en sont
pleines. Il est bien aisé d'engendrer a vn peuple le mespris de ses anciennes obseruances.
Iamais homme n'entreprint ce rolle , qui n'en
vint a bout . Mais d'y restablir vn meilleur
estat en la place de celuy qu'on a ruiné , a cela
plusieurs se sont morfondus , de ceux qui l'a-
uoient entreprins. Somme pour reuenir a moy;
ce seul par ou ie m'estime quelque chose , c'est

ce en quoy iamais homme ne s'estima deffail-
lant. Ma recommēdation est vulgaire, commune, & populaire : car qui a iamais cuidé auoir
faute de iugement? Ce seroit vne propositiō qui
impliqueroit en soy de la contradiction: s'accuser en ce suiect la, ce seroit se iustifier: & se condamner ce seroit s'absoudre. Il ne fut iamais
crocheteur ny femmelette, qui ne pensast auoir
assez de sens pour sa prouision. Nous reconnoissons ayséement és autres l'aduantage de la
force, de l'experience, de la disposition, de la
beauté, & de la noblesse: mais l'aduātage du iugement nous ne le cedons a personne: & les raisons qui partent du simple discours naturel en
autruy, il nous semble qu'elles sont nostres. La
science, le stile, & telles autres parties, que nous
voions és ouurages estrangiers, nous sentōs bié
ayséemēt si elles surpassent nos forces. Mais les
simples productions du discours & de l'entēdemēt, chacun pense qu'il estoit en luy de les trouuer toutes pareilles, & en aperçoit malaisemēt
le pois & la difficulté. Ainsi c'est vne sorte d'e-
xercitation, de laquelle on doit esperer fort peu
de recommandation & louange du vulgaire. Le
plus sot homme du monde pense autant auoir
d'entendement que le plus habile. Voila pourquoy on dict communement que le plus iuste
partage que nature nous aye faict de ses graces,
c'est celuy du iugemēt. Car il n'est nul qui ne se
contente de ce qu'elle luy en a distribué. Ie pēse
                                                    auoir

auoir les opinions bonnes & faines, mais qui
n'en croit autant des fiénes? L'vne des meilleures preuues que i'en aye, c'est le peu d'estime
que ie fay de moy: car fi elles n'eussent esté biē
asseurées, elles se fussent aisément laissees piper
a l'affection que ie me porte singuliere, cōme
celuy qui la ramene quasi tout a moy, & qui ne
l'espans guieres hors de la. Tout ce que les autres en distribuēt avne infinie multitude d'amis
& de connoissans, a leur gloire, a leur grādeur,
ie le rapporte tout a ma santé, au repos de mon
esprit & a moy. Ce qui m'en eschappe ailleurs,
ce n'est pas proprement de l'ordonnance de
mon discours:

Mihi nempe valere & viuere doctus.

Or mes opinions ie les trouue infiniment hardies & constantes a condamner mon insuffisance. De vray c'est aussi vn subiect, auquel i'exerce mon iugement autant qu'a nul autre. Le mōde regarde tousiours vis a vis, moy ie renuerse
ma veuē au dedans, ie la plante, ie l'amuse la.
Chacū regarde deuant soy, moy ie regarde dedans moy. Ie n'ay affaire qu'a moy, ie me considere sans cesse, ie me contrerolle, ie me gouste. Les autres vont tousiours ailleurs, s'ils y
pensent bien: ils vont tousiours auant:

Nemo in sese tentat descendere.

Moy ie me roulle en moy mesme. Ceste capacité de trier le vray, quelle qu'elle soit en moy
& cest'humeur libre de n'assubiectir aisément

T 5

ma creance, ie la dois principalement a moy
mesme. Car les plus fermes imaginations que
i'aye, & generales, ce sõt celles mesmes qui par
maniere de dire nasquirent auec moy. Ie les
produis crues & simples, d'yne production hardie & genereuse, mais vn peu trouble & imparfaicte: mais despuis ie les ay establies & for-
tifiées par l'authorité d'autruy, & par les saints
discours des anciens, ausquels ie me suis rencontré conforme en iugement. Ceux la me les
ont mises en main, & m'en ont donné la iouissance & possession entiere. Voyla donq iusques
ou ie me sens coulpable de ceste premiere partie, que ie disois estre au vice de la presumptiõ.
Pour la seconde, qui consiste a n'estimer point
assez autruy, ie ne sçay si ie m'en puis si biẽ excuser. Car quoy qu'il me couste, ie delibere de
dire ce qui en est. A l'aduẽture que le cõmerce
continuel que i'ay auec les humeurs anciennes
& l'Idée de ces riches ames du temps passé me
dégouste & d'autruy & de moy mesme: ou biẽ
que a la verité nous viuons en vn siecle qui ne
produit les choses que bien mediocres. Tant y
a que ie ne connoy rien digne de grande admi-
tion. Aussi ne connoy-ie guiere d'hommes a-
uec telle priuauté qu'il faut pour en pouuoir
iuger, & ceux ausquels ma condition me mesle
plus ordinairement, sont pour la pluspart, gens
qui ont peu de soing de la culture de l'ame, &
ausquels on ne propose pour toute beatitude

que

que l'honneur,& pour toute perfection, que la
vaillance. Ce que ie voy de beau en autruy, ie
le loüe & l'estime tres-volontiers. Voire i'en-
cheris souuent sur ce que i'en pense,& me per-
mets de mentir iusques la. Car ie n'ayme point
a inuenter vn subiect faux. Ie tesmoigne volontiers de mes amis, par ce que i'y trouue de
loüable, & d'vn pied de valeur i'en fay volontiers vn pied & demy. Mais de leur prester les
qualitez qui n'y sont pas, ie ne puis,ny les defendre ouuertement des imperfections qu'ils
ont. Ie connoy des hommes assez, qui ont diuerses parties belles : qui l'esprit, qui le cœur,
qui l'adresse, qui la conscience, qui le langage,
qui vne science, qui vn'autre : mais de grand
hôme en general, non pas parfaict,mais encore ayant tant de belles pieces ensemble,ou vne
en tel degré d'excellance, qu'on s'en doiue estonner, ou le comparer a ceux que nous hono-
rons du temps passé, ma fortune ne m'en a fait
voir nul. Et le plus grand que i'aye conneu, ie
di des parties naturelles de l'ame & le mieux
né,c'estoit Estiéne de la Boitie: c'estoit vrayement vn'ame pleine, & qui monstroit vn beau
visage a tout sens. C'estoit proprement vn'a-
me a la vieille merque, & qui eut produit de
grands effects, si sa fortune l'eust voulu : ayant
beaucoup adiousté a ce riche naturel par science & estude. Mais ie ne sçay côment il aduient,
ce me semble, qu'il se trouue autant de vanité
                            & de

& de foiblesse d'entendement en ceux qui font
profession d'auoir plus de suffisance, qui se meslent de vacatiós lettrées, & de charges qui des-
pendent des liures & de la science, qu'en nulle
autre sorte de gens : ou bien par ce que on requiert & attend plus d'eux que des ignorans, &
qu'on ne peut excuser en eux les fautes commu
nes : ou bien que l'opinion du sçauoir leur donne plus de hardiesse de se produire & de se descouurir trop auant , par ou ilz se gastent, & se
trahissent. Comme vn artisan tesmoigne sa bestise, quelque riche matiere qu'il ait entre mains,
s'il l'accommode & mesle sottement, & contre
les regles de son ouurage : ceux-cy en font autant, lors mesmes qu'ilz mettent en auant des
choses qui d'elles mesmes & en leur lieu seroiêt
bonnes : mais ilz s'en seruent hors de propos,
sans discretion , & sans suite , faisans honneur
a leur memoire, aux despans de leur entendement. Ils font honneur a Cicero, a Galien, a Vl-
pian, & a saint Hierosme, & eux se rendent ridicules. Ie retombe volontiers sur ce discours
de l'ineptie de nostre institution : elle a eu pour
sa sin, de nous faire, non bôs & sages, mais sçauans : elle y est arriuée. Elle ne nous a pas apris
de suyure & embrasser la vertu & la prudence:
mais elle nous en a imprimé la deriuation &
l'etymologie . Nous sçauons decliner vertu, si
nous ne sçauôs l'aymer. Si nous ne sçauons, que
c'est que prudence par effect & par experience,

ce, nous le sçauons par iargon & par cœur.
De nos voisins nous ne nous contentons pas
d'en sçauoir la race, les parentelles, & les alliances, nous les voulous auoir pour amis, &
dresser auec eux quelque conuersation & intelligence. Elle nous a apris les definitions les
diuisions, & particions de la vertu, comme des
surnoms & branches d'vne genealogie, sans a-
uoir nul soing de dresser entre no° & elle quelque pratique de familiarité & de priuée acointance. Elle nous a choisi pour nostre aprecissa-
ge, non les liures qui ont les opinions plus sai-
nes & plus vrayes, mais ceux qui parlét le meilleur Grec & Latin: & parmy ses beaux mots
nous a fait couler en la fantasie les plus vaines
humeurs de l'antiquité. Vne bonne institution
elle change le iugement & les meurs, comme
il aduint a Polemon ce ieune homme Grec dé-
bauché, qui estant allé ouïr par rencontre vne
leçon de philosophie ne remerqua pas seulement l'loquéce & la suffisance du lecteur & n'é
rapporta pas seulement en la maison la science
de quelque beau discours, mais vn fruit plus apparent & plus solide, qui fut vn soudain châge-
ment & amendement de sa premiere vie. Qui
a iamais senti vn tel effect de nostre discipline?
Faciasne quod olim
Mutatus Polemon, ponas insignia morbi
Fasciolas, cubital. focalia potus vt ille
Dicitur ex collo furtim carpsisse coronas,

Post

Postquam est impransi correptus voce magistri.

Les plus rares hommes que i'aye iugé par les apparences externes (car pour les iuger a ma mode, ils les faudroit esclerer de fort pres) ce ont esté pour le faict de la guerre & suffisance militaire, le Duc de Guise, qui mourut a Orleans & le feu Mareschal Strozzi. Pour gens suffisans & de vertu non commune, Oluier & l'Hospital Chanceliers de France. Il me semble aussi de la Poësie qu'elle a eu sa vogue en nostre siecle. Nous auons foison de bons artisans de ce mestier-la, D'Aurat, Beze, Buchaná, l'Hospital, Montdoré, Turnebus. Quant aux François, ie pense qu'ils l'ont montée au plus haut degré ou elle sera iamais:& aux parties, en quoy Ronsart & du Bellay excellent, ie ne les treuue guieres esloignés de la perfection ancienne. Adrianus Turnebus sçauoit plus, & sçauoit mieux ce qu'il sçauoit, que homme qui fut de son siecle ny loing au dela. Les autres vertus ont eu peu, õ point de mise en ce tẽps : mais la vaillance elle est deuenue populaire par noz guerres ciuiles : & en ceste partie il se trouue parmy nous des ames fermes, iusques a la perfection & en grand nombre, si que le triage en est impossible a faire. Voila tout ce que i'ay connu, iusques a ceste heure d'extraordinaire grandeur & non commune.

CHAP.

CHAP. XVIII.

Du dèmentir.

Voire mais on me dira, que ce deſſein de ſe
ſeruir de ſoy-meſmes pour ſubiect a eſcrire, ſeroit excuſable a des hommes rares & fameux, qui par leur reputation auroient donné
quelque deſir de leur cognoiſſance. Il eſt certain, ie l'aduoüe, & ſçay bien que pour voir vn
homme de la commune façõ, a peine qu'vn ar-
tiſan leue les yeux de ſa beſongne : la ou pour
voir vn perſonnage grand & ſignalé arriuer en
vne ville, les ouuroirs & les boutiques s'abãdõ-
nent. Il méſſiet a tout autre de ſe faire cognoiſtre qu'a celuy qui a dequoy ſe faire imiter, &
duquel la vie & les opiniõs peuuẽt ſeruir d'exẽ-
ple & de patrõ. Cæſar & Xenophon ont eu dequoy fonder & fermir leur narration en la grãdeur de leurs geſtes, comme en vne baze maſſiue & ſolide. Ainſi ſont a ſouhaiter les papiers
iournaus du grand Alexandre, les cõmentaires
qu'Auguſte, Sylla, Brutus & autres auoiẽt laiſſé de leurs geſtes. De telles gens on ayme &
eſtudie les figures, en cuyure meſmes&en pierre. Ceſte remõſtrance eſt tres-vraye, mais elle
ne me touche pas.

Non recito cuiquam, niſi amicis, idque rogatus,
Non vbiuis, corámue quibuſlibet. In medio qui

Scri-

Scripta foro recitent sunt multi,quique lauantes.

Ie ne dreſſe pas icy vne ſtatue a pláter au carre-
four d'vne ville, ou dãs vne Egliſe,ou place pu-
blique:c'eſt pour la cacher au coin d'vne librai
rie, & pour en amuſer quelqu'vn , qui ait particulier intereſt a ma cognoiſſance:vn voiſin, vn
parent,vn amy qui prendra plaiſir a me racoin-
ter & repratiquer en ceſt'image. Les aurres ont
pris cœur de parler d'eux pour y auoir trouué
le ſubieƈt digne & riche,moy au rebours pour
l'auoir trouué ſi vain & ſi maigre qu'il n'y peut
eſchoir nul ſoupçon d'oſtentation. Quel contentement me ſeroit ce d'ouir ainſi quelqu'vn,
qui me recitaſt les meurs, la forme, les conditions,& les fortunes de mes anceſtres? combiẽ
i'y ſerois attentif ? Vrayement cela partiroit
d'vne mauuaiſe nature d'auoir ameſpris les por-
traits meſmes de nos amis & predeceſſeurs , &
de les deſdaigner . Vn poignard, vn harnois,
vne eſpée, qui leur a ſerui,ie les conſerue pour
l'amour d'eux, autant que ie puis de l'iniure du
temps. Si toutes-fois ma poſterité eſt d'autre
gouſt, i'aray bien dequoy me reuencher:car ils
ne ſçauroient faire moins de conte de moy,que
i'en feray d'eux en ce temps la. Tout le commerce que i'ay en cecy auec le publicq , c'eſt
que i'ay eſté contraint d'emprunter les vtils
de ſon eſcripture , pour eſtre plus ſoudaine &
plus aiſée . Il m'a fallu ietter en moule ceſte i-
image, pour m'exempter de la peine d'en faire
faire

faire plusieurs extraicts a la main. En recópen-
se de ceste commodité, que i'en ay emprunté,
i'espere luy faire ce seruice d'empescher,

Ne roga cordyllis, ne penula desit oliuis.

Mais a dire vray, a qui croyrions nous parlant
de soy en vne saison si gastée ? veu quil en est
fort peu ou point, a qui nous puissions croire
parlants d'autruy, ou il y a moins d'interest a
mentir. Le premier traict de la corruption
des mœurs, c'est le bannissement de la verité.
Car, comme disoit Pindarus, L'estre veritable
est le commencement d'vne grande vertu. Nostre verité d'a ceste heure, ce n'est pas ce qui est,
mais ce qui se persuade a autruy: comme nous
appellons monnoye, non celle qui est loyalle
seulement, mais la fauce aussi, qui a mise. Nostre nation est de long temps reprochée de ce
vice: car Saluianus Massiliensis, qui estoit du
temps de Valentinian l'Empereur, dict qu'aus
François le mentir & se pariurer ne leur est pas
vice, mais vne façon de parler. Qui voudroit
encherir sur ce tesmoignage, il pourroit dire
que ce leur est a present vertu. On s'y forme,
on s'y façone, comme a vn exercice d'honneur:
car la dissimulation est des plus notables qualitez de ce siecle. Ainsi i'ay souuent consideré
d'ou pouuoit naistre ceste coustume, que nous
obseruons si religieusemét, de nous sentir plus
aigrement offencez du reproche de ce vice, qui
nous est si ordinaire, que de nul autre:& que ce

Vv

ſoit l'extreme iniure qu'on nous puiſſe faire de
parolle que de nous reprocher la méſonge. Sur
cela ie treuue qu'il eſt naturel de ſe defendre le
plus des vices, dequoy nous ſommes le plus en-
tachés. Il ſemble qu'en nous reſſantants de l'ac-
cuſation, & nous en eſmouuant, nous nous deſ-
chargeons aucunemét de la coulpe: ſi nous l'a-
uons par effect, aumoins nous la condamnons
par apparence. Ceſt vn vilein vice, que le mentir, & qu'vn ancien peint bien honteuſement,
quand il dict, que c'eſt donner teſmoignage de
meſpriſer Dieu, & quant & quant de craindre
les hommes. Il n'eſt pas poſſible d'en repreſenter plus richement l'horreur, la vilité, & le deſreglement. Car que peut on imaginer de plus
monſtrueux, que d'eſtre couart a l'endroit des
hommes, & braue a l'endroit de Dieu? Noſtre
intelligence ſe conduiſant par la ſeule voye de
la parolle, celuy qui la fauce, trahit la ſocieté
publique. C'eſt le ſeul vtil par le moyen duquel
ſe communiquent nos volontez & nos penſées:
c'eſt le truchemét de noſtre ame: s'il nous faut,
nous ne nous tenons plus, nous ne nous entre-
cónoiſſons plus: S'il nous trompe, il rompt tout
noſtre cómerce, & diſſoult toutes les liaiſós de
noſtre police. Ce bon compaignon de Grece
diſoit, que les enfans s'amuſent par oſſeletz, &
les hommes par les parolles. Quant aux diuers
vſages de noz démentiz, & les loix de noſtre
honneur en cela, & les changemes qu'elles ont
receu

receu, ie remets a vne autre-fois d'en dire ce
que i'en péſe:& apprendray cepédant ſi ie puis
en quel temps print commécement ceſte couſtume, de ſi exactement poiſer & meſurer les
parolles,& d'y attacher noſtre honneur. Car il
eſt aiſé a iuger qu'elle n'eſtoit pas anciennemét
entre les Romains & les Grecs : & m'a ſemblé
ſouuent nouueau & eſtrange de les voir ſe démentir & s'iniurer ſans entrer pourtant en
querelle.Les loix de leur deuoir prenoiét quelque autre trein que les noſtres. On appelle Ceſar tantoſt voleur,tantoſt yurongne a ſa barbe.
Nous voyós la liberté des inuectiues,quils ſont
les vns contre les autres, ie dy les plus grands
chefs de guerre,de l'vne & l'autre nation,ou les
parolles ſe reuenchent ſeulement par les parolles,& ne ſe tirent a autre conſequence.

CHAP. XIX.

De la liberté de conſcience.

I L eſt ordinaire, de voir les bónes intétions,
ſi elles ſont códuites ſans moderation, pouſſer les hommes a des effects treſvitieux. En ce
debat,par lequel la France eſt a preſent agitée
de guerres ciuiles, le meilleur & le plus ſain
party eſt ſans doubte celuy, qui maintient & la
religion & la police ancienne du païs.Entre les

Vv 2

gens de bien toutes-fois, qui le suiuent (car ie
ne parle point de ceux qui ne s'en seruent que
de pretexte, pour ou exercer leurs vengeances
particulieres, ou fournir a leur auarice, ou suiure la faueur des Princes, mais de ceux qui le
font par vray zele enuers leur religion & sainte
affection, a maintenir la paix & l'estat de leur
patrie) de ceux-cy, dis-ie, il s'en voit plusieurs,
que la passion pousse hors les bornes de la raison, & leur faict par fois prendre des conseils
iniustes, violents, & encore temeraires. Il est
certain qu'en ces premiers tẽps que nostre religion commença a fleurir & a gaigner authorité & puissance auec les loix, le zele en arma plusieurs côtre toute sorte de liures payẽs, dequoy
les gens de lettre souffrent vne merueilleuse
perte. I'estime que ce desordre ait plus porté
de nuysance aux lettres, que tous les feux des
barbares. Cornelius Tacitus en est vn bon tesmoing. Car quoy que l'Empereur Tacitus son
parent en eut peuplé par ordõnances expresses
toutes les libreries du monde: toutes-fois vn
seul exemplaire entier n'a peu eschapper la cu-
rieuse recherche de ceux qui desiroient l'abolir pour cinq ou six vaines clauses, qu'il escrit
contre nostre creance. Ils ont aussi eu cecy, aumoins aucuns, de prester aysẽment des loüanges fauces a tous les Empereurs, qui faisoient
pour nous, & condamner vniuerselement toutes les actions de ceux, qui nous estoient con-
trai-

traires, comme il eſt aiſé a voir en l'Empereur
Iulian ſurnommé l'Apoſtat. C'eſtoit a la verité
vn treſgrand homme & rare, comme celuy, qui
auoit ſon ame viuement tainte des diſcours de
la philoſophie, auſquels il faiſoit profeſſion de
regler & toucher toutes ſes actiõs. Et de vray il
n'eſt nulle ſorte de vertu, dequoy il n'ait laiſſé
de tres-notables exemples. En chaſteté (de laquelle le cours de ſa vie dône bien cler teſinoi-
gnage) on lit de luy vn pareil trait a celuy d'A-
lexandre & de Scipion, que de pluſieurs tres-
belles captiues, il n'en voulut pas ſeulemêt voir
vne, eſtant en la fleur de ſon aage: car il fut tué
par les Parthes aagé de trente vn an ſeulement.
Quant a la iuſtice, il prenoit luy meſme la peine d'ouir les parties: & encore que par curioſité
il s'informat a ceux qui ſe preſentoient a luy de
quelle religion ils eſtoient: toutes-fois l'inimitié qu'il portoit a la noſtre, ne donnoit nul cô-
trepoix a la balance. Il fit luy meſme pluſieurs
bonnes loix, & retrancha vne grand' partie des
ſubſides & impoſitiõs que leuoient ſes predeceſſeurs. Nous auons deux bons hiſtoriens teſmoins oculaires de ſes actions: l'vn deſquels,
Marcellinus reprend aigrement en diuers lieus
de ſon hiſtoire, ceſte ſienne ordonnance, par laquelle, il deffandit l'eſcole & interdit l'enſei-
gner a tous les Rhetoriciens & Grammairiens
Chreſtiens, & dit qu'il ſouhaiteroit ceſte ſienne action eſtre enſeuelie ſoubs le ſilence. Il eſt

Vv **3**

vray semblable, s'il eut faict quelque chose de
plus aigre côtre nous, qu'il ne l'eut pas oublié,
estant bien affectionné a nostre party. Il nous
estoit aspre a la verité, mais non pourtant cruel
ennemy : car nos gens mesmes recitent de luy
ceste histoire, que se promenant vn iour autour
de la ville de Calcedoine , Maris l'Euesque du
lieu osa bien l'appeller meschant traistre a
Christ , & qu'il n'en fit autre chose sauf luy respondre: Va miserable, pleure la perte de tes
yeux. A quoy l'Euesque encore repliqua, Ie rens
graces a Iesus Christ , de m'auoir osté la veuë
pour ne voir ton visage impudēt : affectant, disent ils , en cela vne patience philosophique.
Tant y a que ce faict la , ne se peut pas biē rapporter aux cruautés qu'on le dit auoir exercées
contre nous. Il estoit (dit Eutropius mō autre
tesmoing) ennemi de la Chrestienté: mais sans
toucher au sang. Et pour reuenir a sa iustice, il
n'est riē qu'on y puisse accuser que les rigueurs,
dequoy il vsa au commencement de son empire contre ceux qui auoiēt suyui le party de Cō-
stantius son predecesseur . Quant a sa sobrieté
il viuoit tousiours vn viure soldatesque : & se
nourrissoit en pleine paix cōme celuy qui se
preparoit & accoustumoit tousiours a l'austerité de la guerre. La vigilance estoit telle en luy
qu'il despartoit la nuict a trois ou a quatre pieces, dont la moindre estoit celle qu'il donnoit
au sommeil:le reste il l'employoit a visiter luy
mesme

mefme en perfonne, l'eftat de fon armée & fes
gardes, ou a eftudier: car entre autres fiénes rares qualitez, il eftoit tres-excellét en toute forte
te de literature. On dict d'Alexandre le grand
qu'eftant couché, de peur que le fommeil ne le
débauchat de fes penfemés & de fes eftudes, il
faifoit mettre vn baffin ioingnát fon lict, & tenoit l'vne de fes mains au dehors auec vne boulette de cuyure: affin que le fommeil le furpre-
nant & relafchant les prifes de fes doits, cefte
boulette par le bruit de fa cheute dans le baffin le reueillat. Ceftuy-cy auoit l'ame fi tédue a
ce qu'il vouloit & fi peu empefchée de fumées
par fa finguliere abftinence, qu'il fe paffoit bié
de ceft artifice. Quant a la fuffifance militaire,
il fut admirable en toutes les parties d'vn grád
capitaine. Auffi fut il quafi toute fa vie en cóti-
nuel exercice de guerre: & la pluspart auec no⁹
en France cótre les Allemás & Frácons. Nous
n'auós guiere memoire d'hóme, qui ait veu pl⁹
de hazards, ny qui ait plus fouuát fait preuue de
fa perfonne. Sa mort a quelque chofe de pareil
a celle d'Epaminondas. Car il fut frappé d'vn
traict, & effaya de l'arracher, & l'eut fait, fans ce
que le traict eftát trenchát, il fe coupa & affoy-
blit la main. Il demádoit inceffammét qu'on le
raportat en ce mefme eftat en la meflée, pour
y encourager fes foldats: Lefquels contefte-
rent cefte bataille fans luy trefcourageufement
iufques a ce que la nuict fepara les armées. Il

Vv 4

deuoit a la philosophie vn singulier mespris, en
quoy il auoit sa vie, & les choses humaines. Il a-
uoit ferme creance de l'eternité des ames. En
matiere de religió, il estoit vicieux par tout. On
l'a surnómé apostat, pour auoir abádóné la nostre. Toutes-fois ceste opinió me semble plus
vraysemblable qu'il ne l'auoit iamais euë au cœur,
mais que pour l'obeissance des loix il s'estoit
feint iusques a ce qu'il tint l'Empire en sa main.
Il fut si superstitieux en la siéne, que ceux mesmes, qui en estoiét de son téps, s'en mocquoiét:
& disoit on s'il eut gaigné la victoire contre les
Parthes, qu'il eut fait tarir la race des beufs au
monde, pour satis-faire a ses sacrifices. Il estoit
aussi embabouyné de la science diuinatrice, &
donnoit authorité a toute façon de prognostiques. Il dit entre autres choses en mourant qu'il
sçauoit bó gré aux dieux & les remercioit, dequoy ils ne l'auoiét pas voulu tuer par surprise,
l'ayát de long téps auerti du lieu & heure de sa
fin, ny d'vne mort molle ou lâche, mieux cóue-
nable aux personnes oysiues & delicates, ny lá-
guissante, lógue & doleureuse: & qu'ils l'auoiét
trouué digne de mourir de ceste noble façon,
sur le cours de ses victoires, & en la fleur de sa
gloire. De vray il auoit eu vne pareille vision a
celle de Marcus Brut[e], qui premieremét le me-
nassa en Gaule, & despuis se representa a luy en
Perse sur le point de sa mort. Et pour venir au
propos de mó theme, il couuoit, dit Marcellin[e],
de long

de long temps en son cœur le paganisme , mais
par ce que toute son armée estoit de Chrestiés
il ne l'osoit descouurir. En fin quand il se vit asses fort pour oser publier sa volonté , il sist ouurir les temples des dieux , & s'essaya par tous
moyens de mettre sus l'idolatrie. Pour paruue-
nir a son effect , ayant rencontré en Constanti-
nople le peuple descousu auec les prelats de l'E-
glise Chrestienne diuisez, les ayant faict venir
a luy au palais, les amonnesta instamment d'as-
sopir ces dissentions ciuiles , & que chacun sans
empeschemét & sans crainte seruit a sa religió.
Ce qu'il sollicitoit auec grand soing , pour l'esperance qu'il auoit que ceste licence augmen-
teroit les parts & les brigues de la diuision , &
empescheroit le peuple de se reunir , & de se
sortifier par conséquent contre luy par leur có-
corde,& vnanime intelligence:ayant essayé par
la cruauté d'aucuns Chrestiens,qu'il n'y a point
de beste au monde tant a craindre a l'homme
que l'hôme. Voyla ses mots a peu pres: en quoy
cela est digne de consideration que l'Empereur
Iulian se sert pour attiser le trouble de la dissention ciuile,de ceste mesme recepte de liberté
de consciéce,que noz Roys viennent d'éployer
pour i'estaindre. On peut dire d'vn costé que de
lascher la bride aux pars,d'entretenir leur opinion, c'est espandre & semer la diuision , c'est
préter quasi la main a l'augméter, n'y ayát nulle
barriere ny coërction des loix,qui bride & em-

Vv 5

pesche sa course. Mais d'autre costé on diroit
aussi que de lácher la bride aux pars, d'entretenir leur opinió, c'est les amolir & relascher par
la facilité & par l'aysance, & que c'est emousser
l'eguillon qui s'affine par la rarité, la nouuelleté & la difficulté. Et si croy mieux pour l'honneur de la deuotion de noz rois, c'est que n'ayáts
peu ce qu'ils vouloint, ils ont faict semblant de
vouloir ce qu'ils pouuoint.

CHAP. XX.

Nous ne goustons rien de pur.

LA foiblesse de nostre condition faict que
les choses en leur simplicité & pureté naturelle ne puissent pas tomber en nostre vsage.
Les elemés que nous ioüyssons, sont alterez, &
les metaux de mesme, & l'or il le faut empirer
par quelque autre matiere plus vile, pour l'accommoder a nostre seruice. Des voluptez, plaisirs & biens que nous auons, il n'en est nul e-
xempt de quelque meslange de mal & d'incommodité. C'est ce que dit vn verset Grec ancien,
de tel sens, Les dieux nous vendent tous les biés
qu'ils nous donnent : c'est a dire ils ne nous en
donnent nul pur & parfaict, & que nous n'ache-
tons au pris de quelque mal. Les loix mesmes
de la iustice ne peuuent subsister sans quelque
meslange d'iniustice. Et dit Platon que ceux la
                                          entre-

entreprennent de couper la teste de Hydra qui
pretendent oster des lois toutes incommoditez
& inconueniens. *Omne magnum exemplum ha-*
bet aliquid ex iniquo, quod contra singulos vtilita-
te publica rependitur, dict Tacitus.

CHAP. XXI.

Contre la faineantise.

L'Empereur Vespasien estant malade de la
maladie, dequoy il mourut, ne laissoit pas de
vouloir entendre l'estat de l'empire: & dās son
lict mesme despeschoit sans cesse plusieurs affaires de consequence: & comme son medecin
l'en tençat comme de chose nuysible a sa santé,
il faut, disoit-il, qu'vn Empereur meure debout.
Voila vn beau mot a mō gré & digne d'vn grād
prince. Adrian l'Empereur s'en seruit depuis a
ce mesme propos, & se deburoit on souuent ra-
menteuoir aux princes, pour leur faire sentir
que ceste grande charge, qu'on leur donne du
commandement de tant d'hōmes, n'est pas vne
charge oisiue, & qu'il n'est rien qui puisse si iustement dégouller vn subiect de se mettre en
peine & en hazard pour le seruice de son prince,
que de le voir apoltronny ce pendant luy mesme a des occupations lasches & vaines, & d'a-
uoir soing de sa conseruation le voyant si non-
chalāt de la nostre. L'empereur Iulian disoit encore

core plus qu'vn philosophe & vn galant homme ne deuoint pas seulement respirer, c'est a dire ne donner aux necessitez corporelles que ce
qu'on ne leur peut refuser, tenant toußiours l'a-
me & le corps embesoignés a choses belles,
grandes & vertueuses. Il auoit honte si en public on le voioit cracher, ou suer (ce qu'on dict
aussi de la ieunesse Lacedemoniene, & Xenophon de la Persienne) par ce qu'ils estimoint
que l'exercice, le trauail continuel, & la sobrieté deuoint auoir cuit, & asseché toutes ces su-
perfluitez.   Ce que dict Seneca ne ioindra pas
mal en cest endroit, que les anciens Romains
maintenoint leur ieunesse droite. Ils n'appre-
noint, dit-il, rien a leurs enfans, qu'ils deussent
apprandre assis.

CHAP. XXII.

Des Postes.

IE lisois a cest' heure, que le Roy Cyrus pour
receuoir plus facilement nouuelles de tous
les cotez de son Empire, qui estoit d'vne fort
grande estandue fit regarder combien vn cheual pouuoit faire de chemin en vn iour tout d'v-
ne traite, & a ceste distance il establit des hommes, qui auoint charge de tenir des cheuaux
prets pour en fournir a ceux qui viendroint vers
luy. Cæsar dit que Lucius Vibulus Rufus ayant
                                                    háte

háte de porter vn aduertiſſement a Pompeius
s'achemina vers luy iour & nuiĉt,changeant de
cheuaux,pour faire diligence. Et luy meſme , a
ce que dit Suetone , faiſoit cent mille par iour
ſur vn coche de louage. Mais c'eſt oit vn furieux
courrier. Car la ou les riuieres luy tranchoint
ſon chemin il les franchiſſoit a nage. Tiberius
Nero allât voir ſon frere Druſus malade en Allemaigne fit deux cẽs mille en vint-quatre heures auec trois coches.

CHAP. XXIII.

Des mauuais moyens emploies a bonne fin.

IL ſe trouue vne merueilleuſe relation & correſpondance en ceſte vniuerſelle police des
ouurages de nature , qui monſtre bien qu'elle
n'eſt ny fortuite ny conduyte par diuers maiſtres. Les maladies & conditions de nos corps
ſe voyent auſſi aux eſtats & polices : les roya-
mes, les republiques naiſſent , fleuriſſent & ſa-
niſſent de vieilleſſe,cõme nous. Nous ſommes
ſubieĉts a vne repletion d'humeurs inutile &
nuyſible,ſoit de bonnes humeurs,(car cela meſme les medecins le craignent:& par ce qu'il n'y
a rien de ſtable chez nous, ils diſent que la per-
feĉtiõ de ſanté trop allegre & vigoreuſe, il nous
la faut eſſimer & rabatre par art, de peur que
noſtre nature ne ſe pouuant raſſoir en nulle certaine

taine place, & n'ayant plus ou monter pour s'a-
meliorer, ne se recule en arriere en desordre &
trop a coup:ils ordonnent pour cela aux Athle-
tes les purgations & les saignées, pour leur sou-
straire ceste superabondance de santé) soit repletion de mauuaises humeurs, qui est l'ordinaire cause des maladies. De semblable repletion
se voient les estats souuent malades. Et a lon
accoustumé d'vser de diuerses sortes de purgation. Tantost on donne congé a vne grande
multitude de familles pour en decharger le païs,
lesquelles vont cercher ailleurs ou s'accommoder aux despens d'autruy. Ainsi nos anciens
Francons partis du fons de l'Alemaigne vindrent se saisir de la Gaule & en deschasser les
premiers habitans.Ainsi se forgea ceste infinie
marée d'hommes , qui s'écoula en Italie soubs
Brennus & autres: ainsi les Gots & Vuandales:
comme aussi les peuples qui possedent a present
la Grece abandonnerent leur naturel païs pour
s'aller loger ailleurs plus au large:& a peine est
il deux ou trois coins au monde, qui n'ayét sen-
ty l'effect d'vn tel remuement. Les Romains
bâtissoient par ce moien leurs colonies. Car
sentans leur ville se grossir outre mesure , ils la
deschargoient du peuple moins necessaire, &
l'enuoioient habiter & cultiuer les terres par
eux côquises. Par fois aussi ils ont a esciēt nourry des guerres auec aucuns leurs ennemis , non
seulement pour tenir leurs hommes en haleine,
de peur

de peur que l'oyſiueté mere de corruption ne
leur apportaſt quelque pire inconuenient, mais
auſſi pour ſeruir de ſaignée a leur Republique,
& eſuanter vn peu la chaleur trop vehemête de
leur ieuneſſe, eſt auſſer & eſclaircir le bráchage
de ce tige foiſonnant en trop de gaillardiſe. A
ceſt effet ſe ſont ils autrefois ſeruis de la guerre
contre les Cartaginois. Au traité de Bretigny
Edouard troiſieſme Roy d'Angleterre ne voulut
comprendre en ceſte paix generalle, qu'il fit a-
uec noſtre Roy, le differant du duché de Bretaigne, affin qu'il euſt ou ſe deſcharger de ſes hommes de guerre, & que ceſte foulle d'Anglois,
dequoy il s'eſtoit ſeruy en ſes guerres de deça
ne ſe reiettaſt en Angleterre. Ce fuſt l'vne des
raiſons pourquoy noſtre Roy Philippe conſen-
tit d'enuoier Iean ſon fils a la guerre d'outre
mer : affin d'en amener quand & luy vn grand
nombre de ieuneſſe bouillante, qui eſtoit en ſa
gendarmerie. Il y en a pluſieurs en ce temps,
qui diſcourent de pareille façon, ſouhaitans que
ceſte emotion chaleureuſe, qui eſt parmy nous,
ſe peut deriuer a quelque guerre voiſine, de peur
que ces humeurs peccantes, qui dominent pour
ceſte heure noſtre corps, ſi on ne les eſcoulle
ailleurs, maintiennent noſtre ſiebure touſiours
en force, & apportêt en fin noſtre entiere ruine.
Et de vray vne guerre eſtrangiere eſt vn mal biê
plus doux que la ciuile. Mais ie ne croy pas que
Dieu fouoriſat vne ſi iniuſte entrepriſe, d'offen-

cer

cer & quereler autruy pour noſtre commodité.
Toutesfois la foibleſſe de noſtre conditiõ nous
pouſſe ſouuent a ceſte neceſſité de nous ſeruir
de mauuais moiens pour vne bonne fin. Licurgus le plus vertueux & parfaict legiſlateur qui
fuſt onques, inuenta ceſte treſ-iniuſte & treſ-
inique façon pour inſtruire ſon peuple a la té-
perance, de faire enyurer par force les Elotes,
qui eſtoient leurs ſerfs : affin qu'en les voyant
ainſi perdus & enſeuelis dans le vin les Spartiates prinſent en horreur le débordement de ce
vice. Ceux la auoient encore plus de tort, qui
permetoient anciennement que les criminelz,
a quelque ſorte de mort qu'ilz fuſſent condam-
nez, fuſſét déchirez tous vifs par les medecins,
pour y voir au naturel nos parties interieures,
& en eſtablir plus de certitude en leur art. Car
s'il ſe faut débaucher, on eſt plus excuſable le
faiſant pour le ſeruice de la ſanté de l'ame, que
pour celle du corps : comme les anciens Romains pour dreſſer le peuple a la vaillance & au
meſpris des dangiers & de la mort par quelque
inſtruction, inuenterent ces furieux ſpectacles
de gladiateurs & eſcrimeurs a outrance, qui ſe
combatoient, détailloient, & entretuoient en
leur preſence. C'eſtoit a la verité vn merueilleux exemple & de treſ-grand fruict pour l'inſtitution du peuple, de voir tous les iours en ſa
preſence cent, deux cens, trois cens couples
d'hommes armez les vns côtre les autres ſe hacher

cher en pieces, auecques vne si extreme fermeté de courage, qu'on ne leur vist iamais changer
de visage, lâcher vne parolle de foiblesse ou cõ-
miseration, iamais tourner le dos, ny faire seulement vn mouuement lâche pour gauchir au
coup de leur aduersaire, ains tendre le col a l'e-
spée de leur ennemy & se presenter au coup. Il
est aduenu a plusieurs d'entre eux estans blessez a mort de force playes d'enuoyer demãder
au peuple s'il estoit content de leur deuoir auãt
que se coucher pour rendre l'esprit sur la place.
Il ne falloit pas seulement qu'ilz combattisent
& mourussent constamment, mais encore alle-
grement: en maniere qu'on les hurloit & mau-
dissoit, si on les voyoit estriuer a receuoir la
mort. Les premiers Romains emploioiẽt a cest'
exemple les criminels. Mais dépuis on y employa des serfs innocens & des libres mesmes,
qui se vendoient pour cest effect. Ce que ie
trouuerois fort estrange & incroiable, si nous
n'estions accoustumez de voir tous les iours en
nos guerres plusieurs miliasses d'hômes estrangiers engageant pour de largent leur sang &
leur vie a des querelles, ou ilz n'ôt nul interest.

CHAP. XXIIII.

De la grandeur Romaine.

IE ne veux dire qu'vn mot de cest argument
infiny, pour monstrer la simplesse de ceux

qui apparient a celle la les chetiues grandeurs
de ce temps. Au septiesme liure des Epitres familieres de Cicero (& que les grammairiens en
ostent ce surnom de familieres, s'ilz veulent, car
a la verité il n'y est pas fort a propos : & ceux
qui au lieu de familieres y ont substitué *ad fa-
miliares*, peuuent tirer quelque argument pour
eux de ce que dit Suetone en la vie de Cęsar, qu'il
y auoit vn volume des lettres dudit Cæsar *ad fa-
miliares*) il y en a vne qui s'adresse a Cæsar estât
lors en la Gaule, en laquelle Cicero redit ces
motz, qui estoint sur la fin d'vn'autre lettre, que
Cæsar luy auoit escrit, Quant a Marcus Furius,
que tu m'as recommandé, ie le feray Roy de
Gaule: & si tu veux, que i'aduance quelque autre
de tes amis, enuoye le moy. Il n'estoit pas nouueau a vn simple cytoien Romain, côme estoit
lors Cesar, de disposer des Royaumes, car il osta
bien au Roy Deiotarus le sien pour le donner a
vn gentil'homme sien amy de la ville de Perga-
me nommé Mithridates. Et ceux qui escriuent
sa vie enregistrent plusieurs autres Royaumes
par luy vendus : & Suetone dict qu'il tira pour
vn coup du Roy Ptolomæus trois millions six
cens mill'escus, qui fut bien pres de luy vendre
le sien. Et sur ce propos Tacitus parlant du Roy
d'Angleterre Cogidunus nous faict sentir par
vn merueilleux traict ceste infinie puissance,
Les Romains, dit-il, auoiêt accoustumé de toute ancienneté de laisser les Roys, qu'ilz auoient
surmon-

surmontez, en la possession de leurs Royaumes
soubs leur authorité: a ce qu'ils eussent des Roys
mesmes, vtilz de la seruitude, *Vt haberet instru-*
menta seruitutis & reges.

CHAP. XXV.

De ne contrefaire le malade.

IL y a vn epigramme en Martial qui est des
bons, car il y en a chez luy de toutes sortes,
ou il recite plaisamment l'histoire de Cælius,
qui pour fuir a faire la court a quelques grans a
Romme, se trouuer a leur leuer, les assister &
les suiure, fit la mine d'auoir la goute: & pour
rendre son excuse plus vray-semblable se faisoit oindre les iambes, les auoit enuelopées, &
contre-faisoit entierement le port & la contenance d'vn homme gouteux. En fin la fortune
luy fit ce plaisir de l'en rendre tout a faict.

> *Tantum cura potest & ars doloris,*
> *Desiit fingere Cælius podagram.*

I'ay veu en quelque lieu d'Appian autrefois v-
ne pareille histoire d'vn qui voulant eschapper
aus proscriptions des triumuirs de Rome, pour
se dérober de la connoissance de ceux qui le
poursuiuoient se tenant caché & trauesti y adiousta encore ceste inuention de contre-faire
le borgne. Quãd il vint a recouurer vn peu plus
de liberté & qu'il voulut deffaire l'éplatre qu'il

auoit long téps porté ſur ſon œil , il trouua que
ſa veuë eſtoit effectuellement perdue ſoubs ce
maſque. Il eſt poſſible que l'actió de la veuë s'e-
ſtoit hebetée, pour auoir eſté ſi long temps ſans
exercice & que la force viſiue s'eſtoit toute re-
ietée en l'autre œil. Car nous ſentons euidemment que l'œil que nous tenons couuert rēuoie
a ſon compaignon quelque partie de ſon effect,
en maniere que celuy qui reſte, s'ē groſſit & s'ē
enfle. Cóme auſſi l'oiſiueté auec la chaleur des
liaiſons & des medicamens auoit bien peu attirer quelque humeur prodagrique au gouteux de
Martial. Liſāt chez Froiſſard le veu d'vne troupe de ieunes gétilshommes Anglois de porter
l'œil gauche bandé iuſques a ce qu'ils euſſent
paſſé en France & exploité quelque faict d'armes ſur nous, ie me ſuis ſouuent chatouillé de ce
penſement qu'il leur eut pris , comme a ces autres , & qu'ilz ſe fuſſent trouuez tous éborgnez
au reuoir des maiſtreſſes, pour leſquelles ilz a-
uoint faict l'entrepriſe. Les meres ont raiſon de
tancer leurs enfans, quand ilz cótrefont les bor-
gnes , les boiteus & les bicles & tels autres de-
fautz de la perſonne. Car outre ce que le corps
ainſi tendre en peut receuoir vn mauuais ply, ie
ne ſçay comment il ſemble que la fortune ſe
ioüe a nous prendre au mot: & i'ay ouy reciter
pluſieurs exemples de gens deuenus malades
ayant entrepris de le cótrefaire. Mais alógeons
ce chapitre & le bigarrons d'vne autre piece a
                              propos

propos de la cecité. Pline conte d'vn qui fon-
geant eſtre aueugle en dormant,s'en trouua l'é-
demain ſans aucune maladie precedéte.La force de l'imagination peut bien ayder a cela , cóme i'ay dit ailleurs, & ſemble que Pline ſoit de
ceſt aduis. Mais il eſt plus vray-ſemblable, que
les mouuemens que le corps ſentoit au dedans,
deſquels les medecins trouueront,s'ils veulent,
la cauſe,qui luy oſtoint la veue, furent occaſion
du ſonge. Adioutons encore vn'hiſtoire voiſine
de ce propos,que Seneque recite en l'vne de ſes
lettres. Tu ſçais, dit-il,eſcriuant a Idomenæus,
que Harpaſte la folle de ma femme eſt demeu-
rée chez moy pour charge hereditaire , car de
mon gouſt ie ſuis ennemy de ces monſtres, & ſi
i'ay enuie de rire d'vn fol, il ne me le faut chercher guiere loïng:Ie me ris de moymeſme.Ce-
ſte folle a ſubitement perdu la veuë.Ie te recite
choſe eſträge,mais veritable.Elle ne ſent point
qu'elle ſoit aueugle,& preſſe inceſſamment ſon
gouuerneur de l'en emmener, par ce qu'elle dit
que ma maiſon eſt obſcure. Ce que nous rions
en elle , ie te prie croire qu'il aduient a chacun
de nous:nul ne connoit eſtre auare,nul conuoi-
teux.Encore les aueugles demandent vn guide,
nous nous fouruoions de nous meſmes. Ie ne
ſuis pas ambitieus, diſons nous : mais a Rome
on ne peut viure autrement. Ie ne ſuis pas ſum-
ptueus : mais la ville requiert vne grande deſpence. Ce n'eſt pas ma faute, ſi ie ſuis colere,

fi ie n'ay encore eſtabli nul train aſſeuré de vie,
c'eſt la faute de la ieuneſſe. Ne cerchons pas
hors de nous noſtre mal, il eſt chez nous. Il eſt
planté en nos entrailles . Et cela meſme que
nous ne ſentons pas eſtre malades, nous rend
la gueriſon plus mal-aiſée. Si nous ne commē-
çons de bonne heure a nous penſer, quand arõs
nous pourueu a tant de plaïes & a tant de maux?
Si auons nous vne treſ-douce medecine que la
philoſophie: car des autres on n'en ſent le plaiſir, qu'apres la gueriſon: ceſte cy plait & guerit
enſemble. Voyla ce que dit Seneque, qui m'a
emporté hors de mon propos : mais il y a du
profit au change.

CHAP. XXVI.

Des pouces.

TAcitus recite que par-my certains rois
barbares, pour faire vne obligation aſſeu-
rée, leur maniere eſtoit de ioindre eſtroitemēt
leurs mains droites l'vne a l'autre & s'entrelaſ-
ſer les pouces: & quand a force de les preſſer le
ſang en eſtoit monté au bout, ils les bleſſoient
de quelque legiere pointe & puis ſe les entre-
ſucçoient. Les medecins diſent que les pouces
ſont les maiſtres doigs de la main, & que leur
etymologie Latine vient de *pollere* , qui ſigni-
fie exceller ſur les autres. Les Grecz l'appellēt

ἀντίχειρ,comme qui diroit vne autre main. Et
il femble que par fois les Latins les prennent
auffi en ce fens de main entiere.

Sed nec vocibus excitata blandis
Molli pollice nec rogata furgit.

C'eftoit a Rome vne fignification de faueur de
comprimer & baiffer les pouces,
Fautor vtróque tuum laudabit pollice ludum:
& de desfaueur de le hauffer & contorner au dehors,

Conuerfo pollice vulgi
Quemlibet occidunt populariter.

Les Romains difpenfoient de la guerre ceux qui
eftoient bleffés au pouce,comme s'ilz n'auoint
plus la prife des armes affez ferme. Augufte
confifqua les biens a vn cheualier Romain, qui
auoit par malice, & pour faire fraude a la loy
coupé les pouces a deux fiens ieunes enfans,
pour les difpenfer des guerres : & auant luy le
fenat du temps de la guerre Italique auoit con-
daînné Caius Vatienus a prifon perpetuelle, &
luy auoit confifqué tous fes biens , pour s'eftre
a efciét coupé le pouce de la main gauche,pour
s'exempter de cefte guerre. Quelcun,de qui il
ne me fouuient point, ayant gaigne vne bataille nauale fift couper les pouces a fes ennemis
vaincus,pour leur ofter le moyen de combatre
& de tirer la rame.

CHAP. XXVII.

Couardise mere de la cruauté.

I'Ay souuent ouy dire , que la couardise est
mere de cruauté. La vaillâce (de qui c'est l'es-
feffect de s'exercer seulement contre la resi-
stence,

Nec nisi bellantis gaudet ceruice iuuenci)

s'arreste a voir l'ennemy a sa mercy: mais la las-
cheté pour dire qu'elle est aussi de la feste, n'aiât
peu se mesler a ce premier rolle prend pour sa
part le secôd, du massacre & du sang. Les meur-
tres des victoires se font ordinairement par le
peuple & par les officiers du bagage : & ce qui
fait voir tant de cruautez inouies aux guerres
populaires , c'est que ceste canaille de vulgaire
s'aguerrit & se gédarme a s'ensanglâter iusques
aux coudes & a deschiqueter vn corps a ses pieds,
n'ayât reser.timét de null'autre vaillâce. Côme
les chiens couards, qui deschirent en la maison
& mordent les peaux des bestes sauuages, qu'ilz
n'ôt osé attaquer aux châps. Qu'est ce qui fait en
ce temps nos querelles toutes mortelles? & que
la ou nos peres auoiêt quelque degré de végeâ-
ce, nous cômençons a cest'heure par le dernier:
& ne se parle d'arriuée que de tuer : qu'est ce, si
ce n'est couardise ? Chacun sent bien qu'il y a
plus de brauerie & desdain a battre son ennemy
qu'a le tuer, & de le faire bouquer & rôger son
                                        frein,

frein, que de l'acheuer. D'auantage que l'appetit de vengeance s'en aſſouit & contente mieux:
car elle ne viſe qu'a dóner reſentiment de ſoy.
Voila pourquoy nous n'attaquós pas vne beſte,
ou vne pierre, quand elle nous bleſſe, d'autant
qu'elles ſont incapables de gouſter noſtre reuenche : & de tuer vn homme c'eſt le mettre a
l'abry de noſtr'offence. Il s'en repentira, diſons
nous. Et pour luy auoir donné d'vne piſtolade
par les reins, eſtimons nous qu'il s'en repente?
Au rebours ſi nous nous en prenós garde, nous
trouuerons qu'il nous faict la mouë en tóbant:
il ne nous en ſçait pas ſeulement mauuais gré,
c'eſt bien loing de s'en repentir. Nous ſommes
a coniller, a trotter, & a fuïr les officiers de la
iuſtice, qui nous ſuiuent, & luy eſt en repos. Le
tuer eſt bó pour éuiter l'offéce a venir, nó pour
venger celle qui eſt faicte. Il eſt apparent que
nous quittós par la & la vraye fin de la vengeáce, & le ſoing de noſtre reputation. Nous craignons, s'il demeure en vie qu'il nous recharge
d'vne pareille. Si nous penſions par vertu eſtre
tóuſiours maiſtres de luy, & le gourmander a
noſtre poſte, nous ſerions bié marris qu'il nous
eſchappaſt, comme il faict en mourant. Nous
voulons vaincre, mais láchement ſans combat,
& ſans hazard. Nos peres ſe contentoient de
reuencher vne iniure par vn démenti, vn démé-
ti par vn coup de baton, & ainſi par ordre: ils e-
ſtoiét aſſez valeureux pour ne craindre pas leur

Xx 5

ennemi viuant,& outragé. Nous tremblons de
frayeur tant que nous le voyons en pieds. Et
qu'il soit ainsi, nostre belle pratique d'auiour-
d'huy port'elle pas de poursuiure a mort , aussi
bien celuy que nous mesmes auons offencé,
que celuy qui nous a offencez? L'epereur Mau-
rice estant aduerti par songes,& plusieurs pro-
gnoistiques , qu'vn Phocas soldat pour lors inconnu le deuoit tuer , demandoit a son gendre
Philippe,qui estoit ce Phocas,sa nature,ses côditions & ses meurs:& côme entre autres choses Philippe luy dit, qu'il estoit lásche & crain-
tif,l'Empereur côclud incontinent par la, qu'il
estoit meurtrier & cruel . Qui rend les Tyrans
si meurtriers?c'est le soing de leur seurté,& que
leur lásche cœur, ne leur fournit d'autres moyens de s'asseurer qu'en exterminant ceux qui
les peuuent offencer , iusques aux femmes, de
peur d'vne esgratigneure:& pour faire tous les
deux ensemble,& tuer & faire sentir leur colere,ils ont employé toute leur suffisance a trouuer moyen d'alonger la mort . Ils veulent que
leurs ennemis s'en aillent,mais non pas si viste
qu'ils n'ayent loysir de ressentir leur vengeâce.
La dessus ils sont en grand peine: car si les tor-
mens sont violens,ils sont cours:s'ils sont lôgs,
ils ne sont pas assez douloureux a leur gre , les
voyla a dispenser leurs engins.Nous en voyons
mille exemples en l'antiquité , & ie ne sçay si
sans y penser nous ne retenons pas quelque
que

que trace de ceſte barbarie. Tout ce qui eſt au
dela de la mort ſimple, me ſemble pure cruauté. Noſtre iuſtice ne peut eſperer que celuy que
la crainte de mourir & d'eſtre decapité, ou pē-
du, ne gardera de faillir, en ſoit empeſché par
l'imaginatiō d'vn feu languiſſant, ou des tenailles, ou de la rouë. Et ie ne ſçay cependāt, ſi nous
les iettons au deſeſpoir. Car en quel eſtat peut
eſtre l'ame d'vn homme attendant vintquatre
heures la mort briſé ſur vne rouë, ou a la vieille
façon cloué a vne croix ? Car Ioſephus recite
que pēdant les guerres des Romains en Iudée,
paſſant ou l'on auoit crucifié quelques vns des
Iuiſs, il y reconneut trois de ſes amys, & obtint
de les oſter dela, les deux moururent, dit il, l'autre veſquit encore deſpuis.

CHAP. XXVIII.

Toutes les choſes ont leur raiſon.

CEux qui apparient Caton le cēſeur au ieune Caton meurtrier de ſoy-meſme, font a
mon opinion grād honneur au premier. Car ie
les trouue eſlongnés d'vne extreme diſtance: &
ce qu'on dit entre autres choſes du cēſeur, qu'ē
ſon extreme vieilleſſe, il ſe mit a apprendre la
langue Grecque, d'vn ardant appétit, comme
pour aſſouuir vne lōgue ſoif, ne me ſemble pas
luy eſtre fort honnorable. C'eſt proprement
ce que

ce que nous difons, retomber en enfantillage.
Toutes chofes ont leur faifon, les bônes & tout:
& ie puis dire mon patinoftre hors de propos.
Eudemonidas voyant Xenocrates fort vieil s'a-
mufer a l'exercice de fon efcole, Quand fçaura
ceftuy-cy, ce dit-il, s'il apprend encore? Le ieune doit faire fes apprets, le vieil en iouïr, difent
les fages: & le plus grand vice qu'ils remerquêt
en noftre nature, c'eft que noz deffeins raieu-
niffent fans ceffe: nous recommêçons toufiours
a viure: noftre eftude & noftre defir deuroient
quelque fois fentir la vielleffe : nous auons le
pied a la foffe, & nos appetitz, & nos efperan-
ces ne font que naiftre. Ceftuy-cy aprend a parler lors qu'il luy faut apprendre a mourir. S'il
faut eftudier, eftudiôs vn eftude fortable a noftre condition: affin que nous puiffions refpondre, comme celuy, a qui quand on demanda a
quoy faire ces eftudes en fa decrepitude: A m'é
partir meilleur, & plus a mon aife, refpondit il.
Tel eftude fut celuy du ieune Caton fentant fa
fin prochaine, qui fe rencontra au difcours de
Platon, de l'eternité de l'ame: non a dire ce que
i'en penfe, qu'il ne fut de long temps garny de
toute forte de munitiô pour vn tel deflogemêt.
D'affeurâce & devolonté ferme, il en auoit plus
que Platô n'en a peu reprefenter par fes efcrits:
fa fciêce & fon courage eftoint pour ce regard
au deffus de la philofophie. Il print cefte occupation, nô pour le feruice de fa mort, mais cô-
                                                    me

ıne celuy qui n'interrompit pas ſeulement ſon
ſommeil pour l'importance d'vne telle deliberation, il continua auſſi ſans chois & ſans changement ſes eſtudes, auec les autres actions accouſtumées de ſa vie.

CHAP. XXIX.

De la vertu.

IE trouue par experience, qu'il y a bien a dire
entre les boutées & ſaillies de l'ame, ou vne
reſolue & conſtante habitude: & voy bien qu'il
n'eſt rien que nous ne puiſſions, voire iuſques a
ſurpaſſer la diuinité meſme, dit quelqu'vn: d'autant que c'eſt plus de ſe rendre impaſſible de
ſoy, que d'eſtre tel de ſa condition originelle:
& iuſques a pouuoir ioindre a l'imbecillité de
l'homme vne reſolution & aſſurance de Dieu.
mais c'eſt par ſecouſſe. Et és vies de ces heros
du téps paſſé, il y a quelque fois des traitz miraculeux, & qui ſemblent de bien loing ſurpaſſer nos forces naturelles: mais ce ſont traits a la
verité: & eſt dur a croire que de ces conditions
ainſin eſleuées, on en puiſſe teindre & abreuuer
l'ame, en maniere qu'elles luy deuiennent ordinaires, & comme naturelles. Il nous aduient a
nous meſmes, qui ne ſommes qu'auortós d'hômes, d'eſlancer par fois noſtre ame eſueillée par
les diſcours, ou exemples d'autruy, bien loing
au dela

au dela de son ordinaire: mais c'est vne espece
de passion, qui la pousse & agite,& qui la rauit
aucunemét hors de soy:car franchi ce tourbillô,
nous voyons que sans y penser elle se débande
& relâche d'elle mesme,sinon iusques a la derniere touche,au moins iusques a n'estre plⁱ celle-
le-la.De façon que lors,a toute occasion, pour
vn oyseau perdu , ou vn verre cassé, nous nous
sentons esmouuoir a plus pres comme l'vn du
vulgaire. Et a ceste cause disent les sages , que
pour iuger bien a point d'vn hôme il faut principalement contreroller ses actions priuées, &
le surprendre en son a tous les iours . Pyrrho
celuy qui bastit de l'ignorance vne si plaisante
science,essaya,côme tous les autres vrayement
philosophes, de faire respondre sa vie a sa do-
ctrine.Et par ce qu'il maintenoit la foiblesse
du iugement humain estre si extreme, que de
ne pouuoit prendre party ou inclination: & le
vouloit suspendre perpetuellement balancé regardant & accueillât toutes choses, comme indifferentes , on conte qu'il se maintenoit tousiours de mesme façon, & visage. S'il auoit cô-
mencé vn propos, il ne laissoit pas de l'acheuer,
quád celuy a qui il parloit s'en fut allé: S'il alloit,il ne rompoit son chemin pour empesche-
ment,qui se presentat,conserué des precipices,
du hurt des charretes,& autres accidés par ses
amis. Car de craindre ou esuiter quelque chose c'eust esté choquer ses propositions , qui
osto-

oſtoient au ſens meſmes tout chois & connoiſſance. Quelque fois il ſouffrit d'eſtre inciſé
& cauteriſé, d'vne telle conſtance qu'on ne luy
en veit pas ſeulemēt ſiller les yeux. C'eſt quelque choſe de ramener l'ame a ces imaginatiōs,
c'eſt plus d'y ioindre les effectz, toute-fois il
n'eſt impoſſible: mais de les ioindre auec telle
perſeuerance & cōſtance que d'en eſtablir ſon
train ordinaire, certes en ces entrepriſes ſi eſloignées de l'vſage commun, il eſt quaſi incroyable. Voyla pourquoy ce meſme Philoſophe
eſtant quelque fois rencontré en ſa maiſon tan-
ſant bien aſprement auecques ſa ſœur, & eſtant
reproché de faillir en cella a ſon indifferance:
Comment, dit il, faut il qu'encore ceſte famel-
te ſerue de teſmoignage a mes regles? Vn'autre
fois qu'on le veit ſe deffendre d'vn chien: Il eſt,
dit il, tres-difficile de deſpouiller entierement
l'homme: & ſe faut mettre en deuoir, & effor-
cer de combattre les choſes, premierement par
les effects, mais au pis aller par la raiſon & par
les diſcours. Il y a enuiron ſept ou huict ans,
qu'a deux lieuës d'icy vn homme de village, qui
eſt encore viuant, ayant la teſte de long temps
rompue par la ialouſie de ſa femme, reuenant
vn iour de la beſoigne, & elle le bien-venant de
ſes criailleries accouſtumées, entra en telle furie, que ſur le champ a tout la ſerpe qu'il tenoit
encore en ſes mains, s'eſtant moiſſonné tout
net les pieces qui la mettoient en fieure, les luy
ietta

ietta au visage. Et il se dit qu'vn ieune gentil-
homme des nostres, amoureux & gaillard, ayāt
par sa perseuerance amolli en fin le cœur d'vne
belle maistresse, desesperé de ce que sur le point
de la charge, il s'estoit trouué mol luy mesmes,
& deffailly, & que

non viriliter

Iners senile penis extulerat caput,

s'en priua soudain reuenu au logis, & l'enuoya
cruelle & sanglante victime, pour la purgation
de son offence. Si c'eust esté par discours & religiō, comme les prestres de Cibele, que ne di-
rions nous d'vne si hautaine entreprise? Dépuis
peu de iours a Bragerac a cinq lieues de ma mai
son contremont la riuiere de Dordoigne,
vne femme ayant esté tourmentée & batue le
soir auant de son mary chagrein & fâcheux de
sa complexion, delibera de eschapper a sa rudesse, au pris de sa vie, & s'estāt a son leuer accoin-
tée de ses voisines comme de coustume, leur
laissant eschapper quelque mot de recommēdation de ses affaires, prenant vne sienne sœur
par le point, la mena auecques elle sur le pont, &
apres auoir prins congé d'elle, comme par maniere de ieu, sans monstrer autre changement
ou alteration, se precipita du haut en bas, dans
la riuiere ou elle se perdit. Ce qu'il y a de plus
en cecy, c'est que ce conseil meurist vne nuict
entiere dans sa teste. C'est bien autre chose des
femmes Indiénes: car estant leur coustume aus

maris

maris d'auoir plusieurs femmes, & a la plus chere d'elles de se tuer apres son mary , chacune
d'elles par le dessein de toute sa vie, vise a gaigner ce point & cest aduantage sur ses compai-
gnes: & les bons offices qu'elles rendent a leur
mary, ne regardent autre recompance que d'e-
stre preferées a la compagnie de sa mort . En
ce mesme païs la, il y auoit quelque chose de pa
reil en leurs Gypnosophistes: car nó par la contrainte d'autruy, non par l'impetuosité d'vn humeur soudaine: mais par expresse profession de
leur regle , leur façon estoit a mesure qu'ils a-
uoient attaint certain aage, ou qu'ils se voyoiēt
menasses par quelque maladie, de se faire dresser vn buchier, & au dessus, vn lit bien paré, &
apres auoir festoyé ioyeusement leurs amis &
connoissans appellés a cest effect, s'aler plâter
dans ce lict, en telle resolutiō, que le feu y estât
mis, on ne les vit mouuoir, ny pieds ny mains:
& ainsi mourut l'vn d'eux, Calanus, en presence
de toute l'armée d'Alexandre le Grand. Ceste
constante premeditatiō de toute la vie, c'est ce
qui faict le miracle. Parmy nos autres disputes,
celle du *Fatum*, s'y est meslée: & pour attacher
les choses aduenir & nostre volonté mesmes a
certaine & ineuitable necessité , on est encore
sur cest argument du tēps passé. Puis que Dieu
preuoit toutes choses deuoir ainsi aduenir,
comme il fait, sans doubte , il faut qu'elles ad-
uiennēt ainsi. A quoy nos maistres respondent,

Yy

que le voir que quelque chose aduienne, côme nous faisons & Dieu de mesmes (car tout luy estant present, il voit plutost quil ne preuoit) ce n'est pas la forcer d'aduenir: voire nous voyôs a cause que les choses aduiennent, & les choses n'aduiennent pas a cause que nous voyôs. L'aduenement faict la science, non la science l'aduenement. Ce que nous voyôs aduenir aduiét: mais il pouuoit autrement aduenir: & Dieu au rolle des causes des aduenements qu'il a en sa prescience, y a aussi celles qu'on appelle fortuites, & les volontaires qui despendét de la liberté qu'il a donné a nostre arbitrage, & sçait que nous faudrôs, par ce que nous aurons voulu faillir. Or i'ay veu assez de gens encourager leurs troupes de ceste necessité fatale. Car si nostre heure est attachée a certain point, ny les harquebousades ennemies, ny nostre hardiesse, ny nostre fuyte & couardise, ne la peuuent auácer ou reculer. Cela est beau a dire, mais cherchez qui l'effectuera : & s'il est ainsi qu'vne forte & viue creance tire apres soy les actions de mesme, certes ceste foy, dequoy nous remplissons tât la bouche, est merueilleusemét exile en nos siecles, sinon que le mespris qu'elle a des œures luy face desdaigner leur compaignie. Tât y a qu'a ce mesme propos le sire de Ioinuille tesmoing croyable autát que nul autre, nous raconte des Bedouins, natiô meslée aux Sarrasins, ausquels le Roy sainct Louys eut affaire en la terre

terre ſainte, qu'ils croyoint ſi fermemēt en leur
religion les iours d'vn chacun eſtre de toute e-
ternité prefix & contés d'vne preordonāce ineuitable, qu'ils alloient a la guerre nudz, ſauf vn
glaiue a la Turqueſque, & le corps ſeulement
couuert d'vn linge blanc:& que pour leur plus
extreme maudiſſon, quād ilz ſe courrouſſoient
aux leurs, ils auoient touſiours en la bouche:
maudit ſois tu, comme celuy qui s'arme de peur
de la mort. Voyla bien autre preuue de creāce
& de foy que la noſtre. Et de ce reng eſt auſſi
celle que donnarent ces deux religieux de Florence, du temps de nos peres. Car eſtās en quelque controuerſe de diſpute, ils s'accordarent
d'entrer tous deux dans le feu en preſence de
tout le peuple,& en la place publique, pour la
verification chacun de ſon party : & en eſtoient
deſ-ia les apretz tous faiĉtz, & la choſe iuſtement ſur le point de l'execution, quand elle fut
interrompue par vn accident improueu.

CHAP. XXX.

D'vn enfant monſtrueus.

CE conte s'en ira tout ſimple : car ie laiſſe
aux medecins d'en diſcourir. Ie vis auant
hier vn enfant que deux hommes & vne nourriſſe, qui ſe diſoient eſtre le pere, l'oncle, & la
tāte conduiſoient, pour tirer quelque liard de le
monſtrer a cauſe de ſon eſtrangeté. Il eſtoit en

tout le reste d'vne forme commune , & se sou-
stenoit sur ses piedz., marchoit & gasouilloit, a
plus pres comme les autres de mesme aage : il
n'auoit encore voulu prendre autre nourriture,
que du tetin de sa nourrisse : & ce qu'on essaya
en ma presence de luy mettre en la bouche, il le
maschoit vn peu & le rendoit sans aualer. Ses
cris sembloiēt bien auoir quelque chose de particulier : il estoit aagé de quatorze mois iustement. Au dessoubs de ses tetins, il estoit pris &
coulé a vn autre enfant sans teste, & qui auoit
le conduit du dos estoupé, le reste entier. Car il
auoit bien l'vn bras plus court, mais il luy auoit
esté rompu par accident a leur naissance : ils e-
stoient iointz vis a vis, & comme si vn plus petit enfant en vouloit accoler vn plus grandet.
La iointure & l'espace par ou ilz se tenoiēt n'e-
stoit que de quatre doigtz, ou enuiron, en maniere que si vous retroussiez cest enfant imparfaict, vous voyez au dessoubs le nōbril de l'autre : ainsi la cousture se faisoit entre les tetins &
son nombril. Le nombril de l'imparfaict ne se
pouuoit voir, mais ouy biē tout le reste de son
ventre. Voyla cōme ce qui n'estoit pas attaché,
comme bras, fessier, cuisses & iambes, de cest
impafaict, demouroient pendās & branlans sur
l'autre, & luy pouuoit aller sa longueur iusques
a my iambe. La nourrice nous adioustoit qu'il
vrinoit par tous les deux endroitz : aussi estoiēt
les membres de cest'autre nourris , & viuans
& en

& en mesme point que les siens, sauf qu'ilz e-
stoient plus petitz & menus. Ce double corps
& ces membres diuers se rapportans a vne seule teste, pourroient bien fournir de fauorable
prognostique au Roy, de maintenir soubs l'v-
nion de ses loix, ces pars & pieces diuerses de
nostre estat: mais de peur que l'euenement ne
le démente, il vaut mieux le laisser passer deuât.
Car il n'est que de deuiner en choses faictes.

CHAP. XXXI.

De la colere.

PLutarque est admirable par tout: mais prin-
cipalemêt, ou il iuge des actions humaines.
On peut voir les belles choses, qu'il dit en la cô
paraison de Licurgus, & de Numa, sur le propos de la grande simplesse que ce nous est, d'a-
bandonner les enfans au gouuernement & a la
charge de leurs peres. Qui ne voit qu'ê vn estat
tout dépend de l'education & nourriture des
enfans? & cependant sans nulle discretion on
les laisse a la merci de leurs parens tant fols &
meschans quils soient. Entre autres choses, côbien de fois m'a il pris enuie passant par nos
rues de dresser vne force pour venger des enfans, que ie voioy escorcher, assômer, & meur-
drir a quelque pere ou mere furieus & forcenés
de colere. Vous leur voyez sortir le feu & la ra-

Y 3

ge des yeux a tout vne voix tranchante & esclatante, souuent côtre des garsonets, qui ne font
que sortir de nourrisse. Et puis les voyla stropi-
piats, esborgnez, & eslourdis de coups:& nostre iustice qui n'en fait conte, comme si ces
esboitemens & eslochements n'estoient pas
des membres de nostre chose publique. Il n'est
passion qui esbransle tant la sincerité des iugemens, que la colere. Nul ne seroit doubte de
punir de mort le iuge, qui par colere auroit cô-
damné son criminel. Pourquoy est il non plus
permis aus peres, & aux pedantes de fouetter
les enfans, & les chastier estans en colere. Ce
n'est plus iustice, c'est vangeance. Le chastie-
ment tient lieu de medecine aux enfans : &
souffririons nous vn medecin qui fut animé &
courroucé contre son patient ? Nous mesmes
pour bien faire, ne deurions iamais mettre la
main sur nos seruiteurs, tandis que la colere
nous dure. Pendant que le pous nous bat, &
que nous sentons de l'émotion, remettons la
partie. Les choses nous sembleront a la verité autres, quand nous serons r'acoysés & refroi-
dis. C'est la colere qui commande lors, c'est
la colere qui parle, ce n'est pas nous. Et puis les
chastiements, qui se font auec poix & difere-
tion, se reçoiuent bien mieux, & auec plus de
fruict de celuy qui les souffre. Autrement il
ne pense pas auoir esté iustement condamné
parvn homme agité de passion & furie, & allegué

gue pour ſa inſtiſication, les mouuements extraordinaires de ſon maiſtre , l'inflammation
de ſon viſage, les ſermens inuſitez, & ceſte ſienne inquietude , & precipitation temeraire.
Suetone recite que Lucius Saturninus , ayant
eſté condamné par Cæſar, ce qui luy ſeruit le
plus enuers le peuple (auquel il appella) pour
luy faire gaigner ſa cauſe , ce ſut l'animoſité &
l'aſpreté que Ceſar auoit apporté en ce iugement. Le dire eſt autre choſe que le faire, il faut
conſiderer le preſche a part, & le preſcheur a
part. Ceux la ſe ſont donnés beau ieu en noſtre
temps, qui ont eſſayé de choquer la verité de
noſtre creance par les vices de nos gens d'Egliſe: elle tire ſes teſmoignages d'ailleurs . C'eſt
vne ſotte façon d'argumenter, & qui reietteroit
toutes choſes en conſuſion. Vn homme de bônes meurs peut auoir des opinions fauces , &
vn meſchant peut preſcher verité, voire celuy
meſme qui ne la croit pas . C'eſt ſans doubte
vne belle harmonie , quand le faire, & le dire
vont enſemble:& ie ne veux pas nier, que le dire , lors que les actions ſuiuent, ne ſoit de plus
d'authorité & efficace, côme diſoit Eudamidas,
oyant vn Philoſophe diſcourir de la guerre.
Ces propos ſont beaus, mais celuy qui les dict,
n'é eſt pas croyable , car il n'a pas les oreilles
accouſtumées au ſon de la trompette. Et Cleomenes oyant vn Rhetoricien harenguer de la
vaillâce s'en print fort a rire:& l'autre s'é ſcan-

dalifant, il luy dit, i'en ferois de mefmes, fi c'e-
ftoit vne arôdelle qui en parlaft: mais fi c'eftoit
vn aigle, ie l'oyrois volôtiers. I'aperçois ce me
femble es efcrits des anciens, que celuy qui dit
ce qu'il penfe, l'affene bien plus viuement, &
preffe bien autrement, que celuy qui fe côtre-
fait. Oyéz Cicero parler de l'amour de la liberté: oyez en parler Brutus : les efcrits mefmes
vous fonnent que ceftuy-cy eftoit homme pour
l'acheter au pris de la vie. Que Cicero pere d'e-
loquence traite du mefpris de la mort, que Seneca en traite auffi, celuy la traine languiffant,
& vous fentez qu'il vous veut refoudre de chofe, dequoy il n'eft pas refolu luy mefmes, il ne
vous donne point de cœur, car luy mefmes n'en
a point: l'autre vous anime & enflamme. Ie ne
voy iamais autheur, mefmes de ceux qui trai-
ctét de la vertu & des actiôs, que ie ne recherche curieufement de fçanoir quel il a efté. Les
efcrits de Plutarque, a les bien fauourer nous
le defcouurent affez, & ie penfe le connoiftre
iufques dans l'ame. Si voudrois-ie que nous
euffions quelques memoires de fa vie: & me fuis
ietté en ce difcours a quartier, a propos du bon
gré que ie fés a Aul. Gellius de nous auoir laiffé par efcrit ce conte de fes meurs, qui reuiét a
mô fubict de la colere. Vn fien efclaue mauuais
hôme & vicieux, mais qui auoit les oreilles aucunement abreuuées des liures & difputes de
philofophie, ayât efté pour quelque fiéne faute
dé-

dépouillé par le commandement dePlutarque,
pendant qu'on le fouetoit, grondoit au commâ-
cement, que c'eſtoit ſans raiſon, & qu'il n'auoit
rien fait : mais en fin ſe mettant a crier & a iniurier bien a bon eſcient ſon maiſtre, luy reprochoit qu'il n'eſtoit pas philoſophe , comme il
s'en vantoit : qu'il luy auoit ſouuent ouy dire,
qu'il eſtoit laid de ſe courroucer, voyre qu'il en
auoit fait vn liure: & ce que lors tout plongé en
la colere il le faiſoit ſi cruellement battre dé-
mentoit entierement ſes eſcrits. A cela Plutarque tout froidement & tout raſſis , Comment,
dit-il , ruſtre, a quoy iuges tu que ie ſois a cet'-
heure courroucé? Mon viſage, ma vois, ma couleur, ma parolle te dône elle quelque teſmoignage que ie ſois en colere? Ie ne penſe auoir ny
les yeux eſfarouches , ny le viſage troublé , ny
vn cry effroyable. Rougis-ie? eſcume ie ? m'eſchappe il de dire choſe, de quoy i'aye a me repentir? treſſaux-ie? fremis-ie de courroux? car
pour te dire, ce ſont la les vrais ſignes de la colere. Et puis ſe deſtournant a celuy qui fouë-
toit: continués, luy dit-il, touſiours voſtre beſoi
gne, cependant que ceſtuy-cy & moy diſputons.
Voyla ſon conte. Architas Tarentinus reuenant d'vne guerre, ou il auoit eſté capitaine general , trouua tout plein de mauuais meſnage en ſa maiſon, & ſes terres en friſche par le
mauuais gouuernement de ſon receueur. Et l'ai
ant fait appeller, Va, luy dit-il, que ſi ie n'eſtois

en colere, ie t'eſtrillerois comme tu merites.
Platon de meſme s'eſtant eſchauffé contre l'vn
de ſes eſclaues, donna charge a Speuſippus de
le chaſtier, s'excuſant d'y mettre la main luy
meſme, ſur ce qu'il eſtoit courroucé. Charillus
Lacedemonien a vn Elote qui ſe portoit trop in-
ſolemment & audacieuſement enuers luy : Par
les dieux, dit-il, ſi ie n'eſtois courroucé, ie te ferois tout a cet'heure mourir. C'eſt vne paſſion
qui ſe plaiſt en ſoy & qui ſe flatte. Combien de
fois nous eſtans esbranlés ſous vne fauce cauſe,
ſi on vient a nous preſenter quelque bonne defence ou excuſe nous deſpitons nous contre la
verité meſme & l'innocence? I'ay retenu a ce
propos vn merueilleux exemple de l'antiquité:
Piſo perſonnage par tout ailleurs de notable
vertu, s'eſtant eſmeu contre vn ſien ſoldat dequoy reuenant ſeul du fourrage il ne luy ſçauoit
rendre compte ou il auoit laiſſé vn ſien compagnon, tint pour aueré qu'il l'auoit tué & le
condamna ſoudain a la mort. Ainſi qu'il e-
ſtoit au gibet voicy arriuer ce compaignon eſ-
garé:toute l'armée en fit grand feſte, & apres
force careſſes & accolades des deux compaignons,le bourreau meine & l'vn & l'autre en
la preſence de Piſo,s'attendant bien toute l'aſſiſtance que ce luy ſeroit a luy meſmes vn grãd
plaiſir. Mais ce fut au rebours, car par
honte & deſpit, ſon ardeur qui eſtoit encore en ſon effort ſe redoubla : & par vne ſubtilité

lité que sa passion luy fournit soudain, il en fist
trois coulpables, parce qu'il en auoit trouué vn
innocent:& les fit despecher tous trois: le premier soldat par ce qu'il y auoit arrest contre
luy: le second qui auoit esté esgaré, parce qu'il
estoit cause de la mort de son compaignon, &
le bourreau pour n'auoir obey au commende-
mêt qu'on luy auoit faict. Encore vn mot pour
clorre ce pas, Aristote dit que la colere sert par
fois d'arme a la vertu & a la vaillance. Cela est
vray-semblable, toutesfois ceux qui y contre-di
sent, respondent plaisamment, que c'est vn arme
me de nouuel vsage : car nous remuons les autres armes, ceste cy nous remue: nostre main ne
la guide pas, c'est elle qui guide nostre main,
elle nous possede, non pas nous elle.

CHAP. XXXII.

Defence de Seneque & de Plutarque.

L A familiarité que i'ay auec ces persónages
icy, & l'assistance qu'ilz font a ma vieillesse,
m'oblige a espouser leur honneur. Quant a Seneque, par-my vne miliasse de petits liurets, que
ceux de la Religion pretendue reformée font
courir pour la deffence de leur cause, qui partent par fois de bonne main & qu'il est grand
dommage n'estre enbesoignée a meilleur subie-
ject, i'en ay veu autres-fois vn, qui pour alonger
                    & rem-

& remplir la fimilitude qu'il veut trouuer du
gouuernement de noſtre pauure feu Roy Charles neufieſme auec celuy de Neron, apparie feu
monſieur le Cardinal de Lorraine auec Seneque : leurs fortunes , d'auoir eſté tous deux les
premiers au gouuernement de leurs princes, &
quât & quât leurs meurs, leurs côditiõs, & leurs
deportemens. Enquoy a mon opinion il faiſt
bien de l'honneur audiſt ſeigneur Cardinal.
Car encore que ie ſoys de ceux qui eſtiment autant ſa viuacité, ſon eloquence, ſon zele enuers
ſa religiõ & ſeruice de ſon Roy & ſa bonne fortune d'eſtre nay en vn ſiecle ou il fut ſi nouueau,
& ſi rare, & quant & quant ſi neceſſaire pour le
bien public, d'auoir vn perſonnage Eccleſiaſtique de telle nobleſſe & dignité, ſuffiſant & capable de ſa charge: ſi eſt ce qu'a confeſſer la verité , ie n'eſtime ſa capacité de beaucoup pres
telle, ny ſa vertu ſi nette & entiere , ny ſi ferme
que celle de Seneque . Or ce liure, de quoy ie
parle, pour venir a ſon but, faiſt vne deſcription
de Seneque treſ-iniurieuſe , ayant emprunté ces
reproches de Diõ l'hiſtorien, duquel ie ne crois
nullement le teſmoignage. Car outre ce qu'il
eſt inconſtant, qui apres auoir appellé Seneque
tres-ſage tantoſt , & tantoſt ennemy mortel
des vices de Neron, le fait ailleurs auaritieux,
vſurier, ambitieux, láche, voluptueux, & contre-
faiſant le philoſophe a fauces enſeignes: ſa vertu paroiſt ſi viue & vigoreuſe en ſes eſcrits, & la
defen-

defence y eſt ſi claire a aucunes de ces imputations, comme de ſa richeſſe & deſpence exceſſi-
ue, que ie n'en croiroy nul teſmoignage au contraire. Et dauantage il eſt bien plus raiſonnable de croire en telles choſes les hiſtoriens Romains que les Grecs & eſtrangiers. Or Tacitus
& les autres parlent treſ-honorablement & de
ſa vie & de ſa mort: & nous le peignent en toutes choſes perſonnage treſ-excellent & tres-
vertueux. Et ie ne veuz alleguer autre reproche contre le iugement de Dion, que cetuy cy,
qui eſt ineuitable: c'eſt qu'il a le gouſt ſi malade aux affaires Romains, qu'il oſe ſouſtenir la
cauſe de Iulius Cæſar côtre Pompeius, & d'Antonius contre Cicero. Venons a Plutarque, Iean
Bodin eſt vn bon autheur de noſtre temps, & ac-
compaigné de beaucoup plus de iugement que
la tourbe des eſcriuailleurs de ſon ſiecle: & merite qu'on le iuge & conſidere. Ie le trouue vn
peu hardy en ce paſſage de ſa Methode de l'hiſtoire, ou il accuſe Plutarque non ſeulement
d'ignorance (ſurquoy ie ne me fuſſe pas mis en
peine de le defendre, car cela n'eſt pas de mon
gibier) mais auſſi en ce que ceſt autheur eſcrit
ſouuent des choſes incroyables & entierement
fabuleuſes (ce ſont ſes mots.) S'il euſt dit ſimplement, les choſes autrement qu'elles ne ſont,
ce n'eſtoit pas grande reprehenſion: car ce que
nous n'auons pas veu, nous le prenons des mains
d'autruy & a credit, & ie voy que a eſcient il recite

cite parfois diuerſemēt meſme hiſtoire:com-
me le iugement des trois meilleurs capitaines
qui euſſent onques eſté, faiƈt par Hannibal, il
eſt autrement recité en la vie de Flaminius, autrement en celle de Pyrrhus. Mais de le charger d'auoir pris pour argent content des choſes
incroyables & impoſſibles, c'eſt accuſer de ſau-
te de iugemēt le plus iudicieux autheur du mōde. Et voicy ſon exēple : Côme, cedit-il, quand
il recite qu'vn enfant de Lacedemone ſe laiſſa
deſchirer tout le ventre a vn renardeau, qu'il a-
uoit derrobé, & le tenoit caché ſoubs ſa robe,
iuſques a mourir plus toſt que de deſcouurir ſon
larcin. Ie trouue en premier lieu cet exemple
mal choiſi: d'autant qu'il eſt bien mal-aiſé de
borner les efforts des facultés de l'ame, la ou
des forces corporelles nous auons plus de loy
de les limiter & cognoiſtre : & a ceſte cauſe ſi
c'euſt eſté a moy a faire, i'euſſe pluſtoſt choiſy
vn exemple de ceſte ſeconde ſorte : & il y en a
de moins croyables côme entre autres ce qu'il
recite de Pyrrhus, que tout bleſſé qu'il eſtoit il
donna ſi grand coup d'eſpée a vn ſien ennemy
armé de toutes pieces, qu'il le fendit du haut de
la teſte iuſques au bas, ſi que le corps ſe partit
en deux parts. En ſon exemple ie n'y trouue pas
grand miracle, ny ne reçois l'excuſe de quoy il
couure Plutarque d'auoir adiouſté ce mot (côme on dit) pour nous aduertir & tenir en bride
noſtre creance. Car ſi ce n'eſt aux choſes receuës

çeuës par authorité & reuerence d'ancienneté
ou de religion, il n'euſt voulu ny receuoir luy
meſme, ny nous propoſer a croire choſes de ſoy
incroyables : Et que ce mot (comme on dit)
il ne l'emploie pas en ce lieu pour cet effeɗ, il
eſt ayſé a iuger par ce que luy meſme nous raconte ailleurs ſur ce ſubieɗ de la patience des
enfans Lacedemoniens, des exemples aduenuz
de ſon temps plus mal-aiſez a perſuader : côme
celuy que Cicero a teſmoigné auſſi auant luy,
pour auoir, a ce qu'il diɗ, eſté ſur les lieux meſmes : que iuſques a leur temps il ſe trouuoit des
enfans en ceſte preuue de patience, a quoy on
les eſſayoit deuant l'autel de Diane, qui ſou-
froient d'y eſtre foytez iuſques a ce que le ſang
leur couloit par tout, non ſeulement ſans s'eſcrier, mais encores ſans gemir, & aucuns iuſques a y laiſſer volontairement la vie. Et ce que
Plutarque auſſi recite auec cêt autres teſmoins,
que au ſacrifice vn charbon ardant s'eſtant eſcoulé dans la manche d'vn enfant Lacedemonien ainſi qu'il encenſoit, il ſe laiſſa bruſler tout
le bras iuſques a ce que la ſenteur de la chair
cuyte en vint aux aſſiſtans. Il n'eſtoit rien ſelon
leur couſtume, ou il leur alaſt plus de la reputation, ny dequoy ils euſſent a ſouffrir plus de
blaſme & de honte, que d'eſtre ſurpris en larcin. Ie ſuis ſi imbu de la grandeur de ces hommes la, que non ſeulement il ne me ſemble, cô-
me a Bodin, que ſon conte ſoit incroiable, que
ie ne

ie ne le trouue pas seulement rare & estrange.
Marcellinus recite ce propos de larcin, que de so
téps il ne s'estoit encores peu trouuer nulle sorte de geine & de tourmét si aspre, qui peut forcer les Egiptiens surpris en larcin, a quoy ils e-
stoiét fort accoustumez & endurcis, a dire seulemét leur nó. Et qui s'enquerra a nos Argolets,
des experiéces qu'ils ont euës en ces guerres ciuiles, il se trouuera des effets de patience, d'ob-
stination & d'opiniatreté par-my nos miserables siecles, & en ceste tourbe molle & effemi-
née, encore plus que l'Egyptienne, dignes d'e-
stre comparez a ceux que nous venons de reciter de la vertu Spartaine. Ie sçay qu'il s'est trouué des simples paysans s'estre laissez griller la
plante des pieds, ecraser le bout des doits a tout
le chien d'vne pistole, pousser les yeux sanglâts
hors de la teste a force d'auoir le front serré &
geiné d'vne grosse corde auant que de s'estre
seulement voulu mettre a rançon. I'en ay veu
vn laissé pour mort tout nud dans vn fossé ayât
le col tout meurtry & enflé d'vn licol qui y pê-
doit encore, auec lequel on l'auoit tirassé toute
la nuict à la queuë d'vn cheual, le corps percé
en cent lieux a coups de dague qu'on luy auoit
donné, non pas pour le tuer, mais pour luy faire
de la doleur & de la crainte : qui auoit souffert
tout cela & iusques a y auoir perdu parolle &
sentiment, resolu, a ce qu'il me dit, de mourir
plus tost de mille morts que de rien promet-
                                                    tre,

tre,& si estoit vn des plus riches laboureurs de
toute la contrée. Combien en a lon veu se laisser patiemment brusler & rotir pour des opinions empruntées d'autruy, ignorées & incon-
nues.Il ne faut pas iuger ce qui est possible& ce
qui ne l'est pas, selon ce qui est croyable & incroyable a nostre portée,cóme i'ay dit ailleurs.
C'est aussi vne grand'faute, & en laquelle toute-fois la plus part des hommes tóbent,de faire difficulté de croire d'autruy ce que nous ne-
sçaurions faire.Moy ie considere aucunes de ces
ames anciennes esleuées iusques au ciel au pris
de la mienne:& encores que ie recónoisse clairement mon impuissance a les suyure,ie ne lais
se pas de iuger les ressortz qui les haussent ainsi & esleuent. I'admire leur grandeur:& ces es-
lancemens que ie trouue tres-beaux,ie les embrasse:& si mes forces n'y vont, au moins mon
iugement s'y applique tres-volontiers. L'autre
exemple qu'il allegue des choses incroyables
& entierement fabuleuses dites par Plutarque:
c'est qu'Agesilaus fut mulcté par les Ephores
pour auoir attiré a soy seul le cœur & volonté
de ses citoyens. Ie ne sçay quelle marque de
fauceté il y treuue: mais tant y a que Plutarque parle la de choses qui luy deuoient estre
beaucoup mieux connues qu'a nous : & n'estoit
pas nouueau en Grece de voir les hommes punis & exiles pour cela seul d'agreer trop a leurs
citoyeus:tesmoin l'Ostracisme & le Petalisme.

Zz

Il y a encore en ce mefme lieu vn'autre accufation qui me picque pour Plutarque, ou il dict qu'il a bien afforty de bonne foy les Romains aux Romains & les Grecz entre euz, mais non les Romains aux Grecz, tefmoin dit-il Demoftenes & Cicero, Caton & Ariftides, Sylla & Lifander, Marcellus & Pelopidas, Pompeius & Agefilaus, eftimant qu'il a fauorifé les Grecz de leur auoir donné des compaignons fi difpareilz. C'eft iuftement s'attaquer a ce que Plutarque a de plus excellent & louable. Car en ces comparaifons (qui eft la piece plus admirable de fes œuures, & en laquelle a mon aduis il s'eft autant pleu) la fidelité & fyncerité de fes iugemens égale leur profondeur & leur pois. C'eft vn philofophe, qui nous appréd la vertu. Voiós fi nous le pourrons garentir de ce reproche de malice & fauceté. Ce que ie puis panfer auoir donné occafion a ce iugement, c'eft ce grand & efclatant luftre des noms Romains, que nous auons en la tefte. Il ne nous femble point que Demofthenes puiffe égaler la gloire d'vn cóful, proconful, & quefteur de cefte grande republique. Mais qui confiderera la verité de la chofe & les hommes en eux mefmes, a quoy Plutarqae a plus vifé, & a balancer leurs meurs, leurs naturelz, leur fuffifance, que leur fortune: ie pêfe au rebours de Bodin, que Ciceron & le vieux Caton en doiuét de refte a leurs compaignons. Pour fon deffein i'euffe pluftoft choifi l'exemple

ple du ieune Caton comparé a Phocion: car en
ce païr il se trouueroit vne plus vray-semblable disparité a l'aduantage du Romain. Quant a
Marcellus, Sylla, & Pompeius, ie voy bien que
leurs exploitz de guerre sont plus enflez, glorieux, & pompeus, que ceux des Grecz, que
Plutarque leur apparie. Mais les actiõs les plus
belles & vertueuses, non plus en la guerre qu'-
ailleurs ne sont pas tousiours les plus fameuses.
Ie voy souuent des noms de capitaines estouffes
soubs la splédeur d'autres nõs de moins de merite, tesmoin Labienus, Ventidius, Telesinus &
plusieurs autres. Et a le prédre par la, si i'auois a
me plaindre pour les Grecz, pourrois-ie pas dire que beaucoup moins est Camillus cõparable
a Themistocles, les Gracches a Agis & Cleomenes, Numa a Licurgus, & Scipion encore a
Epaminundas, qui estoient aussi de son rolle.
Mais c'est folie de vouloir iuger d'vn traict les
choses a tãt de visages. Quand Plutarque les cõpare, il ne les égale pas pourtant. Qui plus disertement & conscientieusement pourroit remerquer leurs disparites & differences? Vient-
il a parangonner les victoires, les exploitz d'armes, la puissance des armées conduites par Põpeius & ses triumphes auec ceux d'Agesilaus?
Ie ne croy pas, dit-il, que Xenophon mesme, s'il
estoit viuant, encore qu'on luy ait concedé d'écrire tout ce qu'il a voulu a l'aduantage d'Agesilaus, osast le mettre en comparaison. Parle-il

de comparer Lifander a Sylla, Il n'y a , dit-
il, point de comparaifon, ny en nombre de victoires, ny en hazard de batailles : car Lifander ne gaigna feulement que deux batailles na-
uales,&c. Cela, ce n'eſt rien defrober aux Romains. Pour les auoir fimplement prefentés
aux Grecz il ne leur peut auoir fait iniure, quelque difparité qui y puiſſe eſtre. Et Plutarque
ne les contrepoife pas entiers . Il n'y a en gros
nulle preference. Il aparie les pieces & les circonſtances l'vne apres l'autre , & les iuge fepa-
rément. Parquoy fi on le vouloit conuaincre de
faueur, il falloiſt en efpelucher quelque iugement particulier, ou dire en general qu'il auroit
failly d'affortir tel Grec a tel Romain: d'autant
qu'il y en auroit d'autres plus correfpondans
pour les apparier & fe rapportans mieux.

CHAP. XXXIII.

L'hiſtoire de Spurina.

LA philofophie ne penfe pas auoir mal employé fes moiens, quand elle a rendu a la raifon la fouueraine maiſtriſe de noſtre ame, &
l'authorité de tenir en bride noz appetitz. Entre lefquelz ceux qui iugent qu'il n'en y a point
de plus violens que ceux que l'amour engendre, ont cela pour leur opinion, que ceux cy tiē-
nent au corps & a l'ame , & que tout l'homme
en fte

en est possedé: en maniere que la santé mesmes
en depend, & est la medecine par fois contrain
te de leur seruir de máquerelage. Mais au contraire, on pourroit aussi dire que le meslange du
corps y apporte du rabais & de l'afoiblissemēt:
car tels desirs sont subiects a satieté & capables
de remedes materielz. Plusieurs ayans voulu
deliurer leurs ames des alarmes continuelles
que leur donnoit cet appetit, se sont seruis d'in-
cision & destranchement des parties esmeues
& alterées. D'autres en ont du tout abatu la force & l'ardeur par frequēte application de choses froides, comme de nege & de vinaigre. Les
haires de nos aieus estoient de cet vsage. C'est
vne matiere tissue de poil de cheual, dequoy les
vns d'entre eux faisoient des chemises & d'autres des ceintures a geéner leurs reins. Vn prince me disoit, il n'y a pas long temps, que pendant sa ieunesse vn iour de feste solemne, en la
court du Roy François premier, ou tout le mōde estoit paré, il luy print enuie de se vestir de
la haire, qui est encores chez luy de monsieur
son pere: mais quelque deuotiō qu'il eust, qu'il
ne sceut auoir la patience d'atendre la nuict
pour se despouiller, & en fut long temps malade, adioustant qu'il ne pensoit pas qu'il y eust
nulle chaleur de ieunesse si aspre, que l'vsage de
ceste recepte ne peut amortir. Toutes-fois a
l'aduanture ne les a il pas essayées des plus cui-
santes. Car l'experience nous faict voir qu'-

vne telle esmotion se maintient bien souuent
soubz des habitz rudes & marmiteux:& que les
haires ne rendent pas tousiours heres ceux qui
les portent. Xenocrates y proceda plus rigou-
reusement:car ses disciples pour essayer sa con-
tinence luy ayant fourré dans son lict Laïs,ce-
ste belle & fameuse courtisane toute nue , sauf
les armes de sa beauté & de ses mignardises &
folastres apastz , sentant qu'en despit de ses discours & de ses regles le corps reuesche & mutin
commençoit a se rendre,il se fit brusler les mêbres qui auoient presté l'oreille a ceste rebellion. La ou les passions qui sont toutes en l'ame
comme l'ambition,l'auarice & autres donnent
bien plus a faire a la raison : car elle n'y peut e-
stre secourue que de ses propres moyens,ny ne
sont ces appetitz la capables de satieté:voire ils
s'esguisent & augmentent par la iouïssance. Le
seul exemple de Iulius Cæsar peut suffire a nous
monstrer la disparité de ses appetits:car iamais
homme ne fut plus adonné aux plaisirs amoureux. Le soin curieux qu'il auoit de sa personne
en est vn tesmoignage, iusques a se scruir a cela
des moiens les plus lascifs qui sussent lors en
vsage:comme de se faire pinceter tout le corps,
& tarder de parfums d'vne extreme curiosité.
Et de soy il estoit beau personnage, blanc, de
belle & alegre taille, le visage plein , les yeux
bruns & vifz, s'il en faut croire Suetone, car
les statues, qui se voïent de luy a Rome ne le
rapportent

rappo rtent pas bien par tout a ceste peinture.
Outre ses femes, qu'il chágea a quatre fois, sans
conter les amours de son enfance auec le Roy
de Bithynie Nicomedes, il eust le pucelage de
ceste tant renommée Royne d'Aegipte Cleo-
patra: tesmoin le petit Cesarion, qui en nasquit.
Il fit aussi l'amour a Eunoé Royne de Mauritan-
nie & a Rome a Posthumia femme de Seruius
Sulpitius, a Lollia de Gabinius, a Tertulla de
Crassus, & a Mutia mesme femme du grand
Pompeius. Qui fut la cause, disent les historiés
Romains, pourquoy son mary la repudia, ce que
Plutarque confesse auoir ignoré. Et les Curions
pere & filz reprocherent despuis a Pompeius,
quand il espousa la fille de Caesar, qu'il se faisoit
gendre d'vn homme qui l'auoit fait coqu, & que
luy mesme auoit accoustumé appeller Aegi-
stlius. Il entretint outre tout ce nombre Seruil-
lia sœur de Caton, & mere de Marcus Brutus,
dont chacun tient que proceda ceste grande a-
fection qu'il portoit a Brutus : par ce qu'il e-
stoit nay en temps, auquel il y auoit apparence
qu'il fut nay de luy . Ainsi i'ay raison ce me
semble de le prendre pour homme extremement adonné a ceste des-bauche & dé
complexion tres-amoureuse . Mais l'autre
passion de l'ambition , dequoy il estoit aussi infiniment blessé venant a combattre celle
la elle luy fit incontinent perdre place. Ses
plaisirs ne luy firent iamais desrober vne seule

minute d'heure, ny deſtourner vn pas des occaſions qui ſe preſentoient pour ſon agrandiſſement. Ceſte paſſion regenta en luy ſi ſouuerainement toutes les autres , & poſſeda ſon ame d'vne authorité ſi pleine qu'elle l'emporta ou elle voulut. Certes i'en ſuis deſpit, quand ie côſidere au demeurant la grandeur de ce perſonnage , & les merueilleuſes parties qui eſtoient en luy , tant de ſuffiſance en toute ſorte de ſçauoir, qu'il n'y a quaſi nulle ſcience en quoy il n'ait eſcrit. Il eſtoit tel orateur , que pluſieurs ont preferé ſon eloquence a celle de Cicero: & luy meſmes, a mon aduis, n'eſtimoit luy deuoir guiere en ceſte partie. Car ſes deux Anticatons, nous ſçauons que la principale occaſion qu'il euſt de les eſcrire, ce fut pour contre-balancer l'eloquence & perfection du parler que Cicero auoit employé au liure de la louange de Caton. Au demeurant fut il iamais ame ſi vigilante, ſi actiue & ſi patiente de labeur que la ſienne ? Et ſans doubte encore eſtoit elle embelie de pluſieurs rares ſemences de vertu , ie dy viues, naturelles , & non contre-faictes. Il eſtoit ſingulierement ſobre, & ſi peu delicat en ſon menger, qu'Oppius recite qu'vn iour luy ayant eſté preſenté a table en quelque ſauce de l'huyle medeciné au lieu d'huyle ſimple, il en mégea largemêt pour ne faire honte a ſon hoſte. Vne autrefois il fit foëter ſon bolengier pour luy a uoir ſeruy d'autre pain que celuy du conmú. Ca

ton

ton mesme auoit acoustumé de dire de luy, Que
c'estoit le premier hôme sobre qui se fut acheminé à la ruine de sopaïs. Et quât a ce que ce mes
me Catô l'appella vn iour yuronne, ce la aduint
en céte faço. Est âs to⁹ deux au Senat, ou ilz parloint du fait de la côiuration de Catilina, de laquelle Cæsar estoit soupçonné, on luy apporta
de dehors vn breuet a cachetes: Caton estimât
que ce fut quelque chose, dequoy les conspirés
l'aduertissent le somma de le luy donner: ce que
Cesar fut contraint de faire, pour euiter vn plus
grand soupçon. C'estoit de fortune vne lettre
amoureuse, que Seruilia sœur de Caton luy es-
criuoit. Caton l'ayant leüe la luy reietta en luy
disant, Tien yurogne. Cela dis-ie, fut plutost vn
mot de desdain & de colere, qu'vn exprés reproche de ce vice, côme souuent nous iniurions
ceux qui nous faschent des premieres iniures
qui nous vienent a la bouche, quoy qu'elles ne
soint nullement deuës a ceux a qui nous les attachons. Ioint que ce vice que Caton luy reproche, est merueilleusement voisin de celuy, auquel il auoit surpris Cæsar. Car Venus & Bac-
chus se conuienent volontiers, a ce que dict le
Prouerbe: mais chez moy Venus est bien plus
allegre accompaignée de la sobrieté. Les exêples de sa douceur & de sa clemêce enuers ceus
qui l'auoient offencé sont infinis : ie dis outre
ceux qu'il donna pendant le temps que la guerre ciuile estoit encore en son progrés, desquels

Zz 5

il fait luy mefmes affez fentir par fes efcris, qu'il
fe feruoit pour amollir fes ennemis enuers luy,
& leur faire moins craindre fa future dominatiõ & faviĉtoire. Mais fi faut il dire que ces exẽ-
ples la, s'ilz ne font fuffifans a nous tefmoigner
fa naiue douceur, ilz nous monftrent au moins
vne merueilleufe confiance & grãdeur de courage en ce perfonnage. Il luy eft aduenu fouuent de renuoyer des armées toutes entieres a
fon ennemy, apres les auoir vaincuës, fans dai-
gner feulement les obliger par ferment, finon
de le fauorifer, au moins de fe cõtenir fans luy
faire guerre. Il a prins a trois & a quatre fois
tels capitaines de Pompeius, & autant de fois
remis en liberté. Pompeius declairoit fes ennemis tous ceux qui ne l'accompaignoint a la
guerre: & luy fit proclamer qu'il tenoit pour a-
mis tous ceux qui ne bougeoint, & qui ne s'ar-
moint effeĉtuellement contre luy. A ceux de
fes capitaines, qui fe defroboient de luy pour
aller prẽdre autre condition, il renuoioit encore les armes, cheuaux, & equipage. Les villes
qu'il auoit prinfes par force, il les laiffoit en
liberté de prendre tel party qu'il leur plairoit,
ne leur donnant autre garnifon que la memoire
de fa douceur & clemence. Il defendit le iour
de fa grande bataille de Pharfale, qu'on ne mit
qu'a toute extremité la main fur les citoiẽs Romains. Voyla des traits bien hazardeux felon
mon iugement. Et n'eft pas merueilles fi aux
guerres

guerres ciuiles, que nous fentons, ceux qui cô-
battent, comme luy, l'eftat ancien de leur païs,
n'en imitent l'exemple. Ce font moiens extraordinaires, & qu'il n'appartient qu'a la fortune
de Cæfar , & a fon admirable pouruoiance de
heureufement conduire. Quand ie confidere la
grandeur incomparable de ceft'ame, i'excufe
la victoire de ne s'eftre peu depeftrer de luy,
voire en cefte tref-iniufte & tres-inique caufe.
Pour reuenir a fa clemence, nous en auons plufieurs naifs exéples au temps de fa dominatiô,
lors que toutes chofes eftâs reduites en fa main
il n'auoit plus a fe feindre . Caius Memmius
auoit efcrit contre luy des oraifons tref-poi-
gnantes : aufquelles il auoit aufli bien aigremêt
refpondu. Si ne laifla il bien toft apres de l'aider a le faire Conful . Caius Caluus qui auoit
fait plufieurs Epigrammes iniurieus contre luy,
ayant employé de fes amis pour le reconcilier,
Cæfar fe conuia luy mefme a luy efcrire le premier. Et noftre bon Catulle, qui l'auoit teftôn-
né fi rudement fous le nom de Mamurra, s'en
eftant venu excufer a luy, il le fit ce iour mefme
fouper a fa table . Ayant efté auerty d'aucuns
qui parloint mal de luy , il n'en fit autre chofe
que de declarer en vne fienne harangue publique qu'il en eftoit aduerty. Il craignoit encore
moins fes ennemis, qu'ils ne les haiffoit. Aucunes coniurations & affemblées, qu'on faifoit contre luy, luy ayant efté defcouuertes, il fe

contenta

contêta de publier par edit qu'elles luy eſtoiét cônues, ſãs autremét en pourſuiure les autheurs. Quant au reſpect qu'il auoit a ſes amis, Caius Oppius voyageant auec luy, & ſe trouuant mal, il luy quitta vn ſeul logis qu'il y auoit, & coucha toute la nuict ſur la dure & au deſcouuert. Quant a ſa iuſtice il fit mourir vn ſien ſeruiteur, qu'il aimoit ſingulierement pour auoir couché auecques la fẽme d'vn cheualier Romain, quoy que perſonne ne s'en plaignit. Iamais homme n'apporta, ny plus de moderation en ſa victoire, ny plus de reſolution en la fortune contraire. Mais toutes ces belles inclinations furêt alterées & eſtouffées, par ceſte furieuſe paſſion ambitieuſe. A laquelle il ſe laiſſa ſi fort emporter, qu'on peut aiſément maintenir qu'elle tenoit le timon & le gouuernail de toutes ſes actions : d'vn homme liberal, elle en rendit vn voleur publique, pour fournir a ceſte profuſiõ & a ſa largeſſe, & luy fit dire ce vilain & tres-iniuſte mot, Que ſi les plus meſchans & perdus hommes du monde luy auoient eſté fideles au ſeruice de ſon agrãdiſſement, qu'il les cheriroit & auanceroit de ſon pouuoir, auſſi bien que les plus gens de bien : l'enyura d'vne vanité ſi extreme, qu'il oſoit ſe vanter en preſence de ſes concitoiens, d'auoir rendu ceſte grande Republique Romaine, vn nom vain ſans forme & ſans corps : & dire que ſes reſponces deuoient meſhuy ſeruir de loix : & receuoir aſſis le corps

du

du Senat venât vers luy:& ſouffrir qu'on l'ado-
rat & qu'on luy fit en ſa preſence des honneurs
diuins. Somme ce ſeul vice a mon aduis perdit
en luy le plus beau, & le plus riche naturel qui
fut onques:& a rendu ſa memoire abominable
a tous les gens de bien, pour auoir voulu chercher ſa gloire de la ruine de ſon pays, & ſub-
uerſion de la plus puiſſante & fleuriſſante choſe publique que le monde verra iamais. Il ſe
pourroit bien au contraire trouuer pluſieurs
exemples de grands perſonnages, auſquels la
volupté a faict oublier la conduite de leurs affaires, comme Marcus Antonius & autres. Mais
ou l'amour & l'ambition ſeroient en égale balance & viendroient a ſe choquer de forces pareilles, ie ne fay nul doubte que ceſtecy ne gaignat le pris de la maiſtriſe. Or pour me remettre ſur mes premieres briſées, c'eſt beaucoup
de pouuoir brider nos appetits par le diſcours
de la raiſon, ou de forcer nos membres par vio-
léce a ſe tenir en leur deuoir: mais de nous foiter pour l'intereſt de noz voiſins, de non ſeulement nous deffaire de ceſte douce paſſion, qui
nous chatouille du plaiſir que nous ſentons de
no° voir agreables a autrüy, & aymés & recher-
chés d'vn chaſcun, mais encore de prendre en
haine, & a contre-cœur noz graces, qui en ſont
cauſe, & de condamner noſtre beauté, par ce
que quelqu'autre s'en eſchauffe, ie n'en ay veu
guiere d'exemples. C'eſtuy-cy en eſt. Spurina
ieune

ieun'homme de la Toscane , estant doué d'vne
singuliere beauté,& si excessiue que les yeus des
dames, les plus côtinantes ne pouuoint en souffrir l'esclat sans alarme,ne se contenta point de
laisser sans secours tant de fiebure & de feu
qu'il aloit atisant par tout ou ses yeux se faisoint
voir:mais encore il entra en furieux despit côtre soy-mesmes & contre ces riches presens,
que nature luy auoit faits , côme si on se deuoit
prendre a eux de la faute d'autruy,& détailla &
troubla a force de playes,qu'il se fit a escient &
de cicatrices,la parfaicte proportion & ordonnance,que nature auoit si curieusemét obseruée
en son visage.

CHAP. XXXIIII.

Obseruations sur les moyens de faire la guer-
re,de Iulius Cæsar.

ON recite de plusieurs chefs de guerre qu'ils
ont eu certains liures en particuliere recô-
mandation , comme le grand Alexandre, Homere : Marcus Brutus, Polybius: Charles cinquiesme, Philippe de Comines. Et dit on de ce
temps , que Machiauel est encores ailleurs en
credit.Mais le feu Mareschal Strossy,qui auoit
pris Cæsar pour sa part, auoit sans doubte biê
mieux choisi.Car a la verité ce deuroit estre le
breuiaire de tout homme de guerre côme estât
le vray

vray & fouuerain patron de l'art militaire. Et
Dieu fçait encore de quelle grace & de quelle
beauté il a fardé ceste riche matiere:d'vne façõ
de dire fi pure, fi delicate & fi parfaite, que a
mon goust il n'y a nuls efcrits au monde, qui
puiffent eftre comparables aux fiens en cefte
partie. Ie veux icy enregiftrer certains traits
particuliers & rares, fur le fait de fes guerres,
qui me font demeurés en memoire. Son armée
eftant en quelque effroy,pour le bruit qui couroit des grandes forces, que menoit contre luy
le Roy Iuba, au lieu de rabattre l'opinion que
fes foldatz en auoint prife, & appettiffer les
moyens de fon ennemy, les ayant faict affem-
bler pour les raffeurer & leur donner courage,
il print vne voye toute contraire a celle que
nous auons acouftumé. Car il leur dit qu'ils
ne fe miffent plus en peine de s'équerir des forces que menoit le Roy Iuba,& qu'il en auoit eu
vn bien certain aduertiffement:& lors il leur en
fit le nombre furpaffant de beaucoup & la verité & la renõmée qui en couroit en fon armée,
fuyuãt ce que cõfeille Cyrus en Xenophõ:d'autant que la trõperie n'eft pas fi grande de trouuer les ennemis par effet plus foybles,qu'õ n'a-
uoit efperé:que les ayant iugez foybles par reputation,les trouuer apres a la verité biẽ forts.
Il accouftumoit fur tout fes foldatz a obeyr
fimplement, fans fe mefler de contreroller ou
parler des deffeins de leur capitaine , lefquelz
il ne

il ne leur communiquoit que ſur le point de l'execuᵗⁱᵒ̃:& prenoit plaiſir s'ils en auoiẽt deſ-couuert quelque choſe, de chãger ſur le champ d'aduis pour les tromper. Et ſouuent pour ceſt effeᶜᵗ ayant aſſigné vn logis en quelque lieu, il paſſoit outre & alongeoit la iournée, & notãm-mẽt s'il faiſoit mauuais temps & pluuieux. Les Souiſſes au commencement de ſes guerres de Gaule, ayans enuoyé vers luy pour leur dóner paſſage au trauers des terres des Romains, eſtãt deliberé de les en empeſcher par force, il leur contrefit toutes-fois vn bon viſage , & print quelques iours de delay a leur faire reſponce pour ſe ſeruir de ce loiſir, a aſſẽbler ſon armée. Ces pauures gens ne ſçauoient pas combien ce perſonnage eſtoit excellent meſnager du tẽps. Car il redit maintes-fois que c'eſt la plus ſou-ueraine partie d'vn capitaine, que la ſcience de prendre au point les occaſions, & la diligence, qui eſt en ſes exploits a la verité inouye & in-croyable . S'il n'eſtoit guiere conſcientieus en cela de prendre aduantage ſur ſon ennemy, ſous couleur d'vn traité d'accord: il l'eſtoit auſſi peu en ce qu'il ne requeroit en ſes ſoldats autre ver-tu que la vaillance, ni ne puniſſoit guiere autres vices que la mutinatiõ & la deſobeiſſance. Sou-uent apres ſes viᶜᵗoires, il leur láchoit la bride a toute licẽce, les diſpenſant pour quelque tẽps des regles de la diſcipline militaire, adioutant a cela, qu'il auoit des ſoldatz ſi bien créez, que

tous

tous perfumez & mufquez ilz ne laiſſoiĉt pas
d'aller furieuſement au combat. De vray il aymoit qu'ilz fuſſent richemét armez, & leur faiſoit porter des harnois labourez, dorez & ar-
gentez : afin que le ſoing de la conſeruation de
leurs armes les rendit plus aſpres a ſe defendre.
Parlát a eux il les appelloit du nom de côpai-
gnons, que nous vſons encore. Ce qu'Auguſte
ſon ſucceſſeur reforma, eſtimant qu'il l'auoit
ſait pour la neceſſité de ſes affaires, & pour flater le cœur de ceux qui ne le ſuyuoint que volô-
tairemét : mais que ceſte façô eſtoit trop molle
& trop rabaiſſée, pour la dignité d'vn Empereur & general d'armée, & remit en train de
les appeller ſeulemĉt ſoldatz. A ceſte courtoi-
ſie Cæſar meſloit toutes-fois vne grande ſeue-
rité & aſſeurance a les reprimer. La neuſieſme
legion s'eſtant mutinée au pres de Plaiſance, il
la caſſa auec ignominie, quoy que Pompeius
fut lors encore en pieds, & ne la receut en grace
qu'auec pluſieurs ſupplications. Il les rapaiſoit
plus par authorité & par audace que par douceur. La ou il parle de ſon paſſage de la riuiere du Rhin vers l'Alemaigne, il dit qu'eſtimant
indigne de l'honneur du peuple Romain, qu'il
paſſaſt ſon armée a nauires, il fit dreſſer vn pôt
afin qu'il paſſat a pied ferme. Ce fut la qu'il bá-
tiſt ce pont admirable, dequoy il dechifre particulierement la fabrique : car il ne s'arreſte ſi
volôtiers en nul endroit de ſes faicts, qu'a nous

Aaa

representer la subtilité de ses inuentions en telle sorte d'ouurages de main. I'y ay aussi remarqué cela qu'il fait grand cas de ses exhortations aux soldatz auant le combat . Car la ou il veut monstrer auoir esté surpris, ou pressé, il allegue tousiours cela, qu'il n'eust pas seulemēt loysir de haranguer son armée. Auant ceste grande bataille côtre ceux de Tornay, Cæsar, dict il, ayāt ordonné du reste courut soudainemēt, ou la fortune le porta. pour enhorter ses gens, & rencontrant la dixiesme legion, il n'eust loisir de leur dire, sinon qu'ilz eussent souuenāce de leur vertu acoustumée, qu'ils ne s'estonnassent point, & soustinsent hardiment l'effort des aduersaires. Et par ce que l'ennemy estoit des-ia approché a vn iet de trait, il dôna le signe de la bataille: & de la estant passé soudainement ailleurs pour en encourager d'autres, il trouua qu'ilz estoiēt des-ia aux prises. Voyla ce qu'il en dict en ce lieu la. De vray sa langue luy a fait en plusieurs lieus de bien notables seruices , & estoit de son temps mesme, son eloquence militaire en telle recommendation , que plusieurs en son armée recueilloint ses harangues. Et par ce moyen, il en fut assemblé des volumes, qui ont duré long temps apres luy. Sô parler auoit des graces particulieres , si que ses familiers, & entre autres Auguste , oyant reciter ce qui en auoit esté recueilli, reconnoissoit iusques aus phrases, & aus mots ce qui n'estoit pas du sien. C'estoit le plus

labo-

laborieux chef de guerre,& le plus diligent qui
fut onques. La premiere fois qu'il fortit de Rome auec charge publique, il arriua en huit iours
a la riuiere du Rhone, ayant dans fa coche deuant luy vn fecretaire ou deux qui efcriuoint
fans ceffe, & derriere luy celuy qui portoit fon
efpée. Et certes quãd on ne feroit qu'aler, a peine pourroit on atteindre a cefte promptitude,
dequoy toufiours victorieux ayãt laiffé la Gaule, & fuiuant Pompeius a Brindes, il fubiuga
l'Italie en dixhuit iours, reuint de Brindes a
Rome, de Rome il s'en alla au fin fond de l'Efpaigne, ou il paffa des difficultez extremes en
la guerre contre Affranius & Petreius, & au
lóg fiege de Marfeille. De la il s'é retourna en
la Macedoine, battit l'armée Romaine a Pharfale, paffa de la fuiuant Pompeius en AEgypte,
laquelle il fubiuga, d'Aegypte il vint en Syrie
& au païs du Pont, ou il combatit Pharnaces:
de la en Affrique, ou il deffit Scipion & Iuba:&
rebrouffa encore par l'Italie en Efpaigne, ou il
deffit les enfans de Pompeius. Parlant du fiege
d'Auaricum, il dit que c'eftoit fa couftume de
fe tenir, nuict & iours pres des ouuries, quil a-
uoit en befoigne. En toutes entreprifes de confequence, il faifoit toufiours la defcouuerte luy
mefme,& ne paffa iamais fõ armée en lieu qu'il
n'eut premieremẽt reconnu. Et fi nous croyons
Suetone, quand il fit l'entreprife de traietter
en Angleterre, il fut le premier a fonder le gué.

Il auoit acoustumé de dire, Qu'il aimoit mieus la victoire qui se conduisoit par conseil que par force. Et en la guerre contre Petreius & Afranius la fortune luy presentant vne bien apparáte occasion d'aduátage, il la refusa, dit il, esperant auec vn peu plus de longueur, mais moins de hazard venir a bout de ses ennemis. Ie le trouue vn peu plus retenu & consideré en ses entreprinses qu'Alexandre : car cestuy-cy semble rechercher & courir a force les dangiers, comme vn impetueux torrent, qui choque & attaque sans discretion & sans chois, tout ce qu'il rencontre . Aussi estoit-il embesoigné en la fleur & premiere chaleur de son aage, la ou Cęsar s'y print estant des-ia meur & bien auancé. Outre ce qu'Alexandre estoit d'vne temperature plus sanguine, colere, & ardente : & si esmouuoit encore ceste humeur par le vin , duquel Cęsar estoit tres-abstinent . Mais ou les occasions de la necessité se presentoient , & ou la chose le requeroit , il ne fut iamais homme faisant si bon marché de sa personne . Quant a moy il me semble lire en plusieurs de ses exploitz , vne certaine resolution de se perdre pour fuyr la honte d'estre vaincu. En ceste gráde bataille qu'il eut contre ceux de Tournay, il courut se presenter a la teste des ennemis, sans boucler , comme il se trouua, voyant la pointe de son armée s'esbranler. Ce qui luy est aduenu plusieurs autres-fois. Oyant dire que ses
gens

gens estoient assiegés, il passa desguisé au trauers l'armée ennemie pour les aller fortifier
de sa presence. Ayant trauersé a Dyrrachium
auec bien petites forces & voyant que le reste
de son armée qu'il auoit laissée a côduire a Antonius tardoit a le suiure, il entreprit luy seul
de repasser la mer au trauers d'vne tres-gran-
de tormente : & se desroba pour aller requerir
luy mesme le reste de ses forces, les ports de
dela, & toute la mer estât saisie par Pompeius.
Et quant aus entreprises, qu'il a faites a main ar-
meé, il y en a plusieurs qui surpassent en hazard tout discours de raison militaire: car auec
combien foibles moyens entreprint il de sub-
iuger le Royaume d'AEgypte: & despuis d'aller attaquer les forces de Scipion & de Iuba,
de dis parts plus grandes que les siennes? Ces
gens la ont eu ie ne sçay quelle plus qu'humaine & extraordinaire confiance de leur fortune.
Apres la bataille de Pharsale ayant enuoyé son
armée deuant en Asie, & passant auec vn seul
vaisseau le destroit de l'Helespont, il rencontra
en mer Lucius Cassius, auec dix gros nauires
de guerre. Il eut le courage non seulement
de l'attendre, mais de tirer droit vers luy, &
le sommer de se rendre:& en vint a bout. Ayât
entrepris ce furieux siege d'Alexia, ou il y a-
uoit quatre vints mille hommes de deffence,
toute la Gaule s'estant esleuée pour luy courre
sus,& leuer le siege, & dressé vn armée de cent

neuf mille cheuaux, & de deux cens quarente
mille hômes de pied, quelle hardiesse & ma-
niacle confiance fut ce de n'en vouloir abandô-
ner son entreprise,& se resoudre a deux si grandes difficultez ensemble? Lesquelles toutesfois
il soustint: & apres auoir gaigné ceste grande
bataille contre ceux de dehors,rengea biê tost
apres a sa mercy ceux qu'il tenoit enfermés. Il
en aduint autât a Lucullus au siege de Tigrano-
certa contre le Roy Tygranes,mais d'vne condition dispareille veu la mollesse des ennemis,
a qui Lucullus auoit affaire. Ie veus icy remerquer deux rares euenemens & extraordinaires,
sur le fait de ce siege d'Alexia,l'vn que les Gaulois s'assemblans pour venir trouuer là Cæsar,
ayans faict denombrement de toutes leurs forces,resolurent en leur conseil de retrancher vne
bonne partie de ceste grâde multitude,de peur
qu'ils n'en tombassent en confusion. Cest exêple est rare & nouueau de craindre a estre trop:
mais a le bien prendre , il est vray-semblable
que le corps d'vne armée doit auoir vne grandeur moderée & reglée a certaines bornes,soit
pour la difficulté de la nourrir,soit pour la difficulté dela côduire & tenir en ordre. Aumoins
seroit il bien aisé a verifier par exemple,que ces
armées monstreuses en nombre n'ont iamais
rien fait qui vaille.L'autre point,qui semble e-
stre contraire & a l'vsage & a la raison de la
guerre,c'est que Vercingentorix, qui estoit nô-

mé

mé chef & general de toutes les parties des
Gaules, qui estoient reuoltées contre Cæsar,
print party de s'aller enfermer dans Alexia.
Car celuy qui cômande a tout vn pays, ne se doit
iamais engager qu'au cas de ceste extremité,
qu'il fut reduit a ce point, qu'il y alat de sa derniere place, & qu'il n'y eut rien plus a esperer
qu'en la deffence d'icelle. Autrement il se doit
tenir libre, pour auoir moyen de pouruoir en
general a toutes les parties de son gouuernement. Pour reuenir a Cæsar, il deuint auec le
temps vn peu plus tardif & plus consideré, côme tesmoigne son familier Oppius: estimant,
dict Suetone, qu'il ne deuoit aysemêt hazarder
l'honneur de tant de victoires, lequel vne seule
défortune luy pourroit faire perdre. C'est ce
que disent les Italiens de ce têps, quand ils veulent reprocher ceste hardiesse temeraire qui se
void en la ieunesse: ils disent qu'ils sont necessi-
teus d'hôneur *bisognosi d'honore*:& qu'estant encore en ceste grâde fain & disete de reputatiô
ilz ont raison de la chercher a quelque pris que
ce soit: ce que ne doiuent pas faire ceux qui en
ont desia acquis a suffisâce. Il y peut auoir quelque iuste moderation en ce desir de gloire, &
quelque sacieté en cest appetit, comme aux autres. Assez de gens le practiquent ainsi. Il estoit
bien esloigné de ceste religion des anciês Romains, qui ne se vouloient preualoir en leurs
guerres que de la vertu simple & naifue: Mais

encore y aportoit il plus de côscience que nous ne feriôs a ceste heure, & n'aprouuoit pas toutes sortes de moyens, pour acquerir la victoire. En la guerre contre Ariouistus estant a parlementer auec luy, il y suruint quelque remuement entre les deux armées, qui commença par la faute des gês de cheual d'Ariouistus. Sur ce tumulte, Cçsar se trouua auoir fort grâd aduãtage sur ses ennemis: toutes-fois il ne s'en voulut point preualoir, de peur qu'on luy peut reprocher d'y auoir procedé de mauuaise foy. Il auoit accoustumé de porter vn accoustremêt riche au combat, & de couleur esclatante pour se faire remarquer. Il tenoit la bride plus estroite a ses soldats, & les tenoit plus de court estât pres des ennemis. Quand les anciens Grecs vouloint accuser quelqu'vn d'extreme insuffisance, ils disoint en commû prouerbe, Qu'il ne sçauoit ny lire ny nager. Il auoit ceste mesme opinion que la science de nager estoit tres-vtile a l'vsage de la guerre, & en tira luy mesmes plusieurs cômoditez. S'il auoit a faire diligence, il franchissoit ordinairement a la nage les riuieres qu'il rencontroit: car il aymoit a voyager a pied côme le grand Alexandre. En Aegipte ayant esté forcé pour se sauuer de se ietter dans vn petit bateau, & tant de gens s'y estant lancés quant & luy, qu'il estoit en dâgier d'aler afons, il ayma mieux se ietter en la mer, & gaigna sa flote a nage: qui estoit a pl° de deux cêts

pas

pas de la, tenant en fa main gauche fes tablettes
hors de l'eau & trainant a belles dents fon ac-
couftrement: afin que l'ennemy ne iouyt de fa
defpouille: eftant def-ia bien auancé fur l'eage,
ia mais chef de guerre n'euft tant de creance
fur fes foldats. Au commancement de fes guerres ciuiles , les centeniers luy offrirent de fou-
doyer chacun fur fa bourfe vn homme d'armes,
& les gens de pied de le feruir a leurs defpens:
ceux qui eftoient plus ayfez entreprenants encore a deffrayer les plus neceffiteux. Feu monfieur l'Admiral de Chatillon nous fit veoir dernierement vn pareil tret en nos guerres ciuiles:
car les François de fon armée fourniffoient de
leurs bourfes au payement des eftrangiers, qui
l'accompagnoient. Il ne fe touueroit guiere
d'exemples d'affection fi ardente & fi prefte
par-my ceux, qui marchent dans le vieux train
foubz l'ancienne police des lois. Ayant eu du
pire aupres de Dirrachium, fes foldats fe vindrent d'eux mefines offrir a eftre chafties & punis: de façon qu'il euft plus a les confoler qu'a
les tencer . Vne fienne feule cohorte fouftint
quatre legiós de Pompeius plus de quatre heures, iufques a ce qu'elle fut quafi toute deffaite
a coups de trait, & fe trouua dans la trenchée
cent trente mille fleches . Vn foldat nommé
Scæua , qui commandoit a vne des entrées , s'y
meintint inuincible ayant vn œuil creué, vne
efpaule & vne cuiffe percées & fon efcu faucé

en deux cents trente lieus. Il est aduenu a plusieurs de ses soldats pris prisonniers d'accepter plustost la mort que de vouloir promettre
de prendre autre party. Granius Petronius
ayant esté pris par Scipion en Affricque, Scipion ayant fait mourir ses compaignons luy mã
da qu'il luy donnoit la vie, car il estoit homme
de reng & questeur: Petronius respondit que les
soldats de Cæsar auoient accoustumé de donner la vie a autruy non la receuoir: & se tua tout
soudain de sa main propre. Il y a infinis exemples de leur fidelité. Il ne faut pas oblier le trait
de ceux qui furent assieges a Salone ville parti-
zane pour Cæsar contre Pompeius, pour vn rare accident qui y aduint & extraordinaire. Mar
cus Octauius les tenoit assieges. Ceux de dedãs
estans reduits en extreme necessité de toutes
choses: en maniere que pour suplir au deffaut
qu'ils auoient d'hômes la plus part d'entre eux
y estans mors & blesses, ils auoient mis en liberté tous leurs esclaues, & pour le seruice de
leurs engins auoient esté contrains de couper
les cheueus de toutes les femmes pour en faire
des cordes, outre vne merueilleuse disette de
viures, & ce neantmoins resolus de iamais ne se
rendre. Apres auoir trainé ce siege en grande
longeur, d'ou Octauius estoit deuenu plus nonchalant, & moins attentif a son entreprinse, ilz
choisirent vn iour sur le midy, & ayãt rangé les
femmes & les enfans sur leurs murailles pour
faire

faire bonne mine sortirent en telle furie sur les
assiegeás, qu'ayant enfoncé le premier, le secõd
& tiers corps de garde, & le quatriesme & puis
le reste, & ayãt faict du tout abandõner les trã-
chées les chasserent iusques dans les nauires : &
Octauius mesmes se sauua a Dirachiú, ou estoit
Pompeius. Ie n'ay point memoire pour cet'-
heure d'auoir veu nul autre exemple, ou les assieges battent en gros les assiegeans & gaignẽt
la maistrise de la compaigne, ny qu'vne sortie
ait tiré en consequence vne pure & entiere victoire de bataille.

CHAP. XXXV.

Des trois bonnes femmes.

IL n'en est pas a douzaines, comme chacun
sçait, & notamment aux deuoirs de mariage.
Car c'est vn marché plein de tant d'espineuses
circonstances, qu'il est mal-aisé que la volonté
d'vne femme s'y maintienne entiere long téps.
Les hommes quoy qu'ils y soyent auec vn peu
meilleure condition, y ont prou a-faire. Pline
le ieune auoit pres d'vne sienne maison en Italie vn voisin merueilleusement tourmenté de
quelques vlceres, qui luy estoient suruenues
autour des parties honteuses. Sa femme le voyant si longuement languir le pria de permettre, qu'elle veit a loisir & de pres l'estat de son
mal, & qu'elle luy diroit plus franchement que
nul

nul autre ce qu'il auoit a en esperer. Apres a-
uoir obtenu cela de luy,& l'auoir curieusement
consideré, elle trouua qu'il estoit impossible,
qu'il en peut guerir , & que tout ce qu'il auoit a
attandre, c'estoit de trainer fort long temps vne
vie doloreuse & languissante . Si luy conseilla
pour le plus seur & souuerain remede de se tuer,
& le trouuant vn peu mol a vne si rude entreprise, Ne pēse point, luy dit elle, mon amy, que
les douleurs que ie te voy souffrir ne me
touchent autant qu'a toy, & que pour m'en
deliurer ie ne me vueille seruir moy-mesme
de ceste medecine, que ie t'ordonne. Ie te
veux accompaigner a la guerison comme i'ay
fait a la maladie : oste ceste crainte & pense
que nous n'aurons que du plaisir en ce passage, qui nous doit deliurer de tels tourmens.
Nous nous en irons heureusement ensemble.
Cela dit, & ayant rechauffé le courage de son
mary elle resolut qu'ilz se precipiteroient en la
mer par vne fenestre de leur logis, qui y respō-
doit. Et pour maintenir iusques a sa fin ceste
loyale & vehemente affection, dequoy elle l'a-
uoit embrassé pendant sa vie, elle voulut encore qu'il mourut entre ses bras, mais de peur qu'-
ilz ne luy faillissent, & que les estraintes de ses
anlassemēs ne vinsent a se relácher par la cheute & la crainte, elle se fit lier & attacher bien e-
stroittemēt auec son mary par le faus du corps,
& abandonna ainsi sa vie pour le repos de celle
de son

de son mary. Celle la estoit de baslieu, & parmy telle condition de gens il n'est pas si nouueau d'y voir quelque trait de rare bonté.

Extrema per illos
Iustitia excedens terris vestigia fecit.

Les autres deux sont nobles & de grand lieu, ou les exemples de vertu se logent rarement. Arria femme de Cecinna Pætus personnage consulaire fut mere d'vn autre Arria féme de Thrasea Pætus, celuy duquel la vertu fut tant renommée du temps de Neron, & par le moyen de ce gendre mere grand de Fannia, car la resemblãce des noms de ces hommes & femmes & de leurs fortunes en a fait mesconter plusieurs. Ceste premiere Arria, Cæcinna Pætus son mary ayant esté prins prisonnier par les gés de l'Empereur Claudius apres la deffaicte de Scribonianus, duquel il auoit suiuy le party, supplia ceux qui l'en amenoient prisonnier a Rome de la receuoir dans leur nauire, ou elle leur seroit de beaucoup moins de despence & d'incommodité qu'vn nombre de personnes qu'il leur faudroit, pour le seruice de son mary: & qu'elle seule fourniroit a sa chambre, a sa cuisine, & a tous autres offices. Ilz l'en refuserent: & elle s'estant iettée dans vn bateau de pécheur, qu'elle loua sur le champ, le suiuit en ceste sorte despuis la Sclauonie. Comme ils furent a Rome, vn iour en presence de l'Empereur Iunia vesue de Scribonianus s'estant acostée d'elle familierement

pour

pour la focieté de leurs fortunes, elle la repouſ-
ſa rudement auecques ces parolles: Moy, dit-elle, que ie parle a toy , ny que ie t'eſcoute, a toy,
au giron de laquelle Scribonianus fut tué, & tu
vis encore? Ces parolles auec pluſieurs autres
ſignes firent ſentir a ſes parens, qu'elle eſtoit
pour ſe deffaire elle meſme, impatiente de ſup-
porter la fortune de ſon mary. Et Thraſea ſon
gendre la ſupliant ſur ce propos de ne ſe vouloir perdre & luy diſant ainſi , quoy ? ſi ie cour-
rois pareille fortune a celle de Cæcinna , vou-
driez vous que ma femme voſtre fille en fit de
meſme? Commant dõq? ſi ie le voudrois reſpon
dit elle : ouy ie le voudrois , ſi elle auoit veſcu auſſi long temps & d'auſſi bon accord auecq
toy, que i'ay faict auec mon mary. Ces reſponces augmentoient le ſoing, qu'on auoit d'elle,
& faiſoient qu'on regardoit de plus pres a ſes
deſportemens. Vn iour apres auoir dit a ceux
qui la gardoient, Vous auez beau faire, vous me
pouuez bien faire plus mal mourir, mais de me
garder de mourir vous ne ſçauriez, s'eſlaçant fu
rieuſemẽt d'vne chaire, ou elle eſtoit aſſiſe, s'alla de toute ſa force choquer la teſte contre la pa
roy voiſine : duquel coup eſtant cheute de ſon
long euanouye & fort bleſſée, apres qu'on l'eut
a toute peine faite reuenir : Ie vous diſois bien
dit elle, que ſi vous me refuſiez quelque façon
aiſée de me tuer i'en choiſirois quelque autre
pour mal -aiſée qu'elle fut. La fin d'vne ſi admirable vertu fut telle , Son mary Pætus

n'ayant pas le cœur aſſez ferme de ſoy-meſme
pour ſe donner la mort, a laquelle la cruauté de
l'Empereur le rengeoit, vn iour entre autres a-
pres auoir premierement emploié les diſcours
& enhortemens, qu'elle eſtimoit propres au côſeil, qu'elle luy donnoit de ce faire, elle print le
poignart, que ſon mary portoit: & le tenãt trait
en ſa main pour la concluſion de ſon enhorta-
tion, fais ainſi Pætus, luy dit elle. Cela dit s'en
eſtant donné vn coup mortel dans l'eſtomach,
& puis l'arrachãt de ſa plaïe, elle le luy preſẽta
finiſſant quãt & quãt ſa vie auec ceſte noble, genereuſe, & immortelle parolle, *Pæte non dolet.*
Elle n'euſt loiſir que de dire ces trois parolles
d'vne ſi belle ſubſtance, tien Pætus il ne m'a
point faict de mal.

Caſta ſuo gladium cum traderet Arria Pæto,
    Quem de viſceribus traxerat ipſa ſuis.
Si qua fides, vulnus quod feci, non dolet, inquit:
    Sed quod tu facies, id mihi Pæte dolet.

Il eſt bien plus vif en ſon naturel & d'vn ſens
plus riche. Car & la plaïe & la mort de ſon ma
ry & les ſiẽnes, tant s'en faut qu'elle luy poiſaſ-
ſent, qu'elle en auoit eſté la conſeillere & pro-
motrice: mais aiant fait ceſte haute & coura-
geuſe entrepriſe pour la ſeule commodité de
ſon mary, elle regarde encore a luy, au dernier
trait de ſa vie, & a luy oſter la crainte, en quoy
il eſtoit de ſuiure ſon conſeil. Pætus ſe frappa
tout ſoudain de ce meſme glaiue, honteux a
                                                    mon

mon aduis d'auoir eu befoin d'vn fi cher & pre
tieux enfeignement· Pompeia Paulina ieune &
tref-noble Dame Romaine auoit efpoufé Se-
nequa en fon extreme vieilleffe. Neró fon beau
difciple ayãt enuoyé fes fatellites vers luy pour
luy denoncer l'ordonnance de fa mort, ce qui
fe faifoit en cefte maniere: Quand les Empereurs Romains de ce temps auoient condamné
quelque homme de qualité, ilz luy mandoyent
par leurs officiers de choifir quelque mort a fa
pofte, & de la prendre dans tel ou tel delay
qu'ilz luy faifoient prefcrire felon la trempe
de leur colere, tantoft plus preffé, tantoft plus
long, luy donnant terme pour difpofer pendant
ce temps la de fes affaires, & quelque fois luy
oftant le moien de ce faire par la briefueté du
temps: & fi le condamné eftriuoit a leur ordõnance, ils menoient des gens propres a l'executer, ou luy coupant les veines des bras & des
iambes, ou luy faifant aualler du poifon par force: mais les perfonnes d'honneur n'attendoiét
pas cefte neceffité, & fe feruoient de leurs propres medecins & chirurgiens a cet effet, Seneca ouit leur charge d'vn vifage paifible & affeu
ré, & apres demanda du papier pour faire fon
teftament. Ce que luy ayant efté refufé par le
capitaine, fe tournant vers fes amis, Puis que ie
ne puis (leur dit-il) vous laiffer aultre chofe en
recõnoiffãcede ce que ie vous doy, ie vous laiffe
au moins ce que i'ay de plus beau, a fçauoir l'i-
mage

mage de mes meurs & de ma vie, laquelle ie
vous prie conſeruer en voſtre memoire : affin
qu'en ce faiſant vous acqueriez la gloire de ſin-
ceres & veritables amis : & quant & quant ap-
paiſant tâtoſt l'aigreur de la douleur, qu'il leur
voyoit ſouffrir par douces parolles, tantoſt roidiſſant ſa voix pour les en tancer. Ou ſont, diſoit il, ces beaux preceptes de la philoſophie?
Que ſont deuenues les prouiſions que par tant
d'années nous auons faictes contre les accidens
de la fortune? La cruauté de Neron nous eſtoit
elle inconnue? que pouuions nous attendre de
celuy qui auoit tué ſa mere & ſon frere, ſinon
qu'il fit encor mourir ſon gouuerneur, qui l'a
nourry & eſleué? Apres auoir dit ces parolles
en commun il ſe deſtourna a ſa femme & l'embraſſant eſtroitement, comme par la peſanteur
de la douleur elle deſtailloit de cœur & de forces, la pria de porter vn peu plus patiemment
cet accident pour l'amour de luy, & que l'heure
eſtoit venue, ou il auoit a monſtrer non plus par
diſcours & par diſputes, mais par effet, le fruit
qu'il auoit tiré de ſes eſtudes, & que ſans doubte il embraſſoit la mort non ſeulement ſans dou
leur mais auecques allegreſſe. Parquoy m'amie
diſoit il, ne la deſhonore pas par tes larmes: affin
quil ne ſemble que tu t'aimes plus que ma reputation : appaiſe ta douleur & te conſole en la
connoiſſance, que tu as eu de moy & de mes
actions, conduiſant le reſte de ta vie par les ho-

Bbb

neſtes occupations, auſquelles tu es adonnée.
A quoy Paulina ayant vn peu repris ſes eſpritz
& rechauffé la magnanimité de ſon courage par
vne treſ-noble affection: Non Seneca, reſpondit
elle, ie ne ſuis pas pour vous laiſſer ſans ma có-
paignie en telle neceſſité : ie ne veux pas que
vous penſiez, que les vertueux exemples de voſtre vie ne m'ayent encore apris a ſçauoir bien
mourir: & quand le pourroy-ie ny mieux, ny
plus honneſtement, ny plus a mon gré qu'auecques vous? ainſi faites eſtat que ie m'en vay
quant & vous. Lors Seneca prenant en bonne
part vne ſi belle & glorieuſe deliberation de
ſa femme, & pour ſe deliurer auſſi de la crainte
de la laiſſer apres ſa mort a la mercy & cruauté de ſes ennemys, Ie t'auoy Paulina, dit-il, con-
ſeillé ce qui ſeruoit a conduire plus heureuſe-
ment ta vie: tu aymes donc mieux l'honneur de
la mort, vrayement ie ne te l'enuieray point.
La conſtance & la reſolution ſoyent pareilles
a noſtre commune fin: mais la nobleſſe & la
gloire en ſoit plus grande de ta part. Cela
fait on leur couppa en meſme temps les veines
des bras: mais par ce que celles de Seneca reſ-
ſerrées tant par la vieilleſſe, que par ſon abſti-
nence donnoient au ſang le cours trop long &
trop lâche, il commanda qu'on luy couppat
encore les veines des cuiſſes: Et de peur que le
tourment qu'il en ſouffroit, n'attendrit le cœur
de ſa femme, & pour ſe deliurer auſſi ſoy-meſme de

me de l'affliction, qu'il ſouffroit de la veoir en
ſi piteux eſtat, apres auoir treſ-amoureuſement
pris congé d'elle, il la pria de permettre qu'on
l'emportât en la chambre voiſine, comme on
feiſt : mais toutes ces inciſions eſtant encore
inſuffiſantes pour le faire mourir, il commanda
a Statius Anneus ſon medecin de luy donner
vn breuuage de poiſon, qui n'euſt guiere, non
plus d'effect. Car pour la foibleſſe & froideur
des membres elle ne peut arriuer iuſques au
cœur. Par ainſi on luy fit outre-cela apreſter
vn baing fort chaud : & lors ſentant ſa fin prochaine autant qu'il euſt d'halaine, il continua
des diſcours treſ-excellans ſur le ſubiect de l'e-
ſtat ou il ſe trouuoit, que ſes ſecretaires re-
cueillirent tant qu'ilz peurent ouyr ſa voix: &
demeurarent ſes parolles dernieres long temps
deſpuis en credit & honneur, es mains des hom
mes (ce nous eſt vne bien lourde perte, qu'elles
ne ſoyent venues iuſques a nous). Comm'il ſentit les derniers traicts de la mort, prenant de
l'eau du being toute ſanglâte, il s'en arrouſa ſa
teſte en diſant, Ie vouë ceſte eau a Iuppiter le
liberateur. Neron aduerty de tout cecy, craignant que la mort de Paulina, qui eſtoit des
mieux apparentées dames Romaines, & enuers
laquelle il n'auoit nulles particulieres inimi-
tiez, luy vint a reproche, renuoya en toute diligence luy faire ratacher ſes playes. Ce que
ſes gés d'elle firêt ſans ſon ſçeu, elle eſtât deſia

a demy morte & ſans aucun ſentimét. Et ce que
côtre ſon deſſein elle eveſquit dépuis, ce fut treſ-
honorablement , & comme il appartenoit a ſa
vertu, monſtrant par la couleur bleſme de ſon
viſage , combien elle auoit eſcoulé de vie par
ſes bleſſures. Voyla mes trois contes treſ-veri-
tables, que ie trouue auſſi plaiſans & thragiques
que ceux que nous ſorgeós a noſtre poſte, pour
donner plaiſir au commun : & m'eſtonne que
ceux qui s'adonnét a cela, ne s'amuſent de choiſir plutoſt dix-mille treſ-belles hiſtoires, qui ſe
rencontrêt dans les liures, ou ils auroiét moins
de peine , & aporteroient plus de plaiſir & pro
ſit a autruy. Et qui en voudroit baſtir vn corps
entier & s'entretenât, il ne faudroit qu'il fournit
du ſien que la liaiſon , comme la ſoudure d'vn
autre metal: & pourroit entaſſer par ce moyen
force veritables euenemés de toutes ſortes, les
diſpoſant & diuerſifiant ſelon que la beauté de
l'ouurage le requerroit, a peu prés, comme O-
uide a couſu & rapiecé ſa Metamorphoſe, ou có
me Arioſte a rengé en vne ſuite ce grand nombre de fables diuerſes . En ce dernier couple
cela eſt encore digne d'eſtre conſideré que l'au
lina offre volótiers a quiter la vie pour l'amour
de ſon mary , & que ſon mary auoit autre-fois
quitté auſſi la mort pour elle. Il n'y a pas pour
nous grand contre-pois en cet eſchange: mais
ſelon ſon humeur Stoique , ie croy qu'il penſoit auoir autant faict pour elle d'alonger ſa vie
en ſa

en sa faueur, comme s'il fut mort pour elle. En
l'vne des lettres, qu'il escrit a Lucilius, apres
qu'il luy a fait entendre comme la fiebure l'aiant pris a Rome il môta soudain en coche, pour
s'en aller a vne sienne maison aux champs contre l'opinion de sa femme Paulina, qui le vouloit arrester, & qu'il luy auoit respondu que la
fiebure qu'il auoit ce n'estoit pas fiebure du
corps mais du lieu, il suit ainsi, Elle me laissa
aller me recommandant fort ma santé. Or moy
qui sçay que ie loge sa vie en la mienne, ie commence de pouruoir a moy pour pouruoir a elle:
le priuilege que ma viellesse m'auoit donné me
rédant plus ferme & plus resolu a plusieurs choses, ie le pers quand il me souuiét qu'en ce vieillard il y en a vne ieune a qui ie profite. Puis que
ie ne la puis ranger a m'aymer plus courageusement, elle me renge a m'aymer moymesme
plus curieusement : car il faut prester quelque
chose aux honnestes affections: & par fois enco
re que les occasions nous pressent au contraire
il faut rappeller la vie, voire auecque tourment:
il faut arrester l'ame entre les dents, puis que la
loy de viure aus gens de bien ce n'est pas autât
qu'il leur plait, mais autant qu'ilz doiuent. Celuy qui n'estime pas tant sa femme ou vn sien
amy que d'en allonger sa vie, & qui s'opiniastre
a mourir, il est trop delicat & trop mol : il faut
que l'ame se commande cela, quand l'vtilité des
nostres le requiert: il faut par fois nous prester

a nos amis : & quand nous voudrions mourir
pour nous interrompre noſtre deſſein pour autruy. C'eſt teſmoignage de grandeur de courage de retourner en la vie pour la conſideration
d'autruy , comme pluſieurs excellens perſonnages ont faict. Et eſt vn traict de bonté ſingu-
liere de conſeruer la vieilleſſe, (de laquelle la
commodité la plus grande, c'eſt la nonchalance de ſa durée, & vn plus courageux & deſdaigneux vſage de la vie,) ſi on ſent que cet office
ſoit doux, agreable& profitable a quelqu'vn bié
affectionné : & en reçoit on vne treſ-plaiſante
recompenſe. Car qu'eſt il plus doux que d'eſ-
ſtre ſi cher a ſa femme, qu'en ſa conſideration
on en deuienne plus cher a ſoy-meſme. Ainſi
ma Pauline m'a chargé non ſeulement ſa crainte : mais encore la mienne. Ce ne m'a pas eſté
aſſes de côſiderer combien reſoluemēt ie pourrois mourir, mais i'ay auſſi conſideré combien
irreſoluement elle le pourroit ſouffrir. Ie me
ſuis contrainct a viure:& c'eſt quelquefois vaillance que viure. Voyla ſes motz.

CHAP. XXXVI.

Des plus excellens hommes.

SI on me demandoit le chois de tous les hômes,qui ſont venus a ma connoiſſance,il me
ſemble en trouuer trois excellens au deſſus de
tous

tous les autres. L'vn Homere : non pas qu'Aristote ou Varro (pour exemple) ne fussent a l'aduenture aussi sçauans que luy, ny possible encore qu'en son art mesme, Vergile ne luy soit comparable. Ie le laisse a iuger a ceux, qui les connoissent tous deux. Moy qui n'en connoy que l'vn, ie n'en puis dire que cela selon ma portée, que ie ne croy pas que les Muses mesmes puissent aller au dela du Romain. Toutefois en ce iugement encore ne faudroit il pas oublier que c'est principalement d'Homere mesme que Vergile tient sa suffisance, que c'est son guide & maistre d'escole, & qu'vn seul traict de l'Iliade a fourny de corps & de matiere a ceste grande & diuine Eneide. Ce n'est pas ainsi que ie conte. I'y mesle plusieurs autres circonstances qui me rendent ce personnage admirable quasi au dessus de l'humaine condition. Et a la verité ie m'estonne souuent que luy qui a produit & mis en credit au monde plusieurs deitez par son auctorité n'a gaigné reng de Dieu luy mesme. Estant aueugle, indigent, estant auant que les ars & les sciences eussent esté redigées en regle & obseruations certaines, il les a tant connues, que tous ceux qui se sont meslez depuis d'establir des polices, de conduire guerres, & d'escrire ou de la religion, ou de la philosophie, ou des ars, se sont seruis de luy, comme d'vn patron tres-parfaict en la cônoissance de toutes choses : & de ses liures côme d'vne pe-

Bbb 4

piniere de toute sorte de suffisance.

Qui quid sit pulchrum, quid turpe, quid vtile,
quid non,
Plenius ac melius Chrisippo ac Crantore dicit.

Et comme dit l'autre,

A quo ceu fonte perenni
Vatum pyeriis labra rigantur aquis,

& l'autre

Adde heliconiadum comites, quorum vnus
Homerus
Astra potitus.

& l'autre

Cuiúsque ex ore profuso
Omnis posteritas latices in carmina duxit,
Amnènque in tenues ausa est deducere riuos,
Vnius facunda bonis.

C'est contre l'ordre de nature, qu'il a faict la
plus noble production qui puisse estre. Car la
naissance ordinaire des choses elle est foible &
imparfaicte : elles s'augmentent, se fortifient
par l'accroissance. L'enfance de la poesie & de
plusieurs autres sciences il l'a rendue meure,
parfaicte, & accôplie. A ceste cause le peut on
nommer le premier & dernier des poëtes, suyuant ce beau tesmoignage que l'antiquité nous
a laissé de luy, que n'ayant eu nul qu'il peut imiter auant luy, il n'a eu nul apres luy qui le peut
imiter. Ses parolles selon Aristote sont les seules parolles, qui ayent mouuement & action.
Ce sont les seuls mots substantiels & massifz.
Alexandre

Alexandre le grand ayant rencontré parmy les
despouilles de Darius vn riche coffret, ordonna, que on le luy reseruat pour y loger son Homere, disant que c'estoit le meilleur & plus fidelle Côseiller qu'il eut en ses affaires militaires. Pour ceste mesme raison disoit Cleomenes filz d'Anaxandridas, que c'estoit le Poëte
des Lacedemoniens, par ce qu'il estoit tres-bô
maistre de la discipline militaire. Ceste louange singuliere & particuliere luy est aussi de-
meurée au iugement de Plutarque, que c'est le
seul autheur du monde, qui n'a iamais soulé ne
dégousté les hômes, se monstrant aux lecteurs
tousiours tout autre, & fleurissant tousiours en
nouuelle grace. Ce folastre d'Alcibiades ayât
demandé a vn, qui faisoit profession des lettres,
vn liure d'Homere, luy donna vn soufflet, par
ce qu'il n'en auoit point : côme qui trouueroit
vn de nos prestres sans breuiaire. Xenophanes
se pleignoit vn iour a Hieron, tyran de Syracuse
de ce qu'il estoit si pauure, qu'il n'auoit dequoy
nourrir deux seruiteurs:& quoy, luy respôdit-il,
Homere qui estoit beaucoup plus pauure q̃ toy
en nourrit bié plus de dix mille, tout mort qu'il
est. Outre cela, quelle gloire se peut comparer
a la sienne ? Il n'est rien qui viue en la bouche
des hommes, comme son nom & ses ouurages:
il n'est rié si cogneu & si receu que Troye, He-
lene, & ses guerres qui ne furent a l'aduanture
iamais. Nos enfans appellent encore des noms

Bbb 5

qu'il forgea il y a plus de trois mille ans . Qui
ne cognoit Hector & Achiles? Non seulement
aucunes races particulieres , mais la plus part
des nations cherchét origine en ses inuentiós.
Mahumet secód de ce nó, Empereur des Turcs,
escriuant a nostre Pape Pie second, Ie m'estonne, dit-il, comment les Italiens se bandent cótre moy, attendu que nous auons nostre origine
commune des Troyens: & que i'ay comme eux
interest de véger le sãg d'Hector sur les Grecs,
lesquels ilz vont fauorisant cótre moy. N'est-ce
pas vne noble farce , de laquelle les Roys, les
choses publiques, & les Empereurs vont iouãt
leur personnage tãt de siecles, & a laquelle tout
ce grand vniuers sert de theatre ? Sept villes
Grecques entrarét en debat du lieu de sa naissance , tant son obscurité mesmes luy apporta
d'honneur.

*Smyrna. Rhodos, Colophon, Salamis, Chios, Ar-
gos, Athena.*

L'autre Alexandre le grand. Car qui considere-
ra l'aage, auquel il commença ses entreprises:
le peu de moyé auec lequel il fit vn si glorieux
dessein: l'authorité qu'il gaigna en ceste sienne
enfance parmy les plus grands & experimétez
capitaines du monde, desquels il estoit suyui:
la faueur extraordinaire, dequoy la fortune
embrassa & fauorisa tant de siens exploits hazardeux, & a peu que ie ne die temeraires: ceste
grandeur d'auoir a l'aage de trête trois ans passé victo-

sé victoriens toute la terre habitable , d'auoir
faict naistre de ses soldatz tant de branches ro-
yales, laissant apres sa mort le monde en partage a quatre successeurs simples capitaines de
son armée, desquels les descendans ont despuis
si long temps duré , maintenant ceste grande
possession : tant d'excellentes vertus qui estoiët
en luy : car ses mœurs semblent a la verité n'a-
uoir aucun iuste reproche que la colere : les rares beautez & conditions de sa personne iusques au miracle : car on tient entre autres choses que sa sueur produisoit vne tres-douce &
souefue odeur : l'excellence de son sçauoir &
capacité : la durée & grädeur de sa gloire pure,
nette, exempte de tache & d'enuie : il confesse-
ra, tout cela mis ensemble, que i'ay eu raison de
le preferer a Cçsar mesme : car celuy-la seul m'a
peu mettre en doubte du chois. Ilz ont eu plusieurs choses esgales , & Cæsar a l'aduenture
aucunes plus grandes. Mais toutes pieces ramassées & mises en la balance , ie ne puis que
ie ne panche du costé d'Alexandre . Le tiers &
le plus excellent a mon gré, c'est Epaminundas . De gloire il n'en a pas a beaucoup prez
tant que d'autres (aussi n'est-ce pas vne piece
de la substance de la chose,) De resolution &
de vaillance, nõ pas de celle qui est esguisée par
l'ambition , mais de celle que la sapience & la
raison peuuent planter en vne ame bien reglée,
il en auoit tout ce qui s'en peut imaginer . De

preuue

preuue de ceste sienne vertu, il en a fait autant a mon aduis, qu'Alexandre mesme, & que Cęsar. Car encore que ses exploits de guerre ne soient ny si frequens, ny si enflez, ils ne laissent pas pourtant, a les bien considerer & toutes leurs circonstances, d'estre aussi poisants & roides, & portant autant de tesmoignage de sa suffisance en l'art militaire. Les Grecz luy ont faict cest honneur, sans contredit de le nommer le premier homme d'être eux. Mais estre le premier de la Grece, c'est estre le prime du monde. Quant a son sçauoir & suffisance, ce iugement ancien nous en est resté, que iamais homme ne sceut tant, & parla si peu que luy. Mais quant a ses meurs & conscience, il a de bien loing surpassé tous ceux, qui se sont iamais meslés de manier affaires. Car en ceste partie, qui est de la vertu, & qui doit estre principalement côsiderée, il ne cede a nul philosophe, nô pas a Socrates mesme. Et pour exếple d'vne excessiue bonté, ie veux adiouter icy deux de ses opinions. Il ne pensoit pas qu'il fut loisible pour recouurer mesmes la liberté de son païs, de tuer vn hôme sans connoissance de cause. Voyla pourquoy il fut si froid a l'entreprise de Pelopidas son côpaignon, pour la deliurance de Thebes. Il tenoit aussi qu'en vne bataille il failloit fuïr le recontre d'vn amy, qui fut au party contraire, & l'espargner.

CHAP.

CHAP. XXXVI.

De la reſſemblance des enfans aux peres.

CE ſagotage de tant de diuerſes pieces ſe
faiĉt en ceſte condition, que ie n'y metz
la main , que lors qu'vne trop laſche oyſiueté
me preſſe,& non ailleurs que chez moy.   Ainſin il s'eſt baſti a diuerſes poſes & interualles,
comme les occaſions me detienent ailleurs par
fois pluſieurs mois.Au demeurant ie ne corrige point mes premieres imaginatiõs par les ſe-
condes: ie veux repreſenter le progrez de mes
humeurs,& qu'õ voye chaſque piece en ſa naiſ-
ſance.Ie voudrois auoir commencé plutoſt, &
prendrois plaiſir a reconnoiſtre le trein de mes
mutations.   Vn valet qui me ſeruoit a les eſcrire
ſoubz moy,a pẽſé faire vn grand butin de m'en
deſrober pluſieurs pieces choiſies a ſa poſte.
Cela me cõſole,qu'il n'y ſera pas plus de guein
que i'y ay faiĉt de perte. Ie me ſuis enuieilly de
ſept ou huiĉt ans,dẽpuis que ie commençay:ce
n'a pas eſté ſans quelque nouuel acqueſt:i'y ay
pratiqué la colique par la liberalité des ans:leur
commerce & longue connerſation ne ſe paſſe
aiſément ſans quelque tel ſruit.Ie voudroy biẽ
de pluſieurs autres preſens qu'ils ont a faire a
ceux qui les hantent long temps,qu'ilz en euſſent choiſy quelqu'vn qui m'euſt eſté plus ac-
cepta-

ceptable:car ilz ne m'en euffent fceu faire que
i'euffe en plus grande horreur des mon enfance. C'eftoit a point nommé de tous les accidés
de la vieilleffe, celuy que ie craignois le plus.
I'auoy penfé mainte-fois a part moy, que i'aloy
trop auant,&qu'a faire vn fi long chemin ie ne
faudroy pas de m'ëgager enfin en quelque mal
plaifant rencontre: ie fentois & proteftois affez qu'il eftoit heure de partir , & qu'il faloit trencher la vie dans le vif, & dans le fain,
fuiuant la regle des chirurgiens, quand ils ont
a couper quelque membre . Mais c'eftoient
vaines propofitions : il s'en faloit tant que i'en
fuffe preft lors, que en dix-huit mois ou enuiron qu'il y a que ie fuis en ce plaifant eftat,i'ay
def-ia apris a m'y accommoder . I'entre def-ia
en compofition de ce viure coliqueus:i'y trouue dequoy me côfoler,& dequoi efperer:tât les
hommes font acoquinés a leur eftre miferable,
qu'il n'eft fi rude condition qu'ils n'acceptent
pour s'y conferuer. Les fouffrances qui nous
touchent fimplement par l'ame,elles m'affli-
gent beaucoup moins qu'elles ne font la plus
part des autres hommes:partie par iugement,
car le môde eftime plufieurs chofes horribles,
ou euitables au pris de la vie,qui me font a peu
pres indifferentes : partie par vne complexion
ftupide & infenfible que i'ay aux accidens qui
ne donnent a moy de droit fil : laquelle complexion i'eftime l'vne des meilleures pieces de
ma

ma naturelle condition . Mais les souffrances
vrayemēt essentielles & corporelles, ie les gouste bien viuement . Si est-ce pourtant que les
preuoyant autresfois d'vne veuë foible, delica-
té, & amollie par la iouissance de ceste longue
& heureuse santé & repos , que Dieu m'a presté, la meilleure part de mon aage , ie les auoy
conceuës par imagination si insupportables,
qu'a la verité i'en auois plus de peur, que ie n'y
ay trouué de mal . Par ou i'augmente tousiours ceste creance , que la plus part des facultez de nostre ame troublent plus le repos
de nostre vie, qu'elles ne nous y seruent. Ie suis
aux prises auec la pire de toutes les maladies,
la plus soudaine, la plus doloreuse, la plus mortelle, & la plus irremediable. I'en ay des-ia essayé cinq ou six bien longs acces & pennibles.
Toutes-fois ou ie me flate, ou encores y a il en
cest estat, dequoy se soustenir, a qui a l'ame
deschargée de la crainte de la mort, & deschargée aussi des menasses, conclusions & consequences , dequoy la medecine nous enteste.
Mais l'effect mesme de la douleur il n'a pas ceste aigreur si aspre & si poignante, qu'vn homme rassis en doiue entrer en rage & en desespoir. I'ay aumoins ce profit de la cholique que
ce que ie n'auoy encore peu sur moy, pour me
concilier du tout , & m'accointer a la mort, elle le parfera. Car d'autant plus elle me pres-
sera , & importunera, d'autant moins me sera
la mort

la mort a craindre. J'auoy des-ia gaigné cela, de ne tenir a la vie que par la vie seulement : elle desnouera encore ceste intelligence. Et Dieu veuille qu'en fin, si son aspreté vient a surmôter mes forces, elle ne me reiette a l'autre extremité non moins vitieuse, qui est, d'aymer & desirer a mourir.

Summum nec metuas diem, nec optes.

Ce sont deux passions a craindre : mais l'vne a son remede bien plus prest que l'autre. Au demourât i'ay tousiours trouué ce precepte ceremonieus & inepte, qui ordonne de tenir bonne contenance & vn maintien graue & posé a la souffrance des maux. Pourquoy la philosophie, qui ne regarde que le vif, que la substance & les effects, se va elle amusant a ces apparences vaines & externes? comme si elle dressoit les hommes aux actes d'vne comedie, ou comme s'il estoit en sa iurisdiction, d'empescher les mouuemês & alterations que nous sommes naturellemét contraintz de receuoir. Qu'elle empesche donq Socrates de rougir d'affection, ou de honte, de cligner les yeux a la menasse d'vn coup, de trembler & de suer aux secousses de la fiebure. La peinture de la Poësie, qui est libre & volontaire, n'ose priuer des larmes mesmes les personnes qu'elle veut representer accôplies & parfaictes. *& se n'aflige tanto*

Che si morde le man, morde le labbia,

Sparge le guancie di continuo pianto.

Elle

Elle deuroit laiſſer ceſte charge a ceux, qui ſont
profeſſion de regler noſtre maintien & nos mines. Qu'elle s'arreſte a gouuerner noſtre entẽ-
dement, qu'elle a pris a inſtruire: qu'elle luy ordonne ſes pas & le tienne en bride & en office:
qu'aux efforts de la cholique, elle maintiẽne noſtre ame capable de ſe reconnoiſtre, de ſuiure
ſon train accouſtumé, combatant la douleur &
la ſouſtenant, non ſe proſternant honteuſemẽt
a ſes pieds: eſmeüe & eſchauffée du combat, nõ
abatue pourtant & renuerſée. En accidens ſi extremes, c'eſt cruauté de requerir de nous vne
démarche ſi reglée. Pourueu que nous ayons
beau ieu, c'eſt tout vn que nous ayons mauuaiſe
mine. C'eſt bien aſſez que nous ſoyons tels que
nous auons accouſtumé en nos diſcours & a-
ctions principales. Quant au corps, s'il ſe ſou-
lage, en ſe pleignant qu'il le face. Si l'agitation
luy plait, qu'il ſe tremouſſe & tracaſſe a ſa fantaſie: s'il luy ſemble que le mal s'euapore aucunemẽt, comme aucũs medecins diſent, que cela aide a la deliurãce des femmes enceinte pour
pouſſer hors la vois auec plus grande violence,
ou s'il penſe que cela amuſe ſon torment, qu'il
crie tout a faict. Nous auons aſſez de trauail du
mal, ſans y ioindre vn nouueau trauail par diſcours. Ce que ie dis pour excuſer ceux, qu'on
voit ordinairement ſe eſcrier & ſe tẽpeſter aux
ſecouſſes de la doleur de ceſte maladie. Car
pour moy ie l'ay paſſée iuſques a ceſte heure
Ccc

auec vn peu meilleur visage. Non pourtant que
ie me mette en peine, pour maintenir ceste de-
cence exterieure. Car ie fay peu de conte d'vn
tel aduātage. Ie preste en cela au mal autāt qu'il
veut. Mais ou mes douleurs ne sont pas si exces-
siues, ou i'y apporte plus de fermeté que le cō-
mū: ie me plains, ie me despite, quād les aigres
pointures me pressent, mais ie n'en viens point
au desespoir & a la rage. Et aux interualles de
ceste doleur excessiue, ie me remets soudain en
ma forme ordinaire. Ie deuise, ie ris, i'estudie
sans esmotion & alteration, d'autant que mon
ame ne prēd nulle autre allarme que la sensible
& corporelle. Ce que ie doy certainement au
soing que i'ay eu a me preparer par estude &
par discours a tels accidens. Ie suis essayé pourtant vn peu bien rudement pour vn apprētis, &
d'vn chāgement biē soudain & bien rude, estāt
cheu tout a coup d'vne tres-douce condition de
vie & tresheureuse a la plus doloreuse & penible,
qui se puisse imaginer. Car outre ce q̃ c'est
vne maladie biē fort a craindre d'elle mesme,
elle faict en moy ses commencemēs beaucoup
plus aspres & difficiles, qu'elle n'a accoustumé.
Les accés me reprennent si souuant, que ie ne
sens quasi plus d'entiere santé, & pure de douleurs: ie maintiē toutes-fois iusques a cest'heure mon esprit en telle assiete, que pourueu que
i'y puisse apporter de la constāce, ie me treuue
en assez meilleure cōditiō de vie, que mille autres

tres,qui n'ôt ni fiebure,ny mal,que celuy qu'ils
se donnent eux mesmes par la faute de leur discours . Il est certaine façon d'humilité subtile,qui naist de la presomptiô,comme ceste cy,
que nous reconnoissons nostre ignorance en
plusieurs choses,& sommes si courtois d'auouër
qu'il y a es ouurages de nature , aucunes qualitez & conditions , qui nous sont impercepti-
bles,& desquelles nostre suffisance ne peut descouurir les moyens & les causes: par ceste honeste & conscientieuse declaration, nous esperons gaigner qu'on nous croira aussi de celles,
que nous dirons entendre. Nous n'auons que
faire d'aller trier des miracles & des difficultez estrangieres. Il me semble que parmy les
choses que nous voyons ordinairement , il y
a des estrangetez si incomprehensibles, qu'elles surpassent toute la difficulté des miracles.
Quel monstre est-ce , que ceste goute de se-
mence , dequoy nous sommes produitz , porte en soy les impressions,non de la forme corporelle seulement , mais des pensemens &
des inclinations de noz peres. Ceste goute
d'eau ou loge elle ce nombre infini de formes ? Il est vray-semblable que ie tiens de
mon pere ceste qualité pierreuse : car il mourut merueilleusement affligé d'vne grosse pierre, qu'il auoit en la vessie.Il ne s'aperceut de
son mal,que le soixâte septiesme an de son aage:
& auant cela il n'en auoit eu nulle menasse ou

ressentiment aux reins, aux costez , ny ailleurs:
& auoit vescu iusques lors en vne bien heureuse santé & bien peu subiette a maladies, & dura
encores sept ans en ce mal, trainât vne fin de vie
bien douloureuse . I'estoy nay vingt cinq ans,
& plus auant sa maladie, & durant le temps de
son meilleur estat : ou se couuoit tant de temps
la propension a ce mal ? & lors qu'il estoit si
loing de s'en sentir , ceste legiere piece de sa
substance, dequoy il me bastit, cômment en portoit elle pour sa part, vne si grande impression?
& comment encore si couuerte , que quarante
cinq ans apres, i'aye commencé a m'en ressentir ? qui m'esclaircira de tout ce progrez, ie le
croyray d'autât d'autres miracles qu'il voudra:
pourueu que, comme ils sont, ils ne me dônent
pas en payement vne doctrine beaucoup plus
difficile & fantastique , que n'est la chose mesme. Que les medecins excusent vn peu ma liberté. Car par ceste mesme infusion & insinua-
tion fatale i'ay receu la haine & le mespris de
leur doctrine . Ceste antipathie, que i'ay a
leur art, m'est hereditaire. Mon pere a vescu
soixante quatorze ans, mô ayeul soixante neuf,
mon bisayeul pres de quatre vingts , sans auoir
gouté nulle sorte de medecine . Et entre nous
tout ce qui n'est de nostre vsage ordinaire, nous
tient lieu de drogue. La medecine se forme par
exemples & experience: aussi fait mon opinion.
Voyla pas vne bien expresse experience , & biê
aduan-

aduantageuſe?Ie ne ſçay s'ilz m'en trouueront
trois en leurs regiſtres,nais, nourris & treſpaſſez en meſme maiſon, ayans autant veſcu ſoubs
leurs regles. Il faut qu'ils m'aduouent en cela,
que ſi ce n'eſt la raiſon,aumoins que la fortune
eſt de mô party.Or chez les medecins fortune
vaut beaucoup mieux que la raiſon . Qu'ils ne
me prenent point a ceſte heure a leur aduâtage:
qu'ils ne me menaſſent point atterré comme ie
ſuis,ce ſeroit ſupercherie.Auſſi a dire la verité,
i'ay aſſez gaigné ſur eux par mes exemples domeſtiques,encore qu'ils s'arreſtent la.Les choſes humaines n'ont pas tant de conſtance. Il y a
enuiron deux cens ans , il ne s'en faut que dix-
huit,que ceſt eſſay nous dure . Car le premier
naſquit lan.1402. C'eſt vrayement bien raiſon
que ceſte experience commence a nous faillir.
Qu'ils ne me reprochent point les maus,qui me
tiennent a la gorge. D'auoir veſcu quarante ſix
ans pour ma part n'eſt-ce pas aſſez? Quand ce
ſera le bout de ma carriere,elle eſt des plus lô-
gues. Mes anceſtres auoiêt la medecine a contre-cœur par quelque inclination occulte & naturelle : car la veüe meſme des drogues faiſoit
horreur a mon pere.Vn oncle paternel que i'a-
uoy hôme d'Egliſe maladif des ſa naiſſance, &
qui fit toutesfois durer cette vie debile,iuſques
a ſoixante ſept ans & plus,eſtant tumbé autres-
fois en vne groſſe & vehemête fieure continue,
il fut ordonné par les medecins, qu'on luy de-

claireroit, s'il ne se vouloit aider (ils appellent
secours ce qui le plus souuent est rengregemét
de mal) qu'il estoit infalliblement mort . Ce
bon hôme tout effrayé comme il fut de cette
horrible sentence, si respondit-il , ie suis donq
mort. Mais Dieu rédit tátost apres vain ce prognostique . Il est possible que i'ay receu d'eus
céte dispathie naturelle a la medecine: mais s'il
n'y eut eu que ceste consideration i'eusse essayé
de la forcer. Car toutes ces côditions, qui naif-
sent en no⁹ sans raison, elles sont vitieuses. C'est
vne espece de maladie qu'il faut côbatre . Il est
possible, que i'y auois ceste propension: mais ie
l'ay apuyee & fortifiée par les discours, qui m'é
ont establi l'opiniõ que i'en ay. Car ie hay aussi
ceste consideratiõ de refuser la medecine pour
l'aigreur de son goust: ce ne seroit aisémét mõ
humeur, qui trouue la santé digne d'estre rache-
tée par tous les cauteres & incisions les plus penibles qui se facent. C'est vne pretieuse chose,
que la santé, & la seule qui merite a la verité
qu'õ y employe, nõ le temps seulemét, la sueur,
la peine, les biens, mais encore la vie a sa poursuite : d'autant que sans elle la vie ne peut auoir
ni grace ni saueur. La volupté, la sagesse, la sciêce & la vertu, sans elle se ternissent & esuanouis-
sent: & aux plus fermes & tendus discours que
la philosophie nous veuille imprimer au contraire, nous n'auõs qu'a opposer l'image de Platon, estât frappé du haut mal, ou d'vne apoplexie:

xie: & en cesté presuppositiõ le deffier de s'ayder de ces nobles & riches facultes de son ame.
Toute voye qui nous meneroit a la santé, ne se
peut dire pour moy ni aspre, ni espineuse. Mais
i'ay quelques autres apparences, qui me font e-
strangement deffier de toute ceste marchãdise.
Ie ne dy pas qu'il n'y en puisse auoir ãlque art:
qu'il n'y ait parmy tant d'ouurages de nature
des choses propres a la conseruation de nostre
santé. Cela est vray-semblable. Mais ie dy que
ce qui s'en void en practique, il ya grand dãgier
que ce soit pure imposture, i'en croy leurs con-
fraires Fiorauãti & Paracelse. En premier lieu
l'experiéce me le fait craindre. Car de ce que
i'ay de cónoissance, ie ne voy nulle race de gés
si tost malade & si tard guerie, que celle qui est
sous la iurisdiction de la medecine. Leur santé
mesme est alterée & corrópue par la cõtrainte
des regimes. Les medecins ne se cõtentét point
d'auoir la maladie en gouuernemét, ils rédent
la santé malade, pour garder qu'on ne puisse en
nulle saisõ eschapper leur authorité. D'vne santé cõstãte & entiere n'en tirent ilz pas l'argument d'vne grande maladie future? I'ay esté assez souuét malade. I'ay trouué sans leurs secours
mes maladies aussi douces a supporter (& en ay
essayé quasi de toutes les sortes) & aussi courtes qu'a nul'autre: & si n'i ay point meslé l'amertume de leurs drogues. La santé ie l'ay libre &
entiere, sans regle & sãs autre discipline que de

ma couſtume & de mon plaiſir. Tout lieu m'eſt
bon a m'arreſter. Car il ne me faut autres commoditez eſtant malade que celles qu'il me faut
eſtant ſain. Ie ne me paſſióne point d'eſtre ſans
mon medecin, ſans mon apotiquaire, & ſans ſecours: dequoy i'en voy la plus part plus affligez
que du mal meſme. Quoy eus meſmes no⁹ ſont
ilz voir de l'heur & de la durée en leur vie, qui
nous puiſſe teſmoigner quelque apparent effet
de leur ſcience? Il n'eſt natió qui n'ait eſté pluſieurs ſiecles ſans la medecine : & les premiers
ſiecles, c'eſt a dire les meilleurs & les plus heureux. Et du monde la dixieſme partie ne s'é ſert
pas encores a ceſte heure. Infinies nations ne
la cognoiſſent pas: ou lon vit & plus ſainement
& plus longuemeut, qu'on ne fait icy. Et parmy
nous la plus part du peuple s'en paſſe heureuſe-
ment. Les Romains auoient eſté ſix cens ans a-
uant que de la receuoir. Mais apres l'auoir eſſayée ils la chaſſerent de leur ville par l'entremiſe de Caton le Cenſeur: qui monſtra combien aiſément il s'en pouuoit paſſer, ayant veſcu
quatre vintgz & cinq ans , & fait viure ſa femme iuſqu'a l'extreme vieilleſſe: nó pas ſans medecine, mais ouy bien ſans medecin. Car toute
choſe qui ſe trouue ſalubre a noſtre vſage ſe peut
nommer medecine. Il entretenoit, ce dict Plutarque, ſa famille en ſanté par l'vſage (ce me ſé-
ble) du lieure: côme les Arcades , dict Pline,
gueriſſét toutes maladies auec du laiƈt de vache,

                     & les

& les gens de village de ce païs a tous accidens
n'emploient que du vin le plus fort qu'ils peuuent, meſlé a force ſafran & eſpice. Tout cela
auec vne fortune pareille. Et a dire vray, de tou
te ceſte diuerſité & confuſion d'ordonnances,
que lle autre fin & effect apres tout y a il, que de
vuider le ventre? ce que mille ſimples domeſtiques peuuent faire. On demandoit a vn Lacedemonien, qui l'auoit fait viure ſain ſi long
temps: L'ignorāce de la medecine, reſpōdit il.
Et Adrian l'Empereur crioit ſans ceſſe en mou
rāt que la preſſe des medecins l'auoit tué. Mais
ilz ont cet heur, que leur erreur & leurs ſautes
ſont ſoudain miſes ſous terre & enſeuelies : &
qu'outre-cela ilz ont vne façon bien auantageu-
ſe de ſe ſeruir de toutes ſortes d'euenemens.
Car ce que la fortune, ce que la nature, ou quelque autre cauſe eſt rangiere (deſquelles le nombre eſt infini) produit en nous de bon & de ſalutaire, c'eſt le priuilege de la medecine de ſe
l'attribuer. Tous les heureux ſuccez qui arriuent
au patient, qui eſt ſoubs ſon regime, c'eſt d'elle
qu'il les tient. Les occaſions qui m'ont guery a
moy & qui gueriſſent mille autres, qui n'appellent point les medecins a leurs ſecours, ilz les
vſurpent en leurs ſubiectz. Et quant aux mauuais accidentz, ou ilz les deſauouent tout a fait,
en attribuāt la coulpe au patiét par des raiſons ſi
vaines, qu'ilz n'ont garde de faillir d'en trouuer
touſiours aſſez bō nombre de telles: C'eſt qu'il
Ccc 5

a defcouuert fon bras, ou on luy a entrouuert fa
feneftre, ou il s'eft couché fur le cofté gauche,
ou paffé par fa tefte quelque penfement penible. Somme vne parolle, vn fonge, vne œuilla-
de leur femble fuffifante excufe pour fe defchar-
ger de faute: ou s'il leur plait, ils fe feruent encore de cet empirement: & en font leurs affaires par cet autre moïen qui ne leur peut iamais
faillir, c'eft de nous païer, lors que la maladie
fe trouue recchaufée par leurs applications, de
l'affeurance qu'ilz nous donnent qu'elle feroit
bien autrement empirée fans leurs remedes.
Celuy qu'ilz ont ietté d'vn morfodemét en vne
fieure quotidiene, il euft eu fans euxl a côtinue.
Ils n'ôt garde de faire mal leurs befoignes, puis
que le dommage leur reuient a profit. Vraiemét
ilz ont raifon de requerir du malade vne application de creance fauorable : il faut qu'elle le
foit a la verité en bon efciét & biê fouple pour
s'appliquer a des imaginations fi mal aifées a
croire. Aefope autheur de tref-rare excellêce,
& duquel peu de gés defcouurêt toutes les graces, eft plaifant a nous reprefenter cefte authorité tyrannique, qu'ilz vfurpent fur ces pauures
ames affoiblies & abatues par le mal, & la crainte. Car il conte, qu'vn malade eftant interrogé
par fon medecin quelle operatiôil sêtoit des me
dicamês, qu'il luy auoit dônez, i'ay fort fué ref-
pôdit il. Cela eft bô dit le medecin. A vne autre
fois il luy demanda encore comme il s'eftoit
porté

porté defpuis,l'ay eu vn froid extreme,fit il, &
ay fort tremblé:cela eft bon,fuiuit le medecin,
A la troifiefme fois il luy demanda de rechef
comment il fe portoit, le me fens dit-il enfler
& bouffir comme d'hydropifie , voyla qui va
bien,adioufta le medecin:L'vn de fes domefti-
ques venant apres a s'enquerir a luy de fon e-
ftat,Certes mon amy,refpond il, a force de bié
eftre ie me meurs. Il y auoit en Aegypte vne
loy plus iufte , par laquelle le medecin prenoit
fon patient en charge les trois premiers iours
aux perils & fortunes du patient: mais les trois
iours paffez,c'eftoit aux fiens propres.Car quel
le raifon y a il qu'Aefculapius leur patron ait e-
fté frappé du foudre pour auoir ramené Heleine
de mort a vie,& fes fuiuans foint abfous,qui en-
uoient tant d'ames de la vie a la mort. Au demeurant fi i'euffe efté de leur confeil,i'euffe ré-
du ma difcipline plus facrée & myfterieufe. Ils
auoient affez bien commencé, mais ilz n'ont
pas acheué de mefine. C'eftoit vn bon commē-
cement d'auoir fait des dieus & des daimons
autheurs de leur fcience, d'auoir pris vn langage a part,vne efcriture a part:C'eftoit vne bonne regle en leur art & qui acōpaigne toutes les
arts fantaftiques,vaines,& fupernaturelles,qu'il
faut que la foy du patient preoccupe par bonne
efperance & affeurance, leur effect & operation. Laquelle reigle ilz tiennent iufques la que
le plus ignorant & groffier medecin ilz le
                                          trou-

trouuët plus propre a celuy, qui a fiance en luy,
que le plus experimenté. Le chois mesmes de
la pluspart de leurs drogues eſt aucunement my
ſterieux & diuin. Le pied gauche d'vne tortue,
l'vrine d'vn luiſert, la fiante d'vn Elephant, le
foye d'vne taupe, du ſang tiré ſous l'aile droite
d'vn pigeõ blãc : et pour nous autres coliqueus
(tant ilz abuſent deſdaigneuſement de noſtre
miſere) des crotes de rat pulueriſées, & telles
autres ſingeries, qui ont plus le viſage d'vn enchantement magicien que de nulle ſcience ſolide. Ie laiſſe a part le nombre imper de leurs
pillules : la deſtination de certains iours & feſtes de l'année:la diſtinction des heures a cuil-
lir les herbes de leurs ingrediens : & ceſte gri-
mace rebarbatiue & ceremonieuſe de leur port
& contenance:dequoy Pline meſme ſe moque.
Mais ils ont ſailly,ce me ſemble, de ce qu'a ce
beau cõmancement ils n'ont adiouſté cecy, de
rendre leurs aſſemblées & conſultations plus
religieuſes & ſecretes: nul homme profane n'y
deuoit auoir accez,non plus qu'aux ſecretes ceremonies d'AEſculape.Car il aduient de ceſte
faute que leur irreſolutiõ,la foibleſſede leurs ar
gumés,diuinatiõs&fõdemẽts,l'apreſté deleurs
côteſtatiõs pleines de haine,de jalouſie, &de cõ
ſideratiõ particuliere venãt a eſtre deſcouuerts
a vn chacũ, il faut eſtre merueilleuſemẽt aueuglé,ſi on ne ſe ſẽt bię hazardé entre leurs mains.
Qui veid iamais medecin ſe ſeruir de la recepte
de ſon

de son compaignon sans en retrancher ou y adiouster quelque chose. Ilz trahissent assez par la
leur art: & nous font voir qu'ils y considerent
plus leur reputation& par consequent leur profit, que l'interest de leurs patiens. Celuy la de
leurs docteurs est plus sage, qui leur a anciennemét prescript céte regle, Qu'vn seul se mesle
de traiter vn malade. Car s'il ne fait rien qui
vaille, le reproche a l'art de la medecine n'en
sera pas fort grand pour la faute d'vn homme
seul:& au rebours, la gloire en sera grande, s'il
vient a bien rencótrer: la ou quád ils sont beaucoup, ils descrient tous les coups le mestier:
d'autant qu'il leur aduient de faire plus souuent
mal que bien. Ils se deuoient contenter du perpetuel desaccord qui se trouue es opinions des
principaux maistres & autheurs anciens de ceste science, qui n'est conneuë que des hommes
verses aux liures, sans faire voir encore au peuple les controuerses & inconstances de iugement, qu'ilz nourissent & continuent entre eux.
Voulons nous veoir vn exemple de l'ancien debat de la medecine : Hierophilus loge la cause
originelle des maladies aux humeurs: Erasistra
tus au sang des arteres: Asclepiades aux atomes
inuisibles s'escoulants en noz pores: Alcmæon
en l'exuperance ou defaut des forces corporelles: Diocles en l'inequalité des elemens du
corps & en la qualité de l'air, que nous respirós:
Strato en l'abondance, crudité, & corruption de
l'alimant

l'alimant que nous prenons:Hippocrates la loge aux eſpritz..Il y a l'vn de leurs amis,qu'ils cõnoiſſent mieux que moy , qui s'eſcrie a ce propos la,que la ſcience la plus importãte qui ſoit
en noſtre vſage , comme celle qui a charge de
noſtre conſeruation & ſanté, c'eſt de mal'heur
la plus incertaine, la plus trouble & agitée de
plus de changemens. Il n'y a pas grand dangier
de nous meſconter a la hauteur du ſoleil, ou en
la fraction de quelque ſupputation aſtronomique:mais icy,ou il va de tout noſtre eſtre ce n'eſt
paſſageſſe de nous abãdonner a la mercy de l'agitation de tant de ventz contraires . Auant la
guerre Peloponeſiaque il n'y auoit pas grandz
nouuelles de ceſte ſcience. Hippocrates la mit
en credit.Tout ce que ceſtuy-cy auoit eſtably,
Chriſippus le renuerſa.Deſpuis Eraſiſtratus pe
tit filz d'Ariſtote tout ce que Chriſipp⁹ en auoit
eſcrit.Apres ceuxci ſuruindrẽt les Empiriques,
qui prindrent vne voye toute diuerſe des anciẽs
au maniemẽt de cet art. Quand le credit de ces
derniers commença a s'enuieillir, Herophilus
mit en vſage vne autre ſorte de medecine , que
Aſclepiades vint a cõbattre &aneãtir a ſõ tour.
A leur reng vindrent auſſi en authorité les opinions de Thremiſon,&deſpuis de Muſa&encore
apres celles de Vexius Valens,medecin fameus
par l'intelligẽce qu'il auoit auecques Meſſalina
femme de Claudius Cæſar. L'ẽpire de la medecine tõba du tẽps de Neron a Teſſalus,qui a
bolit

bolit & condamna tout ce qui en auoit eſté re-
nu iuſques a luy. La doctrine de ceſtuy-cy fut
abatue par Crinas de Marſeille,qui apporta de
nouueau de regler toutes les operations medecinales aux ephemerides & mouuemens des a-
ſtres , menger, dormir,& boire a l'heure qu'il
plairoit a la Lune & a Mercure. Son auctorité
fut bien toſt apres ſupplantée par Charinus me
decin de ceſte meſme ville de Maſreille. Cetui-
cy côbatoit non ſeulement la medecine ancienne,mais encore le publique & tant de ſiecles au
parauant accouſtumé vſage des beins chaus. Il
faiſoit baigner les hommes dans l'eau froide en
hyuer meſme , & plongeoit les malades dans
l'eau naturelle des ruiſſeaux. Iuſques au temps
de Pline nul Romain n'auoit encore d'aigné
exercer la medecine : elle ſe faiſoit par des e-
ſtrangiers & Grecs : comme elle ſe fait entre
nous François par les Latineurs,car comme
dit vn treſgrand medecin nous ne goutons pas
ayſéement la medecine que nous entendôs,non
plus que no°ne ſcauriôs dôner pris aux drogues
que nous cognoiſſons.Si elle ne nous eſt inconnue,ſi elle ne viêt d'outre mer,& ne nous eſt apportée de quelque lointaine regiô,elle n'a point
de force. Si les nations , deſquelles nous reti-
rons le gayac,la ſalſeperille, & le boys deſqui-
ne ont des medecins : combien penſons nous
par ceſte.meſme induſtrie de donner pris aux
drogues par l'eſtrangeté , la rareté & la cherté,qu'ilz facent feſte de nos chous & de noſtre

perſil. Car qui oſeroit meſpriſer & eſtimer vaines les choſes recerchées de ſi loing au hazard
d'vne ſi lôgue peregrinatiô & ſi perilleuſe. Deſpuis ces anciennes mutations de la medecine,
il y en a eu infinies autres iuſques a nous, & le
plus ſouuent mutations entieres & vniuerſelles,
côme ſont celles que font de noſtre temps Paracelſe, Fiorauanti & Argenterius. Car ilz ne
changent pas ſeulement vne drogue, ou vne recepte : mais, a ce qu'on me dit, toute la contexture & police du corps de la medecine, accuſãt
d'ignorance & de piperie tous ceux qui en ont
faict profeſſion iuſques a eux. Ie vous laiſſe a
penſer ou en eſt le pauure patient. Si encor nous
eſtions aſſeurez, quand ils ſe meſcontent, qu'il
ne nous nuiſit pas, s'il ne nous profite, ce ſeroit
vne bien raiſonnable compoſition de s'hazarder d'acquerir du bien ſans nous metre en aucũ
dangier de perte. Mais combien de fois nous
aduient il de voir les medecins imputans les vns
aux autres la mort de leurs patiens. Il me ſouuient d'vne maladie populaire qui fut aux viles
de mon voiſinage il y a quelques années, mortelle & treſ-dangereuſe. Cet orage eſtant paſſé
qui auoit emporté vn nombre infiny d'hômes,
l'un des plus fameux medecins de toute la contrée vint a publier vn liuret touchant ceſte matiere, par lequel il ſe rauiſe de ce qu'ilz auoient
vſé de la ſeignée au ſecours de ceſte maladie : &
confeſſe que c'eſt l'vne des principales cauſes
du dom-

du dommage, qui en eſtoit aduenu. Dauantage
leurs autheurs tiennent qu'il n'y a nulle medecine, qui n'ait quelque partie nuiſible. Et ſi celles meſmes qui nous ſeruent, nous offencent au
cunement, que doiuent faire celles qu'on nous
a appliquées du tout hors de propos? De moy,
quand il n'y auroit autre choſe, i'eſtime qu'a
ceux qui haiſſent le gouſt de la medecine ce
ſoit vn dangereux effort & de preiudice, de l'a-
ler aualer a vne heure ſi incommode, auec tant
de contre-cœur & de peine: & croy que cela eſſaye merueilleuſement le malade en vne ſaiſon
ou il a tant de beſoin de repos & de ne troubler
rien en ſon eſtat. Outre ce que a conſiderer les
occaſions, ſurquoy ils fondent ordinairement
la cauſe de noz maladies, elles ſont ſi legeres &
ſi delicates que i'argumente par la qu'vne bien
petite erreur en la diſpenſation de leurs drogues peut eſtre cauſe de nous apporter beaucoup de nuiſance. Or ſi le meſconte du medecin eſt dangereux, il nous va bien mal: car il eſt
bien mal ayſé qu'il n'y retombe ſouuent. Il a be
ſoing de trop de pieces, conſiderations, & circonſtances pour affuter iuſtement ſon deſſein.
Il faut qu'il connoiſſe la complexion du malade, ſa temperature, ſes humeurs, ſes inclinatiõs,
ſes actions, ſes penſemens meſmes & ſes imaginations. Il faut qu'il ſe reſponde des circonſtances externes, de la nature du lieu, conditiõ
de l'air & du tẽps, aſſiete des planettes, & leurs

Ddd

influances:qu'il sçache en la maladie les causes les signes, les affections, les iours critiques: en la drogue le poix, la force, le païs, la figure, l'aage, la dispensation. Et faut que toutes ces pieces, il les sçache proportionner & rapporter l'vne a l'autre, pour en engendrer vne parfaicte symmetrie. A quoy s'il faut tant soit peu: si de tant de ressors il y en a vn tout seul, qui tire a gauche, en voyla assez pour nous perdre. Dieu sçait de quelle difficulté est la connoissance de la pluspart de ces parties. Car pour exemple, comment trouuera il le signe propre de la maladie, chacune d'elles estant capable d'vn infiny nombre de signes? Combien ont ils de debats entre eux & de doubtes sur l'interpretatiõ des vrines? Autrement d'ou viendroit ceste altercatiõ continuelle que nous voions entr'eux sur la cõnoissance du mal? Comment excuserions nous ceste faute, ou ilz tombent si souuent, de prendre martre pour renard? Aux maux, que i'ay eu, pour peu qu'il y eut de difficulté ie n'en ay iamais trouué trois d'accord. Ie remarque plus volontiers les exemples qui me touchent. Dernierement a Paris vn gentil'homme sust taillé par l'ordonnance des medecins, auquel on ne trouua de pierre non plus a la vessie qu'a la main. Et la mesmes vn Euesque qui m'estoit fort amy, auoit esté instamment solicité par la pluspart des medecins, qu'il appelloit a son conseil de se faire tailler : i'aidoy moy mesme

me soubs la foy d'autruy a le luy perſuader.
Quand il fuſt treſpaſſé & qu'il fuſt ouuert , on
trouua qu'il n'auoit mal qu'aux reins. Ilz ſont
moins excuſables en ceſte maladie , d'autant
qu'elle eſt aucunement palpable. C'eſt par la
que la chirurgie me ſemble beaucoup plus
certaine, parce qu'elle voit & manie ce qu'elle fait. Il y a peu a coniecturer & a deuiner. La
ou les medecins n'ont point de *ſpeculum matri-
cis* , qui leur découure noſtre cerueau, noſtre
poulmon , & noſtre foie. Les promeſſes meſmes de la medecine ſont incroiables. Car
ayant a prouuoir a diuers accidens & contraires, qui nous preſſent ſouuent enſemble, & qui
ont vne relation quaſi neceſſaire:comme la chaleur du ſoie & froideur de l'eſtomac, ilz nous
vont perſuadant que de leurs ingrediens cetuy-
cy eſchaufera l'eſtomac,ceſt' autre refrechira le
foye:l'vn a ſa charge d'aller droit aux reins,voi-
re iuſques a la veſſie ſans eſtaler ailleurs ſes operations,& conſeruant ſes forces & ſa vertu en ce
long chemin & plein de deſtourbiers , iuſques
au lieu au ſeruice duquel il eſt deſtiné par ſa pro
prieté occulte: l'autre aſſechera le cerueau: celuy la humectera le poulmon.De tout ceſt' amas
ayant fait vne mixtion de breuuage,n'eſt ce pas
quelque eſpece de reſuerie d'eſperer que ces
vertus s'aillét diuiſant, & triát de ceſte confuſió
& meſlange , pour courir a charges ſi diuerſes?
Ie craindrois infiniemét qu'elles perdiſſent ou

eschangeaſſent leurs ethiquetes,& troublaſſent
leurs quartiers. Et qui pourroit imaginer, que
en ceſte confuſiõ liquide ces facultés ne ſe cor
rompent,confondent,& alterent l'vne l'autre?
Quoy que l'execution de ceſte ordonnance deſpend d'vn autre officier,a la foy & mercy duquel nous abandonnons encore vn coup noſtre
vie.Quant a la varieté & foibleſſe des raiſõs de
cet'art, elle eſt plus apparente qu'en nulle autre art. Les choſes aperitiues ſont vtiles a vn
hõme coliqueus, d'autãt qu'ouurãt les paſſages
& les dilatant, elles acheminent ceſte matiere
gluante,de laquelle ſe baſtit la graue&la pierre
& conduiſent contrebas ce qui ſe commance a
durcir & s'amaſſer aux reins. Les choſes aperitiues ſont dangereuſes a vn homme coliqueus,
d'autant qu'ouurant les paſſages & les dilatant
elles acheminent vers les reins la matiere propre a baſtir la graue,leſquels s'en ſaiſiſlant volontiers pour ceſte propenſion , qu'ilz y ont, il
eſt mal-aiſé qu'ils n'en arreſtent beaucoup de
ce qu'on y ara charrié.D'auantage ſi de fortune
il s'y rencontre quelque corps vn peu plus groſ-
ſet, qu'il ne faut pour paſſer tous ces deſtroitz
qui reſtẽt a franchir pour l'expeller au dehors,
çe corps eſtant eſbranlé par ces choſes aperitiu-
ues , & ietté dans ces canaus eſtroits , venant a
les boucher, acheminera vne certaine mort &
treſ-doloreuſe.Ils ont vne pareille fermeté aux
conſeils qu'ils nous donnent de noſtre regime
de viure

de viure. Il eſt bon de tomber ſouuent de l'eau
car nous voyons par experience,qu'en la laiſſât
croupir nous luy donnons loiſir de ſe deſcharger de ſes excremens & de ſa lye,qui ſeruira de
matiere a baſtir la pierre en la veſſie.Il eſt bon
de ne tumber point ſonuct de l'eau,car les poi-
ſans excremens qu'elle traine quant & elle, ne
s'emporteront point s'il n'y a de la violence:cô
me on void par experience qu'un torrent qui
roule auecques roideur,baloye bien plus nette-
mêt le lieu ou il paſſe,que ne faiſt le cours d'vn
ruiſſeau mol & lâche. Pareillement il eſt bon
d'auoir ſouuent l'accoiutance des femmes, car
cela ouure les paſſages & achemine la graue &
le ſable.Il eſt bien auſſi mauuais pour ceſte au-
autre raiſon que cela eſchaufe les reins,les laſſe
& affoiblit. Il eſt bon de ſe beigner aux eaux
chaudes,d'autant que cela relache& amollit les
lieux,ou ſe croupit le ſable &la pierre. Mauuais
auſſi eſt il d'autant que ceſte applicatiô de chaleur externe aide les reins a cuire,durcir,& pe-
trifier la matiere qui y eſt diſpoſéé. A ceux qui
ſont aux beins, il eſt plus ſalubre de mâger peu
le ſoir: affin que le breuuage des eaux qu'ils ont
a prandre l'endemain matin,face plus d'operation rancontrant l'eſtomac vuide, & non empe-
tré.Au rebours, il eſt meilleur de manger peu,
au diſner,pour ne troubler l'operation de l'eau,
qui n'eſt pas encore parfaite, & ne charger l'e-
ſtomac ſi ſoudain , apres c'eſt autre trauail &

pour laisser l'office de digerer a la nuict, qui le
sçait mieux faire que ne faict le iour, ou le corps
& l'esprit sont en perpetuel mouuemát & actió.
Voila cómant ils vont bastelant, & baguenau-
dant en tous leurs discours. Qu'on ne crie donq
plus apres ceux qui en ce trouble se laisset doucement conduire a leur appetit & au conseil de
nature, & se remettent a la fortune commune.
I'ay veu par occasion de mes voïages quasi tous
les beins fameus de Chrestiété, & despuis quel
ques années ay cómencé a m'en seruir. Car i'e-
stime le beigner salubre, & croix que nous en-
courons non legieres incommoditez en nostre
sáté pour auoir perdu ceste coustume qui estoit
generalement obseruée au temps passé quasi en
toutes les nations & est encores en plusieurs, de
se lauer le corps tous les iours? & ne puis pas i-
maginer que nous ne vaillions beaucoup moins
de tenir ainsi nos membres encroutés , & nos
pores estoupés de crasse . Et quant a leur bois-
son, la fortune a faict premieremant qu'elle ne
soit aucunemant ennemie de mon goust: Secó-
demát elle est naturelle & simple, qui aumoins
n'est pas d'ágereuse si elle est veine. Dequoy ie
pran pour respódant céte infinité de peuples de
toutes sortes & complexiós qui s'y assemble. Et
encores que ie n'y aye aperceu nul effait extraordinaire & miraculeux: ains que m'en infor-
mant vn peu plus curieusemant qu'il ne se faict,
i'aye trouué mal fondez, & faux tous les bruis
de

de telles operations, qui ſe ſemēt en ces lieux la
& qui s'y croient (comme le monde va ſe pipāt
ayſéemant de ce qu'il deſire). Toutesfois auſſi
n'en ay-ie veu nul que ces eaux ayent empiré :
& ne leur peut on ſans malice reïuſer cela,
qu'elles n'eueillent l'appetit, facilitent la dige-
ſtiō & nous preſtent quelque nouuelle allegreſſe, ſi on n'y va trop abbatu de forces, ceque ie ne
cōſeille a nul de taire. Elles ne ſont pas pour releuer vne poiſante ruine : Elles peuuent appuyer
vne inclination legiere, ou prouuoir a la mena-
ce de quelque alteration. Qui n'y apporte aſſez
d'allegreſſe, pour pouuoir gouſter le plaiſir des
cōpagnies qui s'y trouuent : iouyr des promena-
des & exercices, a quoy nous conuie la beauté
des lieux, ou ſont cōmunemant aſſiſes ces eaux,
il perd ſãs doubte la meilleure piece & plus aſ-
ſurée de leur effaïct. A céte cauſe i'ay choiſi iuſques a ceſt' heure a m'arreſter & a me ſeruir, de
celes ou il y auoit plus d'amenité de lieu cōmo-
dité de logis, de viures & de cōpagnies, comme
ſōt en Frāce, les beins de Banieres : en la frōtie-
re d'Alemaigne, & de Lorraine, ceux de Plō-
bieres : En Souyſſe, ceux de Bade : En la Toſcane
ceux de Lucques : & notāmēt ceux *della Villa* deſ
quels i'ay vſé plus ſouuant & a diuerſes ſaiſons.
Chaque nation a des opiniōs particulieres, touchant leur vſage, & des loix & formes de s'en
ſeruir, toutes diuerſes : & ſelon mon experience
l'effect quaſi pareil. Le boire n'eſt nullemant

receu en Allemaigne. Pour toutes maladies ils
se beignent & sont a grenouiller dans l'eau,
quasi d'vn soleil a l'autre. En Italie quand ilz
boiuent neuf iours s'en beignent pour le moins
trante : & communemant boiuent l'eau mixti-
ônée d'autres drogues pour secourir son operation. On nous ordonne icy de nous promener
pour la digerer: La on les arreste au lict, ou ils
l'ont prise, iusques a ce qu'ils l'ayent vuidée, leur
eschauffant continuellemant l'estomac , & les
pieds. Comme les Allemans ont de particulier
de se faire generallemant tous corneter & van-
touser, auec scarificatiõ dãs le bein: Ainsin ont
les Italiens leur doccie, qui sont certaines gout-
tieres de ceste eau chaude, qu'ils côduisent par
des cannes, & vont baignant vne heure le matin
& autant l'apresdinée, par l'espace d'vn mois, ou
la teste, ou l'estomac, ou autre partie du corps,
a laquelle ils ont affaire. Il y a infinies autres
differances de coustumes en chaque contrée: ou
pour mieux dire, il n'y a quasi nulle ressemblance des vnes aux autres. Voila cômant ceste partie de medecine, a laquelle seule ie me suis ad-
donné, quoy qu'elle soit la moins artificielle, si
a elle sa bône part de la côfusion & incertitude,
qui se voit par tout ailleurs en cest' art. Les poëtes disĕt tout ce qu'ilz veulĕt auec plus d'ĕpha-
se & de grace, tesmoing ces deux epigrammes.
Alcon hesterno signum Iouis attigit. Ille
　Quamuis marmoreus, vim patitur medici.

　　　　　　　　　　　Ecce

Ecce hodie iuſſus tranferri ex æde vetuſta,
  Effertur, quamuis ſit Deus atque lapis.

Et l'autre

Lotus nobiſcum eſt hilaris,cœnauit & idem,
  Inuentus mane eſt mortuus Andragoras.
Tam ſubita mortis cauſam Fauſtine requiris,
  In ſomnis medicum viderat Hermocratem.

Surquoy ie veux faire deux contes. Le Baron de
Caupene en Chaloſſe & moy, auons en cõmun
le droit de patronage d'vn benefice, qui eſt de
grande eſtendue au pied de nos montaignes,
qui ſe nõme Lahontan. Il eſt des habitans de ce
coin,ce qu'on dit de ceux de la valée d'Angro-
uigne. Ils auoient vne vie a part, les façons, les
veſtemens & les meurs a part: regis & gouuer-
nez par certaines polices & couſtumes particulieres, receuës de pere en fils, auſquelles ils s'o-
bligeoint ſans nulle autre contrainte que de la
reuerence de leur vſage. Ce petit eſtat s'eſtoit
continué de toute ancienneté en vne conditiõ ſi
heureuſe,que nul iuge voiſin n'auoit eſté en pei
ne de s'informer de leur affaire , nul aduocat
employé a leur donner aduis, ny eſtrangier appellé pour eſteindre leurs querelles , & n'auoit
on iamais veu nul de ce d'eſtroit la a l'aumoſ-
ne. Ilz fuioint les alliances & le commerce de
l'autre monde, pour n'alterer la pureté de leur
police: iuſques a ce, cõme ils recitent, que l'vn
d'entre eux de la memoire de leurs peres,ayant
l'ame eſpoinçonnée d'vne noble ambitiõ, s'ala

Ddd 5

aduiſer pour mettre ſon nom en credit & reputation, de faire l'vn de ſes enfans maiſtre Iean,
ou maiſtre Pierre:& l'ayant faict inſtruire a eſcrire en quelque ville voiſine,en rendit en fin vn
beau notaire de village. Ceſtuy-cy deuenu mô-
ſicur, commença a deſdaigner leurs anciennes
couſtumes , & a leur mettre en teſte la pompe
des regions de deça. Le premier de ſes compe-
res,a qui on eſcorna vne cheure, il luy conſeilla
d'en demander raiſon aux iuges Royaux d'autour de la , & de celuy la a vn autre,iuſques a ce
qu'il euſt tout abaſtardy. A la ſuite de ceſte corruption,ils diſent qu'il y en ſuruint incontinent
vn'autre de pire conſequence,par le moyē d'vn
medecin, a qui il print enuie d'eſponſer vne de
leurs filles & de s'habituer parmy eux. Ceſtuy-
cy commença a leur aprendre premierement
le nom des fiebures,des reumes & des apoſthu-
mes , la ſituation du cœur,du foye,& des inteſtins, qui eſtoit vne ſcience iuſques lors tres-eſ-
loignée de leur connoiſſance:& au lieu de l'ail,
dequoy ils auoient apris a chaſſer toutes ſortes de maux, pour aſpres & extremes qu'ils fuſſent, il les acouſtuma pour vne tous,ou pour vn
morfondement a prendre les mixtions eſtran-
gieres , & commença a faire trafique, non de
leur ſanté ſeulement, mais auſſi de leur mort.
Ils iurent que deſpuis lors ſeulement,ils ont a-
perceu que le ſerain leur appeſantiſſoit la teſte,
que le boyre chaut apportoit nuiſſance, & que
                                                    les

les vents de l'automne eſtoient plus griefs que
ceus du printemps:que deſpuis l'vſage de ceſte
medecine ils ſe trouuent acablez d'vne legion
de maladies inacouſtumées:& qu'ils apperçoi-
uent vn general deſchet, en leur ancienne vigueur & alegreſſe , & leurs vies de moytié ra-
courcies . Voyla le premier de mes contes.
L'autre eſt qu'auant ma ſubiection graueleu-
ſe, oyant faire cas du ſang de bouc a pluſieurs,
comme d'vne manne celeſte enuoyée en ces
derniers ſiecles, pour la tutelle & conſeruation
de la vie humaine,& en oyant parler a des gens
d'entendement comme d'vne drogue admirable , & d'vne operation infallible : moy qui ay
touſiours penſé eſtre en bute a tous les accidens , qui peuuent toucher nul autre homme,
prins plaiſir en pleine ſanté a me garnir de ce
miracle , & commanday chez moy qu'on me
nourrit vn bouc ſelon la recepte: car il faut
que ce ſoit au mois les plus chaleureus de l'éſ-
te,qu'on le retire:& qu'on ne luy donne a menger que des herbes aperitiues ,& a boyre que
du vin blanc.Ie me rendis de ſortune chez moy
le iour qu'il deuoit eſtre tué , on me vint dire
que mon cuyſinier trouuoit dans ſa panſe deux
ou trois groſſes boules , qui ſe choquoient l'v-
ne l'autre parmy ſa mengeaille . Ie fus ſi curieux,& d'autres qui eſtoient auec moy, que ie
fis apporter toute ceſte tripaille en ma preſence,& fis ouurir ceſte groſſe & large peau. Il en
ſortir

fortit trois gros corps, legiers comme des ef-
ponges, de taço qu'il femble qu'ils foiēt creus,
durs au demeurant par le deſſus & fermes, bigarrez de pluſieurs couleurs mortes. L'vn perfect en rondeur a la meſure d'vne courte boule:
les autres deux vn peu moindres, auſquels l'ar-
rondiſſement eſt imperfect, & ſemble qu'il s'y
acheminat. I'ay trouué m'en eſtant fait enquerir a ceux, qui ont acouſtumé d'ouurir de ces a-
nimaux, que c'eſt vn accident rare & inuſité. Il
eſt vray-ſemblable que ce ſont des pierres couſ-
ſines des noſtres. Et s'il eſt ainſi, c'eſt vne eſperance biē vaine aux graueleus de tirer leur gueriſon du ſang d'vne beſte qui s'ē aloit elle meſme mourir d'vn pareil mal. Car de dire que le
ſang ne ſe ſent pas de ceſte contagion, & n'ē altere ſa vertu accouſtumée, cela n'eſt pas croyable. Il eſt plus toſt a croire qu'il ne s'engēdre
rien en vn corps que par la conſpiration & cō-
munication de toutes les parties: la maſſe agit
tout'entiere, quoy que l'vne piece y contribue
plus que l'autre, ſelon la diuerſité des operations. Parquoy il y a grande apparence qu'en
toutes les parties de ce bouc, il y auoit quelque
qualité petrifiāte. Et ſi ceſte beſte eſt ſubiette a
ceſte maladie, ie trouue qu'elle a eſté mal choiſie pour nous y ſeruir de medicament. Ce n'e-
ſtoit pas tant pour mon vſage, que i'eſtoy curieux de ceſte experience: mais il aduient chez
moy, comme en pluſieurs autres lieux, que les
femmes

femmes y font amas de plufieurs telles menues
drogueries , pour en fecourir les voyfins, vfant
de mefme recepte a cinquante maladies, & de
telle recepte,qu'elles ne prennent pas pour elles,& fi triomphent en bons euenemés. Au demeurant i'honore les medecins,non pas fuiuant
le precepte, pour la neceffité : car a ce paffage
on en oppofe vn autre du prophete,reprenât le
Roy Afa d'auoir eu recours au medecin , mais
pour l'amour d'eux mefmes,en ayant veu beaucoup d'hôneftes hommes & dignes d'eftre ai-
més.Ce n'eft pas a eus que i'en veux, c'eft a leur
art:& ne leur donne pas grand blafme de faire
leur profit de noftre fotife : car la plus part du
monde faict ainfi.Plufieurs vacations & moindres & plus dignes que la leur,n'ont fondemêt
& appuy qu'aux abuz publiques. Ie les appelle
en ma compaignie, quand ie fuis malade, s'ils
fe rencontrent a propos: & demande a en eftre
entretenu,& les paye comme les autres.Au demeurant ie leur donne loy de me cômander de
me coucher fur le cofté droit, fi i'ayme autant y
eftre,que fur le gauche.Ils peuuent choifir d'ê-
tre les porreaux & les laictues , dequoy il leur
plaira que mon bouillon fe face,& m'ordôner
le blanc ou le clairet : & ainfi de toutes autres
chofes qui font indifferêtes a mon gouft & vfa-
ge.I'entans biê que ce n'eft rien faire pour eus,
d'autant que l'aigreur & l'eftrangeté font accidans de l'effance propre de la medecine.Licur-
gus

gus ordonnoit le vin aux Spartiates malades:
Pourquoy ? par ce qu'ils en haïſſoient l'vſage
ſains. Tout ainſi qu'vn gentil'homme mon voiſin s'en ſert pour drogue treſſaluterc a ſes fiebures, par ce que de ſa nature il en hait mortel-
lement le gouſt. Combien en voyons nous d'ê-
tre eux eſtre de mô humeur? deſdaigner la medecine pour leur ſeruice, & prendre vne forme
de vie libre, & toute contraire a celle qu'ils or-
dônêt a autruy? Qu'eſt-ce cela, ſi ce n'eſt abuſer
tout deſtrouſſémẽt de noſtre ſimplicité? Car
ils n'ont pas leur vie & leur ſanté moins chere
que nous, & accômoderoient leurs effets a leur
doctrine, s'ils n'en cognoiſſoiẽt eux meſmes la
fauceté. C'eſt la crainte de la mort & de la douleur, l'impatience du mal, vne furieuſe & indi-
ſcrete faim de la gueriſon, qui noº aueugle ainſi: c'eſt pure lacheté qui nous rẽd noſtre croyã-
ce ſi molle & ſi maniable. Y a il nul de ceux qui
ſe ſont laiſſés aller a ceſte miſerable ſubiectiõ,
qui ne ſe rende eſgalement a toute ſorte d'im-
poſtures? qui ne ſe mette a la mercy de quiconque a ceſte impudence, de luy donner promeſ-
ſe de ſa gueriſon ? Ouy, il n'eſt pas vne ſimple
femmelette, de qui nous n'employons les bar-
botages & les breuets. Et ſelon mon humeur,
ſi i'auoy a en accepter quelqu'vne, i'accepterois
plus volontiers ceſte medecine que null'autre:
d'autant qu'aumoins il n'y a nul dommage a
craindre. I'eſtoy l'autre iour en vne côpagnie,
ou ie

ou ie ne fçay qui de ma confrairie , apporta la
nouuelle d'vne forte de pillules compilées de
cent ie ne fçay combien d'ingrediens de conte
fait:il s'en efmeut vne fefte & vne confolation
finguliere:car quel rocher fouftiĕdroit l'effort
d'vne fi nombreufe baterie. I'entens toutesfois
par ceux qui l'effayerent, que la moindre petite
graue ne daigna s'en ĕfmouuoir.Ie ne me puis
defprendre de ce papier,que ie n'en die encore
ce mot,fur ce qu'ils nous donnent pour refpondant de la certitude de leurs drogues l'experiĕ-
ce qu'ils en ont faite.La plus part,& ce croy-ie,
plus des deux tiers des vertus medecinales elles
confiftĕt en la quinte effence, ou proprieté occulte des fimples, de laquelle nous ne pouuons
auoir autre inftruction que l'vfage . Car quinte effence , n'eft autre chofe qu'vne qualité, de
laquelle par noftre raifon nous ne pouuons
conceuoir la caufe. En telles preuues, celles
qu'ils difent auoir acquifes par l'infpiration de
quelque Dæmon, ie fuis content de les receuoir, (car quant aux miracles, ie n'y touche iamais) ou bien encore les preuues qui fe tirent
des chofes,qui pour autre confideration tombent fouuent en noftre vfage : comme fi en la
laine , dequoy nous auons accouftumé de nous
veftir , il s'eft trouue par accident quelque
occulte proprieté deficcatiue , qui gueriffe les
mules au talon, & fi au reffort, que nous men-
geons pour le gouft , il s'y eft rencontré auec
                                        l'vfage

l'vſage quelque operation apperitiue: tout ainſi comme Galen recite (a ce qu'on m'a dict)
qu'il aduint a vn ladre de receuoir gueriſon
par le moyen du vin qu'il beut, d'autant que de
fortune vne vipere s'eſtoit coulée dans le vaiſſeau. Car nous trouuons en ceſt exemple le
moyen & vne conduite vray-ſemblable a ceſte experience:comme auſſi en celles,auſquel-
les les medecins diſent auoir eſté acheminez
par l'exemple d'aucunes beſtes.Mais en la plus
part des autres experiences, a quoy ils diſent
auoir eſté conduis par la fortune, & n'auoir eu
autre guide que le hazard,ie trouue le progrez
de ceſte informatiõ incroyable.I'imagine l'hõme regardant au tour de luy le nombre infini
des choſes,plantes,animaux,metaux. Ie ne ſçay
par ou luy faire commencer ſon eſſay.Et quand
ſa premiere fantaſie ſe iettera ſur la corne d'vn
elan, a quoy il faut preſter vne creãce bič molle & aiſée:il ſe trouue encore autant empeſché
en ſa ſeconde operation. Il luy eſt propoſé tant
de maladies & tant de circonſtances, qu'auant
qu'il ſoit venu a la certitude de ce point,ou doit
ioindre la perfection de ſon experience,le ſens
humain y perd ſon Latin: & auãt qu'il ait trouué parmy ceſte infinité de choſes , que c'eſt ceſte corne:parmy ceſte infinité de maladies,l'e-
pilepſie:tant de complexiõs, au melancolique:
tant de ſaiſons,en hyuer: tant de natiõs, au Frãçois: tãt d'aages,en la vieilleſſe : tant de muta-
tions

tions celeftes , en la conionctiõ de Venus & de
Saturne:tant de parties du corps, au doigt. A
tout cela n'eftant guidé ny d'argument, ny de
coniecture,ny d'exemple,ny d'infpiratiõ diuine , ains du feul mouuemẽt de la fortune,il faudroit que ce fut par vne fortune parfectement
artificielle,reglée & methodique.Et puis quãd
la guerifon fut faicte,comment fe peut il affeurer , que ce ne fut, que le mal fut arriué a fa pe-
riode,ou vn effect de la fortune, ou l'operation
de quelque autre chofe, qu'il euft ou mengé,ou
beu,ou touché ce iour la,ou le merite des prieres de fa mere grand. Dauantage quand cefte
preuue auroit efté parfaicte , combien de fois
fut elle reiterée? & cefte longue cordée de fortunes & de rencontres r'enhlée pour en conclurre vne regle.

A Madame de Dvras

Madame, vous me trouuates fur ce pas dernierement,que vous me vintes voir.Parce qu'il
pourra eftre que ces inepties fe verront quelque fois entre vos mains : ie veux auffi qu'elles
portent tefmoignage,que l'autheur fe fent bien
fort honoré de la faueur que vous leur ferez.
Vous y reconnoiftrés ce mefme port & ce mefme air que vous auez veu en fa conuerfation.
Quand i'euffe peu prendre quelque autre façon que la miéne ordinaire & quelque autre for
me plus honorable & meilleure , ie ne l'euffe

Eee

pas faict. Car ie ne veux tirer de ces escrits autre
effait, sinon qu'ilz me representent a vostre memoire au naturel. Ces mesmes conditions & facultés que vous auez pratiquées & receuillies,
Madame, auec beaucoup pl° d'hôneur & de cour
toisie qu'elles ne meritêt, ie les veux loger (mais
sans alteration & changement) en vn corps solide, qui puisse durer quelques années, ou quelques iours apres moy, ou vous les retrouuerez,
quand il vous plaira vous en refreschir la memoire, sans prendre autrement la peine de vous
en souuenir : aussi ne le valent elles pas. Ie desire que vous continués en moy la faueur de vostre amitié par ces mesmes qualitez, par le moié
desquelles elle a esté produite. Ie ne cherche
aucunement qu'on m'ayme & estime mieux
mort que viuant. Ce seroit vne sote humeur d'a-
ler a ceste heure, que ie suis prest d'abandonner
le commerce des hommes, me produire a eux
par vne nouuelle recommandation. Ie ne fay
nulle recepte des biens que ie n'ay peu employer a l'vsage de ma vie. Quel que ie soye
ie le veux estre ailleurs qu'en papier. Mon art
& mon industrie ont esté employez a me faire valoir moy mesme. Mes estudes a m'apprandre a faire, non pas a escrire. I'ay mis tous
mes efforts a former ma vie. Voyla mon mestier & mon ouurage. Ie suis moins faiseur de
liures que de nulle autre besoigne. I'ay desiré de
la suffisance & de la valeur pour le seruice de
mes

mes commoditez prefentes & effentielles, non
pour en faire magafin & referue a mes heritiers. Mô Dieu, Madame, que ie haïrois vne telle recommandation, d'eftre habile homme par
efcrit, & auoir efté vn homme de neant & vn
fot ailleurs. I'ayme mieux encore eftre vn fot &
icy & la, que d'auoir fi mal choifi ou employer
ma valeur. Auffi il s'ê faut tant que i'atêde a me
faire ɋlque nouuel hôneur par ces fotifes, que ie
feray beaucoup fi ie n'y en pers point de ce peu
que i'ê auois aquis. Car outre ce que cête peinture morte & muete dérobera a mon eftre
naturel , elle ne fe raporte pas a mon meilleur eftat, mais beaucoup defcheu de ma premiere vigueur & allegreffe, tirant fur le fleftry
& le râce. Ie fuis fur le fond du vaiffeau, qui fent
tâtoft au bas & a la lye. Au demeurant, Madame, ie n'euffe pas ofé remuer fi hardimêt les mi-
fteres de la medecine, attêdu le credit que vous
& tant d'autres luy donnez, fi ie n'y euffe efté a-
cheminé par fes autheurs mefine. Ie croy qu'ilz
n'en ont que deux anciens Latins, Pline & Cel-
fus. Si vous les voyes ɋlque iour, vous trouuerez
qu'ils parlêt bien plus rudement a leur art, que
ie ne fay. Ie ne fay que la pincer, ils l'efgorgent.
Pline fe mocque entre autres chofes , dequoy
quand ils font au bout de leur latin, ils ont inuê-
té cefte belle deffaite de renuoyer les malades
qu'ils ont agitez & tormentez pour neant de
leurs drogues & regimes : les vns au fecours

des vœuz & miracles:les autres aux eaux chaudes.(Ne vo⁹ courouſſés pas,Madame,il ne parle pas de celles de deça,qui ſont ſoubs la procte-
tion de voſtre maiſon, & qui ſont toutes Gra-
montoiſes.)Nos medecins ſont encore plus har
dis:car ilz ont vne tierce ſorte de deffaite pour
nous chaſſer d'aupres d'eux,& ſe deſcharger des
reproches, que nous leur pouuons faire du peu
d'amendement, que nous trouuós a noz maux,
qu'ilz ont eu ſi lõg téps en leur gouuernement,
qu'il ne leur reſte plus nulle inuention a nous
amuſer: c'eſt de nous enuoïer cercher la bonté
de l'air de quelque autre contrée. Madame en
voyla aſſez.Vous me donnez bien congé de reprendre le fil de mon propos,duquel ie m'eſtoy
deſtourné,pour vous entretenir.

Ce fut,ce me ſemble,Perycles,lequel eſtant
enquis,comme il ſe portoit,Vous le pouuez,fit
il,iuger, par la , en monſtrant des breuetz qu'il
auoit atachez au col & au bras. Il vouloit inferer,qu'il eſtoit biẽ malade,puis qu'il en eſtoit ve
nu iuſques la d'auoir recours a choſes ſi vaines,
& de s'eſtre laiſſé equiper en ceſte façon.Ie ne
dy pas que ie ne puiſſe me laiſſer emporter vn
iour a ceſte opinion ridicule de remettre ma
vie & ma ſanté a la mercy & gouuernement des
medecins:ie pourray tumber en ceſte reſuerie:
ie ne me puis reſpondre de ma fermeté futu-
re:mais lors auſſi ſi quelqu'vn s'enquiert a moy,
comment ie me porte , ie luy pourray dire
                                         comme

comme Perycles , Vous le pouuez iuger par
la,en luy montrât ma main chargée de six drag-
mes d'opiate.Ce sera vn bien euidêt signe d'vne
maladie violente,& qui ara troublé l'assiere de
mon entendement & de ma raison. I'aray mon
iugement merueilleusemêt disloqué. Si l'impa
tience & la frayeur gaignent cela sur moy , on
en pourra conclurre vne bien aspre & forte fieure en mon ame. I'ay pris la peine de plaider
ceste cause,que i'entens asses mal,pour appuyer
vn peu & conforter ceste propension naturelle
contre les drogues & pratique de nostre medecine, qui s'est deriuée en moy par mes ancestres : afin que ce ne fut pas seulement vne inclination stupide & temeraire,& qu'elle eut vn
peu plus de forme:& aussi que ceux qui me voiêt
si ferme contre les enhortemens & menaces,
qu'on me fait,quâd mes maladies me pressent,
ne pensent pas que ce soit simple opiniastreté:
ou qu'il y ait quelqu'vn si fácheux qui iuge encore que ce soit quelque esguillon de gloire:qui
seroit vn desir bien assené de vouloir tirer honneur d'vne action,qui m'est commune auec mô
jardrinier&mon muletier.Certes ie n'av point
le cœur si enflé,ne si venteux, qu'vn plaisir solide , charnu & moëleus, comme la santé, ie l'a-
lasse eschanger pour vn plaisir imaginaire, spi-
rituel & aërée. La gloire, voire celle des quatre fils Aymon, est trop cher achetée a vn homme de mon humeur, si elle luy couste trois bôs

accés de colique. La santé de par Dieu. Au demeurât ceux qui ayment noſtre medecine peuuêt auoir auſſi leurs côſiderations bônes, grandes, & fortes. Ie ne hay point les fantaſies contraires a la mienne. Il s'en faut tant que ie m'ef-
farouche de voir de la diſcordâce de mes iugemês a ceus d'autruy, & que ie me rende incom-
patible a la ſocieté des hommes, pour eſtre d'au
tre ſens que le mien, qu'au rebours comme c'eſt
la plus generale forme que nature ait ſuiuy que
la varieté, ie trouue bien plus nouueau & plus
rare de voir conuenir nos humeurs & nos fantaſies. Et a l'aduanture ne fut il iamais au monde deus opinions entierement pareilles non
plus que deux viſages. Leur plus propre qualité
c'eſt la diuerſité & la diſcordance.

F I N.

Extraict du priuilege du Roy.

Par priuilege du Roy, donné a Paris le 9. iour de May. 1579. il est permis a S. Millāges Imprimeur ordinaire du Roy, d'imprimer tous liures nouueaux: pourueu qu'ilz soient approués par M. l'Archeuesque de Bourdeaus, ou son Vicaire, & vn ou deux Docteurs en Theologie: auec defences tref-expresses a tous autres de quelque qualité, qu'ils soient de les imprimer, védre, ne debiter de huict ans apres la premiere impression, sans le consentement dudit Millanges, comme plus amplement est contenu par les lettres dudict priuilege signé

DE PVIBERAL.

Achevé d'imprimer par
SCHENA EDITORE
Fasano di Brindisi (Italie)
Septembre 2005

Dépôt légal : 4e trimestre 2005